Runaway Jury
[In het geding]

Van dezelfde auteur

De jury
Advocaat van de duivel
Achter gesloten deuren
De cliënt
Het vonnis
De rainmaker
De partner
De straatvechter
Het testament
De broederschap
De erfpachters
Winterzon
Het dossier
De claim
Verloren seizoen
Het laatste jurylid

John Grisham

Runaway Jury
[In het geding]

A.W. Bruna Uitgevers B.V., Utrecht

Oorspronkelijke titel
The Runaway Jury

Omslagontwerp
Bart van den Bosch
Vertaling
Hugo en Nienke Kuipers
Met dank aan mr. M.A.J. Kubatsch

ISBN 90 229 8803 1
NUR 332

Ter herinnering aan Tim Hargrove (1953-1955)

Wederom ben ik veel dank verschuldigd aan mijn vriend Will Denton, dit-maal voor het doen van research en het verschaffen van vele verhalen waarop dit boek gebaseerd is, en aan zijn lieve vrouw Lucy voor alle ver-leende gastvrijheid gedurende mijn verblijf aan de Coast.
Ook bedank ik Glenn Hunt van Oxford, Mark Lee van Little Rock, Robert Warren van Bogue Chitto, en Estelle: voor het traceren van meer fouten dan me lief is...

1

Het gezicht van Nicholas Easter ging enigszins schuil achter een stelling met kleine zaktelefoons en hij keek niet recht in de verborgen camera, maar iets naar links, misschien naar een klant of misschien naar een toonbank waar een stel tieners rondhing bij de nieuwste elektronische spelletjes uit Azië. Het was een scherpe foto, hoewel hij op veertig meter afstand was genomen door een man die telkens het drukke voetgangersverkeer in het winkelcentrum moest ontwijken. Easter had een sympathiek gezicht, gladgeschoren en jongensachtig knap met krachtige trekken. Hij was zevenentwintig, dat wisten ze zeker. Geen bril. Geen neusring of raar kapsel. Niets waaruit zou blijken dat hij een van die computerfreaks was die bereid waren voor vijf dollar per uur in die winkel te werken. Op zijn formulier stond dat hij er al vier maanden werkte en dat hij ook student was, al hadden ze bij alle onderwijsinstellingen tot vijfhonderd kilometer in de omtrek geïnformeerd en stond hij nergens ingeschreven. Wat dat betrof loog hij, daar waren ze zeker van.

Hij moest wel liegen. Hun informatie was te goed. Als hij student was, zouden zij weten waar, en hoe lang, welke studie, hoe goed zijn cijfers waren, of hoe slecht. Dat zouden ze weten. Hij was verkoper in een Computer Hut in een winkelcentrum. Niets meer en niets minder. Misschien was hij van plan zich ergens te laten inschrijven. Misschien was hij gestopt maar vond hij het prettig om zichzelf nog als student te beschouwen. Misschien voelde hij zich daar beter door, gaf het hem het gevoel dat hij een doel in zijn leven had, of vond hij gewoon dat het goed klonk.

Maar hij was geen student, nu niet en in het recente verleden ook niet. Kon je zo iemand wel vertrouwen? Die vraag was al twee keer aan de orde gesteld, telkens wanneer ze Easters naam op de lijst tegenkwamen en zijn

gezicht op het witte doek zagen. Ze waren al bijna tot de conclusie gekomen dat het een onschuldige leugen was.
Hij rookte niet. In de winkel was het absoluut verboden te roken, maar hij was gezien (niet gefotografeerd) toen hij met een collegaatje een taco in de Food Garden at en zij twee sigaretten bij haar frisdrank rookte. Blijkbaar had Easter geen bezwaar tegen de rook. In ieder geval was hij geen antirokenfanaat.
Het gezicht op de foto was smal en gebruind. Easter glimlachte vaag, met de lippen op elkaar. Het witte overhemd onder zijn rode winkeljasje had een boord zonder knoopjes en hij droeg een smaakvolle gestreepte das. Hij zag er verzorgd uit, gezond en fit, en de man die de foto had gemaakt en die bij Nicholas ook naar een of ander verouderd computeronderdeel had geïnformeerd om met hem in gesprek te komen, zei dat hij beleefd, behulpzaam en deskundig was, een aardige jongeman. Volgens zijn naamplaatje was Easter co-manager, maar op dat moment hadden er nog twee anderen in de winkel rondgelopen die dezelfde functie hadden.
Op de dag nadat de foto was genomen, kwam een aantrekkelijke jonge vrouw in spijkerbroek de winkel binnen. Ze ging bij de software staan kijken en stak een sigaret op. Nicholas Easter was toevallig de dichtstbijzijnde verkoper, of co-manager of wat hij ook was, en hij vroeg haar beleefd of ze haar sigaret wilde uitdoen. Ze deed zich geërgerd voor, zelfs beledigd, probeerde hem te provoceren. Hij bleef tactvol, legde haar uit dat in de winkel een strikt rookverbod gold. Buiten de winkel mocht ze zo veel roken als ze wilde. 'Heb je bezwaar tegen roken?' had ze gevraagd, nog een trekje nemend. 'Niet echt,' had hij geantwoord. 'Maar de eigenaar van deze zaak heeft er bezwaar tegen.' Hij vroeg haar nogmaals om haar sigaret uit te doen. Ze wilde eigenlijk een nieuwe digitale radio kopen, legde ze uit. Zou hij even een asbak voor haar willen halen? Nicholas pakte een leeg frisdrankblikje onder de toonbank vandaan, pakte zowaar de sigaret van haar aan en doofde hem. Ze praatten twintig minuten over radio's, alsof ze geen keuze kon maken. Ze flirtte onbeschaamd en hij ging er graag op in. Nadat ze voor de radio had betaald, gaf ze hem haar telefoonnummer. Hij beloofde te bellen.
Dit alles duurde vierentwintig minuten en was geregistreerd met een kleine recorder die in haar tasje verborgen zat. Beide keren dat zijn gezicht op de muur werd geprojecteerd en de juristen en hun experts er aandachtig naar keken, was ook dat bandje afgedraaid. Het rapport dat de vrouw over het incident had geschreven, zat ook in het dossier, zes getypte velletjes met haar observaties: van zijn schoenen (oude Nikes) en zijn adem (kaneelkauwgum) en zijn woordenschat (hoog niveau) tot en met de manier waarop hij de sigaret had vastgepakt. Volgens haar, en zij had ervaring met dat soort dingen, had hij nooit gerookt.

Ze luisterden naar zijn prettige stem, zijn professionele verkooppraatje en zijn vlotte babbel, en ze mochten hem wel. Hij was intelligent en hij had geen hekel aan tabak. Hij was niet helemaal hun ideale jurylid, maar wel iemand om in het oog te houden. Het probleem met Easter, het potentiële jurylid nummer zesenvijftig, was dat ze zo weinig van hem wisten. Hij was nog geen jaar geleden hier aan de kust van de Golf van Mexico neergestreken en ze hadden geen idee waar hij vandaan kwam. Zijn verleden was een compleet raadsel. Acht straten van de rechtbank van Biloxi vandaan had hij een kamer gehuurd – ze hadden foto's van het gebouw waarin hij woonde – en in het begin had hij als ober in een casino aan het strand gewerkt. Al gauw was hij tot blackjack-croupier gepromoveerd, maar na twee maanden nam hij ontslag.
Toen Mississippi het gokken had gelegaliseerd, waren er aan de kust binnen de kortste keren meer dan tien casino's geopend. De nieuwe welvaart sloeg hard toe. Uit alle windstreken kwamen mensen die werk zochten en je kon er dus rustig van uitgaan dat Nicholas Easter om dezelfde reden naar Biloxi was gekomen als tienduizend anderen. Wel was het bijzonder dat hij zich zo kort na zijn aankomst als kiezer had laten inschrijven.
Hij reed in een Volkswagen Kever uit 1969. Een foto daarvan verscheen op de muur, nam de plaats van het gezicht in. Maar wat zou dat? Hij was zevenentwintig, vrijgezel, deed zich voor als student: echt iemand om in zo'n auto te rijden. Geen bumperstickers, niets waarmee hij liet weten hoe hij over politiek of de samenleving dacht of wat zijn favoriete sportclub was. Geen parkeersticker van een universiteit. Zelfs geen verbleekt dealerplaatje. De auto vertelde hun niets. Behalve dat Easter weinig geld had.
De man die de diaprojector bediende en het meest aan het woord was, was Carl Nussman. Vroeger was hij advocaat in Chicago geweest, maar tegenwoordig had hij een adviesbureau dat zich gespecialiseerd had in het selecteren van juryleden. Voor een klein fortuin zochten Carl Nussman en zijn firma een goede jury voor je uit. Ze verzamelden de gegevens, maakten de foto's, namen de stemmen op, stuurden de blondjes in strakke spijkerbroeken naar de juiste plaatsen. Carl en zijn mensen bewogen zich op de rand van wet en ethiek, maar niemand kon hen iets maken. Per slot van rekening is er niets illegaals of onethisch aan het fotograferen van potentiële juryleden. Zes maanden geleden hadden ze een uitgebreid telefonisch onderzoek gedaan in de *county* Harrison, en twee maanden geleden nog een keer, en vorige maand hadden ze gepeild hoe ter plaatse over roken werd gedacht. Op grond van dat alles hadden ze profielen van de perfecte juryleden opgesteld. Er was geen foto die ze niet maakten, geen vuile was die ze niet boven tafel kregen. Ze hadden een dossier met gegevens van elk potentieel jurylid.
Carl drukte op zijn knop en de Volkswagen maakte plaats voor een irrele-

vante opname van een appartementengebouw met afbladderende verf; in dat gebouw woonde Nicholas Easter. Weer een druk op de knop en Easters gezicht was terug.
'En dus hebben we maar drie foto's van nummer zesenvijftig,' zei Carl met enige ergernis. Hij draaide zich om en wierp een norse blik op de fotograaf, een van zijn talloze speurders, die al had uitgelegd dat hij die jongen gewoon niet te pakken had kunnen krijgen zonder zelf betrapt te worden. De fotograaf zat op een stoel tegen de achtermuur, tegenover de lange tafel met juristen en juridisch medewerkers en jury-experts. De fotograaf maakte een verveelde indruk, alsof hij gauw weg wilde. Het was vrijdagavond zeven uur. Nummer zesenvijftig was aan de beurt en ze hadden er nog honderdveertig te gaan. Het beloofde een verschrikkelijk weekend te worden. Hij had trek in een borrel.
Zes juristen in gekreukelde overhemden met opgestroopte mouwen zaten constant aantekeningen te maken. Van tijd tot tijd keken ze op naar het gezicht van Nicholas Easter achter Carl. Jury-experts uit bijna alle denkbare disciplines – psychiater, socioloog, grafoloog, hoogleraar in de rechten, enzovoort – waren druk in de weer met papieren en bladerden door computeruitdraaien. Ze wisten niet goed wat ze met Easter moesten doen. Hij loog en hij hield zijn verleden verborgen, maar op papier en op de muur leek hij wel geschikt.
Misschien loog hij niet. Misschien had hij vorig jaar aan een derderangs hogeschool in het oosten van Arizona gestudeerd en was hun dat gewoon ontgaan.
Laat die jongen nou toe, dacht de fotograaf, maar dat hield hij voor zich. In deze kamer met goed opgeleide en goed betaalde pakkendragers was hij degene wiens mening het minst op prijs werd gesteld. Het was niet de bedoeling dat hij zijn mond opendeed.
Carl schraapte zijn keel, wierp nog een laatste blik op de foto en zei toen: 'Nummer zevenenvijftig.' Het bezwete gezicht van een jonge moeder verscheen op de muur en minstens twee mensen in de kamer zagen kans om te grinniken. 'Traci Wilkes,' zei Carl, alsof Traci inmiddels een oude vriendin was. Aan de tafel werd in papieren gezocht.
'Leeftijd drieëndertig, gehuwd, twee kinderen, vrouw van een arts, twee countryclubs, twee fitnessclubs, een hele rits andere clubs.' Carl somde die dingen uit zijn geheugen op terwijl hij de projectorknop bediende. Traci's rode gezicht verdween. Op de volgende dia zagen ze haar over een trottoir joggen, een toonbeeld van transpirerende fitheid: roze-met-zwart joggingpak, smetteloze Reeboks, een witte zonneklep boven een spiegelende sportzonnebril van de nieuwste mode, lang haar in een leuke, perfecte paardenstaart. Ze liep met een jogging-kinderwagen waar een baby in lag. Traci leefde voor zweet. Ze was gebruind en fit, maar niet helemaal zo

slank als je zou verwachten. Ze had namelijk een paar slechte gewoonten.
Volgende opname: Traci in haar zwarte Mercedes-stationcar, kinderen en honden achter alle raampjes. Een foto van Traci die boodschappenzakken in die auto laadde, Traci met andere sportschoenen en strakke shorts, typisch iemand die er tot in de eeuwigheid atletisch wilde uitzien. Ze was gemakkelijk te volgen geweest, want ze was zo druk bezig dat ze zichzelf amper kon bijbenen en ze bleef nooit lang genoeg staan om op haar omgeving te letten.
Carl liet de foto's van het huis van de Wilkes' zien, een kolossale split-level villa met drie verdiepingen en met als het ware overal het stempel ARTS op gedrukt. Hij ging daar vlug doorheen, bewaarde de beste foto voor het laatst. Daar had je Traci weer. Ze was weer nat van het zweet en haar fiets van een duur merk stond dichtbij in het gras. Zijzelf zat onder een boom in een park, ver van iedereen vandaan, half verscholen en... met een sigaret in haar mond!
Dezelfde fotograaf grijnsde schaapachtig. Het was zijn beste werk, deze op honderd meter afstand gemaakte foto van de doktersvrouw die stiekem een sigaret rookte. Hij had niet geweten dat ze rookte, had toevallig zelf bij een voetbrug staan roken toen ze opeens voorbij kwam racen. Na een halfuur in het park te hebben rondgehangen zag hij haar ergens stoppen en in haar zadeltasje grijpen.
Bij de aanblik van Traci onder die boom klaarde de stemming in de kamer een ogenblik op. 'We kunnen er wel van uitgaan dat we nummer zevenenvijftig nemen,' zei Carl. Hij maakte een notitie op een vel papier en nam een slokje oude koffie uit een kartonnen bekertje. Natuurlijk zou hij Traci Wilkes nemen! Wie zou geen artsenvrouw in de jury willen als de advocaten van de tegenpartij miljoenen eisten? Het liefst had Carl alleen maar artsenvrouwen gehad, maar die kon hij niet krijgen. Het feit dat ze van sigaretten hield, was een leuk extraatje.
Nummer achtenvijftig was een arbeider op de Ingalls-werf in Pascagoula – vijftig jaar, blank, gescheiden, actief in de vakbond. Carl projecteerde een foto van de Ford-pickup van de man en wilde net iets over zijn leven vertellen toen de deur openging en Rankin Fitch binnenkwam. Carl zweeg abrupt. De juristen gingen meteen rechtop zitten en keken gefascineerd naar de Ford. Ze begonnen verwoed notities te maken alsof ze nooit meer zo'n auto zouden zien. Ook de jury-experts waren weer een en al aandacht. Hun pennen vlogen over het papier en ze zorgden dat ze niet naar de man keken.
Fitch was terug. Fitch was in de kamer.
Hij deed langzaam de deur achter zich dicht, deed een paar stappen naar de tafel en nam onvriendelijk de aanwezigen op, niet zozeer woedend als wel agressief. De pafferige huid rond zijn donkere ogen was samengekne-

pen en ook de diepe rimpels op zijn voorhoofd zaten dicht opeen. Zijn dikke buik kwam omhoog en ging langzaam weer omlaag en gedurende een seconde of twee was Fitch de enige die ademhaalde. Hij bracht zijn lippen van elkaar om te eten en te drinken, soms om te praten, nooit om te glimlachen.
Zoals gewoonlijk was Fitch kwaad. Dat was niets nieuws, want de man was waarschijnlijk zelfs vijandig als hij sliep. Maar zou hij deze keer schelden en dreigen, misschien met dingen gooien, of alleen maar inwendig koken van woede? Je wist het nooit met Fitch. Hij bleef bij de tafel staan, tussen twee jonge juristen die elk junior-partner waren en dus een goed inkomen van zes cijfers voor de komma hadden. Ze waren partner in deze firma en dit was hùn kamer in hùn gebouw. Fitch daarentegen was een vreemde uit Washington, een indringer die nu al een maand grommend en snauwend door hun gangen liep. De twee jonge juristen durfden hem niet aan te kijken.
'Welk nummer?' vroeg Fitch aan Carl.
'Achtenvijftig,' antwoordde Carl vlug en gedienstig.
'Ga terug naar zesenvijftig,' zei Fitch, en Carl ging snel terug tot het gezicht van Nicholas Easter weer op de muur prijkte. Aan de tafel werd weer met papieren geschoven.
'Hoe is de stand van zaken?' vroeg Fitch.
'Hetzelfde.' Carl wendde zijn ogen af.
'Dat is dan weer fraai. Hoeveel van de honderdzesennegentig zijn nog een mysterie?'
'Acht.'
Fitch snoof en schudde langzaam met zijn hoofd. Iedereen verwachtte nu een uitbarsting, maar in plaats daarvan streek hij enkele ogenblikken langzaam over zijn zorgvuldig bijgehouden zwart-met-grijze sikje, keek Carl aan, liet de ernst van het moment even inwerken, en zei: 'Jullie werken tot twaalf uur vanavond en zijn morgenvroeg om zeven uur terug. Zondag ook.' Na die woorden draaide hij zijn dikke lichaam om en verliet de kamer.
De deur viel dicht. Tegelijk daarmee viel een heleboel spanning weg. De juristen en jury-experts en Carl en alle anderen keken op hun horloge. Ze hadden zojuist opdracht gekregen om negenendertig van de komende drieënvijftig uur in deze kamer door te brengen, waar ze naar dia's moesten kijken van gezichten die ze al hadden gezien en de namen en geboortedata en andere gegevens van bijna tweehonderd mensen uit hun hoofd moesten leren.
En niemand in de kamer twijfelde er ook maar een seconde aan dat ze allemaal precies zouden doen wat hun was opgedragen. Daarover bestond geen enkele twijfel.

Fitch ging de trap af naar de begane grond van het gebouw, waar zijn chauffeur, een grote man die José heette, op hem stond te wachten. José droeg een zwart pak met zwarte cowboylaarzen en een zwarte zonnebril die hij alleen afzette als hij ging douchen of slapen. Fitch deed zonder te kloppen een deur open en onderbrak een bespreking die al uren aan de gang was. Vier advocaten en hun medewerkers keken naar video-opnamen van beëdigde verklaringen die door getuigen van de eiseres waren afgelegd. De band stopte enkele seconden nadat Fitch was binnengekomen. Fitch sprak even met een van de advocaten en verliet de kamer. José volgde hem door een lange, tamelijk smalle bibliotheek naar een andere gang, waar hij ook zonder te kloppen een kamer binnenstapte en daarmee opnieuw een stel juristen aan het schrikken maakte.

De firma Whitney & Cable & White was met tachtig advocaten de grootste aan de Golfkust. Die firma was met grote zorg door Fitch zelf uitgekozen en zou aan deze zaak miljoenen dollars verdienen. Maar daarvoor moesten ze wel de genadeloze tirannie van Rankin Fitch ondergaan.

Toen hij er zeker van was dat het hele gebouw van zijn aanwezigheid op de hoogte was en doodsbang was voor alles wat hij deed, ging Fitch weg. Hij stond in de warme oktoberlucht op het trottoir te wachten tot José eraankwam. Drie straten verder kon hij boven in een oud bankgebouw een kantoor zien waar licht brandde. De vijand was nog aan het werk. In dat kantoor zaten de advocaten van de eiseres. Ze zaten in groepjes in verschillende kamers, spraken met experts en keken naar korrelige foto's en deden ongeveer hetzelfde als wat Fitch' mensen deden. Het proces begon maandag met de procedure om de jury samen te stellen en hij wist dat ook zij hard aan het werk waren met namen en gezichten en zich afvroegen wie in godsnaam Nicholas Easter was en waar hij vandaan kwam. En Ramon Caro en Lucas Miller en Andrew Lamb en Barbara Furrow en Delores DeBoe? Wat waren dat voor mensen? Alleen in zo'n achterlijke staat als Mississippi werd met zo'n verouderd systeem van namenlijsten gewerkt. Fitch had al acht van dit soort zaken gehad, in acht verschillende staten, waar ze computers gebruikten en namenlijsten werden opgeschoond en waar je, als de griffie je de lijst van juryleden gaf, niet hoefde na te gaan wie er dood waren en wie nog leefden.

Hij keek naar de verlichte kantoorramen en vroeg zich af hoe die hebzuchtige haaien, als ze zouden winnen, het geld zouden verdelen. Hoe ter wereld konden ze het ooit eens worden over de verdeling van het bloederige karkas? Het proces zelf zou een zachtaardige schermutseling zijn in vergelijking met het gevecht op leven en dood dat zou beginnen zodra die aasgieren een gunstige uitspraak hadden gekregen en de buit konden binnenhalen.

Hij haatte ze, en spuwde op het trottoir. Vervolgens stak hij een sigaret op,

kneep hem bijna fijn tussen zijn dikke vingers.
José kwam voorrijden in een glanzende, gehuurde Suburban met donkere ramen. Zoals gewoonlijk ging Fitch op de voorbank zitten. Ook José keek in het voorbijgaan naar het kantoor van de vijandelijke advocaten, maar hij zei niets, want zijn baas had een hekel aan onnodig gepraat. Ze reden langs de rechtbank van Biloxi en langs een vervallen warenhuis waarin Fitch en zijn mensen een geheim kantoor hadden, met goedkoop huurmeubilair en zaagsel op de vloer.
Bij het strand namen ze Highway 90 en kwamen in het drukke verkeer langzaam vooruit. Het was vrijdagavond en de casino's zaten stampvol met mensen die hun huishoudgeld verspeelden met grote plannen om het de volgende dag terug te winnen. Langzaam kwamen ze Biloxi uit en reden door Gulfport, Long Beach en Pass Christian. Toen verlieten ze de kust en al gauw reden ze langs een controlepost bij een meer.

2

Het strandhuis was groot en modern, maar er was geen strand. Een pier van witte planken verdween in het stille, met planten overwoekerde water van de baai, en het dichtstbijzijnde zand lag drie kilometer verderop. Aan de pier lag een zes meter lange vissersboot. Het huis was gehuurd van een olieman in New Orleans – drie maanden, cash, geen vragen gesteld. Het werd tijdelijk gebruikt als schuilplaats, als geheim onderkomen voor enkele erg belangrijke mensen.
Op een terras hoog boven het water zaten vier heren te drinken. Ze verwachtten een bezoeker en hielden intussen het gesprek een beetje op gang. Hoewel ze beroepshalve meestal bittere vijanden waren, hadden ze die middag achttien holes golf gespeeld en daarna garnalen en oesters van de grill gegeten. En nu zaten ze te drinken en keken ze in het zwarte water beneden hen. Ze hadden de pest in omdat ze op vrijdagavond in Mississippi waren, ver van huis.
Maar er waren zaken te doen, belangrijke zaken die hen tot een wapenstilstand dwongen en het partijtje golf bijna aangenaam hadden gemaakt. De vier mannen waren ieder voorzitter van de raad van bestuur van een grote onderneming. Die vier ondernemingen stonden elk in de Fortune 500 en werden verhandeld op de beurs van New York. De omzet van de kleinste had in het afgelopen jaar zeshonderd miljoen dollar bedragen, die van de grootste vier miljard. De vier ondernemingen boekten recordwinsten en keerden veel dividend uit aan hun tevreden aandeelhouders, en de topmannen verdienden miljoenensalarissen.
Elke onderneming was een concern met verscheidene divisies die een groot aantal producten maakten en over vette reclamebudgetten beschikten. Ze hadden nietszeggende namen als Trellco en Smith Greer, namen die de aandacht moesten afleiden van het feit dat ze in wezen weinig meer

dan tabaksbedrijven waren. Elk van de Grote Vier, zoals de concerns in financiële kringen werden genoemd, was voortgekomen uit negentiende-eeuwse tabaksmakelaardijen in Virginia en North en South Carolina. Ze maakten sigaretten. Samen maakten ze achtennegentig procent van alle sigaretten die in de Verenigde Staten en Canada werden verkocht. Ze maakten ook dingen als breekijzers en maïschips en haarverf, maar als je onder de oppervlakte groef, zag je dat ze hun winst met sigaretten maakten. Er waren fusies geweest en naamwijzigingen en allerlei andere manoeuvres om het publiek een rad voor ogen te draaien, maar de Grote Vier waren toch geïsoleerd komen te staan. Ze werden verguisd door consumentenorganisaties, artsen en zelfs door politici.
En nu hadden advocaten het op hen voorzien. Nabestaanden van overledenen eisten enorme bedragen omdat sigaretten volgens hen kanker veroorzaakten. Tot nu toe waren er zestien van dat soort processen geweest, en de tabaksconcerns hadden ze allemaal gewonnen, maar de druk nam toe. Een jury hoefde maar één keer een paar miljoen aan een weduwe toe te kennen en er was geen houden meer aan. De advocaten zouden elkaar overschreeuwen met advertenties waarin ze rokers en nabestaanden van rokers smeekten om met hun hulp te gaan procederen zolang er nog iets te halen was.
In het algemeen spraken deze mannen, als ze onder elkaar waren, over andere dingen, maar de drank maakte hun tongen los. Ze konden hun verbittering niet inhouden. Leunend op de balustrade van het terras keken ze over het water uit en vervloekten de advocatuur en het Amerikaanse rechtsstelsel inzake wettelijke aansprakelijkheid. Hun vier concerns gaven in Washington miljoenen uit aan allerlei lobbygroepen die de aansprakelijkheidswetgeving probeerden te veranderen, opdat ondernemingen als zijzelf tegen procederende slachtoffers werden beschermd. Ze hadden een schild nodig waarmee ze dat soort aanvallen konden afweren. Maar tot nu toe had het allemaal niets uitgehaald. En nu zaten ze ergens in het afgelegen Mississippi met angst en spanning op het zoveelste proces te wachten.
Om zich tegen de golf juridische acties te verweren hadden de Grote Vier samen een hoeveelheid geld bijeengebracht die simpelweg het Fonds werd genoemd. Het kende geen limieten en liet geen spoor achter. Het bestond niet. Het Fonds werd gebruikt voor keiharde tactieken in gerechtelijke procedures en voor het inhuren van de beste en hardste advocaten, de meest overtuigende deskundigen, de scherpzinnigste jury-experts. Er waren geen beperkingen gesteld aan wat het Fonds kon doen. Na zestien overwinningen vroegen ze zich onder elkaar soms af of er iets was dat het Fonds niet kon. Ieder concern onttrok jaarlijks drie miljoen dollar aan zijn middelen en liet dat geld via een omweg in het Fonds terechtkomen. Geen boekhouder, geen accountant, geen controlerende instantie had ooit lucht

gekregen van dat geheime geld.
Het Fonds werd beheerd door Rankin Fitch, een man aan wie ze allemaal een grote hekel hadden maar naar wie ze toch luisterden en door wie ze zich zo nodig zelfs lieten commanderen. Hij was degene op wie ze nu wachtten. Ze kwamen bij elkaar als hij zei dat ze bij elkaar moesten komen. Ze gingen uit elkaar en kwamen weer bijeen op zijn bevel. Zolang hij won, waren ze bereid naar zijn pijpen te dansen. Fitch had acht processen geleid zonder één keer te verliezen. Hij was ook degene die zorgde dat twee gerechtelijke procedures wegens procedurefouten niet doorgingen, maar natuurlijk kon niemand dat bewijzen.
Een medewerker kwam het terras op met drankjes die naar ieders persoonlijke wens gemixt waren. De drankjes waren net van het dienblad gezet toen iemand zei: 'Fitch is er.' Tegelijk gingen de glazen omhoog en weer omlaag: ze namen alle vier een stevige slok.
Terwijl de vier mannen vlug naar de studeerkamer gingen, betrad Fitch het huis. Hij liet José bij de voordeur staan. Een personeelslid gaf Fitch een glas mineraalwater zonder ijs. Hij dronk nooit, al had hij in een eerder leven zoveel geconsumeerd dat een binnenvaartschip erop zou kunnen drijven. Hij bedankte het personeelslid niet, keek hem niet eens aan, maar liep naar de namaakhaard en wachtte tot de vier mannen zich op de banken om hem heen hadden verzameld. Een ander personeelslid kwam voorzichtig met een schaal overgebleven garnalen en oesters naar voren, maar Fitch stuurde hem weg. Er gingen geruchten dat hij soms at, maar hij was er nooit op betrapt. Bewijzen waren er wel: zijn dikke borst en royale taille, de vlezige huidkwabben onder zijn sikje, zijn plompe lichaam in het algemeen. Maar hij droeg donkere pakken zonder de knopen van de jasjes open te maken en slaagde er goed in zijn lichaamsmassa met waardigheid te torsen.
'De stand van zaken is als volgt,' zei hij toen hij vond dat hij lang genoeg had gewacht tot de topindustriëlen zich hadden geïnstalleerd. 'Op dit moment werkt het hele team non-stop en ze gaan het hele weekend door. Aan het jury-onderzoek wordt hard gewerkt. De advocaten zijn klaar. Alle getuigen zijn geïnstrueerd, alle deskundigen zijn in de stad. We zijn op alles voorbereid.'
Het bleef enkele ogenblikken stil. Ze wachtten tot ze er zeker van waren dat Fitch voorlopig klaar was.
'En die juryleden?' vroeg D. Martin Jankle, de meest nerveuze van het stel. Hij stond aan het hoofd van U-Tab, zoals het vroeger werd genoemd, een afkorting voor een oude onderneming die jarenlang Union Tobacco had geheten maar na een recente zuivering als Pynex genoteerd stond. De zaak waar het nu om ging, was *Wood versus Pynex*. Deze keer was het dus Jankle die zich moest verdedigen. Pynex was de op twee na grootste

onderneming van de vier, met een omzet van bijna twee miljard dollar in het afgelopen jaar. Volgens de jongste kwartaalcijfers bezat Pynex ook de grootste kasreserves van de vier. Dit proces kwam op een ongelukkig moment. Met een beetje pech zouden de juryleden een overzicht van die kasreserves te zien krijgen, keurige cijferkolommen waaruit zou blijken dat Pynex over meer dan acht miljoen dollar aan reserves beschikte.
'Daar werken we aan,' zei Fitch. 'Van acht hebben we niet alle gegevens. Vier van hen zijn dood of verdwenen. De andere vier zijn in leven en komen maandag waarschijnlijk naar de rechtbank.'
'Eén kwaadwillig jurylid kan je de das omdoen,' zei Jankle. Voordat hij bij U-Tab kwam, was hij bedrijfsjurist in Louisville geweest. Hij vond het altijd nodig Fitch te laten weten dat hij meer van juridische zaken wist dan de drie anderen.
'Daar ben ik me goed van bewust,' snauwde Fitch.
'We moeten weten wie die mensen zijn.'
'We doen ons best. Wij kunnen het niet helpen dat de jurylijsten hier niet zo goed zijn bijgewerkt als in andere staten.'
Jankle nam een grote slok en keek Fitch aan. Welbeschouwd was Fitch niets meer dan een goedbetaalde veiligheidsagent, ver en ver verwijderd van het niveau van bestuursvoorzitter van een groot concern. Je kon hem noemen zoals je wilde – consultant, agent, manager – het was een feit dat hij voor hen werkte. Zeker, hij had op dit moment een beetje macht en kon zich als een bullebak gedragen omdat hij op de knoppen drukte, maar uiteindelijk was hij maar een veredelde gangster. Die gedachten hield Jankle voor zich.
'Verder nog iets?' vroeg Fitch aan Jankle, alsof diens eerste vraag onbenullig was geweest en hij, als hij toch niets zinnigs te zeggen had, beter zijn mond kon houden.
'Vertrouw je die advocaten?' vroeg Jankle niet voor het eerst.
'Daar hebben we het al over gehad,' antwoordde Fitch.
'We kunnen het er nog een keer over hebben, als ik dat wil.'
'Waarom maak je je zo druk om onze advocaten?' vroeg Fitch.
'Omdat, nou ja, omdat ze hier uit de buurt komen.'
'Aha. En je denkt dat het verstandig zou zijn geweest om een stel advocaten uit New York te laten overkomen om het woord tot onze jury te richten? Misschien ook een stuk of wat uit Boston?'
'Nee, dat is het niet, maar... ze hebben nog nooit een proces over roken gevoerd.'
'Er is hier op de Coast nog nooit een proces over roken geweest. Heb je klachten?'
'Ik maak me zorgen, dat is alles.'
'We hebben de besten genomen die hier te krijgen zijn,' zei Fitch.

'Waarom zijn ze zo goedkoop?'
'Goedkoop. Vorige week vond je de advocatenkosten te hoog. Nu brengen onze advocaten niet genoeg in rekening. Je moet wel kiezen.'
'Vorig jaar betaalden we vierhonderd dollar per uur voor advocaten uit Pittsburgh. Deze kerels werken voor tweehonderd. Daar maak ik me zorgen over.'
Fitch keek Luther Vandemeer, bestuursvoorzitter van Trellco, met gefronste wenkbrauwen aan. 'Is mij iets ontgaan?' vroeg hij. 'Spreekt hij in ernst? We geven vijf miljoen dollar aan deze zaak uit en hij is bang dat ik op een paar centen beknibbel.' Fitch wuifde in de richting van Jankle. Vandemeer glimlachte en nam een slok.
'Je hebt zes miljoen uitgegeven in Oklahoma,' zei Jankle.
'En toen hebben we gewonnen. Voorzover ik me herinner, kreeg ik geen klachten toen de jury zijn uitspraak had gedaan.'
'Ik klaag nu ook niet. Ik spreek alleen mijn bezorgdheid uit.'
'Goed! Dan ga ik naar het kantoor terug, roep alle advocaten bij elkaar en zeg tegen ze dat mijn cliënten moeite hebben met hun declaraties. Dan zeg ik: "Luister, jongens, ik weet dat jullie ons villen waar we bij staan, maar het is niet genoeg. Mijn cliënten willen nog meer betalen. Kom maar op met die rekeningen. Jullie zijn te goedkoop." Lijkt je dat een goed idee?'
'Rustig maar, Martin,' zei Vandemeer. 'Het proces is nog niet begonnen. Voordat we hier weggaan, komen onze advocaten ons vast nog wel de strot uit.'
'Ja, maar dit is een bijzonder proces. Dat weten we allemaal.' Jankles woorden stierven weg terwijl hij zijn glas oppakte. Als enige van de vier had hij een drankprobleem. Zijn onderneming had hem zes maanden geleden stilletjes drooggelegd, maar de druk van het proces was te groot. Fitch, zelf ook een ex-drinker, wist dat Jankle het er moeilijk mee had. Over een paar weken zou Jankle zelf een getuigenverklaring moeten afleggen.
Alsof Fitch nog niet genoeg aan zijn hoofd had, moest hij er nu ook nog voor zorgen dat D. Martin Jankle tot dan nuchter bleef. Fitch minachtte hem om zijn zwakheid.
'Ik neem aan dat de advocaten van de eiseres klaar zijn?' vroeg een andere bestuursvoorzitter.
'Daar kunnen we wel van uitgaan,' zei Fitch schouderophalend. 'Ze zijn met genoeg.'
Acht firma's, volgens de laatste telling. Acht van de grootste in aansprakelijkheid gespecialiseerde advocatenfirma's in het land hadden, zo werd gezegd, elk een miljoen dollar op tafel gelegd om dit duel met de tabaksindustrie te financieren. Ze hadden de eiseres uitgekozen, de weduwe van een zekere Jacob L. Wood. Ze hadden de plaats uitgekozen, de kust van Mississippi, omdat die staat schitterende aansprakelijkheidswetten had

en omdat jury's in Biloxi soms grootmoedig waren. Ze hadden de rechter niet uitgekozen, maar wat dat betrof hadden ze ongelooflijk veel geluk gehad. De edelachtbare Frederick Harkin had als advocaat veel eisers vertegenwoordigd voordat een hartaanval hem had gedwongen rechter te worden.
Het was geen gewone tabakszaak, dat wist iedereen in deze kamer.
'Hoeveel hebben ze uitgegeven?'
'Ik beschik niet over die informatie,' zei Fitch. 'We hebben geruchten gehoord dat hun schatkist misschien niet zo vol is als eerst werd beweerd. Het kan zijn dat ze bij een paar van de deelnemers problemen hebben met het innen van de voorschotten. Maar ze hebben miljoenen uitgegeven. En er staan wel tien consumentenorganisaties klaar om ze met raad en daad te steunen.'
Jankle liet zijn ijsblokjes in zijn glas rinkelen en dronk het laatste beetje op. Het was zijn vierde glas. Het werd stil in de kamer. Fitch stond op en wachtte af. De bestuursvoorzitters hadden hun ogen neergeslagen.
'Hoe lang gaat het duren?' vroeg Jankle ten slotte.
'Vier tot zes weken. Het selecteren van juryleden gaat hier snel. Het zit er dik in dat we woensdag een jury hebben.'
'In Allentown duurde het drie maanden,' zei Jankle.
'Dit is Kansas niet, Toto. Wil je een proces van drie maanden?'
'Nee, ik was alleen, eh...' Jankles woorden stierven weer droefgeestig weg.
'Hoe lang moeten we hier blijven?' vroeg Vandemeer, die instinctief op zijn horloge keek.
'Dat maakt me niet uit. Jullie kunnen nu weggaan of jullie kunnen wachten tot de jury is samengesteld. Jullie hebben van die grote straaljagers. Als ik jullie nodig heb, weet ik jullie te vinden.' Fitch zette zijn glas water op de schoorsteenmantel en keek de kamer rond. Hij maakte plotseling aanstalten om weg te gaan. 'Verder nog iets?'
Geen woord.
'Goed.'
Bij de deur zei hij iets tegen José, en toen was hij weg. Ze staarden in stilte naar het dure tapijt, maakten zich zorgen over maandag, maakten zich zorgen over een heleboel dingen.
Ten slotte stak Jankle met licht trillende vingers een sigaret op.

Wendall Rohr maakte zijn eerste fortuin in het spel van het procederen toen twee werknemers van een boorplatform van Shell in de Golf van Mexico door brand om het leven kwamen. Zoals vaker bij dat soort processen gebeurt, had hij als honorarium een percentage van de schadevergoeding bedongen. In dit geval bedroeg zijn aandeel twee miljoen dollar en hij beschouwde zich voortaan als een advocaat met wie rekening moest

worden gehouden. Hij maakte een goed gebruik van zijn geld, pikte nog meer aansprakelijkheidszaken op en had op zijn veertigste een sterke advocatenfirma en een goede reputatie als krachtdadig pleiter. Toen verwoestten drugs, een scheiding en een paar slechte investeringen zijn leven een tijdje, en op zijn vijftigste deed hij echtscheidingen en verdedigde hij winkeldieven, zoals een miljoen andere advocaten. Maar toen er een golf van asbestprocessen door Mississippi ging, was Wendall weer de juiste man op de juiste plaats. Hij maakte zijn tweede fortuin en nam zich heilig voor het nooit meer kwijt te raken. Hij bouwde een firma op, richtte zijn kantoor in grootse stijl in en vond zelfs een jonge vrouw. Nu hij van de drank en pillen af was, kon hij zijn enorme energie inzetten om namens slachtoffers tegen het Amerikaanse bedrijfsleven te procederen. Deze tweede keer steeg zijn ster in advocatenkringen nog sneller. Hij kweekte een baard, deed brillantine in zijn haar, mat zich radicale overtuigingen aan en was populair in het lezingencircuit.
Rohr ontmoette Celeste Wood, de weduwe van Jacob Wood, via een jonge advocaat die Jacobs testament had opgesteld. Jacob Wood was op eenenvijftigjarige leeftijd overleden nadat hij vijfendertig jaar lang drie pakjes per dag had gerookt. Voor zijn dood was hij productiechef op een jachtwerf geweest en had hij veertigduizend dollar per jaar verdiend.
Voor een minder ambitieuze advocaat zou er niet meer aan de hand zijn geweest dan dat een roker was overleden, een van de talloze gevallen. Maar Rohr was doorgedrongen tot kringen van advocaten die de stoutste dromen hadden die ooit bij juristen waren opgekomen. Ze waren allemaal gespecialiseerd in productaansprakelijkheid en hadden allemaal miljoenen verdiend aan processen tegen fabrikanten van borstprothesen, dalkonschildjes en asbest. Tegenwoordig kwamen ze een paar keer per jaar bij elkaar en maakten dan plannen om de goudmijn van de Amerikaanse aansprakelijkheid aan te boren. Geen enkel legitiem product uit de geschiedenis van de mensheid had zoveel mensen gedood als de sigaret. En de fabrikanten hadden zulke grote reserves dat het geld begon te beschimmelen.
Rohr legde het eerste miljoen op tafel en kreeg uiteindelijk zeven anderen mee. Zonder enige moeite verwierf de groep de hulp van de Werkgroep Tabak, de Coalitie voor een Rookvrije Wereld en de Stichting Aansprakelijkheid Tabak, plus een handvol andere consumentenorganisaties en groepen die het bedrijfsleven met argwaan volgden. Er werd een procescommissie opgezet en het was niet verrassend dat Wendall Rohr daar voorzitter van werd. Hij was ook degene die in de rechtszaal het woord zou doen. Met zoveel mogelijk ophef had Rohrs groep vier jaar geleden een eis ingediend bij de rechtbank van de county Harrison in Mississippi.
Fitch' onderzoek had uitgewezen dat de zaak van Wood tegen Pynex de vijfenvijftigste in zijn soort was. Zesendertig eisen waren om allerlei rede-

nen afgewezen. In zestien gevallen was het tot een proces gekomen en in al die gevallen was er uitspraak ten gunste van de tabaksindustrie gedaan. Twee processen waren wegens procedurefouten niet doorgegaan. Het was nooit tot een schikking gekomen. Er was in al die sigarettenzaken nog nooit een cent naar een eiser gegaan.

Volgens Rohrs theorie was geen van die andere vierenvijftig eisers ooit begeleid door zo'n formidabele groep advocaten. Nog nooit was iemand vertegenwoordigd door advocaten met genoeg geld om de ideale condities te creëren.

Fitch zou de eerste zijn om dat toe te geven.

Rohrs langetermijnstrategie was eenvoudig en briljant. Er waren honderd miljoen rokers in Amerika. Die hadden niet allemaal longkanker, maar het waren er genoeg om hem tot zijn pensioen druk bezig te houden. Als je de eerste zaak had gewonnen, kon je achteroverleunen en op de stormloop wachten. Van alle kanten zouden slachtoffers van longkanker of hun weduwen zich aanmelden. Rohr en zijn groep hadden het dan voor het kiezen.

Hij had een kantoor dat de bovenste drie verdiepingen van een oud bankgebouw in beslag nam, niet ver van de rechtbank. Laat op die vrijdagavond deed hij de deur van een donkere kamer open en bleef bij de achtermuur staan, terwijl Jonathan Kotlack uit San Diego de projector bediende. Kotlack was belast met het onderzoek naar de potentiële juryleden, al zou Rohr het grootste deel van de ondervragingen doen. De lange tafel in het midden van de kamer stond vol koffiebekertjes. Overal lagen proppen papier. De mensen aan de tafel keken met slaperige ogen naar het zoveelste gezicht dat op het projectiescherm verscheen.

Nelle Robert (uit te spreken als Ro-bèr), leeftijd zesenveertig jaar, gescheiden, een keer verkracht, werkte als lokettiste op een bank, rookte niet, veel te zwaar en daardoor volgens Rohrs filosofie een ongewenst jurylid. Je moest nooit dikke vrouwen nemen. Het kon hem niet schelen wat de juryexperts zeiden. Het kon hem niet schelen wat Kotlack ervan vond. Rohr nam nooit dikke vrouwen. Zeker niet als ze alleenstaand waren. Die waren vaak krenterig en ongevoelig voor het leed van anderen.

Hij had de namen en gezichten in zijn geheugen zitten en was ze meer dan zat. Hij had die mensen bestudeerd tot ze hem de strot uitkwamen. Daarom liep hij de kamer uit, wreef op de gang over zijn ogen en ging de trap van het luxueuze kantoor af naar de vergaderkamer, waar de documentencommissie onder leiding van André Durond uit New Orleans druk bezig was met het sorteren van duizenden papieren. Op dit moment, vrijdagavond bijna tien uur, waren op het advocatenkantoor van Wendall H. Rohr meer dan veertig mensen hard aan het werk.

Hij sprak met Durond en keek een paar minuten met hem naar het werk

van de medewerkers. Toen verliet hij de kamer en liep met gezwinde pas naar de volgende. Hij had er opeens weer zin in.
De advocaten van de tabaksindustrie waren verderop in dezelfde straat net zo hard aan het werk.
Er ging niets boven de opwinding van een groot proces.

3

De grote zaal van de rechtbank van Biloxi bevond zich op de eerste verdieping. Je ging eerst een betegelde trap op naar een atrium waar het zonlicht naar binnen stroomde. De muren hadden een nieuwe laagje witte verf gekregen en de vloeren glommen van de boenwas.
Maandagmorgen om acht uur verzamelde zich al een menigte op het atrium. De mensen stonden voor de grote houten deuren van de rechtszaal. Een klein groepje stond in een hoek en bestond uit jonge mannen in donkere pakken die allemaal opvallend veel op elkaar leken. Ze waren keurig verzorgd, met glanzend kort haar, en de meesten droegen een bril met hoornen montuur of hadden bretels die net onder hun op maat gemaakte jasjes vandaan kwamen. Het waren financieel analisten van Wall Street, gespecialiseerd in tabaksaandelen, en ze waren naar Mississippi gestuurd om de eerste ontwikkelingen in de zaak *Wood versus Pynex* te volgen.
Een andere groep, die groter was en nog steeds groeide, stond minder dicht opeen in het midden van het atrium. Deze mensen hadden allemaal een stuk papier in handen, een jury-oproep. Weinigen van deze mensen kenden elkaar, maar ze zagen elkaars papier en dat schiep een band. Al gauw stonden ze nerveus met elkaar te praten. De mannen in de donkere pakken werden stil en keken naar de potentiële juryleden.
De derde groep was geüniformeerd en stond met een streng gezicht de deuren te bewaken. Er waren maar liefst zeven deputy's aangewezen om op de eerste dag voor de veiligheid te zorgen. Twee van hen stonden bij de metaaldetector voor de deur. Twee anderen zaten achter een geïmproviseerd bureau papieren in te vullen. Ze verwachtten een volle zaal. De overige drie dronken koffie uit een kartonnen bekertje en keken naar de groeiende menigte.
De bewakers deden de deuren van de rechtszaal om precies half negen

open. Ze controleerden de oproep van ieder jurylid, lieten ze een voor een langs de metaaldetector lopen en zeiden tegen de toeschouwers dat ze nog even moesten wachten. Dat gold ook voor de analisten en de verslaggevers.

Omdat er rijen klapstoelen in de gangpaden rond de gecapitonneerde banken waren gezet, kon de rechtszaal nu ongeveer driehonderd mensen bevatten. Aan de andere kant van de balustrade zouden zich straks nog zo'n dertig mensen achter de tafels verdringen. De griffier, die door het volk gekozen was, controleerde elke oproep, glimlachte en omhelsde zelfs enkele potentiële juryleden die ze kende, en leidde hen geroutineerd naar hun plaats. Ze heette Gloria Lane en was al elf jaar griffier van de county Harrison. Ze genoot van deze gelegenheid om mensen de weg te wijzen, gezichten met namen te combineren, handen te schudden, politiek te bedrijven en even in de schijnwerpers te staan. Dit was haar meest geruchtmakende proces tot nu toe. Ze werd geassisteerd door drie jongere vrouwen die op de griffie werkten, en om negen uur zaten de potentiële juryleden allemaal op hun genummerde plaats en waren ze druk bezig nieuwe vragenlijsten in te vullen.

Er ontbraken er maar twee. Ernest Duly was volgens de geruchten naar Florida vertrokken en zou daar inmiddels zijn overleden, en niemand had enig idee van de verblijfplaats van mevrouw Tella Gail Ridehouser, die zich in 1959 als kiezer had laten inschrijven maar geen stemhokje meer van binnen had gezien sinds Carter van Ford had gewonnen. Gloria Lane verklaarde dat die twee personen niet meer bestonden. Links van haar zaten honderdvierenveertig potentiële juryleden in de rijen een tot en met twaalf, en rechts van haar, in de rijen dertien tot en met zestien, zaten de overige vijftig. Gloria overlegde met een gewapende deputy. Zoals rechter Harkin schriftelijk had vastgelegd, werden veertig toeschouwers in de rechtszaal toegelaten. Ze kregen een plaats achter in de zaal.

De vragenlijsten werden vlug ingevuld en door Gloria's assistentes opgehaald, en om tien uur begonnen de eersten van vele advocaten de rechtszaal binnen te komen. Ze kwamen niet door de voordeur, maar door een deur ergens achterin, achter de rechterszetel, waar twee deuren naar een labyrint van kamertjes en kantoortjes leidden. Zonder uitzondering droegen ze een donker pak en hadden ze een ernstig, intelligent gezicht, en ze probeerden allemaal iets onmogelijks te doen: naar de juryleden kijken en tegelijk een ongeïnteresseerde indruk maken. Ze probeerden tevergeefs de indruk te wekken dat ze zich met gewichtiger zaken bezighielden. Dossiers werden ingekeken en er werd fluisterend overlegd. Ze kwamen een voor een binnen en namen hun plaatsen aan de tafels in. Aan de rechterkant was dat de tafel van de eiseres. De tafel van de gedaagde stond ernaast. Stoelen stonden dicht op elkaar. Elke vierkante centimeter tussen

de tafels en het houten hek dat ze van de toeschouwers scheidde, werd benut.
Rij zeventien was leeg, ook in opdracht van Harkin, en op rij achttien zagen de jongens van Wall Street stijfjes naar de ruggen van de potentiële juryleden te kijken. Achter hen zat een aantal journalisten, en daar weer achter was een rij gevuld met plaatselijke advocaten en andere nieuwsgierigen. Rankin Fitch zat op de achterste rij en deed of hij de krant las.
Er kwamen nog meer advocaten binnen. Toen namen de jury-experts van beide partijen hun posities in op de stoelen tussen het hek en de tafels. Ze hadden nu een vervelend karweitje te doen: ze moesten de nieuwsgierige gezichten van honderdvierennegentig vreemden bestuderen. De experts bestudeerden de juryleden, ten eerste omdat ze daar vorstelijk voor werden betaald en ten tweede omdat ze beweerden dat ze iemand grondig konden analyseren door op de veelzeggende lichaamstaal te letten. Ze keken wie met zijn armen over elkaar zat, wie nerveus met zijn vingers tussen zijn tanden peuterde, wie argwanend zijn hoofd schuin hield. Ze letten op wel honderd gebaren die iemands ziel en vooral zijn hoogstpersoonlijke vooroordelen blootlegden.
Ze maakten notities en keken zwijgend naar de gezichten. Potentieel jurylid nummer zesenvijftig, Nicholas Easter, kreeg meer aandacht dan de meeste anderen. Hij zat midden in de vijfde rij, gekleed in een gestreken kaki broek en een button-down overhemd, een sympathieke jongeman. Van tijd tot tijd keek hij om zich heen, maar zijn aandacht was vooral gericht op een pocketboek dat hij had meegenomen. Niemand anders had eraan gedacht een boek mee te nemen.
Bij het hek namen nog meer mensen hun plaats in. De advocaten van Pynex hadden maar liefst zes jury-experts die op zenuwtrekjes en dergelijke letten. De advocaten van de eiseres hadden er vier.
De meeste potentiële juryleden vonden het niet prettig om op die manier te worden bekeken. Gedurende vijftien pijnlijke minuten keken ze venijnig terug. Een advocaat vertelde een grap en toen erom gelachen werd, nam de spanning enigszins af. De advocaten roddelden en fluisterden, maar de juryleden durfden niets te zeggen.
De laatste advocaat die de rechtszaal betrad, was natuurlijk Wendall Rohr, en zoals gewoonlijk was hij al te horen voordat hij te zien was. Aangezien hij geen donker pak bezat, droeg hij de combinatie die hij altijd op de eerste dagen van een proces droeg: grijs geruit colbertje, grijze broek die er niet bij paste, wit vest, blauw overhemd met rood-met-geel paisley vlinderdasje. Snauwend tegen een assistent, liep hij met hem voor de advocaten van Pynex langs. Hij negeerde hen alsof ze ergens in de achterkamers net nog een laaiende ruzie hadden gehad. Hij zei iets met luide stem tegen een andere advocaat van de eiseres, en toen hij eenmaal de aandacht van

de rechtszaal had, begon hij naar zijn potentiële juryleden te kijken. Dat waren zijn mensen. Dit was zijn zaak, een zaak die hij in zijn geboortestad aanhangig had gemaakt, opdat hij op een dag in deze rechtszaal, zijn rechtszaal, kon staan en zijn eigen mensen om gerechtigheid kon vragen. Hij knikte naar een echtpaar, knipoogde naar andere mensen. Hij kende die mensen. Samen zouden ze achter de waarheid komen.
De jury-experts van de gedaagde keken meteen op. Geen van hen had Wendall Rohr ooit ontmoet, maar ze waren allemaal goed op de hoogte van zijn reputatie. Ze zagen de glimlachjes op de gezichten van sommige juryleden, mensen die hem kenden. Ze zagen de lichaamstaal van al die juryleden, die ontspanden omdat ze een vertrouwd gezicht zagen. Rohr was een plaatselijke legende. Fitch vervloekte hem vanaf de achterste rij.
Ten slotte, om half elf, kwam er een deputy door de deur achter de rechterszetel en schreeuwde: 'Opstaan voor de rechter!' Driehonderd mensen sprongen overeind en de edelachtbare Frederick Harkin liep naar zijn plaats en verzocht iedereen weer te gaan zitten.
Voor een rechter was hij met zijn vijftig jaar nog tamelijk jong. Hij was een Democraat die door de gouverneur was benoemd om iemand te vervangen die zijn termijn niet had afgemaakt, en daarna was hij door het volk gekozen. Omdat hij vroeger een advocaat van eisers was geweest, was hij volgens de geruchten nu een rechter van eisers, al was dat niet waar. Het was maar een roddelverhaal dat door advocaten van gedaagden aan elkaar werd doorverteld. In werkelijkheid had hij een fatsoenlijke, algemene praktijk gehad in een kleine advocatenfirma die nooit bekend had gestaan om haar vele overwinningen. Hij had hard gewerkt, maar zijn grote hartstocht was altijd de plaatselijke politiek geweest, een spel dat hij behendig speelde. Zijn grote geluk was gekomen toen hij tot rechter werd benoemd. Hij verdiende nu tachtigduizend dollar per jaar, meer dan hij ooit als advocaat had verdiend.
De aanblik van een rechtszaal vol geregistreerde kiezers zou het hart van iedere gekozen ambtsdrager verwarmen, en de edelachtbare begon onwillekeurig breed te glimlachen toen hij al die mensen in zijn domein verwelkomde alsof ze campagnemedewerkers van hem waren. Die glimlach verdween geleidelijk toen hij een kort openingstoespraakje hield om hun duidelijk te maken hoe belangrijk hun aanwezigheid was. Harkin stond niet bekend om zijn warmte en zijn humor en hij was snel weer serieus.
En met reden. Tegenover hem zaten meer advocaten dan er aan de tafels konden zitten. Officieel had de eiseres acht advocaten en Pynex negen. Vier dagen geleden had Harkin in een besloten zitting de plaatsen aan weerskanten toegewezen. Als de jury eenmaal was samengesteld en het eigenlijke proces begon, konden er aan beide kanten maar zes advocaten met de benen onder de tafel zitten. De anderen moesten zich behelpen

met de stoelen waarop de jury-experts nu nog ineengedoken zaten te turen. Hij had ook zitplaatsen toegewezen aan de procederenden zelf: de weduwe Celeste Wood en de vertegenwoordiger van Pynex. De toewijzing van de zitplaatsen was op schrift gesteld en opgenomen in een klein boekje met regels dat de edelachtbare speciaal voor deze gelegenheid had geschreven.
De zaak was vier jaar geleden aanhangig gemaakt en sindsdien was er een verwoede strijd geleverd. De papieren vulden elf opslagdozen. De partijen hadden al miljoenen dollars uitgegeven. Het proces zou minstens een maand duren. Op dit moment had Fred Harkin enkele van de schranderste juristen en grootste ego's van het land in zijn rechtszaal. Hij was vastbesloten de zittingen met harde hand te leiden.
Hij nam zijn microfoon en gaf een korte uiteenzetting van het proces, alleen ter informatie. Hij wilde die mensen laten weten waarom ze hier waren. Hij zei dat voor het proces een aantal weken was uitgetrokken en dat de juryleden niet werden afgezonderd. Er waren legitieme redenen waarom iemand kon weigeren in een jury zitting te nemen, legde hij uit, en hij vroeg of iemand van boven de vijfenzestig door de computer was geglipt. Zes handen gingen omhoog. Hij was zo te zien nogal verrast en keek Gloria Lane aan, die haar schouders ophaalde om te kennen te geven dat zoiets de hele tijd gebeurde. De zes hadden de keuze om onmiddellijk weg te gaan en vijf van hen deden dat. Zo bleven er nog honderdnegenentachtig over. De jury-experts streepten namen door. De advocaten maakten met een ernstig gezicht hun notities.
'Wel, hebben we hier blinde mensen?' vroeg de rechter. 'Ik bedoel, blind in juridische zin?' Hij stelde die vraag op luchtige toon en er werd hier en daar geglimlacht. Waarom zou een blinde komen opdagen om zitting in een jury te nemen? Dat was absurd.
Langzaam ging er midden in de groep een hand omhoog, in rij zeven, ongeveer halverwege. Nummer drieënzestig, een zekere Herman Grimes, negenenvijftig jaar, computerprogrammeur, blank, gehuwd, geen kinderen. Wat was dat nou weer? Wist niemand dat die man blind was? De jury-experts aan weerskanten krompen ineen. In het dossier-Grimes hadden foto's gezeten van zijn huis en ook een paar van hemzelf op de veranda. Hij woonde ongeveer drie jaar in de stad. Op zijn vragenlijsten was geen sprake van een handicap.
'Wilt u gaan staan?' vroeg de rechter.
Herman Grimes stond langzaam op, zijn handen in de zakken. Hij droeg vrijetijdskleding en had een normaal uitziende bril. Je zou niet zeggen dat hij blind was.
'Uw nummer alstublieft,' zei de rechter. In tegenstelling tot de advocaten en hun adviseurs had hij niet alle beschikbare gegevens over ieder poten-

tieel jurylid in zijn geheugen hoeven te prenten.
'Eh, drieënzestig.'
'En uw naam?' Hij sloeg de pagina's van zijn computeruitdraai om.
'Herman Grimes.'
Harkin vond de naam en keek in de zee van gezichten. 'En u bent blind?'
'Ja, edelachtbare.'
'Nou, meneer Grimes, dan bent u volgens de wet niet verplicht zitting te nemen in een jury. U kunt gaan.'
Herman Grimes bewoog niet, vertrok geen spier. Hij staarde naar wat het ook was dat hij kon zien en zei: 'Waarom?'
'Pardon?'
'Waarom moet ik weg?'
'Omdat u blind bent.'
'Dat weet ik.'
'En, nou ja, blinde mensen kunnen geen jurylid worden,' zei Harkin. Terwijl zijn woorden wegstierven, keek hij naar rechts en toen naar links. 'U kunt gaan, meneer Grimes.'
Herman Grimes aarzelde. Blijkbaar dacht hij even na over wat hij ging zeggen. Het was stil in de rechtszaal. Ten slotte zei hij: 'Wie zegt dat blinden geen zitting kunnen nemen in een jury?'
Harkin had al een handboek gepakt. De edelachtbare had zich uiterst zorgvuldig op dit proces voorbereid. Hij had de afgelopen maand geen andere zaken gedaan, had zich in zijn kamer opgesloten en zich daar verdiept in de stukken die door beide partijen waren ingediend, de rechtsregels die van toepassing waren en het nieuwste op het gebied van burgerlijk procesrecht. Hij had als rechter tientallen jury's samengesteld, allerlei jury's voor allerlei zaken, en hij dacht dat hij alles al had meegemaakt. Maar dat zou je altijd zien: in de eerste tien minuten van de juryselectie raakte hij al in het nauw. En natuurlijk net nu de zaal stampvol zat.
'U wilt jurylid worden, meneer Grimes?' zei hij. Hij probeerde de luchtige toon erin te houden en was intussen druk aan het bladeren. Hij wierp ook een blik op alle juridische experts die hij om zich heen had.
Grimes begon zich vijandig op te stellen. 'Vertelt u me eens waarom een blinde niet in een jury kan zitten. Als het in de wet staat, discrimineert de wet en ga ik procederen. Als het niet in de wet staat en als het alleen een kwestie van gewoonte is, procedeer ik nog veel harder.'
Het was wel duidelijk dat Grimes vaker had geprocedeerd.
Aan de ene kant van de balustrade zaten tweehonderd eenvoudige mensen, de mensen die zich gedwongen hadden gezien naar de rechtbank te komen. Aan de andere kant zaten de mensen van het recht – de rechter hoog boven de rest, de stijve, arrogante advocaten, de griffiers, de deputy's, de parketwachten. Namens de opgeroepenen had Herman Grimes het

establishment een gevoelige slag toegediend. Hij werd beloond met gegrinnik en zacht gelach van andere potentiële juryleden, maar trok zich daar niets van aan.
Aan de andere kant van het hek glimlachten de advocaten omdat de potentiële juryleden ook glimlachten, en ze verschoven op hun stoel en krabden op hun hoofd, want niemand wist wat er moest gebeuren. 'Ik heb dit nooit eerder meegemaakt,' fluisterden ze.
Volgens de wet mocht een blinde worden vrijgesteld van jurydienst, en toen de rechter het woord 'mocht' zag, besloot hij vlug Grimes zijn zin te geven en later met hem af te rekenen. Het was niet de bedoeling dat hij in zijn eigen rechtszaal een proces aan de broek kreeg. Er waren andere manieren om hem buiten de jury te houden. Hij zou het daar met de advocaten over hebben. 'Bij nader inzien, meneer Grimes, denk ik dat u een uitstekend jurylid zou zijn. Gaat u maar weer zitten.'
Herman Grimes knikte en glimlachte en zei beleefd: 'Dank u, edelachtbare.'
Hoe moest je een blind jurylid inschatten? De experts dachten daarover na, terwijl Grimes langzaam een buiging maakte en ging zitten. Wat voor vooroordelen had hij? Naar welke kant zou hij overhellen? In een spel zonder regels werd algemeen aangenomen dat gehandicapten in de regel goede juryleden voor de eiser waren, omdat ze beter wisten wat lijden was. Maar er waren talloze uitzonderingen.
Rankin Fitch op de achterste rij rekte zijn hals om oogcontact met Carl Nussman te krijgen, de man aan wie ze al meer dan een miljoen dollar hadden betaald om de perfecte jury te selecteren. Nussman zat tussen zijn experts. Hij had een schrijfblok en keek naar de gezichten alsof hij heel goed had geweten dat Herman Grimes blind was. Dat had hij niet geweten, daar was Fitch zeker van. Het was een detail dat door de mazen van hun informatienet was geglipt. Wat was hun nog meer ontgaan? vroeg Fitch zich af. Als straks de zitting werd onderbroken, zou hij Nussman ervan langs geven.
'Wel, dames en heren,' ging de rechter verder. Zijn stem klonk opeens scherper. Nu het hem nog net was gelukt een aanklacht wegens discriminatie te vermijden, wilde hij graag vlug verder. 'We komen nu in een stadium van de juryselectie dat nogal tijdrovend is. Het gaat om lichamelijke gebreken die kunnen verhinderen dat u zitting in de jury neemt. Het is niet onze bedoeling u in verlegenheid te brengen, maar als u een lichamelijk probleem hebt, moeten we dat bespreken. We beginnen met de eerste rij.'
Toen Gloria Lane bij rij één in het gangpad was gaan staan, stak een ongeveer zestigjarige man zijn hand op. Hij stond op en liep door het zwaaihekje van de balustrade. Een parketwacht leidde hem naar de getuigenbank

en duwde de microfoon weg. De rechter ging naar het eind van zijn tafel en boog zich omlaag om met de man te kunnen fluisteren. Twee advocaten, een van elke kant, posteerden zich voor de getuigenbank om de toeschouwers het zicht op de gang van zaken te ontnemen. De stenografe kwam er ook bij, en toen iedereen op zijn plaats stond, vroeg de rechter zachtjes aan de man wat hij mankeerde.
Hij bleek een hernia te hebben en had een brief van zijn huisarts bij zich. Hij mocht gaan en liep haastig de rechtszaal uit.
Toen Harkin de zitting om twaalf uur schorste voor de middagpauze, had hij dertien mensen om medische redenen laten gaan. Iedereen begon zich te vervelen. Om half twee zouden ze verder gaan en dan zou er nog meer van hetzelfde komen.

Nicholas Easter verliet het gerechtsgebouw en liep zes straten naar een Burger King, waar hij een whopper en een cola bestelde. Hij ging in een nis bij het raam zitten en keek naar kinderen op een speelplaatsje. Intussen keek hij in een *USA Today* en at langzaam, want hij had anderhalf uur de tijd.
Het blondje dat een strakke spijkerbroek had gedragen toen ze hem in de Computer Hut had ontmoet, droeg nu wijde Umbros, een T-shirt dat ook wijd was en nieuwe Nikes, en ze had een kleine gymtas aan haar schouder hangen. Ze kwam met haar dienblad langs zijn nis. Toen ze hem scheen te herkennen, bleef ze staan.
'Nicholas,' zei ze, alsof ze aarzelde.
Hij keek haar aan en gedurende een pijnlijke seconde wist hij dat ze elkaar eerder hadden ontmoet. Haar naam wilde hem niet te binnen schieten.
'Je herkent me niet,' zei ze met een vriendelijk glimlachje. 'Ik was veertien dagen geleden in je Computer Hut. Ik zocht een...'
'Ja, nu weet ik het weer,' zei hij met een snelle blik op haar mooi gebruinde benen. 'Je kocht een digitale radio.'
'Ja. Ik heet Amanda. Als ik het me goed herinner, heb ik je mijn telefoonnummer gegeven. Dat zul je wel zijn kwijtgeraakt.'
'Wil je hier komen zitten?'
'Dank je.' Ze ging vlug zitten en nam een frietje.
'Ik heb het nummer nog,' zei hij. 'Weet je...'
'Laat maar. Je zult wel een paar keer hebben gebeld. Mijn antwoordapparaat is kapot.'
'Nee. Ik heb nog niet gebeld. Maar ik dacht erover.'
'Natuurlijk,' zei ze bijna giechelend. Ze had perfecte tanden, die ze graag aan hem liet zien. Ze droeg haar haar in een paardenstaart, maar ze was te aardig en te zeker van zichzelf om een jogger te zijn. En er zat geen spoor van zweet op haar gezicht.

'Wat doe je hier?' vroeg hij.
'Ik ben op weg naar mijn aerobics.'
'Je eet patat voordat je naar aerobics gaat?'
'Waarom niet?'
'Ik weet het niet. Het lijkt me niet goed.'
'Ik heb de koolhydraten nodig.'
'O. Rook je ook voordat je naar aerobics gaat?'
'Soms. Heb je daarom niet gebeld? Omdat ik rook?'
'Nee, niet echt.'
'Kom op, Nicholas, ik kan er wel tegen.' Ze glimlachte nog steeds en probeerde een kokette indruk te maken.
'Goed, ik heb daar wel even aan gedacht.'
'Natuurlijk. Ben je ooit uit geweest met iemand die rookte?'
'Niet dat ik me kan herinneren.'
'Waarom niet?'
'Misschien wil ik geen tweedehands rook inademen. Ik weet het niet. Het is niet iets waar ik me erg druk om maak.'
'Heb je ooit gerookt?' Ze beet weer in een frietje en keek hem aandachtig aan.
'Ja. Ieder kind probeert het. Toen ik tien was, stal ik een pakje Camel van een loodgieter die bij ons thuis aan het werk was. Ik rookte ze in twee dagen allemaal op, werd misselijk en dacht dat ik doodging aan kanker.' Hij nam een hap van zijn hamburger.
'En dat was alles?'
Hij kauwde, dacht even na en zei: 'Ik geloof van wel. Voorzover ik me herinner, heb ik nooit meer gerookt. Waarom ben jij begonnen?'
'Dat was stom. Ik probeer te stoppen.'
'Heel verstandig. Je bent te jong.'
'Dank je. En laat me eens raden. Als ik stop, bel je me op, ja?'
'Misschien bel ik evengoed.'
'Dat heb ik al vaker gehoord,' zei ze met een plagerige glimlach. Ze nam een lange slok door haar rietje en zei: 'Mag ik vragen wat je hier doet?'
'Ik eet een whopper. En jij?'
'Dat heb ik je gezegd. Ik ben op weg naar mijn aerobics.'
'Ja. Ik kwam hier langs, had in de stad wat te doen en kreeg honger.'
'Waarom werk je in een Computer Hut?'
'Je bedoelt, waarom verdoe ik mijn leven door voor een hongerloon in een winkel te gaan staan?'
'Nee, maar je komt er dichtbij.'
'Ik ben student.'
'Waar?'
'Nergens. Ik zit tussen twee studies in.'

'Waar heb je het laatst gestudeerd?'
'North Texas State.'
'En waar ga je nu beginnen?'
'Waarschijnlijk Southern Mississippi.'
'Wat studeer je?'
'Computers. Je stelt een hoop vragen.'
'Maar ze zijn toch niet moeilijk?'
'Nee. Waar werk jij?'
'Ik werk niet. Ik ben net van een rijke man gescheiden. Geen kinderen. Ik ben achtentwintig en ik ben alleen en dat wil ik graag blijven, maar zo nu en dan wil ik wel eens uitgaan. Waarom bel je me niet?'
'Hoe rijk?'
Ze moest erom lachen en keek op haar horloge. 'Ik moet gaan. Mijn aerobics-klas begint over tien minuten.' Ze stond op, pakte haar tas maar liet haar dienblad staan. 'Ik zie je nog wel.'
Ze reed weg in een kleine BMW.

De rest van de mensen met een ziekte of handicap werd vlug uit de groep gehaald en om drie uur was het aantal potentiële juryleden teruggebracht tot honderdnegenenvijftig. Rechter Harkin schorste de zitting voor vijftien minuten, en toen hij terugkwam, maakte hij bekend dat ze nu in een volgend stadium van de juryselectie kwamen. Hij hield een krachtige preek over verantwoordelijkheid jegens de samenleving en toen hij vroeg of iemand een beroep op een niet-medisch beletsel wilde doen, klonk het alsof hij korte metten met zo iemand zou maken. De eerste poging werd gedaan door een drukbezette manager die in de getuigenbank plaatsnam en de rechter, de twee advocaten en de stenografe uitlegde dat hij tachtig uur per week werkte voor een grote onderneming die grote verliezen leed en dat het een ramp zou zijn als hij een tijdje niet op kantoor kon komen. De rechter zei dat hij naar zijn plaats moest teruggaan om op nadere instructies te wachten.
De tweede poging werd gedaan door een vrouw van middelbare leeftijd die zonder vergunning thuis kinderen opving. 'Ik doe aan kinderopvang, edelachtbare,' fluisterde ze, vechtend tegen haar tranen. 'Ik kan niks anders doen. Ik krijg tweehonderd dollar per week en daar kan ik amper van rondkomen. Als ik in die jury moet zitten, moet ik iemand anders in dienst nemen voor de kinderen. Hun ouders vinden dat niet leuk en ik kan het me niet veroorloven. Dan is het uit met me.'
De potentiële juryleden zagen met grote belangstelling hoe ze door het gangpad liep, langs haar rij, de rechtszaal uit. Blijkbaar had ze een goed verhaal. De gestresste manager ziedde van woede.
Om half zes hadden elf mensen toestemming gekregen weg te gaan en

waren zestien anderen naar hun plaats teruggestuurd omdat hun verhaal niet zielig genoeg was geweest. De rechter gaf Gloria Lane opdracht een volgende, langere vragenlijst uit te delen en zei tegen de overgebleven potentiële juryleden dat hij de ingevulde lijsten de volgende morgen om negen uur terug wilde hebben. Hij stuurde ze weg nadat hij eerst nog had gewaarschuwd dat ze niet met vreemden over de zaak mochten spreken.
Rankin Fitch was toen al niet meer in de zaal aanwezig. Hij was in zijn kantoor, een eindje verderop in dezelfde straat. Nicholas Easter had nooit ingeschreven gestaan aan de North Texas State University. Het blondje had hun gesprek in de Burger King op de band opgenomen en Fitch had er twee keer naar geluisterd. Hij was degene die had besloten haar er nog eens op uit te sturen. Zo'n tweede toevallige ontmoeting was riskant, maar het was gelukt. Ze was inmiddels op de terugweg naar Washington. Haar antwoordapparaat in Biloxi stond aan en zou aan blijven staan tot de jury was samengesteld. Als Easter besloot te bellen, wat Fitch betwijfelde, zou hij haar niet kunnen bereiken.

4

In de lijst werden vragen gesteld als: Rookt u momenteel sigaretten? Zo ja, hoeveel pakjes per dag? En hoe lang rookt u al? En wilt u stoppen? Ben u een gewoonteroker? Heeft een familielid van u, of iemand die u goed kent, een ziekte gehad die rechtstreeks in verband werd gebracht met het roken van sigaretten? Zo ja, wie? (Hier beneden vermelden. Vermeld a.u.b. naam van desbetreffende persoon, aard van ziekte, en of de persoon met succes behandeld is.) Gelooft u dat roken een oorzaak is van (a) longkanker, (b) hartkwalen, (c) hoge bloeddruk, (d) geen van deze aandoeningen, (e) al deze aandoeningen?

Op bladzijde drie stonden gewichtiger zaken. Wat vindt u ervan dat belastinggeld wordt gebruikt voor medische behandeling van gezondheidsproblemen die met roken in verband staan? Wat vindt u ervan dat belastinggeld wordt gebruikt om tabaksboeren te subsidiëren? Wat vindt u ervan dat in openbare gebouwen een rookverbod geldt? Welke rechten vindt u dat rokers moeten hebben? Voor de antwoorden op die vragen was veel schrijfruimte beschikbaar.

Op bladzijde vier stonden de namen van de zeventien advocaten die officieel aan het proces deelnamen, en daaronder de namen van nog eens tachtig die op enige wijze met de eerste zeventien samenwerkten. Kent u een van deze advocaten persoonlijk? Bent u ooit door een van deze advocaten vertegenwoordigd? Hebt u ooit in een juridische aangelegenheid met een van deze advocaten te maken gehad?

Nee. Nee. Nee. Nicholas maakte vlug de hokjes zwart.

Bladzijde vijf gaf de namen van potentiële getuigen, tweeënzestig mensen onder wie Celeste Wood, de weduwe en eiseres. Kent u een van deze mensen? Nee.

Hij maakte nog een kop instantkoffie en deed er twee zakjes suiker in. Hij

was de vorige avond een uur met die vragen bezig geweest en vanmorgen was er nog eens een uur mee heen gegaan. De zon was nauwelijks op. Zijn ontbijt bestond uit een banaan en een muf broodje. Hij nam een hap van het broodje, dacht over de laatste vragen na en vulde met een keurig, bijna saai handschrift de antwoorden in – in drukletters, want zijn schuine handschrift was onregelmatig en nauwelijks leesbaar. En hij wist dat voordat het die dag donker werd grafologen van beide partijen zich over zijn woorden zouden buigen. Ze interesseerden zich niet zozeer voor wat hij antwoordde als wel voor de manier waarop hij zijn letters vormde. Hij wilde er netjes en serieus uit naar voren komen, intelligent en tolerant, met oog voor de standpunten van beide partijen, iemand die zich een redelijk oordeel vormde, een arbiter die ze graag wilden hebben.
Hij had drie boeken over handschriftanalyse gelezen.
Hij bladerde terug naar de vraag over tabakssubsidies, want dat was een lastige. Hij had een antwoord klaar, want hij had veel over dat onderwerp nagedacht, en hij wilde het duidelijk op papier zetten. Of misschien juist vaag. Misschien op een zodanige manier dat hij zijn gevoelens niet zou blootleggen en toch de andere partij niet zou afschrikken.
Veel van die vragen waren het jaar daarvoor ook gebruikt in de Cimmino-zaak in Allentown, Pennsylvania. Nicholas was toen David geweest, David Lancaster, die in een videotheek werkte en daarnaast aan de filmacademie studeerde, een jongeman met een echte donkere baard en een valse bril met hoornen montuur. Toen had hij de vragenlijst gefotokopieerd voordat hij hem op de tweede dag van de juryselectie inleverde. Het was een soortgelijke zaak geweest, maar met een andere weduwe en een andere tabaksonderneming, en hoewel er honderd advocaten bij betrokken waren geweest, waren het allemaal anderen geweest dan deze hier. Alleen Fitch was er toen ook bij geweest.
Nicholas/David was toen door de eerste twee ronden gekomen, maar had het niet tot jurylid gebracht. Hij schoor zijn baard af, gooide de bril weg en verliet Allentown een maand later.
Het klaptafeltje voor hem trilde enigszins als hij schreef. Dit was zijn eethoek – die tafel en drie verschillende stoelen. Het kamertje rechts van hem was ingericht met een gammele schommelstoel, een televisie op een kistje en een stoffige bank die hij voor vijftien dollar op een vlooienmarkt had gekocht. Hij had waarschijnlijk wel iets beters kunnen huren, maar dan moest je formulieren invullen en liet je een spoor achter. Er liepen mensen rond die in staat waren zijn vuilnis te doorzoeken om erachter te komen wat hij voor iemand was.
Hij dacht aan het blondje en vroeg zich af waar ze vandaag zou opduiken. Natuurlijk zou ze dan een sigaret bij de hand hebben en weer proberen hem tot een banaal gesprekje over roken te verleiden. Hij was nog niet van

plan geweest haar te bellen, maar vroeg zich af voor welke partij ze werkte. Waarschijnlijk de tabaksondernemingen, want ze was precies het soort agente dat Fitch zou gebruiken.

Nicholas had het recht voldoende bestudeerd om te weten dat het in flagrante strijd met de ethiek was dat het blondje, of iemand anders die was ingehuurd, een potentieel jurylid rechtstreeks benaderde. Hij wist ook dat Fitch over genoeg geld beschikte om het blondje spoorloos te laten verdwijnen om haar bij het volgende proces weer te laten opduiken als roodharige met een ander merk sigaretten en belangstelling voor tuinieren. Sommige dingen kreeg je nooit boven water.

Zijn slaapkamer werd bijna helemaal in beslag genomen door een enorm matras dat op de vloer lag met niets eronder, ook een aankoop op de vlooienmarkt. Een rij kartonnen dozen fungeerde als ladenkast. De vloer lag bezaaid met kleren.

Het was een tijdelijk onderkomen en het zag eruit als een woonruimte die iemand een maand of twee gebruikte voordat hij er midden in de nacht vandoor ging, hetgeen precies was wat hij van plan was. Hij woonde hier al zes maanden en het was zijn officiële adres, in elk geval het adres dat hij had gebruikt om zich als kiezer te laten registreren en om zijn rijbewijs in Mississippi aan te vragen. Zes kilometer hiervandaan had hij een beter appartement, maar daar wilde hij nu niet gezien worden.

Daarom leefde hij tevreden in armoede, als een student zonder bezit en met maar weinig verantwoordelijkheden. Hij was er bijna zeker van dat Fitch' speurhonden niet in zijn woning waren binnengedrongen, maar hij nam geen risico. De woning was goedkoop, maar hij paste altijd goed op. Er was niets te vinden dat iets over hem aan het licht kon brengen.

Om acht uur was hij klaar met zijn vragenlijst en keek hem een laatste keer door. De lijst in de zaak-Cimmino had hij met een gewoon handschrift ingevuld, in een heel andere stijl. Na maanden van oefenen met zijn handschrift was hij er zeker van dat niemand iets zou merken. Er waren toen driehonderd potentiële juryleden geweest, en nu bijna tweehonderd. Waarom zou iemand vermoeden dat hij in beide groepen voorkwam?

Langs een kussensloop die voor het keukenraam was gespannen keek hij naar het parkeerterrein om te zien of daar fotografen of andere indringers waren. Drie weken geleden had hij er een achter het wiel van een pick-up zien zitten.

Vandaag waren er geen snuffelaars. Hij deed de deur van zijn woning op slot en ging te voet op weg.

Gloria Lane had de volgende dag veel minder tijd nodig om iedereen op zijn of haar plaats te krijgen. De overgebleven honderdachtenveertig potentiële juryleden zaten dicht opeen aan de rechterkant, twaalf op een

rij, twaalf rijen diep met vier op het gangpad. Als ze aan één kant van de rechtszaal zaten, waren ze gemakkelijker te dirigeren. De vragenlijsten werden bij aankomst ingenomen en daarna vlug gefotokopieerd en aan beide partijen gegeven. Om tien uur zaten de jury-experts in raamloze kamers de antwoorden te analyseren. Aan de andere kant van het gangpad zat een beschaafd publiek van effectenjongens, verslaggevers, nieuwsgierigen en andere toeschouwers. Ze keken naar de vele juristen die de gezichten van de juryleden zaten te bestuderen. Fitch was ongemerkt naar de voorste rij gegaan, dichter bij zijn advocatenteam, met aan weerskanten een goed geklede assistent in afwachting van zijn bevelen.
Rechter Harkin zette er die dinsdag vaart achter. Hij had nog geen uur nodig om de niet-medische beletsels af te werken. Er mochten nog zes mensen vertrekken, zodat er honderdtweeënveertig potentiële juryleden overbleven.
Nu kon de strijd beginnen. Wendall Rohr, die zo te zien hetzelfde grijs geruite colbert en witte vest en rood-met-gele vlinderdasje droeg, stond op en liep naar de balustrade om zich tot zijn publiek te richten. Hij liet zijn knokkels kraken, opende zijn handen en keek de mensen met een duistere, brede glimlach aan. 'Welkom,' zei hij dramatisch, alsof ze de herinnering aan wat nu ging gebeuren hun hele leven zouden blijven koesteren. Hij stelde zichzelf voor, en ook de leden van zijn team die aan het proces zouden deelnemen, en vroeg toen aan de eiseres, Celeste Wood, om te gaan staan. Toen hij haar aan de potentiële juryleden voorstelde, zag hij kans het woord 'weduwe' twee keer te gebruiken. Ze was een tenger vrouwtje van vijfenvijftig en ze droeg een effen zwarte jurk, donkere kousen en donkere schoenen die vanwege de balustrade niet te zien waren. Om haar mondhoeken speelde een pijnlijk gepast glimlachje, alsof ze nog in de rouw was, hoewel haar man al vier jaar geleden was gestorven. Sterker nog, ze was bijna hertrouwd, iets waar Wendall op het laatste moment, zodra hij ervan hoorde, nog een stokje voor had gestoken. Je mag best van die man houden, had hij haar uitgelegd, maar doe dat dan wel in stilte. Je kunt pas na het proces met hem trouwen. Het is de bedoeling dat je medeleven wekt. Ze moeten zien dat je lijdt, had hij uitgelegd.
Fitch wist van dat nog net verhinderde huwelijk, maar hij wist ook dat ze weinig kans maakten de jury daarvan op de hoogte te brengen.
Toen iedereen aan zijn kant van de rechtszaal officieel was voorgesteld, gaf Rohr zijn korte samenvatting van de zaak, een tekst waar de rechter en de advocaten van de tegenpartij met immense belangstelling naar luisterden. Ze zouden meteen in het geweer komen als Rohr over de onzichtbare grens tussen feiten en argumenten stapte. Dat deed hij niet, maar hij genoot ervan om ze te kwellen.
Vervolgens hield hij een lang verhaal voor de potentiële juryleden: ze

moesten eerlijk zijn, zei hij, zich openstellen voor alles wat er gebeurde en niet bang zijn hun vingertje op te steken als ze ergens mee zaten. Hoe konden zij, de advocaten, iets van hun gedachten en gevoelens weten als zij, de juryleden, hun mond dicht hielden? 'In ieder geval niet door alleen maar naar u te kijken,' zei hij en hij glimlachte er weer bij. Op dat moment deden niet minder dan acht mensen in de rechtszaal wanhopige pogingen elke opgetrokken wenkbrauw of mondhoek te interpreteren.
Om de zaak aan het rollen te krijgen pakte Rohr een schrijfblok op, keek ernaar en zei: 'Wel, we hebben een aantal mensen die al eerder jurylid in een civiele procedure zijn geweest. Wilt u uw hand opsteken?' Een stuk of tien handen gingen gehoorzaam omhoog. Rohr tuurde naar het publiek en koos de dichtstbijzijnde uit, een vrouw op de voorste rij. 'Mevrouw Millwood, nietwaar?' Ze knikte en kreeg een kleur. Alle aanwezigen keken naar mevrouw Millwood of probeerden naar haar te kijken.
'U hebt een paar jaar geleden in een civiele jury gezeten, nietwaar?' zei Rohr vriendelijk.
'Ja.' Ze schraapte haar keel en deed haar best om duidelijk te spreken.
'Wat voor zaak was dat?' vroeg hij, al kende hij nagenoeg alle details – zeven jaar geleden, deze zelfde rechtszaal, andere rechter, eis afgewezen. Het dossier was weken geleden gekopieerd. Rohr had zelfs met de advocaat van de eiser gesproken, een vriend van hem. Hij begon met deze vraag en met deze vrouw omdat het een gemakkelijke inleiding was, een manier om de anderen te laten zien dat je gerust je hand kon opsteken om de dingen te bespreken.
'Een auto-ongeluk,' zei ze.
'Waar was dat proces?' vroeg hij oprecht.
'Hier.'
'O, in deze zaal.' Hij klonk nogal verrast, maar de advocaten van de gedaagde wisten dat hij komedie speelde.
'Is de jury toen tot een uitspraak gekomen?'
'Ja.'
'En wat was die uitspraak?'
'We hebben hem niets gegeven.'
'Met die "hem" bedoelt u de eiser?'
'Ja. We vonden dat hij niet echt gewond was geraakt.'
'O. Vond u het prettig om in de jury te zitten?'
Ze dacht even na. 'Het ging wel. Maar wel veel tijdverspilling, u weet wel, als de advocaten maar bleven kibbelen over het een of ander.'
Een brede glimlach. 'Ja, dat doen we nogal vaak. Maar die zaak zou u als jurylid in deze zaak niet beïnvloeden?'
'Nee, dat denk ik niet.'
'Dank u, mevrouw Millwood.' Haar man was vroeger boekhouder in een

klein ziekenhuis geweest, dat had moeten sluiten nadat iemand een proces had aangespannen wegens een medische fout. Eigenlijk had ze een hartgrondige hekel aan zware vonnissen, en met reden. Jonathan Kotlack, Rohrs medewerker die met de definitieve juryselectie was belast, had haar naam al lang geleden geschrapt.
Maar aan de andere tafel, nog geen drie meter van Kotlack vandaan, zagen de advocaten van de gedaagde erg veel in haar. JoAnn Millwood zou een geweldige vangst zijn.
Rohr stelde dezelfde vragen aan de andere juryveteranen en het werd al gauw een eentonige gang van zaken. Vervolgens sneed hij de netelige kwestie van de hervormingen van de aansprakelijkheidswetgeving aan. Hij stelde een aantal wijdlopige vragen over de rechten van slachtoffers, en over lichtzinnige eisen en hoge verzekeringspremies. Een paar van zijn vragen waren in feite argumenten, maar hij kwam niet in moeilijkheden. Het was bijna lunchpauze en de potentiële juryleden begonnen hun belangstelling te verliezen. Rechter Harkin schorste de zitting een uur en de rechtszaal werd ontruimd.
De advocaten bleven achter. Gloria Lane en haar mensen deelden lunchpakketten met soppige kleine sandwiches en rode appels uit. Dit was een werklunch. Er moest over allerlei verzoeken worden beslist en de rechter wilde wel eens wat argumenten horen. Ze konden koffie of ijsthee krijgen.

De vragenlijsten maakten de selectie van de juryleden veel gemakkelijker. Terwijl Rohr vragen stelde in de rechtszaal, waren tientallen mensen ergens anders bezig de schriftelijke antwoorden te bestuderen en schrapten ze namen van hun lijst. Iemands zuster was aan longkanker gestorven. Zeven anderen hadden familieleden of goede vrienden met ernstige ziekten die ze aan roken toeschreven. Minstens de helft van de potentiële juryleden rookte momenteel of had in het verleden regelmatig gerookt. De meeste rokers gaven toe dat ze ermee wilden stoppen.
De gegevens werden geanalyseerd en in computers gestopt. Op de middag van de tweede dag werden de uitdraaien rondgedeeld en bijgewerkt. Nadat rechter Harkin op dinsdagmiddag half vijf de zitting had verdaagd, liet hij de rechtszaal weer ontruimen en ging hij zonder publiek verder. Bijna drie uur lang werd over de antwoorden op de vragenlijsten gediscussieerd en uiteindelijk werden nog eens eenendertig namen geschrapt. Gloria Lane kreeg opdracht deze mensen meteen telefonisch het goede nieuws te vertellen.
Harkin was vastbesloten de juryselectie op woensdag af te ronden. De openingsverklaringen konden dan donderdagochtend worden afgelegd. Hij liet zelfs doorschemeren dat hij ook op zaterdag een zitting wilde houden.

Dinsdagavond om acht uur hoorde hij nog één laatste verzoek aan, een vluggertje, en stuurde de advocaten toen naar huis. De advocaten van Pynex ontmoetten Fitch in het kantoor van Whitney & Cable & White, waar hun weer een feestmaal van koude sandwiches en vettige chips te wachten stond. Fitch wilde werken, en terwijl de vermoeide advocaten langzaam hun kartonnen borden vulden, deelden twee assistenten exemplaren van de meest recente handschriftanalyses rond. Vlug eten, zei Fitch, alsof het ook mogelijk zou zijn om echt van het voedsel te genieten. Het aantal potentiële juryleden was teruggebracht tot honderdelf en de volgende dag zou het kiezen beginnen.

De ochtend behoorde toe aan Durwood Cable, of Durr, zoals hij aan de Golfkust werd genoemd – die kust had hij in zijn eenenzestig jaren trouwens nooit echt verlaten. Sir Durr, senior-partner van Whitney & Cable & White, was zorgvuldig door Fitch uitgekozen om het grootste deel van het rechtbankwerk voor Pynex te doen. Als advocaat, vervolgens als rechter en nu weer als advocaat had Durr het grootste deel van de afgelopen dertig jaar met jury's te maken gehad. Hij vond een rechtszaal een ontspannende omgeving, omdat het toneel was – geen telefoon, geen heen en weer geloop, geen secretaresses die ronddraafden – iedereen had een rol, iedereen hield zich aan een scenario en de advocaten waren de sterren. Hij liep en praatte weloverwogen, maar tussen zijn stappen en zinnen door ontging zijn grijze ogen niets. Terwijl zijn tegenstander Wendall Rohr luidruchtig en joviaal en opzichtig was, was Durr gesloten en nogal stijf. Hij droeg het verplichte donkere pak, een nogal in het oog springende goudkleurige das en het gebruikelijke witte overhemd, dat goed met zijn diepgebruinde gezicht contrasteerde. Durr was een hartstochtelijk liefhebber van zeevissen en bracht vele uren op zijn boot door, in de zon.
De kruin van zijn hoofd was kaal en erg gebronsd.
Hij had eens zes jaar lang al zijn zaken gewonnen, en toen maakte Rohr, vijand en soms ook vriend, hem in een driewielerzaak twee miljoen dollar afhandig.
Hij liep naar de balustrade en keek ernstig in de gezichten van honderdelf mensen. Hij wist waar elk van hen woonde en wist ook het eventuele aantal kinderen en kleinkinderen. Hij sloeg zijn armen over elkaar, kneep als een bedachtzame professor in zijn kin en zei met een aangename, diepe stem: 'Ik ben Durwood Cable en ik vertegenwoordig Pynex, een oude onderneming die al negentig jaar sigaretten maakt.' Zo, hij schaamde zich er niet voor! Hij sprak tien minuten over Pynex en zag kans de onderneming erg vriendelijk voor te stellen. Het concern werd warm en zacht, bijna sympathiek.
Toen hij daarmee klaar was, begon hij over de vrije keuze te spreken. Ter-

wijl Rohr het over verslaving had gehad, besteedde Cable zijn tijd aan de vrijheid van keuze. 'Zijn we het er allemaal over eens dat sigaretten gevaarlijk kunnen zijn wanneer er misbruik van wordt gemaakt?' vroeg hij, en hij zag de meeste hoofden instemmend knikken. Wie zou dat kunnen tegenspreken? 'Ja. Nou, omdat iedereen dat weet, zijn we het er toch ook over eens dat je van iemand die rookt mag verwachten dat hij de gevaren kent?' Nog meer hoofdknikjes, nog geen handen. Hij bestudeerde de gezichten, vooral het nietszeggende gezicht van Nicholas Easter, die nu op rij drie zat, de achtste vanaf het gangpad. Omdat er mensen waren weggestuurd, was Easter niet meer nummer zesenvijftig. Hij was nu nummer tweeëndertig en hij schoof na iedere sessie een eindje op. Op zijn gezicht stond niets dan grote aandacht te lezen.

'Dit is een erg belangrijke vraag,' zei Cable langzaam, en zijn woorden galmden in de stilte. Hij wees met zijn vinger naar hen en zei: 'Is hier iemand die niet vindt dat je van een roker mag verwachten dat hij de gevaren kent?'

Hij wachtte, keek toe en gaf een rukje aan de lijn, en ten slotte had hij beet. Op de vierde rij ging langzaam een hand omhoog. Cable glimlachte, ging een stap naar voren en zei: 'Ja, ik geloof dat u mevrouw Tutwiler bent. Gaat u maar staan.' Als hij echt graag een vrijwilliger wilde hebben, was zijn blijdschap van korte duur. Mevrouw Tutwiler was een fragiel dametje van zestig met een kwaad gezicht. Ze ging kaarsrecht staan, stak haar kin naar voren en zei: 'Ik heb een vraag voor u, meneer Cable.'

'Gaat uw gang.'

'Als iedereen weet dat sigaretten gevaarlijk zijn, waarom blijft uw cliënt ze dan maken?'

Op de tribune met potentiële juryleden werd hier en daar gegrinnikt. Alle ogen waren gericht op Durwood Cable, die zelf ook bleef glimlachen en geen krimp gaf. 'Uitstekende vraag,' zei hij hardop. Hij was niet van plan er antwoord op te geven. 'Denkt u dat het maken van sigaretten helemaal verboden moet worden, mevrouw Tutwiler?'

'Ja.'

'Zelfs wanneer mensen gebruik willen maken van hun recht om te roken?'

'Sigaretten zijn verslavend, meneer Cable, dat weet u best.'

'Dank u, mevrouw Tutwiler.'

'De fabrikanten voeren het nicotinegehalte op, maken de mensen verslaafd en adverteren dan als gekken om te blijven verkopen.'

'Dank u, mevrouw Tutwiler.'

'Ik ben nog niet klaar,' zei ze met luide stem. Ze hield de bank voor haar omklemd en richtte zich nog meer op. 'De fabrikanten hebben altijd ontkend dat roken verslavend is. Dat is een leugen, en dat weet u ook. Waarom vermelden ze het niet op hun etiketten?'

Durrs gezicht bleef volstrekt onbewogen. Hij wachtte geduldig af en vroeg toen op niet onvriendelijke toon: 'Bent u klaar, mevrouw Tutwiler?' Eigenlijk had ze nog meer willen zeggen, maar ze realiseerde zich dat dit er misschien niet de gelegenheid voor was. 'Ja,' zei ze bijna fluisterend.
'Dank u. Reacties als die van u zijn van groot belang voor de selectieprocedure. Ik ben u erg dankbaar. U kunt nu gaan zitten.'
Ze keek om zich heen alsof anderen ook moesten opstaan om zij aan zij met haar te strijden, maar toen niemand dat deed, liet ze zich op haar plaats zakken. In feite zou ze de rechtszaal nu meteen kunnen verlaten.
Cable ging vlug op minder gevoelige zaken over. Hij stelde veel vragen, lokte een paar antwoorden uit en gaf zijn lichaamstaalexperts voldoende studiemateriaal. Om twaalf uur was hij klaar, net op tijd voor een snelle lunch. Harkin vertelde de potentiële juryleden dat ze om drie uur terug moesten zijn, maar zei tegen de advocaten dat ze vlug moesten eten. Hen wilde hij over drie kwartier terug hebben.
Om één uur, toen de rechtszaal leeg en afgesloten was en de advocaten dicht opeen bij hun tafels stonden, stond Jonathan Kotlack op. Hij richtte zich tot de rechter: 'De eiser accepteert jurylid nummer één.' Niemand vond dat vreemd. Ze noteerden allemaal iets op een uitdraai, ook de rechter, die na een korte stilte vroeg: 'De gedaagde?'
'De gedaagde accepteert nummer één.' Ook geen verrassing. Nummer één was Rikki Coleman, een jonge echtgenote en moeder van twee kinderen die nooit had gerookt en op de administratie van een ziekenhuis werkte. Kotlack en zijn mensen kenden haar het cijfer 7 toe. Ze baseerden zich daarbij op haar schriftelijke antwoorden, haar werk in de gezondheidszorg, haar goede opleiding en haar grote belangstelling voor alles wat tot dan toe gezegd was. De gedaagde gaf haar een 6 en zou haar hebben afgewezen als er niet een hele rij ongunstige figuren op komst was.
'Dat was makkelijk,' mompelde Harkin. 'We gaan meteen verder. Nummer twee, Raymond C. LaMonette.' LaMonette leverde de eerste strategische schermutseling op. Geen van beide partijen wilden hem in de jury – beide gaven hem een 4,5. Hij was een zware roker maar wilde er erg graag mee stoppen. Zijn schriftelijke antwoorden waren onleesbaar en volkomen nutteloos. De lichaamstaalexperts van beide partijen stelden dat LaMonette de pest had aan alle advocaten en aan alles waar ze voor stonden. Jaren geleden was hij bijna doodgereden door een dronken automobilist. Hij had toen schadevergoeding geëist, maar niets gekregen.
Volgens de regels van juryselectie hadden beide partijen recht op een aantal weigeringen, of wrakingen zoals ze werden genoemd, zonder opgave van redenen. Vanwege het belang van deze zaak had rechter Harkin beide partijen tien van die wrakingen gegund, in plaats van de gebruikelijke vier. Beide partijen wilden LaMonette schrappen, maar ze wilden ook beide

hun wrakingen voor anderen reserveren.
De eiser moest als eerste een uitspraak doen en na een korte stilte zei Kotlack: 'De eiser wraakt nummer twee.'
'Dat is wraking nummer één voor de eiser,' zei Harkin, en hij maakte een notitie. Een kleine overwinning voor Pynex. Op grond van een beslissing op het laatste moment was Durr Cable ook bereid geweest hem te wraken.
De eiser gebruikte een wraking voor nummer drie, de vrouw van een directeur, en ook voor nummer vier. De ene strategische wraking volgde op de andere, en de eerste rij werd nagenoeg gedecimeerd. Niet meer dan twee juryleden overleefden de slag. Het bloedbad was minder erg in rij twee, waar vijf van de twaalf diverse bezwaren, waaronder twee van de rechter, overleefden. Toen ze aan rij drie begonnen, waren er al zeven juryleden gekozen. Op de achtste plaats van die rij zat de grote onbekende, Nicholas Easter, nummer tweeëndertig, die tot nu toe aandachtig had geluisterd en redelijk aanvaardbaar was, al hadden beide partijen hun twijfels.
Wendall Rohr, die nu namens de eiser het woord deed omdat Kotlack fluisterend met een expert zat te overleggen over twee van de gezichten in rij vier, gebruikte een wraking voor nummer vijfentwintig. Dat was de negende wraking van de eiser. De laatste was gereserveerd voor een gevreesde en notoire Republikein in rij vier, als ze zover kwamen. De gedaagde wraakte nummer zesentwintig en gebruikte daarmee zijn achtste wraking. De nummers zevenentwintig, achtentwintig en negenentwintig werden geaccepteerd. Nummer dertig werd door de gedaagde geweigerd met reden, wat betekende dat een beroep werd gedaan op wederzijdse redenen om het potentiële jurylid niet toe te laten, zonder dat daarvoor een wraking hoefde te worden gebruikt. Durr Cable vroeg de rechter om een onderhoud dat buiten het verslag bleef. Rohr was een beetje verbaasd, maar maakte geen bezwaar. De griffier hield op met notuleren. Cable gaf een papier aan Rohr en ook een exemplaar aan de rechter. Hij dempte zijn stem en zei: 'Edelachtbare, wij hebben uit bepaalde bronnen vernomen dat nummer dertig, Bonnie Tyus, verslaafd is aan Ativan, een middel dat alleen op recept verkrijgbaar is. Ze is nooit behandeld, nooit gearresteerd, heeft nooit haar probleem erkend. In ieder geval heeft ze het niet op de vragenlijsten vermeld of ter sprake gebracht tijdens onze kleine ondervraging. Ze ziet kans een rustig leven te lijden, heeft een baan en een man, al is hij haar derde.'
'Hoe bent u dat aan de weet gekomen?' vroeg Harkin.
'Door ons nogal uitgebreide onderzoek naar alle potentiële juryleden. Ik verzeker u, edelachtbare, dat er geen onwettig contact met mevrouw Tyus heeft plaatsgevonden.'
Fitch had het ontdekt. Ze hadden haar tweede man gevonden, in Nashvil-

le, waar hij trucks en opleggers waste bij een chauffeursrestaurant. In ruil voor een briefje van honderd had hij alles verteld wat hij zich van zijn ex kon herinneren.
'Wat vindt u ervan, meneer Rohr?' vroeg de rechter.
Zonder enige aarzeling loog Rohr: 'Wij beschikken over dezelfde informatie, edelachtbare.' Hij glimlachte naar Jonathan Kotlack, die op zijn beurt woedend naar een andere jurist keek, die belast was geweest met de groep waartoe Bonnie Tyus behoorde. Ze hadden al meer dan een miljoen dollar aan juryselectie uitgegeven en dit uiterst belangrijke gegeven was hun ontgaan!
'Goed. Nummer dertig wordt niet toegelaten. We gaan verder met de gewone zitting. Nummer eenendertig?'
'Hebt u een paar minuten, edelachtbare?' vroeg Rohr.
'Ja. Maar kort, graag.'
Na dertig namen waren er tien geselecteerd; negen waren door de eiser gewraakt, acht door de gedaagde, en drie waren afgewezen door de rechter. Het was onwaarschijnlijk dat de selectie de vierde rij zou bereiken. Rohr, die nog één wraking over had, keek naar de nummers eenendertig tot en met zesendertig en fluisterde tegen zijn groepje medewerkers: 'Wie stinkt het meest?' De vingers wezen unaniem naar nummer vierendertig, een grote, venijnige, blanke vrouw voor wie ze vanaf de eerste dag bang waren geweest. Wilda Haney heette ze, en ze namen zich allemaal al een maand lang heilig voor Wilde Wilda eruit te krijgen. Ze bestudeerden de gegevens nog een paar minuten en besloten de nummers eenendertig, tweeëndertig, drieëndertig en vijfendertig te nemen, op wie ze niet erg happig waren maar die ze altijd nog liever hadden dan Wilde Wilda.
Cable en zijn troepen, die een paar meter verder opeengedrongen stonden, besloten eenendertig te schrappen, tweeëndertig te nemen, drieëndertig aan te vechten omdat drieëndertig Herman Grimes was, de blinde man, en dan vierendertig, Wilda Haney, te nemen en zo nodig nummer vijfendertig te wraken.

En zo werd Nicholas Easter het elfde jurylid in de zaak *Wood versus Pynex.* Toen de zitting om drie uur werd geopend en iedereen op de tribune zat, begon rechter Harkin de namen van de twaalf gekozenen op te roepen. Ze liepen door het hekje in de balustrade en namen de toegewezen plaatsen in de jurybank in. Nicholas had stoel nummer twee op de voorste rij. Met zijn zevenentwintig jaar was hij het op een na jongste jurylid. Er waren negen blanken, drie zwarten, zeven vrouwen, vijf mannen, één blinde. Drie reserves zaten op beklede klapstoelen die dicht tegen elkaar aan stonden in een hoek van de jurybank. Om half vijf stonden de vijftien mensen op en herhaalden hun eed als jurylid. Vervolgens luisterden ze een halfuur naar rechter Harkin, die een aantal strenge waarschuwingen gaf, en naar de advocaten en de betrokken partijen. Contact met de juryleden, op welke wijze ook, zou leiden tot strenge sancties, geldboetes en misschien een nietigverklaring van het geding en misschien zelfs geschrapt worden als advocaat.

Harkin zei tegen de juryleden dat ze met niemand over de zaak mochten spreken, zelfs niet met hun echtgenoot of partner en keek hen ten slotte met een blijmoedig glimlachje aan en wenste hun een prettige avond. De volgende morgen om negen uur moesten ze weer present zijn.

De advocaten sloegen dit alles gade en wensten dat zij ook weg konden gaan. Maar ze hadden werk te doen. Toen iedereen de rechtszaal had verlaten, behalve de juristen en griffiemedewerkers, zei de rechter: 'Heren, u hebt een aantal verzoeken ingediend. Daar moeten we het nu over hebben.'

5

Het kwam voor een deel door een mengeling van nieuwsgierigheid en verveling en ook doordat hij het gevoel had dat er al iemand zou zijn. Hoe dan ook, Nicholas Easter glipte om half negen door de niet afgesloten achterdeur van het gerechtsgebouw naar binnen, klom de zelden gebruikte achtertrap op en kwam in de smalle gang achter de rechtszaal. Omdat de meeste kantoren van de county om acht uur opengingen, kwamen er geluiden van de begane grond. Maar op de eerste verdieping was nog niet veel te beleven. Hij gluurde in de rechtszaal en zag dat daar geen mensen waren. De aktetassen waren er wel al; ze stonden lukraak op de tafels. De advocaten stonden waarschijnlijk bij de koffieautomaat moppen te tappen en zich op de komende strijd voor te bereiden.
Hij kende het terrein goed. Drie weken eerder, de dag nadat hij zijn felbegeerde oproep voor jurydienst had ontvangen, had hij in de rechtszaal rondgekeken. Omdat er op dat moment niemand in de zaal was geweest, had hij de gangen en hoeken eromheen verkend, het kleine kamertje van de rechter, de koffiekamer waar de advocaten elkaar roddelverhalen vertelden terwijl ze aan geblutste tafels met oude tijdschriften en nieuwe kranten zaten, de nogal primitieve getuigenkamers met klapstoelen en zonder ramen, de verdachtenkamer waar geboeide en gevaarlijke criminelen op hun straf wachtten, en natuurlijk de jurykamer.
Vanochtend bleek zijn voorgevoel juist te zijn. Ze heette Lou Dell en ze was een nogal dikke vrouw van zestig met een schittering in haar ogen. Ze droeg een polyester broek en oude sportschoenen en zat naast de deur van de jurykamer een beduimeld romannetje te lezen en te wachten tot iemand haar domein betrad. Ze sprong overeind, trok vlug een papier onder zich vandaan en zei: ‘Goedemorgen. Kan ik u helpen?’ Haar hele gezicht was één grote glimlach. Haar ogen fonkelden van ondeugd.

'Nicholas Easter,' zei hij en hij pakte haar uitgestoken hand vast. Ze gaf er een kneepje in, schudde hem stevig en vond zijn naam op haar papier. Nog een glimlach, nog stralender, en toen zei ze: 'Welkom in de jurykamer. Is dit uw eerste proces?'
'Ja.'
'Kom,' zei ze, en ze duwde hem de kamer in. 'Daar hebt u koffie en doughnuts.' Ze trok aan zijn arm en wees naar een hoek. 'Deze heb ik zelf gemaakt,' zei ze trots, terwijl ze een mandje met vettige zwarte muffins optilde. 'Dat is een soort traditie. Doe ik altijd op de eerste dag. Ik noem ze mijn jurymuffins. Neemt u er maar een.'
Op de tafel stonden schaaltjes met allerlei soorten doughnuts, keurig op een rij. Twee koffiepotten stonden te dampen. Borden en kopjes, lepels en vorken, suiker, melk, allerlei soorten zoetjes. En midden op de tafel stonden de jurymuffins. Nicholas nam er een omdat hij geen keus had.
'Ik maak ze al achttien jaar,' zei ze. 'Vroeger deed ik er rozijnen in, maar daar moest ik mee stoppen.' Ze rolde met haar ogen alsof de rest van het verhaal te schandaleus was.
'Waarom?' voelde hij zich gedwongen te vragen.
'Ze lieten er winden van. Soms kun je in de rechtszaal elk geluid horen. Begrijpt u wat ik bedoel?'
'Ja.'
'Koffie?'
'Ik pak zelf wel.'
'Goed.' Ze draaide zich om en wees naar een stapel papieren midden op de tafel. 'Dat is een lijst met instructies van rechter Harkin. Hij wil dat ieder jurylid er een neemt, alles zorgvuldig doorleest en er dan zijn of haar handtekening onder zet. Ik haal ze later op.'
'Dank u.'
'Ik ben op de gang, bij de deur, als u me nodig hebt. Daar blijf ik. Deze keer krijg ik zo'n verrekte deputy bij me, niet te geloven, hè? Ik word daar niet goed van. Zeker weer zo'n boerenpummel die nog geen schuur met een jachtgeweer kan raken. Nou ja, dit is ook wel zo'n beetje de grootste zaak die we ooit hebben gehad. De grootste civiele procedure, bedoel ik. U zou niet geloven wat we hier voor strafzaken hebben gehad.' Ze pakte de deurknop vast en trok hem naar zich toe. 'Ik ben op de gang, als u me nodig hebt.'
De deur ging dicht en Nicholas keek naar zijn muffin. Langzaam nam hij een hapje. Het was voor het grootste deel zemelen en suiker en hij dacht even aan de geluiden in de rechtszaal. Hij gooide hem in de prullenbak en schonk zwarte koffie in een plastic bekertje. Die plastic bekertjes moesten weg. Als het de bedoeling was dat hij hier vier tot zes weken zou bivakkeren, moesten ze voor echte kopjes zorgen. En als de county zich van die

luxe doughnuts kon veroorloven, konden er ook wel bagels en croissants komen.
Er was geen cafeïnevrije koffie. Hij besloot dat te onthouden. En geen heet water voor thee, voor het geval dat sommige van zijn nieuwe vrienden geen koffiedrinkers waren. De lunch moest goed zijn. Hij was niet van plan zes weken tonijnsalade te eten.
Twaalf stoelen stonden netjes om de tafel heen, die in het midden van de kamer stond. De dikke laag stof die hij drie weken geleden had gezien, was verdwenen. De kamer was grondig schoongemaakt. Aan een van de muren hing een groot schoolbord met wissers en nieuwe krijtjes. Aan de andere kant van de tafel boden drie grote ramen, van vloer tot plafond, uitzicht op het gazon van het gerechtsgebouw. Het gras was nog groen en fris, hoewel de zomer al meer dan een maand voorbij was. Nicholas keek door een raam naar de voetgangers op het trottoir.
Het nieuwste wat ze van rechter Harkin te horen kregen, was een lijst van enkele dingen die ze moesten doen en veel dingen die ze moesten vermijden. Ga georganiseerd te werk. Kies een voorzitter, en als dat u niet lukt, geef dat dan aan mij door, dan kies ik er een uit. Draag de rood-met-witte jurybuttons te allen tijde. Lou Dell zal ze uitdelen. Breng iets te lezen mee voor de stille uurtjes. Als u iets wilt hebben, vraag er dan gerust om. Bespreek de zaak niet onder elkaar totdat ik u daartoe opdracht geef. Bespreek de zaak met niemand anders. Verlaat het gerechtsgebouw niet zonder toestemming. Gebruik de telefoon niet zonder toestemming. De lunch wordt naar de jurykamer gebracht en daar gebruikt. Elke dag ontvangt u een dagelijks menu voordat de zitting om negen uur begint. Stel het hof onmiddellijk in kennis indien u, of iemand die u kent, op welke manier dan ook wordt benaderd met betrekking tot dit proces. Stel het hof onmiddellijk in kennis wanneer u iets ziet of hoort of opmerkt dat misschien verband houdt met het feit dat u jurylid bent in deze zaak.
Vreemde instructies, die laatste twee. Maar Nicholas wist alles van een tabaksproces in het oosten van Texas, een proces dat na één week al ongeldig werd verklaard, omdat was ontdekt dat mysterieuze agenten door het kleine stadje gingen en grote geldbedragen aan familie van juryleden aanboden. De agenten verdwenen voordat iemand ze kon betrappen en het werd nooit duidelijk voor welke kant ze werkten, al werden van weerszijden verhitte beschuldigingen uitgesproken. Mensen die het hoofd koel hielden, gingen ervan uit dat de tabaksjongens erachter zaten. De jury bleek plotseling sterk op de hand van de tabaksindustrie te zijn, en de andere partij was blij dat het proces ongeldig werd verklaard.
Hoewel het nooit te bewijzen zou zijn, was Nicholas er zeker van dat Rankin Fitch achter die omkoperij had gezeten. En hij wist dat Fitch meteen zou beginnen zijn nieuwe vrienden te bewerken.

Hij zette zijn handtekening op het papier en liet het op de tafel liggen. Er klonken stemmen op de gang. Lou Dell verwelkomde een volgend jurylid. De deur zwaaide opeens open, gevolgd door een tikkend geluid, en Herman Grimes betrad de kamer, voor zich uit tikkend met zijn stok. Zijn vrouw volgde hem. Ze raakte hem niet aan maar keek meteen in de kamer om zich heen en gaf zachtjes een beschrijving. 'Langwerpige kamer, acht bij vijf meter, de lange kant voor je uit, brede kant van links naar rechts, langwerpige tafel in het midden door de lengte, stoelen eromheen, dichtstbijzijnde stoel tweeëneenhalve meter van je vandaan.' Hij stond dat alles roerloos in zich op te nemen en zijn hoofd ging telkens in de richting die ze aangaf. Achter haar stond Lou Dell met haar handen op haar heupen in de deuropening. Ze popelde om de blinde man een muffin te voeren.
Nicholas deed een paar stappen en stelde zich voor. Hij pakte Hermans uitgestoken hand en ze wisselden beleefdheden uit. Hij zei mevrouw Grimes gedag en leidde Herman naar het eten en de koffie, om hem vervolgens een kopje in te schenken en er suiker en melk in te doen. Om Lou Dell, die bij de deur was blijven staan, voor te zijn beschreef hij de doughnuts en de muffins. Herman had geen trek.
'Mijn favoriete oom is blind,' zei Nicholas. Zijn woorden waren bestemd voor hen alle drie. 'Het zal me een eer zijn u gedurende het proces te assisteren.'
'Ik kan me heel goed zelf redden,' zei Herman met enige verontwaardiging, maar zijn vrouw kon een warme glimlach niet onderdrukken. Toen knipoogde en knikte ze.
'Natuurlijk,' zei Nicholas, 'maar ik weet dat er veel kleine dingen zijn. Ik wil alleen maar helpen.'
'Dank u,' zei Herman na een korte stilte.
'Dank u,' zei zijn vrouw.
'Ik ben op de gang, als u iets nodig heeft,' zei Lou Dell.
'Hoe laat moet ik hem komen halen?' vroeg mevrouw Grimes.
'Om vijf uur. Als het eerder is, bel ik wel.' Terwijl Lou Dell de deur dichtdeed, ratelde ze de instructies af.
Herman droeg een bril met donkere glazen. Zijn bruine haar was dik, voorzien van brillantine, en begon net een beetje grijs te worden.
'Er liggen wat papieren,' zei Nicholas toen ze alleen waren. 'Neem een stoel, dan neem ik het door.' Herman voelde de tafel, zette zijn koffie neer en tastte naar een stoel. Hij bewoog zijn vingertoppen eroverheen om zich te oriënteren, en ging zitten. Nicholas nam een exemplaar van de instructies en begon voor te lezen.

Na de miljoenen die aan de selectie waren besteed, lagen de meningen voor het oprapen. Iedereen had er een. De experts van de gedaagde felici-

teerden zichzelf met het kiezen van zo'n puike jury, hoewel ze zich vooral op de borst klopten met het oog op het legioen advocaten dat dag en nacht in touw was. Durr Cable had ergere jury's meegemaakt, maar ook veel betere. Ook had hij al lang geleden geleerd dat het nagenoeg onmogelijk was om te voorspellen wat een jury ging doen. Fitch was tevreden, dat wil zeggen zo tevreden als hij van zichzelf mocht zijn, hoewel dat hem er niet van weerhield om tegen iedereen te snauwen. Er zaten vier rokers in de jury. Fitch klampte zich vast aan de onuitgesproken overtuiging dat de Golfkust, met zijn toplessbars en casino's en de nabijheid van New Orleans, een regio was waar de bevolking verdraagzaamheid voor menselijke zonden kon opbrengen.
Aan de andere kant van de scheidslijn waren Wendall Rohr en zijn collega's ook tevreden over de samenstelling van de jury. Ze waren vooral blij met de onverwachte toevoeging van Herman Grimes, het eerste blinde jurylid sinds mensenheugenis. Grimes had erop gestaan dat hij net zo beoordeeld zou worden als mensen 'met zicht' en had met juridische acties gedreigd als dat niet gebeurde. Zijn rechtlijnig vertrouwen in de wet had Rohr en diens mensen voor hem ingenomen, en zijn handicap was de droom van iedere advocaat die een eiser vertegenwoordigde. De advocaten van Pynex hadden alle mogelijke bezwaren aangevoerd, inclusief het feit dat Grimes de bewijsstukken niet zou kunnen zien. Rechter Harkin had hun toegestaan Grimes daarover rustig te ondervragen, en hij verzekerde hun dat hij de bewijsstukken wel degelijk kon zien als ze goed genoeg omschreven konden worden. Vervolgens bepaalde de rechter dat een afzonderlijke griffier beschrijvingen van de bewijsstukken zou uittypen. Er kon een schijfje in Grimes' braillecomputer worden gestopt, dan kon hij het 's avonds lezen. Grimes was daar erg blij mee en praatte nu niet meer over processen die hij zou aanspannen. De advocaten van Pynex werden een beetje milder, vooral toen bleek dat Grimes jarenlang had gerookt en er geen problemen mee had om in het gezelschap te verkeren van mensen die rookten.
Beide partijen waren dus voorzichtig tevreden met hun jury. Er waren geen radicalen in de jury gekomen. Niemand had blijk gegeven van een verkeerde mentaliteit. Ze hadden alle twaalf een middelbare-schooldiploma, twee hadden aan een universiteit gestudeerd en drie anderen hadden een andere vervolgopleiding doorlopen. Easter had op zijn vragenlijst ingevuld dat hij de middelbare school had voltooid, maar zijn universitaire studie was nog een mysterie.
Terwijl beide partijen zich voorbereidden op de eerste dag van het echte proces, dachten ze in stilte na over de grote vraag, de vraag waarover ze altijd zo graag mochten speculeren. Ze keken naar de plattegrond met de namen en bestudeerden de gezichten voor de miljoenste keer, en vroegen

zich dan telkens weer af: 'Wie wordt de voorzitter?'
Elke jury heeft een voorzitter, en daar is de beslissing te vinden. Dient hij zich vlug aan? Of wacht ze rustig af en neemt ze de leiding tijdens de beraadslagingen? Zelfs de juryleden wisten dat op dit moment niet.

Precies om tien uur keek rechter Harkin aandachtig de volle rechtszaal in en constateerde dat iedereen op zijn plaats zat. Hij tikte even met zijn hamer en het gefluister hield op. Iedereen was klaar. Hij knikte naar Pete, zijn oude gerechtsdienaar in een verbleekt bruin uniform, en zei: 'Laat de jury binnenkomen.' Alle ogen waren gericht op de deur naast de jurybank. Lou Dell kwam als eerste binnen. Als een moederkloek liep ze voorop, en achter haar kwamen de twaalf gezworenen achter elkaar binnen en gingen op hun plaatsen zitten. De drie reserves namen op de klapstoelen plaats. Dat alles kostte een beetje tijd – er werden stoelkussens verschoven en rokken rechtgetrokken en tasjes neergezet en pocketboeken op de vloer gelegd – maar toen waren de juryleden stil. Natuurlijk merkten ze wel dat er naar hen werd gestaard.
'Goedemorgen,' zei de rechter met luide stem en een stralende glimlach. De meesten knikten terug.
'Ik neem aan dat u tevreden bent over de jurykamer en dat u klaar bent voor wat u te doen staat.' Een korte stilte toen hij de vijftien ondertekende papieren oppakte die Lou Dell had uitgedeeld en weer opgehaald. 'Hebben we een voorzitter?'
De twaalf knikten allemaal.
'Goed. Wie is het?'
'Ik ben het, edelachtbare,' zei Herman Grimes vanaf de eerste rij, en gedurende een seconde voelden de advocaten en jury-experts en andere vertegenwoordigers van Pynex een steek in hun borst. Toen haalden ze weer langzaam adem, al lieten ze niet blijken dat ze iets anders dan de grootste liefde en genegenheid voelden voor het blinde jurylid dat nu de voorzitter bleek te zijn geworden. Misschien hadden de andere elf allemaal maar medelijden met de oude baas gehad.
'Goed,' zei de rechter, opgelucht omdat de juryleden blijkbaar zonder felle strijd tot een keuze hadden kunnen komen. Hij had het wel erger meegemaakt. Zo was er een jury geweest, half blank en half zwart, die geen voorman had kunnen kiezen. Later kregen ze ruzie over het lunchmenu.
'Ik neem aan dat u mijn schriftelijke instructies hebt gelezen,' ging hij verder, en vervolgens stak hij een gedetailleerde preek af waarin hij twee keer herhaalde wat hij al op schrift had gesteld.
Nicholas Easter zat op de voorste rij, de tweede plaats van links. Hij zorgde dat er absoluut niets van zijn gezicht was af te lezen, en terwijl Harkin zijn voorschriften opdreunde, begon hij de rest van de betrokkenen in zich op

te nemen. Met nauwelijks een beweging van zijn hoofd liet hij zijn blik door de rechtszaal gaan. De advocaten, opeengedrongen rond hun tafels als gieren die op het punt staan zich op een dood dier te storten, zaten stuk voor stuk ongegeneerd naar de juryleden te kijken. Daar kregen ze vast wel gauw genoeg van, dacht hij.
Achter de advocaten van de gedaagde zat op de tweede rij Rankin Fitch, die met zijn dikke gezicht en sinistere sikje recht naar de schouders van de man voor hem keek. Fitch probeerde Harkins vermaningen te negeren en deed alsof de jury hem helemaal niet interesseerde, maar Nicholas wist wel beter. Er ontging Fitch niets.
Veertien maanden geleden had Nicholas hem in de rechtszaal van Allentown, Pennsylvania, gezien, bij de zaak-Cimmino. Toen had hij ongeveer net zo uit zijn ogen gekeken als nu – dof en duister. En Nicholas had hem ten tijde van de zaak-Glavine op het trottoir voor het gerechtsgebouw van Broken Arrow, Arizona, zien lopen. Na die twee waarnemingen wist hij genoeg. Nicholas wist dat Fitch nu wist dat hij nooit aan de North Texas State University had gestudeerd. Hij wist dat Fitch zich drukker om hem maakte dan om de andere juryleden, en met reden.
Achter Fitch volgden twee rijen mannen in pak, vlot geklede klonen met minachtende gezichten, en Nicholas wist dat het de bezorgde jongens van Wall Street waren. Volgens het ochtendblad had de aandelenmarkt niet op de samenstelling van de jury gereageerd. Pynex hield stand op tachtig dollar per aandeel. Nicholas moest onwillekeurig glimlachen. Als hij nu opeens overeind sprong en schreeuwde: 'Ik vind dat de eiseres miljoenen moet krijgen!' zouden die mannen in pakken meteen naar de deur rennen en dan zou Pynex rond het middaguur tien dollar gezakt zijn.
De andere drie – Trellco, Smith Greer en ConPack – hielden ook goed stand.
Op de voorste rijen zaten hier en daar zorgelijke types die blijkbaar de jury-experts waren. Nu de jury was samengesteld, begon voor hen het volgende stadium: het observeren. Het was hun ellendige lot om aandachtig naar ieder woord van iedere getuige te luisteren en zich erin te verdiepen hoe het op de jury overkwam. De strategie hield in dat als een bepaalde getuige een zwakke of zelfs negatieve indruk op de jury maakte, hij of zij onmiddellijk uit de getuigenbank werd getrokken en naar huis werd gestuurd. Misschien kon er dan een andere, sterkere getuige worden ingezet om de schade te herstellen. Nicholas had zo zijn twijfels. Hij had veel over jury-experts gelezen, had zelfs een seminar in St. Louis bijgewoond waar advocaten oorlogsverhalen over grote zaken vertelden, maar wist nog steeds niet of die zogenaamde experts wel zoveel meer waren dan gewiekste bedriegers.
Ze beweerden aan de lichamelijke reacties, hoe vaag ook, van juryleden te

kunnen zien hoe ze dachten over wat er gezegd werd. Nicholas glimlachte weer. Als hij nu eens zijn vinger in zijn neus stak en hem daar vijf minuten liet zitten? Hoe zou die kleine uiting van lichaamstaal worden geïnterpreteerd?

De rest van het publiek kon hij niet goed thuisbrengen. Ongetwijfeld zaten er verslaggevers tussen, en de gebruikelijke verzameling verveelde plaatselijke advocaten en andere vaste bezoekers van de rechtbank. De vrouw van Herman Grimes zat ergens halverwege, stralend van trots omdat haar man zo'n belangrijke functie vervulde. Rechter Harkin was klaar met zijn monotone betoog en wees naar Wendall Rohr, die langzaam opstond, zijn geruite jasje dichtknoopte en met zijn valse gebit naar de jury glimlachte, om vervolgens gewichtig naar de lessenaar te lopen. Dit was zijn openingsverklaring, legde hij uit, en daarin zou hij zijn argumenten voor de jury uiteenzetten. Het werd erg stil in de rechtszaal.

Ze zouden bewijzen dat sigaretten longkanker veroorzaakten, en in het bijzonder dat de overledene, Jacob Wood, een beste kerel, longkanker kreeg nadat hij bijna dertig jaar Bristol had gerookt. 'Die sigaretten hebben hem gedood,' verklaarde Rohr plechtig, terwijl hij aan een punt van zijn grijze baard onder zijn kin plukte. Zijn stem was schor maar duidelijk en hij kon de toonhoogte laten variëren om de juiste dramatische effecten te bereiken. Rohr was een artiest, een ervaren acteur die een scheve vlinderdas en een klikkend kunstgebit en slecht bij elkaar passende kleren droeg om de sympathie van de gewone man te verwerven. Hij was ook een gewone man. De advocaten van Pynex, met hun onberispelijke donkere pakken en dure zijden dassen, mochten dan neerkijken op de juryleden, hij, Rohr, zou dat nooit doen. Dit waren zijn eigen mensen.

Maar hoe zouden ze bewijzen dat sigaretten longkanker veroorzaakten? Eigenlijk waren er bewijzen te over. Eerst zouden ze een paar van de meest vooraanstaande kankerspecialisten en -onderzoekers uit het land in de getuigenbank zetten. Jazeker, die grote mannen waren onderweg naar Biloxi om met deze jury te praten en aan de hand van stapels harde gegevens uit te leggen dat sigaretten wel degelijk kanker veroorzaken.

En dan – en nu kon Rohr een grijns niet onderdrukken – zou de eiseres de jury laten kennismaken met mensen die ooit voor de tabaksindustrie hadden gewerkt. De vuile was zou op tafel komen, hier in deze rechtszaal. Daar zaten vernietigende dingen bij.

Om kort te gaan, de eisende partij zou bewijzen dat sigarettenrook longkanker veroorzaakte omdat er allerlei schadelijke stoffen in zitten: natuurlijke carcinogenen, bestrijdingsmiddelen, radioactieve deeltjes en asbestachtige vezels.

Op dat moment werd er in de rechtszaal nauwelijks aan getwijfeld dat Wendall Rohr dit niet alleen kon bewijzen maar dat het hem ook weinig

moeite zou kosten. Hij zweeg even, trok met alle tien zijn dikke vingers aan de uiteinden van zijn vlinderdas en keek in zijn aantekeningen. Toen begon hij met plechtige stem over Jacob Wood, de overledene, te spreken. Geliefd huisvader, harde werker, vroom katholiek, lid van het softbalteam van de kerk, veteraan. Begon met roken toen hij nog een tiener was en zich zoals iedereen in die tijd niet bewust was van de gevaren. Grootvader. Enzovoort.
Rohr werd op een gegeven moment wel erg dramatisch, maar dat scheen hij zelf te beseffen. Hij ging korte tijd op de schadevergoeding in. Dit was een proces van enorm belang. De eiseres verwachtte veel geld. Niet alleen een vergoeding van de concrete schade – de economische waarde van Jacob Woods leven, plus het verlies van liefde en genegenheid – maar ook schadevergoeding bij wijze van straf.
Rohr ging ook nog even op dat laatste in. Het leek er een paar keer op dat hij de draad was kwijtgeraakt. De meeste juryleden hadden sterk de indruk dat het vooruitzicht van een gigantische schadevergoeding hem zo intens bezighield dat hij zich niet meer kon concentreren.
In zijn instructies had rechter Harkin beide partijen een uur de tijd gegeven voor een openingsverklaring. En hij had ook duidelijk op schrift gesteld dat hij een advocaat die de tijd overschreed onmiddellijk het woord zou ontnemen. Hoewel hij zoals veel advocaten geneigd was te lang te praten, wist Rohr dat aan Harkins punctualiteit niet te tornen viel. Na vijftig minuten besloot hij zijn verklaring met een ernstig beroep op gerechtigheid. Hij bedankte de juryleden voor hun aandacht, glimlachte, klikte met zijn kunstgebit en ging zitten.

Durwood Cable had nog geen halfuur nodig. Op zakelijke toon maar met nadruk verzekerde hij de jury dat de partij van de gedaagde eigen experts had, wetenschappelijke deskundigen die duidelijk zouden uiteenzetten dat sigaretten geen longkanker veroorzaakten. Natuurlijk zou de jury sceptisch zijn, en Cable vroeg alleen om hun geduld en aandacht. Sir Durr sprak uit zijn hoofd, zonder aantekeningen, en ieder woord werd in de ogen van een jurylid geboord. Zijn blik ging langs de eerste rij, en toen naar de tweede, en hij keek in het ene nieuwsgierige gezicht na het andere. Zijn stem en blik waren bijna hypnotisch, maar eerlijk. Je wilde deze man erg graag geloven.

6

De eerste crisis deed zich in de lunchpauze voor. Rechter Harkin kondigde om tien over twaalf het middagreces aan en iedereen was stil toen de juryleden de rechtszaal verlieten. Lou Dell wachtte op de gang. Ze stond al te popelen om hen naar de jurykamer te dirigeren. 'Ga maar vast zitten,' zei ze. 'De lunch komt eraan. De koffie is vers.' Zodra ze alle twaalf in de kamer waren, deed ze de deur dicht en ging weg om bij de drie reserves te kijken, die apart werden gehouden in een kleinere kamer aan de gang. Toen ze alle vijftien op hun plaats zaten, keerde ze naar haar post terug en keek venijnig naar Willis, de geestelijk onvolwaardige deputy die opdracht had met een geladen pistool op de gang rond te hangen en mensen te beschermen.

De juryleden verspreidden zich langzaam door de kamer. Sommigen geeuwden of rekten zich uit, anderen voerden beleefde gesprekken, vooral over het weer. Sommigen gedroegen zich een beetje stijf, het gedrag dat je kon verwachten van mensen die plotseling met volslagen vreemden in een kamer werden gezet. Omdat ze niets anders konden doen dan eten, doemde het middagmaal als een grote gebeurtenis voor hen op. Wat zouden ze krijgen? Vast wel iets goeds.

Herman Grimes ging aan het hoofd van de tafel zitten, zoals het een voorzitter betaamde, vond hij, en raakte al gauw aan de praat met Millie Dupree, een vriendelijke vrouw van vijftig die toevallig iemand kende die ook blind was. Nicholas Easter stelde zich voor aan Lonnie Shaver, de enige zwarte man in de jury en iemand die duidelijk met grote tegenzin in de jury zat. Shaver was bedrijfsleider van een supermarkt die deel uitmaakte van een regionale keten en was binnen die keten de zwarte met de hoogste functie. Hij was pezig en nerveus en had er moeite mee zich goed te ontspannen. Hij werd bijna gek van het idee dat hij de komende vier

weken van zijn winkel vandaan zou zijn.
Er gingen twintig minuten voorbij en nog steeds kwam er geen lunch. Om precies half een riep Nicholas door de kamer: 'Hé, Herman, waar blijft onze lunch?'
'Ik ben maar de voorzitter,' antwoordde Herman glimlachend en het was plotseling stil in de kamer.
Nicholas liep naar de deur, maakte hem open en sprak Lou Dell aan. 'We hebben honger,' zei hij.
Ze liet langzaam haar pocketboek zakken, keek naar de elf andere gezichten en zei: 'Het komt eraan.'
'Waar komt het vandaan?' wilde hij weten.
'O'Reilly's Deli. Hier om de hoek.' Lou Dell was niet blij met die vragen.
'Zeg, we zitten hier als een stel konijnen in een hok,' zei Nicholas. 'We kunnen niet ergens buiten de deur gaan eten, als normale mensen. Ik begrijp niet waarom we niet over straat mogen om ergens lekker te gaan lunchen, maar de rechter heeft gesproken.' Nicholas kwam een stap naar voren en keek neer op de grijze lok die over Lou Dells ogen viel. 'De lunch wordt niet elke dag zo'n probleem, hè?'
'Nee.'
'Ik stel voor dat u de telefoon pakt en vraagt waar onze lunch blijft, anders bespreek ik het met rechter Harkin.'
'Goed.'
De deur ging dicht en Nicholas liep naar de koffiepot.
'Dat was nogal onvriendelijk, vind je niet?' vroeg Millie Dupree. De anderen luisterden.
'Misschien, en in dat geval zal ik me verontschuldigen. Maar als we niet meteen voor onszelf opkomen, vergeten ze dat we bestaan.'
'Het is niet haar schuld,' zei Herman.
'Het is haar werk om voor ons te zorgen.' Nicholas liep naar de tafel en ging bij Herman zitten. 'Besef je wel dat de juryleden in bijna ieder ander proces als normale mensen naar buiten mogen om ergens te gaan eten? Waarom denk je dat we die jurybuttons dragen?' De anderen kwamen dichter bij de tafel.
'Hoe weet je dat?' vroeg Millie Dupree tegenover hem aan de tafel.
Nicholas haalde zijn schouders op alsof hij een heleboel wist maar er eigenlijk niet over mocht praten. 'Ik ken het systeem een beetje.'
'Hoe dan?' vroeg Herman.
Nicholas zweeg even om zijn woorden effect te geven en zei toen: 'Ik heb twee jaar rechten gestudeerd.' Hij nam een grote slok koffie en liet dit beetje achtergrondinformatie op de anderen inwerken.
Easter genoot onmiddellijk veel meer gezag onder de juryleden. Hij had al laten zien dat hij vriendelijk en behulpzaam was, beleefd en intelligent. En

nu steeg hij in hun achting omdat hij de wet bleek te kennen.
Om kwart voor een was er nog geen lunch gearriveerd. Nicholas onderbrak abrupt een gesprek en deed de deur open. Lou Dell stond in de gang op haar horloge te kijken. 'Ik heb Willis gestuurd,' zei ze zenuwachtig. 'Het kan er nu ieder moment zijn. Het spijt me echt.'
'Waar zijn de herentoiletten?' vroeg Nicholas.
'Om de hoek, rechts van u,' zei ze opgelucht, en wees in die richting. Hij ging niet naar het toilet, maar liep in plaats daarvan zachtjes de achtertrap af en verliet het gerechtsgebouw. Hij liep twee blokken door Lamuese Street tot hij bij de Vieux Marché kwam, een voetgangersgebied met nette winkels in wat vroeger de zakenwijk van Biloxi was geweest. Hij was daar goed bekend, want het was maar een paar honderd meter van zijn appartementengebouw vandaan. Hij kwam graag in de cafés en delicatessenzaken aan de Vieux Marché. Er was een goede boekwinkel.
Hij sloeg linksaf en ging even later een groot oud wit gebouw binnen waarin zich Mary Mahoney's bevond, een vermaard restaurant waar rechters en advocaten lunchten. Hij had deze wandeling al een week geleden gerepeteerd en had toen zelfs geluncht aan een tafel dicht bij die van de edelachtbare Frederick Harkin.
Nicholas ging het restaurant binnen en vroeg de eerste serveerster die hij zag of rechter Harkin er was. Ja. En waar zat hij dan? Ze wees en Nicholas liep vlug door de bar en door een kleine foyer en kwam zo in een grote restaurantzaal met ramen en zonlicht en veel verse bloemen. Het was druk, maar hij zag de rechter aan een tafel voor vier zitten. Harkin zag hem naar zich toe komen en zijn vork bleef in de lucht hangen met een stukje gegrillde garnaal. Hij zag dat het een van de juryleden was en hij zag ook de opvallende rood-met-witte jurybutton.
'Neemt u me niet kwalijk dat ik u kom storen,' zei Nicholas. Hij bleef bij de tafel staan, een tafel met warm brood en frisse salade en grote glazen ijsthee. Gloria Lane, de griffier, was ook sprakeloos. Verder zat de stenografe van de rechtbank aan de tafel, evenals een van Harkins assistentes.
'Wat doet u hier?' vroeg Harkin, die een stukje geitenkaas op zijn onderlip had.
'Ik kom hier namens de jury.'
'Wat is er aan de hand?'
Nicholas boog zich naar de rechter toe, omdat hij geen scène wilde maken. 'We hebben honger,' zei hij. Hij sprak met opeengeklemde tanden en zijn woede ontging geen van de vier geschrokken eters. 'Terwijl u hier lekker zit te eten, zitten wij in een benauwd kamertje te wachten op afhaaleten dat om duistere reden de weg naar onze tafel niet kan vinden. Wij hebben honger, edelachtbare, met alle respect. En dat werkt op ons gemoed.'
Harkins vork kwam met een harde tik op zijn bord terecht. De garnaal

vloog eraf en viel op de vloer. Onder het mompelen van iets volslagen onverstaanbaars gooide de rechter zijn servet op de tafel. Hij keek de drie vrouwen aan, trok zijn wenkbrauwen op en zei: 'Nou, dan zullen we eens gaan kijken.' Hij stond op, de vrouwen stonden ook op en ze liepen met hun vijven het restaurant uit.
Toen Nicholas en rechter Harkin en de drie vrouwen op de gang kwamen en de deur van de jurykamer openmaakten, waren Lou Dell en Willis nergens te bekennen. De tafel in de jurykamer was leeg – geen eten. Het was nu vijf over een. De juryleden hielden abrupt op met praten en staarden de rechter aan.
'We wachten al bijna een uur,' zei Nicholas met een gebaar in de richting van de lege tafel. De andere juryleden waren aanvankelijk verbaasd geweest toen ze de rechter zagen, maar die verbazing sloeg nu om in woede.
'We hebben recht op een waardige behandeling,' snauwde Lonnie Shaver, en door die woorden was Harkin al verpletterend verslagen.
'Waar is Lou Dell?' zei hij in de richting van de drie vrouwen. Ze keken allemaal naar de deur, en plotseling kwam Lou eraan gedraafd. Ze hield abrupt de pas in toen ze de rechter zag. Harkin keek haar recht in de ogen.
'Wat is er aan de hand?' vroeg hij streng, maar niet onbeheerst.
'Ik heb net met de *deli* gesproken,' zei ze, buiten adem en bang, met zweetdruppels op haar wangen. 'Er is een vergissing gemaakt. Ze zeggen dat er iemand belde om te zeggen dat we de lunch pas om half twee wilden hebben.'
'Deze mensen vergaan van de honger,' zei Harkin, alsof Lou Dell dat nog niet wist. 'Halftwee?'
'Het is gewoon een vergissing bij de deli. Iemand heeft twee bestellingen verwisseld.'
'Welke deli?'
'O'Reilly's.'
'Help me eraan denken dat ik met de eigenaar ga praten.'
'Ja, edelachtbare.'
De rechter richtte zijn aandacht op de jury. 'Het spijt me verschrikkelijk. Dit zal niet meer gebeuren.' Hij zweeg even, keek op zijn horloge en begon toen te glimlachen. 'Ik nodig u uit om met mij naar Mary Mahoney's te gaan en daar te lunchen.' Hij zei tegen zijn assistente: 'Bel Bob Mahoney en zeg tegen hem dat hij in de achterkamer moet dekken.'
Ze lunchten met krabkoekjes en geroosterde snapper, verse oesters en Mahoneys beroemde okrasoep. Nicholas Easter was de grote held. Toen ze kort na half drie hun toetje op hadden, volgden ze rechter Harkin op hun gemak naar het gerechtsgebouw. En toen de jury zich voor de middagzitting had geïnstalleerd, hadden alle aanwezigen in de rechtszaal het verhaal

van hun voortreffelijke lunch al gehoord.
Neil O'Reilly, eigenaar van de deli, sprak later met rechter Harkin en zwoer op de bijbel dat hij met iemand had gesproken, een jonge vrouw die zei dat ze op de griffie werkte, en dat ze hem uitdrukkelijk had geïnstrueerd de lunch om precies half twee te bezorgen.

De eerste getuige van het proces was de overledene, Jacob Wood, die enkele maanden voor zijn dood een beëdigde verklaring op video had afgelegd. Twee grote monitoren werden voor de jurybank gezet en in de rest van de zaal bevonden zich nog zes andere monitoren. De bedrading was aangelegd terwijl de jury zat te genieten bij Mary Mahoney's.
Jacob Wood steunde op kussens in wat zo te zien een ziekenhuisbed was. Hij droeg een effen wit T-shirt en was vanaf zijn middel bedekt met een laken. Hij was mager en bleek en kreeg zuurstof toegediend via een slang die van achter zijn benige hals naar zijn neus leidde. Iemand zei dat hij kon beginnen en hij keek in de camera en noemde zijn naam en adres. Zijn stem klonk schor en ziek. Hij leed ook aan emfyseem.
Hoewel Jacob door advocaten werd omringd, was zijn gezicht het enige wat je zag. Soms brak er buiten beeld een schermutseling tussen de advocaten uit, maar daar trok Jacob zich blijkbaar niets van aan. Hij was eenenvijftig, leek twintig jaar ouder en het was duidelijk dat hij op de drempel van de dood stond.
Op aandringen van zijn advocaat, Wendall Rohr, vertelde hij over zijn leven, te beginnen met zijn geboorte. Dat duurde bijna een uur. Kinderjaren, schooltijd, vrienden, adressen, marine, huwelijk, banen, kinderen, gewoonten, hobby's, vrienden toen hij volwassen was, reizen, vakanties, kleinkinderen, plannen voor na zijn pensionering. In het begin was het boeiend om een dode te horen vertellen, maar de juryleden waren er al gauw achter dat zijn leven net zo saai was geweest als dat van hen. De zware lunch liet zich gelden en ze begonnen onrustig op hun stoel te schuiven. Hersenen en oogleden werden loom. Zelfs Herman, die alleen de stem kon horen en zichzelf een voorstelling van het gezicht moest maken, begon zich te vervelen. Gelukkig begon de rechter dezelfde gevolgen van de lunch te ondervinden. Na een uur en twintig minuten schorste hij de zitting voor korte tijd.
De vier rokers in de jury moesten er dringend even uit en Lou Dell leidde hen naar een kamer met een open raam naast de herentoiletten, een klein hokje waar jeugdige delinquenten werden neergezet voordat ze in de rechtszaal moesten verschijnen. 'Als jullie na dit proces niet kunnen stoppen met roken, is er iets mis,' zei ze. Het was een zwakke poging tot humor en niemand glimlachte. 'Sorry,' zei ze, en ze deed de deur achter zich dicht. Jerry Fernandez, achtendertig, autoverkoper met grote casino-

schulden en een slecht huwelijk, stak zijn eerste sigaret op en hield zijn aansteker voor de gezichten van de drie vrouwen. Ze namen diepe trekken en bliezen grote rookwolken naar het raam. 'Op Jacob Wood,' zei Jerry alsof hij een toost uitbracht. De drie vrouwen zeiden niets. Ze hadden het te druk met roken.
Voorzitter Grimes had al in een korte preek uiteengezet dat het verboden was om over de zaak te praten. Hij zou dat absoluut niet tolereren, want rechter Harkin had er in niet mis te verstane termen over doorgezaagd. Maar Herman was in de andere kamer en Jerry was nieuwsgierig. 'Zou oude Jacob ooit hebben geprobeerd te stoppen?' zei hij tegen niemand in het bijzonder.
Sylvia Taylor-Tatum, die verwoede trekken van een sigaret nam, antwoordde: 'Dat krijgen we vast nog wel te horen.' Meteen daarop liet ze een indrukwekkende straal blauwige rook uit haar lange, puntige neus ontsnappen. Jerry was gek op bijnamen en had haar voor zichzelf al 'Poedel' genoemd, vanwege haar smalle gezicht, scherpe spitse neus en weelderige grijzende haar dat vanuit een scheiding precies midden op haar hoofd in dichte lagen over haar schouders viel. Ze was minstens een meter tachtig lang, nogal hoekig gebouwd, en had een chagrijnig gezicht dat de mensen op een afstand hield. Poedel wilde met rust gelaten worden.
'Ik vraag me af wie de volgende is,' zei Jerry om een gesprek op gang te brengen.
'Al die dokters, denk ik,' zei Poedel, starend door het raam.
De andere twee vrouwen rookten alleen maar, en Jerry gaf het op.

De vrouw heette Marlee, tenminste dat was de naam die ze voor deze periode van haar leven had gekozen. Ze was dertig, had kort bruin haar, bruine ogen en een normaal postuur. Ze was slank en droeg eenvoudige kleren, zorgvuldig gekozen om niet de aandacht te trekken. Ze zag er goed uit in een strakke spijkerbroek of een kort rokje – in feite zag ze er goed uit in alles of niets, maar op dit moment wilde ze niet dat iemand haar opmerkte. Ze was twee keer eerder in de rechtszaal geweest: twee weken geleden toen ze een ander proces had bijgewoond, en kort geleden toen ze bij het selecteren van de jury in de tabakszaak was. Ze wist de weg. Ze wist waar de rechter zijn kantoor had en waar hij ging lunchen. Ze kende de namen van de advocaten van de eiseres en van Pynex – geen geringe taak. Ze had de stukken gelezen. Ze wist in welk hotel Rankin Fitch zich schuilhield zolang het proces duurde.
Tijdens de schorsing passeerde ze de metaaldetector bij de voordeur en ging ze op de achterste rij van de rechtszaal zitten. Toeschouwers rekten zich uit en advocaten stonden dicht opeen te overleggen. Ze zag Fitch in een hoek staan praten met twee mensen van wie ze aannam dat het jury-

experts waren. Hij merkte haar niet op. Er waren ongeveer honderd mensen in de zaal.
Er gingen enkele minuten voorbij. Ze keek aandachtig naar de deur achter de rechterszetel, en toen de stenografe met een kop koffie de zaal inkwam, wist Marlee dat de rechter niet lang meer op zich zou laten wachten. Ze haalde een envelop uit haar tasje, wachtte even en stapte toen op een van de deputy's af die de voordeur bewaakten. Met een innemende glimlach vroeg ze: 'Wilt u iets voor me doen?'
Hij glimlachte terug en zag de envelop. 'Ik zal het proberen.'
'Ik moet weg. Wilt u deze envelop aan die man daar in de hoek geven? Ik wil hem niet storen.'
De deputy tuurde in de aangewezen richting, door de zaal heen. 'Welke man?'
'Die zwaargebouwde man in het midden, met dat sikje, in dat donkere pak.'
Op dat moment kwam de gerechtsdienaar achter de rechterszetel binnen en riep: 'Orde in de zaal!'
'Hoe heet hij?' vroeg de deputy met gedempte stem.
Ze gaf hem de envelop en wees naar de naam die erop stond. 'Rankin Fitch. Dank u.' Ze gaf een klopje op zijn arm en verdween uit de rechtszaal.
Fitch boog zich langs de rij en fluisterde iets tegen een medewerker. Vervolgens ging hij, terwijl de jury binnenkwam, naar het achterste deel van de zaal. Hij had genoeg gezien voor één dag. Als de jury eenmaal was samengesteld, bracht Fitch nooit veel tijd in de rechtszaal door. Hij beschikte over andere methoden om het proces te volgen.
De deputy sprak hem bij de deur aan en gaf hem de envelop. Fitch schrok ervan zijn naam te zien staan. Hij was een onbekende, een naamloze schim die zich aan niemand voorstelde en onder een schuilnaam leefde. Zijn firma in Washington heette Arlington West Associates, een naam zo nietszeggend als het maar kon. Niemand kende zijn naam – behalve natuurlijk zijn werkgevers, zijn cliënten en enkele van de juristen die hij in dienst had. Hij keek de deputy nors aan zonder een bedankje te mompelen en ging toen naar het atrium, nog steeds ongelovig naar de envelop kijkend. De naam was zonder enige twijfel door een vrouw geschreven. Hij maakte de envelop langzaam open en haalde er een vel wit papier uit. In het midden stond in een net handschrift: 'Geachte heer Fitch: Morgen draagt jurylid nummer twee, Easter, een grijs pullover-golfshirt met rode bies, een gestreken kaki broek, witte sokken en bruine leren veterschoenen.'
Fitch' chauffeur José kwam aangeslenterd van een fonteintje en ging als een gehoorzame waakhond naast zijn baas staan. Fitch las de brief en keek José aan. Toen liep hij naar de deur, maakte hem een beetje open en vroeg

de deputy of hij even uit de zaal wilde komen.
'Wat is er?' vroeg de deputy. Hij hoorde in de zaal te zijn, bij de deur, en hij was iemand die zich aan bevelen hield.
'Wie heeft u dit gegeven?' vroeg Fitch zo vriendelijk mogelijk. De twee deputy's bij de metaaldetector keken nieuwsgierig toe.
'Een vrouw. Ik weet niet hoe ze heet.'
'Wanneer heeft ze het aan u gegeven?'
'Kort voordat u wegging. Een minuut geleden.'
Fitch keek meteen vlug om. 'Ziet u haar hier?'
'Nee,' antwoordde de man na een vluchtige blik.
'Kunt u me vertellen hoe ze eruitzag?'
Hij was een politieman, en politiemannen zijn getraind in het observeren.
'Ja. Achter in de twintig. Een meter vijfenzestig, misschien een meter zeventig. Kort bruin haar. Bruine ogen. Zag er verdraaid goed uit. Slank.'
'Wat had ze aan?'
Daar had hij niet op gelet, maar dat kon hij niet toegeven. 'Eh, licht gekleurde jurk, beige of zoiets, katoen, knopen aan de voorkant.'
Fitch nam dat in zich op, dacht even na en vroeg: 'Wat zei ze tegen u?'
'Niet veel. Ze vroeg me alleen dit aan u te geven. En toen was ze weg.'
'Iets ongewoons aan haar manier van praten?'
'Nee. Zeg, ik moet weer naar binnen.'
'Ja. Dank u.'
Fitch en José gingen de trap af en zwierven door de gangen op de begane grond. Ze gingen naar buiten en slenterden om het gerechtsgebouw heen, rokend en met een houding alsof ze een luchtje gingen scheppen.

Het had indertijd tweeëneenhalf uur geduurd om de video-opname van Jacob Wood te maken. Rechter Harkin had de ruzies tussen de advocaten, de onderbrekingen door de verpleegkundigen en de irrelevante gedeelten eruitgehaald, zodat er twee uur en eenendertig minuten overbleven.
Het leek dagen te duren. Tot op zekere hoogte was het wel interessant om die arme man de geschiedenis van zijn persoonlijke rookgewoonten te horen vertellen, maar de juryleden wensten al gauw dat Harkin meer had weggeknipt. Jacob was op zestienjarige leeftijd Redtops gaan roken omdat al zijn vrienden Redtops rookten. Het werd al gauw een gewoonte en hij rookte twee pakjes per dag. Hij stopte met Redtops toen hij de marine verliet omdat hij ging trouwen. Zijn vrouw had hem namelijk overgehaald iets met een filter te roken. Eigenlijk wilde ze dat hij helemaal stopte. Dat lukte hem niet en daarom begon hij Bristol te roken, want daar zat volgens de reclame minder teer en nicotine in. Toen hij vijfentwintig was, rookte hij drie pakjes per dag. Hij kon zich dat goed herinneren, want hun eerste kind werd geboren toen Jacob vijfentwintig was, en Celeste Wood waar-

schuwde hem dat hij zijn kleinkinderen niet meer zou zien als hij niet stopte met roken. Ze weigerde sigaretten te kopen als ze boodschappen deed, en daarom kocht Jacob ze zelf. Hij rookte gemiddeld twee sloffen per week, twintig pakjes, en kocht er meestal nog een pakje of twee bij tot hij weer een slof kocht.
Hij had graag willen stoppen. Hij had eens twee weken niet gerookt, maar toen was hij 's nachts uit bed geslopen om weer te beginnen. Hij had een paar keer geminderd: naar twee pakjes per dag, naar één pakje per dag, maar voordat hij er erg in had, zat hij weer op drie. Hij had bij artsen gelopen en was naar hypnotiseurs gegaan. Hij had acupunctuur en nicotinekauwgom geprobeerd. Maar hij kon gewoon niet stoppen. Hij kon het niet toen er emfyseem bij hem was geconstateerd, en hij kon het niet toen hij te horen had gekregen dat hij longkanker had.
Het was het domste wat hij ooit had gedaan en nu hij eenenvijftig was, zou hij eraan sterven. Alsjeblieft, smeekte hij tussen hoestbuien door: als je rookt, stop ermee.
Jerry Fernandez en Poedel keken elkaar aan.
Jacob werd melancholiek toen hij over de dingen sprak die hij zou missen. Zijn vrouw, kinderen, kleinkinderen, vrienden, met een sleeplijn vissen op rode zalm bij Ship Island, enzovoort. Celeste begon zachtjes naast Rohr te huilen, en al gauw wreef Millie Dupree, naast Nicholas Easter, met een papieren zakdoekje over haar ogen.
Ten slotte sprak de eerste getuige zijn laatste woorden en viel het beeld weg. De rechter bedankte de jury voor een goede eerste dag en beloofde voor de volgende dag meer van hetzelfde. Toen werd hij ernstig en waarschuwde op strenge toon dat ze de zaak met niemand mochten bespreken, zelfs niet met hun partner. Met zo mogelijk nog meer nadruk zei hij dat als iemand probeerde op enigerlei wijze contact met een jurylid op te nemen, daar onmiddellijk melding van moest worden gemaakt. Hij hamerde daar ruim tien minuten op en schorste toen de zitting tot de volgende morgen negen uur.

Fitch had al eerder met het idee gespeeld Easters woning binnen te gaan, maar nu was het noodzakelijk. En het was gemakkelijk. Hij stuurde José en een medewerker die Doyle heette naar het appartementengebouw waar Easter woonde. Easter zat op dat tijdstip natuurlijk in de jurybank en leed met Jacob Wood mee. Hij werd nauwlettend in de gaten gehouden door twee van Fitch' mannen, voor het geval de zitting onverwachts werd verdaagd.
José bleef in de auto, bij de telefoon, en keek naar de buitendeur waardoor Doyle naar binnen was gegaan. Doyle ging een trap op en vond appartement 312 aan het eind van een schemerig verlichte gang. Er kwam geen

geluid uit de naburige appartementen. Iedereen was naar zijn of haar werk.
Hij schudde aan de loszittende deurknop en hield hem stevig vast terwijl hij een twintig centimeter lange plastic strip in de gleuf stak. Het slot klikte, de knop draaide. Hij duwde de deur voorzichtig vijf centimeter open en wachtte op een eventueel alarmsignaal. Er gebeurde niets. Het gebouw was oud en de huur was laag. Het feit dat Easter geen alarmsysteem had, verraste Doyle niet.
Hij was in een ommezien binnen. Hij had een kleine camera met flitslicht bij zich en maakte vlug foto's van de keuken, huiskamer, badkamer en slaapkamer. Vervolgens maakte hij close-ups van de tijdschriften op de goedkope salontafel, de boeken die in stapels op de vloer lagen, de cd's op de stereo en de software die bij de nogal dure pc lag. Ervoor oppassend dat hij niets aanraakte, vond hij in de kast een grijs pullover-golfshirt met rode bies en maakte er een foto van. Hij opende de koelkast en maakte een foto van de inhoud, en daarna deed hij hetzelfde met het gootsteenkastje en de andere keukenkasten.
De woning was klein en goedkoop ingericht, maar er werd geprobeerd de boel schoon te houden. De airconditioning was afgezet of defect. Doyle fotografeerde de thermostaat. Hij was nog geen tien minuten in de woning, lang genoeg om twee filmrolletjes vol te schieten en vast te stellen dat Easter inderdaad alleen woonde. Er was nergens een spoor van een ander persoon, met name een vrouw, te vinden.
Hij deed de deur zorgvuldig op slot en verliet geruisloos de woning. Tien minuten later was hij in Fitch' kantoor.

Nicholas verliet het gerechtsgebouw te voet en ging even naar O'Reilly's Deli op de Vieux Marché, waar hij twee ons gerookte kalkoen en een bakje pastasalade kocht. Vervolgens liep hij op zijn gemak naar huis, genietend van de zon na een hele dag binnen te hebben gezeten. In een winkel op een hoek kocht hij een fles koud mineraalwater en dronk daar onder het lopen uit. Hij zag een paar zwarte kinderen verwoed basketballen op het parkeerterrein van een kerk. Hij wandelde door een parkje en was even zijn schaduw kwijt. Maar hij kwam aan de andere kant te voorschijn, nog steeds met de waterfles, en wist nu zeker dat hij gevolgd werd. Een van Fitch' gangstertypes, Pang, een kleine Aziaat met een honkbalpetje, was in het park bijna in paniek geraakt. Nicholas had hem door een rij hoge buksboompjes gezien.
Bij de deur van zijn woning aangekomen, pakte hij een klein toetsenbordpaneeltje en typte de code van vier cijfers in. Het rode lichtje werd groen en hij maakte de deur open.
De surveillancecamera was in een luchtkoker recht boven de koelkast ver-

borgen en bestreek de keuken, de huiskamer en de deur naar de slaapkamer. Nicholas ging meteen naar zijn computer en stelde binnen enkele seconden ten eerste vast dat niemand had geprobeerd hem aan te zetten en ten tweede dat zich een OBA – onbevoegd betreden appartement – had voorgedaan om precies 16.52 uur.
Hij haalde diep adem, keek om zich heen en besloot de woning te inspecteren. Hij verwachtte niet dat hij sporen van de indringer zou vinden. De deur met loszittende knop zag er niet anders uit en was gemakkelijk open te krijgen. De keuken en huiskamer waren precies zoals hij ze had achtergelaten. Zijn enige bezittingen – de stereo, de televisie, de computer – waren zo te zien niet aangeraakt. In de slaapkamer vond hij geen sporen van een inbreker of een misdrijf. Toen hij weer achter de computer zat, hield hij zijn adem in en wachtte op de show. Hij doorliep een serie bestanden, vond het juiste programma en zette de surveillancecamera stop. Hij drukte op twee toetsen om terug te spoelen en ging toen naar zestien uur tweeënvijftig. *Voilà*! In zwart-wit ging op de zestien-inch-monitor de deur van de woning open. De camera richtte zich meteen op de beweging. Een smalle kier zolang zijn bezoeker op een alarmsignaal wachtte. Geen alarm, en toen ging de deur open en kwam een man binnen. Nicholas zette de band stop en keek naar het gezicht op de monitor. Hij had die man nooit eerder gezien.
De videoband ging verder. De man haalde vlug een camera uit zijn zak en begon flitsfoto's te maken. Hij keek rond in de woning en verdween even in de slaapkamer, waar hij nog meer foto's maakte. Hij keek even naar de computer maar raakte hem niet aan. Nicholas glimlachte. Niemand kwam in zijn computer en die gangster zou nog niet eens de knop kunnen vinden om hem aan te zetten.
De man bleef negen minuten en dertien seconden in de woning en Nicholas kon er alleen maar naar raden waarom hij vandaag was gekomen. Waarschijnlijk wist Fitch dat er niemand in de woning zou zijn zolang de zitting nog aan de gang was.
Het bezoek was niet angstaanjagend. Hij had het in feite wel verwacht. Nicholas keek weer naar de videofilm, grinnikte in zichzelf en sloeg de beelden op om ze later te kunnen gebruiken.

7

Toen Nicholas Easter de volgende morgen om acht uur in het zonlicht verscheen en op het parkeerterrein om zich heen keek, zat Fitch zelf achter in het surveillancebusje. Het busje had het logo van een loodgietersbedrijf op het portier, met daaronder een verzonnen telefoonnummer in groene letters. 'Daar heb je hem,' zei Doyle en ze schrokken. Fitch pakte de telescoop, keek ermee door een verduisterd raampje en stelde hem in. 'Verdomme,' zei hij.
'Wat is er?' vroeg Pang, de Koreaanse technicus die Nicholas de vorige dag had gevolgd.
Fitch boog zich naar het ronde raampje, zijn mond open, zijn bovenlip omhooggetrokken. 'Krijg nou wat. Grijze pullover, kaki broek, witte sokken, bruine leren schoenen.'
'Zelfde pullover als op de foto?' vroeg Doyle.
'Ja.'
Pang drukte op een knop van een portofoon om een andere volger te waarschuwen die twee straten verderop stond. Easter was te voet. Waarschijnlijk ging hij in de richting van het gerechtsgebouw.
Hij kocht een grote beker zwarte koffie en een krant bij dezelfde winkel op de hoek en zat twintig minuten in hetzelfde park om het nieuws door te nemen. Hij droeg een bril met donkere glazen en lette op iedereen die voorbij liep.
Fitch ging regelrecht naar zijn kantoor in dezelfde straat als de rechtbank en overlegde met Doyle, Pang en Swanson, een ex-FBI-agent. 'We moeten dat meisje vinden,' zei Fitch keer op keer. Voortaan zouden ze voortdurend iemand op de achterste rij van de rechtszaal hebben, iemand boven aan de trap, iemand bij de frisdrankautomaten op de begane grond, en iemand buiten, met een radio. Bij iedere schorsing zouden ze van positie ruilen.

Het vage signalement werd aan de anderen doorgegeven. Fitch besloot op precies dezelfde plaats als de vorige dag te gaan zitten en precies hetzelfde te doen.
Swanson, een expert op het gebied van surveillance, twijfelde aan het nut van al die maatregelen. 'Het heeft weinig zin,' zei hij.
'Waarom?' wilde Fitch weten.
'Omdat ze je zal vinden. Ze heeft iets waarover ze wil praten en dus zal ze zelf de volgende zet doen.'
'Misschien. Maar ik wil weten wie ze is.'
'Rustig maar. Ze vindt jou wel.'
Fitch discussieerde met hem tot het bijna negen uur was en liep toen met fikse pas naar het gerechtsgebouw terug. Doyle sprak met de deputy en haalde hem over hem het meisje aan te wijzen als ze zich nog een keer liet zien.

Nicholas had besloten die vrijdagmorgen bij de koffie en croissants met Rikki Coleman te gaan praten. Ze was dertig en zag er goed uit. Ze was getrouwd, had twee kleine kinderen en werkte op de administratie van een particulier ziekenhuis in Gulfport. Ze was een gezondheidsfreak en gebruikte geen cafeïne en alcohol, laat staan dat ze zou roken. Haar vlasblonde haar was kort als dat van een jongen, en haar mooie blauwe ogen twinkelden achter de glazen van haar dure brilmontuur. Ze zat in een hoek en nam onder het lezen van *USA Today* kleine teugjes uit een glas sinaasappelsap. Nicholas ging naar haar toe en zei: 'Goedemorgen. Ik geloof dat we elkaar gisteren nog niet officieel hebben ontmoet.'
Ze glimlachte, iets wat ze gemakkelijk deed, en stak haar hand uit. 'Rikki Coleman.'
'Nicholas Easter. Aangenaam kennis te maken.'
'Bedankt voor de lunch van gisteren,' zei ze met een vlug lachje.
'Dat was niets bijzonders. Mag ik gaan zitten?' vroeg hij, knikkend naar een klapstoel naast haar.
'Ja, dat is goed.' Ze legde de krant op haar schoot.
Alle twaalf juryleden waren inmiddels aanwezig en de meesten begonnen de dag door in kleine groepjes met elkaar te praten. Herman Grimes zat alleen aan de tafel, op zijn dierbare stoel aan het hoofd. Hij hield zijn koffie met beide handen vast en luisterde ongetwijfeld of iemand zo onverstandig was iets over het proces te zeggen. Lonnie Shaver zat ook alleen aan de tafel en keek computeruitdraaien van zijn supermarkt door. Jerry Fernandez was de gang opgegaan om een sigaret te roken met Poedel.
'Wat vind je van het jurywerk?' vroeg Nicholas.
'Het stelt minder voor dan ik dacht.'
'Heeft iemand gisteravond geprobeerd je om te kopen?'

'Nee. Jou?'
'Nee. Dat is dan pech gehad, want rechter Harkin zal erg teleurgesteld zijn als niemand probeert ons om te kopen.'
'Waarom zeurt hij toch zo over de contacten die we niet mogen hebben?'
Nicholas boog een beetje naar voren, zij het niet te dichtbij. Zij leunde ook naar voren en wierp intussen een behoedzame blik op de voorzitter, alsof hij hen kon zien. Ze genoten van de privacy van hun gesprekje, zoals twee fysiek aantrekkelijke mensen zich soms tot elkaar aangetrokken voelen. Gewoon een beetje onschuldig geflirt. 'Het is al eerder gebeurd. Een paar keer,' zei hij bijna fluisterend. Bij de koffiepotten werd gelachen; Gladys Card en Stella Hulic hadden iets grappigs in de krant ontdekt.
'Wat is al eerder gebeurd?' vroeg Rikki.
'Omgekochte jury's in tabaksprocessen. Sterker nog, het gebeurt bijna altijd. Meestal zit de gedaagde erachter.'
'Ik begrijp het niet,' zei ze. Ze geloofde alles en wilde nog wat meer informatie van de jongen die twee jaar rechtenstudie achter de rug had.
'Er zijn verscheidene van deze zaken in het hele land geweest, en de tabaksindustrie heeft tot nu toe altijd gewonnen. Ze betalen miljoenen om zich te verdedigen, want ze kunnen het zich niet permitteren ook maar één keer te verliezen. Er hoeft maar één keer een eiser te winnen en het hek is van de dam.' Hij zweeg even, keek om zich heen en nam een slokje koffie. 'Daarom gebruiken ze allerlei trucjes.'
'Zoals?'
'Zoals geld aanbieden aan familie van juryleden. Zoals geruchten verspreiden dat de overledene, wie hij ook was, vier minnaressen had, zijn vrouw sloeg, van zijn vrienden stal, alleen naar de kerk ging voor begrafenissen en een homoseksuele zoon had.'
Ze keek hem ongelovig aan en hij ging verder: 'Het is waar en in juridische kringen is het algemeen bekend. Rechter Harkin weet het vast en zeker, en daarom krijgen we steeds die waarschuwingen.'
'Zijn ze niet tegen te houden?'
'Nog niet. Ze zijn erg slim, erg vindingrijk, erg doortrapt, en ze laten geen spoor achter. Bovendien beschikken ze over miljoenen.' Ze keek hem aandachtig aan. 'Ze hebben je gevolgd in de tijd voordat de jury werd samengesteld.'
'Nee!'
'Reken maar van wel. Bij zulke grote processen is dat de standaardprocedure. De wet verbiedt ze rechtstreeks contact te zoeken met potentiële juryleden en dus doen ze alles wat ze maar kunnen doen. Waarschijnlijk hebben ze foto's gemaakt van je huis, auto, kinderen, man, werkplek. Misschien hebben ze zelfs met collega's gepraat of gesprekken op kantoor of in de kantine afgeluisterd. Je weet het nooit.'

Ze zette haar sinaasappelsap op een vensterbank. 'Dat lijkt me illegaal, of onethisch, of zoiets.'
'Zoiets. Maar ze konden het doen omdat je niet wist dat ze het deden.'
'Maar jij wist het wel?'
'Ja. Ik zag een fotograaf in een auto voor mijn huis. En ze stuurden een vrouw naar de winkel waar ik werk om ruzie te zoeken over het rookverbod dat daar geldt. Ik wist precies wat ze deden.'
'Maar je zei dat rechtstreeks contact verboden was.'
'Ja, maar ik zei niet dat ze zich aan de regels houden. Integendeel. Ze willen absoluut winnen en daarvoor overtreden ze alle regels.'
'Waarom heb je het niet tegen de rechter gezegd?'
'Omdat het onschuldig was en omdat ik wist wat ze deden. Nu ik in de jury zit, let ik op alles wat ze doen.'
Nu hij haar nieuwsgierigheid had gewekt, besloot Nicholas de rest van het verhaal voor later te bewaren. Hij keek op zijn horloge en stond abrupt op. 'Ik denk dat ik nog even naar het toilet ga voordat we de zaal weer in moeten.'
Lou Dell kwam de kamer in stormen. De deur kraakte in zijn hengsels. 'Het is tijd,' zei ze resoluut, ongeveer als een leidster van een zomerkamp die geen orde kan houden.
Het publiek was ongeveer half zo groot als de vorige dag. Toen de juryleden zich op de versleten kussens van hun stoelen installeerden, keek Nicholas naar de toeschouwers. Zoals hij had verwacht, zat Fitch op dezelfde plaats, ditmaal met zijn hoofd gedeeltelijk achter een krant, alsof de jury hem geen lor interesseerde, alsof het hem geen bal kon schelen welke kleren Easter aanhad. Later zou hij kijken. De verslaggevers waren bijna allemaal verdwenen, al zouden ze in de loop van de dag komen binnendruppelen. De types van Wall Street maakten nu al de indruk dat ze zich stierlijk verveelden. Het waren jonge kerels, net van de universiteit en naar het Zuiden gestuurd omdat ze beginnelingen waren en hun bazen wel wat beters te doen hadden. De vrouw van Herman Grimes zat op dezelfde plaats en Nicholas vroeg zich af of ze daar iedere dag zou zitten en alles zou horen en altijd klaar zou staan om haar man met het nemen van zijn beslissingen te helpen.
Nicholas verwachtte de man te zien die zijn woning was binnengedrongen, misschien niet op deze dag maar wel in de loop van het proces. De man was op dit moment niet in de rechtszaal.
'Goedemorgen,' zei rechter Harkin hartelijk tegen de jury, zodra iedereen stil was. Overal werd geglimlacht: door de rechter, door de mensen van de griffie – zelfs de advocaten onderbraken hun fluisterend overleg lang genoeg om de jury met een gemaakte grijns aan te kijken. 'Ik neem aan dat iedereen zich vandaag goed voelt.' Hij wachtte even tot vijftien gezichten

aarzelend knikten. 'Goed, mevrouw Dell heeft me verteld dat iedereen klaar is voor een hele dag werk.'
De rechter pakte een papier met een vragenlijst waar de juryleden nog een grote hekel aan zouden krijgen. Hij schraapte zijn keel en hield op met glimlachen. 'Nu, dames en heren van de jury, ga ik u een aantal vragen stellen, erg belangrijke vragen, en ik wil dat u reageert als u daartoe ook maar de geringste aanleiding ziet. Bovendien wil ik u eraan herinneren dat als u niet reageert terwijl dat wel op zijn plaats zou zijn, dat door mij als een vorm van meineed zal worden beschouwd, en daar staat gevangenisstraf op.'
Hij liet deze ernstige waarschuwing even in de lucht hangen. De juryleden voelden zich al schuldig nu ze dit hoorden. Zodra hij ervan overtuigd was dat hij indruk had gemaakt, begon hij de vragen te stellen. Heeft iemand geprobeerd dit proces met u te bespreken? Heeft u ongewone telefoontjes ontvangen sinds we gisteren uiteengingen? Heeft u vreemden gezien die u of gezinsleden van u observeerden? Heeft u geruchten of verhalen gehoord over een van de partijen in het proces? Over een van de advocaten? Een van de getuigen? Heeft iemand contact opgenomen met een van uw vrienden of familieleden om over dit proces te spreken? Heeft een vriend of familielid sinds de schorsing van gisteren geprobeerd dit proces met u te bespreken? Heeft u schriftelijk materiaal gezien of ontvangen dat in enig opzicht betrekking had op dit proces?
Tussen twee vragen keek de rechter telkens hoopvol naar ieder jurylid, waarna hij, blijkbaar teleurgesteld, verder ging met de lijst.
Wat de juryleden zo vreemd vonden, was dat de vragen in zo'n gespannen atmosfeer werden gesteld. De advocaten keken gretig toe, alsof ze zeker wisten dat er reacties van juryleden zouden komen. Het griffiepersoneel, dat meestal bezig was papieren of bewijsstukken te sorteren of allerlei dingen te doen die niets met het proces te maken hadden, zat nu doodstil te kijken welk jurylid iets zou bekennen. Met zijn dreigende gezicht en opgetrokken wenkbrauwen trok de rechter de integriteit van ieder jurylid na elke vraag opnieuw in twijfel. Blijkbaar was hun stilzwijgen in zijn ogen niets minder dan bedrog.
Toen hij klaar was, zei hij rustig: 'Dank u.' Het leek wel of de hele zaal opgelucht ademhaalde. De juryleden voelden zich beledigd. De rechter dronk koffie uit een grote mok en glimlachte naar Wendall Rohr. 'U kunt uw volgende getuige oproepen, raadsman.'
Rohr stond op. Hij had een grote bruine vlek op het midden van zijn gekreukte witte overhemd, zijn vlinderdasje zat zo scheef als het altijd zat en zijn schoenen waren kaal en werden met de dag vuiler. Hij knikte en glimlachte hartelijk naar de juryleden en ze glimlachten onwillekeurig naar hem terug.

Rohr had een jury-expert die precies bijhield welke kleding de juryleden droegen. Als een van de vijf mannen op een dag bijvoorbeeld cowboylaarzen zou dragen, had Rohr ook een oud paar klaarstaan. Zelfs twee paar, met spitse en met ronde punten. Als het zo uitkwam, zou hij zelfs sportschoenen aantrekken. Hij had dat al een keer gedaan toen een jurylid ze droeg. De rechter, niet Harkin, had daar binnenskamers over geklaagd. Rohr had een voetkwaal, had hij uitgelegd, en hij had meteen een brief van zijn chiropodist laten zien. Hij kon een gestreken kaki broek dragen, een gehaakte stropdas, een polyester colbertje, een cowboyriem, witte sokken, instappers (glanzend of kaal). Zijn eigenaardige garderobe was samengesteld met het oog op de mensen die zich gedwongen zagen zes uur per dag in zijn nabijheid te zitten.
'We willen graag professor Milton Fricke oproepen,' kondigde hij aan.
Fricke werd beëdigd en nam plaats. De gerechtsdienaar stelde zijn microfoon bij. Het bleek al gauw dat zijn curriculum vitae nagenoeg eindeloos was – talloze diploma's, aan tal van onderwijsinstellingen behaald, honderden gepubliceerde artikelen, zeventien boeken, jarenlange ervaring als docent, tientallen jaren van onderzoek naar de gevolgen van roken. Het was een klein mannetje met een kogelrond gezicht waarop hij een bril met zwart montuur droeg, een toonbeeld van intelligentie. Rohr had bijna een uur nodig om zijn verbijsterende collectie kwalificaties en referenties af te werken. Toen uiteindelijk moest worden vastgesteld of Fricke als deskundige kon worden gehoord, wilde Durr Cable hem geen enkele vraag stellen. 'Wij zijn van mening dat professor Fricke bevoegd is op zijn werkterrein,' zei Cable, en dat was een zwaar understatement.
Frickes werkterrein was in de loop van de jaren steeds kleiner geworden. Momenteel deed hij tien uur per dag onderzoek naar de uitwerking van tabaksrook op het menselijk lichaam. Hij was directeur van het Smoke Free Research Institute in Rochester. De jury kreeg even later te horen dat hij door Rohr in de arm was genomen voordat Jacob Wood overleed en dat hij aanwezig was geweest bij een sectie die vier uur na het overlijden op Wood werd verricht. En dat hij daar foto's van had gemaakt.
Rohr sprak met nadruk over die foto's en liet er geen twijfel over bestaan dat de juryleden ze uiteindelijk te zien zouden krijgen. Maar daar was Rohr nu nog niet aan toe. Hij moest eerst wat tijd besteden aan deze grote deskundige op het gebied van de chemie en farmacologie van het roken.
Fricke bleek een echte professor te zijn. Met grote voorzichtigheid behandelde hij uitgebreide medische en wetenschappelijke onderzoeken. Hij liet de grote woorden weg en zorgde dat zijn verhaal enigszins begrijpelijk was voor de juryleden. Hij was ontspannen en volkomen zeker van zichzelf.
Toen de rechter de lunchpauze aankondigde, vertelde Rohr het hof dat professor Fricke de rest van de dag als getuige zou optreden.

De lunch stond ditmaal al klaar in de jurykamer. O'Reilly was alles zelf komen brengen en bood zijn verontschuldigingen aan voor wat de vorige dag was gebeurd.
'Dat zijn papieren borden en plastic vorken,' zei Nicholas toen ze hun plaatsen om de tafel innamen. Hij ging niet zitten. O'Reilly keek Lou Dell aan, en die zei: 'Ja?'
'Nou, we hebben uitdrukkelijk gezegd dat we echte borden met echte vorken wilden. Dat hebben we toch gezegd?' Hij sprak met stemverheffing en enkele juryleden wendden zich af. Die wilden gewoon eten.
'Wat mankeert er aan papieren borden?' vroeg Lou Dell nerveus. De lokken over haar voorhoofd trilden.
'Ze zuigen het vet op, nietwaar? Ze worden sponzig en laten vlekken op de tafel achter, ja? Daarom heb ik uitdrukkelijk om echte borden gevraagd. En echte vorken.' Hij nam een witte plastic vork, knapte hem in tweeën en gooide hem in de prullenbak. 'En waar ik me zo kwaad om kan maken, Lou Dell, is dat op ditzelfde moment de rechter en alle advocaten en hun cliënten en de getuigen en het griffiepersoneel en de toeschouwers en alle anderen die bij dit proces betrokken zijn lekker zitten te lunchen in een goed restaurant, met echte borden en echte glazen en vorken die niet in tweeën knappen. En ze kunnen kiezen uit een uitgebreid menu. Dat maakt me zo kwaad. En wij, de juryleden, de belangrijkste mensen van dit hele verrekte proces, wij zitten hier opgesloten als kleuters die op hun koekjes en limonade wachten.'
'Dit eten is goed,' zei O'Reilly om zich te verdedigen.
'Ik vind dat je een beetje overdrijft,' zei Gladys Card, een nuffig dametje met wit haar en een prettige stem.
'Nou, eet je soppige broodje dan op en hou je hier buiten,' snauwde Nicholas veel te fel.
'Ga je iedere dag stennis maken in de lunchpauze?' vroeg Frank Herrera, een gepensioneerde kolonel ergens uit het Noorden. Herrera was klein en gezet. Hij had kleine handjes en tot nu toe had hij een mening over zo ongeveer alles. Hij was de enige die echt teleurgesteld was omdat hij niet tot voorzitter was gekozen.
Jerry Fernandez had hem al de bijnaam 'Napoleon' gegeven. Kortweg 'Nap'. Met 'kolonel der infantilie' als alternatief.
'Gisteren waren er geen klachten,' snauwde Nicholas terug.
'Laten we gaan eten. Ik rammel van de honger.' Herrera haalde een broodje uit de verpakking. Enkele anderen deden dat ook.
Van de tafel steeg de geur van gebraden kip en frieten op. Toen O'Reilly klaar was met het uitpakken van een bak pastasalade, zei hij: 'Ik wil maandag best wat borden en vorken brengen. Geen probleem.'
'Dank u,' zei Nicholas rustig, en ging zitten.

Ze werden het gauw eens. Onder een drie uur durende lunch van twee oude vrienden in de '21' Club aan Fifty-second Street werden de details overeengekomen. Luther Vandemeer, bestuursvoorzitter van Trellco, en zijn voormalige protégé Larry Zell, tegenwoordig bestuursvoorzitter van Listing Foods, hadden de zaak al in grote lijnen door de telefoon besproken, maar moesten elkaar onder het genot van voedsel en wijn onder vier ogen ontmoeten. Vandemeer gaf hem de achtergronden van het nieuwste serieuze probleem in Biloxi en zei dat hij zich zorgen maakte. Zeker, Trellco was ditmaal niet het mikpunt, maar de hele bedrijfstak werd belaagd en de Grote Vier hadden zich verschanst. Zell wist dat wel. Hij had zeventien jaar voor Trellco gewerkt en hij had dan ook sinds lang een hartgrondige hekel aan advocaten die procedures tegen bedrijven aanspanden.
Hadley Brothers, een kleine regionale supermarktketen met het hoofdkantoor in Pensacola, bezat een paar winkels aan de kust van Mississippi. Een van die winkels stond in Biloxi en de bedrijfsleider was een ambitieuze jongeman die Lonnie Shaver heette. En nu wilde het toeval dat Lonnie Shaver daar ook in de jury zat. Vandemeer wilde dat SuperHouse, een veel grotere supermarktketen in Georgia en North en South Carolina, de kleinere keten Hadley Brothers opkocht, tegen welke prijs dan ook. SuperHouse was een van de ongeveer twintig divisies van Listing Foods. Het zou een kleine transactie zijn – Vandemeers mensen hadden de cijfers al uitgewerkt – en het zou Listing niet meer dan zes miljoen kosten. Omdat Hadley Brothers niet aan de beurs genoteerd was, zou de transactie nauwelijks aandacht trekken. Listing Foods had het vorige jaar een omzet gemaakt van twee miljard dollar, dus zes miljoen was een peulenschil. Het concern bezat tachtig miljoen aan reserves en had weinig schulden. En om de transactie nog aantrekkelijker te maken beloofde Vandemeer dat Trellco over twee jaar Hadley Brothers in alle discretie zou overnemen als Zell ervan af wilde.
Er kon niets mis gaan. Listing en Trellco waren volkomen onafhankelijk van elkaar. Listing bezat al supermarktketens. Trellco was niet rechtstreeks betrokken bij het proces. Het was een heel eenvoudige transactie tussen twee oude vrienden. En later zou er natuurlijk een reorganisatie bij Hadley Brothers moeten plaatsvinden. Er zou personeel moeten afvloeien, zoals altijd gebeurde na een buy-out of fusie of hoe ze het ook noemden. Vandemeer zou Zell instructie geven om de juiste hoeveelheid druk op Lonnie Shaver te laten uitoefenen.
En het moest snel gebeuren. Er waren vier weken voor het proces uitgetrokken. Week één zou over enkele uren afgelopen zijn.
Na een dutje in zijn kantoor in Manhattan belde Luther Vandemeer het nummer in Biloxi en liet een boodschap voor Rankin Fitch achter: wilde Fitch hem in de loop van het weekend in de Hamptons terugbellen?

Fitch' kantoor bevond zich achter in een leegstaande winkel, een klein warenhuis dat jaren geleden dicht was gegaan. De huur was laag, er was volop parkeergelegenheid, het was onopvallend, en het was maar een klein eindje lopen van de rechtbank vandaan. Er waren vijf grote kamers gemaakt, allemaal haastig opgebouwd met wanden van ongeverfd triplex; het zaagsel lag nog op de vloer. Het meubilair was goedkoop en gehuurd en bestond hoofdzakelijk uit opklapbare tafels en plastic stoelen. De kamers werden verlicht door een groot aantal tl-buizen. De buitendeuren waren goed beveiligd en het kantoor zelf werd voortdurend door twee gewapende mannen bewaakt.

Er mocht dan bezuinigd zijn op de inrichting, wat de apparatuur betrof was alleen het beste goed genoeg. Overal stonden computers en monitoren. Kabels naar faxen en kopieerapparaten en telefoons liepen schijnbaar lukraak over de vloer. Fitch had de allernieuwste technologie en hij had de mensen die ermee konden omgaan.

De wanden van een van de kamers waren bedekt met grote foto's van de vijftien juryleden. Aan een andere wand waren computeruitdraaien geprikt. Een grote plattegrond van de jurybank hing aan weer een andere wand en een medewerker was bezig om in het vak onder Gladys Cards naam nieuwe gegevens in te vullen.

De achterste kamer was de kleinste en de gewone medewerkers mochten daar niet komen, al wisten ze allemaal wat er gebeurde. De deur viel automatisch in het slot en Fitch had de enige sleutel. Het was een projectiezaal zonder ramen en met een groot scherm aan de muur en zes comfortabele stoelen daartegenover. Op vrijdagmiddag zaten Fitch en twee jury-experts in het donker naar het scherm te kijken. De experts waren niet geneigd een praatje met Fitch te maken en Fitch had ook geen behoefte aan conversatie. Stilte.

De camera was een Yumara XLT-2, een klein apparaatje dat bijna overal te verbergen was. De lens was ruim een centimeter in doorsnee en de camera zelf woog nog geen vier ons. Hij was zorgvuldig geïnstalleerd door een van Fitch' jongens en bevond zich momenteel in een versleten bruine leren tas die onder de tafel van de gedaagde op de vloer van de rechtszaal stond. Die tas werd goed bewaakt door Oliver McAdoo, een advocaat uit Washington en de enige buitenstaander die van Fitch bij Cable en de rest mocht zitten. Officieel was McAdoo erbij gehaald om de strategie uit te denken, naar de juryleden te glimlachen en papieren aan Cable door te geven. Zijn echte taak, waarvan alleen Fitch en een paar anderen op de hoogte waren, hield in dat hij iedere dag de rechtszaal kwam binnenlopen met alle attributen van de juridische oorlogvoering, waaronder twee grote, identieke bruine aktetassen, waarvan een de camera bevatte, en dat hij dan iedere dag op ongeveer dezelfde plaats aan de tafel ging zitten. Iedere morgen was hij de

eerste advocaat van de gedaagde die de rechtszaal betrad. Hij zette de tas rechtop, de lens van de camera op de jurybank gericht. Vervolgens nam hij zijn zaktelefoon en belde Fitch, die op afstand de camera kon instellen.
Als het proces aan de gang was, stonden er altijd minstens twintig aktetassen in de zaal. De meeste stonden op of onder de tafels van de advocaten, maar er stonden ook tassen bij de tafel van de stenografe en onder de stoelen van de minder belangrijke advocaten. Sommige tassen stonden zelfs tegen de balustrade aan, alsof ze vergeten waren. Hoewel ze verschillende kleuren en formaten hadden, zagen ze er in feite allemaal min of meer hetzelfde uit, ook de twee tassen van McAdoo. De ene maakte hij soms open om er papieren uit te halen, maar de andere, die met de camera, zat zo stevig op slot dat je explosieven nodig zou hebben om hem open te krijgen. Fitch' strategie was eenvoudig: als de camera tegen alle verwachtingen in de aandacht zou trekken, zou McAdoo in het tumult dat daarop volgde de aktetassen verwisselen en er dan het beste van hopen.
De kans op ontdekking was overigens uiterst klein. De camera maakte geen geluid en zond signalen uit die niet hoorbaar waren voor het menselijk oor. De aktetas stond bij een stel andere tassen en werd soms per ongeluk opzij geduwd of geschopt, maar dan was het geen probleem om hem weer goed ingesteld te krijgen. McAdoo ging dan naar een rustig plekje en belde Fitch. Tijdens de zaak-Cimmino, vorig jaar in Allentown, hadden ze het systeem geperfectioneerd.
De technologie was verbazingwekkend. De kleine lens bestreek de hele jurybank en zond alle vijftien gezichten in kleur naar Fitch' kleine projectiekamer, waar twee jury-experts de hele dag naar elke geeuw en opgetrokken mondhoek zaten te kijken.
Afhankelijk van wat er in de jurybank gebeurde, overlegde Fitch met Durr Cable. Hij vertelde hem dan ook wat hun mensen in de rechtszaal hadden opgepikt. Noch Cable noch een van de andere plaatselijke advocaten zou ooit iets van die camera weten.
Op vrijdagmiddag registreerde de camera dramatische reacties. Jammer genoeg hadden de Japanners nog geen camera ontworpen die zich vanuit een afgesloten aktetas op interessante dingen kon richten. Daarom kon de camera de vergrote foto's van de verschrompelde, zwart uitgeslagen longen van Jacob Wood niet zien, maar de juryleden zagen ze wel. Terwijl Rohr en professor Fricke hun dialoog afwerkten, keken de juryleden zonder uitzondering met onverholen afschuw naar de gruwelijke verwondingen die in de loop van vijfendertig jaren langzaam waren toegebracht.
Rohrs timing was perfect. De twee foto's waren aangebracht op een groot statief voor de getuigenbank, en toen Fricke om kwart over vijf zijn getuigenverklaring voltooide, was het tijd om de zitting tot na het weekend te schorsen. Het laatste beeld dat de juryleden voor ogen stond, het beeld

waarover ze de komende twee dagen moesten nadenken en dat ze niet meer uit hun hoofd konden zetten, was dat van die verkoolde longen, uit het lichaam genomen en op een wit laken gelegd.

8

Easter was dat weekend gemakkelijk te volgen. Toen hij op vrijdag de rechtbank had verlaten, liep hij weer naar O'Reilly's Deli, waar hij een rustig gesprek met O'Reilly had. Ze glimlachten erbij. Easter kocht een papieren zak vol voedsel en een fles frisdrank. Vervolgens liep hij regelrecht naar zijn woning en ging niet meer weg. Op zaterdag reed hij om acht uur 's morgens naar het winkelcentrum waar hij werkte en stond daar twaalf uur lang computers en andere apparaten te verkopen. Hij at taco's en gebakken bonen in de Food Garden, samen met een collega, een tiener die Kevin heette. Voorzover ze konden zien, had hij geen contact met een vrouw die zelfs maar een vage gelijkenis vertoonde met het meisje dat ze zochten. Na het werk ging hij naar huis en bleef daar de hele zaterdagavond.

De zondag bracht een aangename verrassing. Om acht uur 's morgens ging hij van huis en reed naar de jachthaven van Biloxi en ontmoette daar niemand anders dan Jerry Fernandez. Ze werden voor het laatst gezien toen ze samen met twee anderen, vermoedelijk vrienden van Jerry, in een tien meter lange vissersboot de pier verlieten. Achteneenhalf uur later kwamen ze met rode gezichten terug. Ze hadden een grote koelemmer met een onduidelijk soort zeevis bij zich en de boot lag vol met lege bierblikjes.

Dat vissen was de eerste zichtbare hobby van Nicholas Easter. En Jerry was de eerste vriend die ze hadden kunnen ontdekken.

Zoals Fitch eigenlijk wel had verwacht, was er geen teken van het meisje te bekennen. Ze bleek erg geduldig te zijn en dat was op zich al buitengewoon irritant. Haar eerste toenadering was vast en zeker een inleiding tot de tweede, en de derde. Het wachten was een kwelling.

Toch was Swanson, de gewezen FBI-agent, er nu van overtuigd dat ze bin-

nen een week van zich zou laten horen. Het kon niet anders of haar plan, wat dat ook mocht zijn, was gebaseerd op meer contacten.
Ze wachtte niet langer dan tot maandagochtend, een halfuur voordat het proces werd hervat. De advocaten waren er al en overlegden in kleine groepjes. Rechter Harkin was in zijn kamer om een spoedeisende strafzaak af te handelen. De juryleden verzamelden zich in de jurykamer. Fitch zat in zijn eigen kantoor aan dezelfde straat, in zijn commandobunker. Een assistent, een jongeman die Konrad heette en die alles van telefoons, kabels, bandjes en de modernste surveillance-apparatuur wist, kwam door de open deur naar binnen en zei: 'Er is een telefoontje dat je zal interesseren.'
Fitch staarde Konrad aan, zoals hij altijd deed, en analyseerde meteen de situatie. Al zijn telefoontjes, zelfs die van zijn eigen secretaresse in Washington, werden in de voorste kamer aangenomen en aan hem doorgegeven met behulp van een intercomsysteem dat in de telefoons was ingebouwd. Zo ging het altijd.
'Waarom?' vroeg hij argwanend.
'Ze zegt dat ze weer een boodschap voor je heeft.'
'Haar naam?'
'Die wil ze niet zeggen. Ze is erg schuchter, maar ze houdt vol dat het belangrijk is.'
Weer een lange stilte. Fitch keek naar het knipperende lichtje op een van de telefoontoestellen. 'Enig idee hoe ze aan het nummer is gekomen?'
'Nee.'
'Proberen jullie de herkomst na te gaan?'
'Ja. Geef ons even de tijd. Hou haar aan de praat.'
Fitch drukte op de knop en nam de hoorn van de haak. 'Ja,' zei hij zo vriendelijk mogelijk.
'Spreek ik met meneer Fitch?' vroeg ze. Ze had een prettige stem.
'Jazeker. En met wie spreek ik?'
'Marlee.'
Een naam! Hij zweeg even. Omdat ieder telefoongesprek automatisch werd opgenomen, kon hij het later analyseren. 'Goedemorgen, Marlee. En heb je ook een achternaam?'
'Ja. Jurylid nummer twaalf, Fernandez, komt over ongeveer twintig minuten met een *Sports Illustrated* de rechtszaal binnenlopen. Het is het nummer van 12 oktober met Dan Marino op de cover.'
'Ja,' zei hij alsof hij aantekeningen maakte. 'Verder nog iets?'
'Nee. Nu niet.'
'En wanneer bel je opnieuw?'
'Weet ik niet.'
'Hoe ben je aan dit telefoonnummer gekomen?'

'Dat was makkelijk. Niet vergeten, nummer twaalf, Fernandez.' Er volgde een klik en ze was weg. Fitch drukte op een andere knop en toetste een code van twee cijfers in. Het hele gesprek werd afgespeeld via een luidspreker boven de telefoons.
Konrad kwam binnenrennen met een uitdraai. 'Kwam uit een telefooncel in een winkel in Gulfport.'
'Wat een verrassing,' zei Fitch terwijl hij zijn jasje pakte en zijn das rechttrok. 'Nou, vlug naar de rechtbank.'

Nicholas wachtte tot de meeste andere juryleden aan de tafel zaten of in de buurt stonden, en toen wachtte hij tot er een korte stilte inviel. Met luide stem zei hij: 'Nou, is er dit weekend nog iemand omgekocht of geschaduwd?' Er werd gegrinnikt en stilletjes gelachen, maar er kwam geen bekentenis.
'Mijn stem is niet te koop, maar wel te huur,' zei Jerry Fernandez. Daarmee herhaalde hij een grap die hij Nicholas de vorige dag op de visboot had horen maken. Iedereen vond het grappig, behalve Herman Grimes.
'Waarom zanikt hij daar zo over door?' vroeg Millie Dupree, die kennelijk blij was dat iemand het ijs had gebroken. Anderen kwamen dichterbij staan en bogen zich naar voren om te horen wat de voormalige rechtenstudent ervan vond. Rikki Coleman bleef met een krant in de hoek zitten. Ze had het al gehoord.
'Er zijn al vaker van dit soort processen geweest,' legde Nicholas met tegenzin uit. 'En toen is er geknoeid met de jury's.'
'Ik vind dat we hier niet over moeten spreken,' zei Herman.
'Waarom niet? Het kan geen kwaad. We hebben het niet over bewijsmateriaal of getuigenverklaringen.' Nicholas sprak met gezag. Herman twijfelde.
'De rechter zei dat we niet over het proces mochten praten,' protesteerde hij. Hij wachtte tot iemand hem te hulp kwam, maar niemand deed dat.
Nicholas had nu de leiding. Hij zei: 'Rustig maar, Herman. Het gaat niet over bewijsmateriaal of de dingen waarover we uiteindelijk moeten praten. Dit gaat over...' Hij wachtte om zijn woorden extra effect mee te geven en zei toen: 'Dit gaat over omkoping van juryleden.'
Lonnie Shaver liet de computeruitdraai met de voorradenlijst van zijn supermarkt zakken en boog zich dichter naar de tafel toe. Rikki luisterde nu ook. Jerry Fernandez had het de vorige dag allemaal op de boot gehoord, maar het was onweerstaanbaar.
'Zeven jaar geleden is er ongeveer net zo'n tabaksproces geweest in Quitman County, Mississippi, in de delta. Misschien kunnen sommigen van jullie zich dat herinneren. Het was een andere tabaksfabrikant, maar aan weerskanten waren er mensen bij betrokken die nu ook van de partij zijn.

En er gebeurden ook nogal schandalige dingen, niet alleen voordat de jury was gekozen, maar ook nadat het proces was begonnen. Rechter Harkin heeft die verhalen natuurlijk gehoord en hij houdt ons goed in de gaten. Een heleboel mensen houden ons in de gaten.'
Millie keek even om zich heen naar de anderen. 'Wie?' vroeg ze toen.
'Beide partijen.' Nicholas had besloten het eerlijk te spelen, want beide partijen hadden zich tijdens die andere processen schuldig gemaakt aan dingen die niet door de beugel konden. 'Beide partijen huren die kerels in die ze jury-experts noemen, en dan komen ze uit het hele land hierheen om te helpen de perfecte jury te kiezen. De perfecte jury is natuurlijk niet een jury die eerlijk is, maar een jury die de uitspraak doet die zij willen. Ze observeren ons voordat we worden gekozen. Ze...'
'Hoe doen ze dat?' onderbrak Gladys Card hem.
'Nou, ze maken foto's van ons huis, onze auto, onze buurt, onze werkplek, onze kinderen en hun fietsen, onszelf. Dat is allemaal toegestaan en het is ook niet onethisch, maar ze komen dicht bij de scheidslijn. Ze kijken in openbare gegevens, dingen als rechtbankverslagen en belastingregisters, om ons te leren kennen. Misschien praten ze zelfs met onze vrienden en collega's en buren. Dat gebeurt tegenwoordig bij elk groot proces.'
Alle elf luisterden en keken naar hem. Ze kwamen een beetje dichter bij hem en probeerden zich te herinneren of ze vreemden met camera's om hoeken hadden zien gluren. Nicholas nam een slokje koffie en ging verder: 'Is de jury eenmaal samengesteld, dan begint voor de experts het volgende stadium. Het aantal juryleden is dan teruggebracht van tweehonderd tot vijftien, en dus zijn we gemakkelijker in de gaten te houden. Gedurende het hele proces hebben beide partijen een groep jury-experts in de rechtszaal. Ze observeren ons, kijken hoe we reageren. Meestal zitten ze op de eerste twee rijen, al verplaatsen ze zich nogal.'
'Je weet wie het zijn?' vroeg Millie ongelovig.
'Ik weet niet hoe ze heten, maar ze zijn vrij gemakkelijk te herkennen. Ze zijn goed gekleed en ze kijken de hele tijd naar ons.'
'Ik dacht dat het verslaggevers waren,' zei de gepensioneerde kolonel Frank Herrera, die het niet kon laten om ook iets te zeggen.
'Ik heb niets gezien,' zei Herman Grimes, en ze glimlachten allemaal, zelfs Poedel.
'Let vandaag maar eens op,' zei Nicholas. 'Ze beginnen meestal achter de tafel aan hun kant. Ik heb trouwens een goed idee. Er is een vrouw van wie ik bijna zeker weet dat ze een jury-expert voor Pynex is. Ze is een jaar of veertig en ze is stevig gebouwd en heeft kort haar. Tot nu toe heeft ze iedere morgen achter Durwood Cable op de voorste rij gezeten. Laten we, als we straks op onze plaats zitten, naar haar staren. Alle twaalf. We kijken de hele tijd in haar richting en dan zul je zien dat ze het niet lang uithoudt.'

'Zelfs ik?' vroeg Herman.
'Ja, Herm, zelfs jij. Je draait je gewoon richting tien uur en staart met ons mee.'
'Waarom spelen we spelletjes?' vroeg Sylvia 'Poedel' Taylor-Tatum.
'Waarom niet? Wat kunnen we de komende acht uur anders doen?'
'Ik heb er wel zin in,' zei Jerry Fernandez. 'Misschien laten ze het dan om naar ons te kijken.'
'Hoe lang gaan we ermee door?' vroeg Millie.
'Laten we het doen als rechter Harkin straks weer zijn preek tegen ons afsteekt. Dat duurt tien minuten.' Ze waren het min of meer met Nicholas eens.
Lou Dell kwam hen om precies negen uur halen en ze verlieten de jurykamer. Nicholas had twee bladen bij zich – een daarvan was de *Sports Illustrated* van 12 oktober. Hij liep naast Jerry Fernandez tot ze bij de deur van de rechtszaal kwamen, en toen ze naar binnen liepen, wendde hij zich nonchalant tot zijn nieuwe vriend en zei: 'Wil je iets te lezen hebben?'
Het blad werd al enigszins tegen zijn borst gedrukt, en dus nam Jerry het maar aan en zei: 'Ja, bedankt.' Ze liepen de rechtszaal in.
Fitch wist dat Fernandez, nummer twaalf, dat tijdschrift bij zich zou hebben, maar nu hij het zag, schrok hij toch nog even. Hij zag hem langs de achterste rij schuifelen en gaan zitten. Fitch had het omslag van het blad in een kiosk gezien en hij wist dat Marino er in een zeegroen shirt op stond, nummer dertien, zijn arm geheven om de bal weg te meppen.
Fitch' schrik ging over in opwinding. Dat meisje Marlee opereerde buiten de rechtbank, terwijl iemand in de jury aan de binnenkant werkte. Misschien waren er twee of drie of vier juryleden die met haar samenwerkten. Dat maakte Fitch niet uit. Hoe meer, hoe beter. Die mensen waren de spelers en Fitch was bereid het spel mee te spelen.
De jury-expert heette Ginger en ze werkte voor Carl Nussmans firma in Chicago. Ze had tientallen processen uitgezeten. Meestal bracht ze de helft van de dag in de rechtszaal door, wisselde tijdens schorsingen van plaats, trok haar jasje uit, zette haar bril af. Ze was een oude rot in het bestuderen van juryleden en ze had alles al meegemaakt. Ze zat op de voorste rij achter de advocaten van Pynex; een collega van haar zat een meter verderop in een krant te kijken toen de jury ging zitten.
Ginger keek naar de juryleden en wachtte tot de rechter hen begroette. Hij deed dat en de meeste juryleden knikten en glimlachten naar de rechter, en toen begonnen ze stuk voor stuk, allemaal, ook de blinde man, naar haar te staren. Een paar deden dat met een glimlach, maar de meesten keken of ze zich aan iets stoorden.
Ze wendde zich af.
Rechter Harkin nam zijn tekst door – de ene onheilspellende vraag na de

andere – en ook hij merkte al gauw dat zijn jury zich voor een van de toeschouwers interesseerde.
Ze bleven staren, allemaal naar dezelfde vrouw.
Nicholas had moeite om niet te gaan juichen. Het zat hem enorm mee. Er zaten ongeveer twintig mensen aan de linkerkant van de rechtszaal, achter de advocaten van Pynex, en twee rijen achter Ginger zat de kolossale Rankin Fitch. Vanuit de jurybank gezien, zat Fitch in één lijn met Ginger, en op vijftien meter afstand was moeilijk te zeggen naar wie de juryleden zo keken, naar Ginger of Fitch.
Ginger dacht dat ze naar haar keken. Ze vond wat aantekeningen die ze kon bestuderen, terwijl haar collega verder van haar vandaan schoof.
Fitch voelde zich naakt. Hij zag de twaalf gezichten vanuit de jurybank naar hem kijken. Kleine zweetdruppeltjes sprongen boven zijn wenkbrauwen op zijn huid. De rechter stelde nog wat vragen. Een paar advocaten draaiden zich onhandig om en keken achter zich.
'Blijven staren,' zei Nicholas zachtjes, zonder zijn lippen te bewegen.
Wendall Rohr keek over zijn schouder om te zien wie daar zat. Zijn aandacht werd getrokken door Gingers schoenveters. Ze bleven staren.
Het kwam bijna nooit voor dat een rechter een jury vermaande om op te letten. Harkin was wel eens in de verleiding gekomen, maar dan ging het meestal om een jurylid dat zich zo verveelde dat hij in slaap was gevallen en begon te snurken. En daarom werkte hij zich snel door de rest van zijn vragen heen en zei toen met luide stem: 'Dank u, dames en heren. En nu gaan we verder met professor Milton Fricke.'
Ginger moest plotseling nodig naar het toilet. Terwijl ze haastig de rechtszaal verliet, kwam professor Fricke door een zijdeur binnen. Hij nam zijn plaats in de getuigenbank in.
Cable had in het kruisverhoor maar een paar vragen te stellen, zei hij beleefd. Hij had een groot respect voor professor Fricke en was niet van plan een wetenschappelijke discussie met hem aan te gaan, maar hoopte een paar kleine punten te scoren bij de jury. Fricke gaf toe dat de beschadiging van Woods longen niet geheel en al kon worden toegeschreven aan de Bristols die hij dertig jaar lang had gerookt. Jacob Wood werkte vele jaren in een kantoor met andere rokers, en ja, het was waar dat schade aan de longen ook kon zijn veroorzaakt door blootstelling aan andermans rook. 'Maar het blijft sigarettenrook,' zei Fricke tegen Cable, die het meteen met hem eens was.
En luchtvervuiling? Was het mogelijk dat het inademen van vervuilde lucht ook schade aan de longen had toegebracht? Fricke gaf toe dat het mogelijk was.
Cable stelde een gevaarlijke vraag, maar hij kwam er goed af. 'Professor Fricke, als u naar alle mogelijke oorzaken kijkt – directe sigarettenrook,

indirecte sigarettenrook, luchtvervuiling en eventuele andere oorzaken die we niet hebben genoemd – zou u dan kunnen zeggen hoeveel van de schade aan de longen door het roken van Bristols is veroorzaakt?'
Fricke dacht even na en zei toen: 'Het grootste deel van de schade.'
'Hoeveel... zestig procent, tachtig procent? Kan een deskundige als u bij benadering een percentage noemen?'
Dat was niet mogelijk, en dat wist Cable ook wel. Hij had twee deskundigen achter de hand voor het geval dat Fricke uit de pas ging lopen en te veel ging speculeren.
'Dat kan ik niet,' zei Fricke.
'Dank u. Nog één vraag, professor. Welk percentage van de sigarettenrokers lijdt aan longkanker?'
'Dat hangt ervan af welk onderzoek u wilt geloven.'
'U weet het niet?'
'Ik heb er wel een idee van.'
'Wilt u de vraag dan beantwoorden?'
'Ongeveer tien procent.'
'Ik heb geen vragen meer.'
'Professor Fricke, u kunt gaan,' zei de rechter. 'Meneer Rohr, u kunt uw volgende getuige oproepen.'
'Robert Bronsky.'
Terwijl de getuigen elkaar tegenkwamen, kwam Ginger de rechtszaal weer binnen. Ze ging op de achterste rij zitten, zo ver mogelijk van de juryleden vandaan. Fitch maakte gebruik van de korte pauze om weg te gaan. Hij vond José in het atrium en ze gingen vlug het gerechtsgebouw uit, terug naar het warenhuis.

Ook doctor Bronsky was een medisch onderzoeker met voortreffelijke achtergronden. Hij had bijna evenveel academische graden behaald en had bijna evenveel artikelen gepubliceerd als Fricke. Ze kenden elkaar goed, want ze werkten samen in het onderzoekscentrum in Rochester. Rohr schiep er behagen in om samen met Bronsky diens geweldige staat van dienst door te nemen. Toen eenmaal was aangetoond dat Bronsky een deskundige was, gaven ze een cursus: Tabaksrook had een uiterst gecompliceerde samenstelling en bevatte minstens driehonderd stoffen. Daaronder bevonden zich minstens zestien carcinogenen, alkaliën en talloze andere stoffen waarvan de biologische werking bekend was. Tabaksrook was een mengeling van gassen in kleine druppeltjes, en wanneer iemand inhaleerde, werd ongeveer vijftig procent van de geïnhaleerde rook in de longen vastgehouden, en sommige druppeltjes werden direct afgezet op de wanden van de bronchiën.
Twee advocaten uit Rohrs team zetten vlug een groot statief in het midden

van de rechtszaal, en doctor Bronsky verliet de getuigenbank om een beetje college te geven. De eerste plaat bevatte een lijst van alle stoffen waarvan bekend was dat ze in tabaksrook aanwezig waren. Hij noemde ze niet allemaal op, want dat hoefde hij niet. Elk van die driehonderd namen zag er dreigend uit, en als je ze allemaal bij elkaar zag, leken ze ronduit dodelijk.
De volgende plaat was een lijst van kankerverwekkende stoffen die in sigarettenrook aanwezig waren. Bronsky gaf er enige uitleg bij. Naast deze zestien, zei hij, terwijl hij met zijn aanwijsstok tegen zijn linkerhand tikte, konden er andere, nog niet ontdekte carcinogenen in tabaksrook aanwezig zijn. En het was ook heel goed mogelijk dat twee of meer van die stoffen elkaar versterkten, bij het veroorzaken van kanker.
Ze hadden het de hele ochtend over de kankerverwekkende stoffen. Bij elke nieuwe plaat voelden Jerry Fernandez en de andere rokers zich beroerder en beroerder, totdat Sylvia de Poedel bijna licht in haar hoofd was toen ze de jurybank verlieten om te gaan lunchen. Het was niet verrassend dat ze alle vier eerst naar het 'rookhol' gingen, zoals Lou Dell het noemde, om daar nog gauw een sigaretje te roken voordat ze naar de rest teruggingen om te eten.
De lunch stond al klaar. Blijkbaar waren alle problemen opgelost. De tafel was gedekt met porselein en de ijsthee werd in echte glazen geschonken. O'Reilly presenteerde broodjes die speciaal gemaakt waren voor degenen die ze hadden besteld, en hij opende grote schalen met dampende groenten en pasta voor de anderen. Nicholas complimenteerde hem uitvoerig.

Fitch zat met twee van zijn jury-experts in de projectiekamer toen het telefoontje kwam. Konrad klopte nerveus op de deur. Het was strikt verboden om zonder toestemming van Fitch in de buurt van de kamer te komen.
'Het is Marlee. Lijn vier,' fluisterde Konrad, en Fitch verstijfde zodra hij dat hoorde. Hij liep vlug door een geïmproviseerde gang naar de deur van zijn kamer.
'Ga na waar het vandaan komt,' beval hij.
'Dat doen we al.'
'Reken maar dat het een telefooncel is.'
Fitch drukte op knop vier van zijn telefoon en zei: 'Hallo.'
'Meneer Fitch?' zei de vertrouwde stem.
'Ja.'
'Weet u waarom ze zo naar u keken?'
'Nee.'
'Dat vertel ik u morgen.'
'Vertel het me nu.'
'Nee. Want u laat op dit moment nagaan waar vandaan ik bel. En als u dat

blijft doen, bel ik u niet meer.'
'Goed. Ik hou ermee op.'
'En dat moet ik geloven?'
'Wat wil je?'
'Later, Fitch.' Ze hing op. Fitch speelde het gesprek nog eens af. Even later kwam Konrad vertellen dat ze inderdaad vanuit een telefooncel had gebeld, ditmaal in een winkelcentrum in Gautier, op dertig minuten afstand.
Fitch liet zich in een grote, gehuurde draaistoel zakken en staarde even voor zich uit. 'Ze was vanmorgen niet in de rechtszaal,' zei hij zachtjes, hardop denkend, plukkend aan de punt van zijn sikbaardje. 'Hoe wist ze dan dat ze naar me zaten te kijken?'
'Wie deden dat dan?' vroeg Konrad. Tot zijn taken behoorden geen werkzaamheden in de rechtszaal. Hij kwam het warenhuis nooit uit. Fitch vertelde hem over het merkwaardige incident van de 'starende jury'.
'Wie praat er dan met haar?' vroeg Konrad.
'Dat is de grote vraag.'

De middag werd aan nicotine besteed. Van half twee tot drie en van half vier tot de verdaging om vijf uur kregen de juryleden meer over nicotine te horen dan hen lief was. Het was een gif dat in tabaksrook zat. Elke sigaret bevatte één tot drie milligram nicotine, en door rokers die inhaleerden, zoals Jacob Wood had gedaan, werd zeker negentig procent van de nicotine in de longen opgenomen. Doctor Bronsky stond bijna de hele tijd. Hij wees verschillende lichaamsdelen aan op een felgekleurde, levensgrote afbeelding op het statief. Hij legde tot in de kleinste details uit hoe nicotine een samentrekking van de bloedvaten aan de oppervlakte van armen en benen veroorzaakte; daardoor ging de bloeddruk omhoog; daardoor ging de hartslag omhoog; daardoor moest het hart harder werken. De uitwerking op het spijsverteringskanaal was verraderlijk en gecompliceerd. Nicotine kon misselijkheid en braakneigingen opwekken, vooral wanneer men begon te roken. De speekselafscheidingen en darmbewegingen werden eerst gestimuleerd en dan onderdrukt. Nicotine had een prikkelend effect op het centrale zenuwstelsel. Bronsky was systematisch maar ernstig. Als je hem zo hoorde praatte, bezat één sigaret al een dodelijke dosis gif.
En het ergste van nicotine was dat het verslavend was. In het laatste uur – opnieuw was Rohrs timing perfect – werd de juryleden duidelijk gemaakt dat nicotine uiterst verslavend was en dat die eigenschap al minstens veertig jaar bekend was.
Tijdens het productieproces kon gemakkelijk met het nicotinegehalte worden gemanipuleerd.

Als – en Bronsky legde de nadruk op het woord 'als' – het nicotinegehalte kunstmatig werd verhoogd, raakten rokers natuurlijk veel sneller verslaafd. Hoe meer verslaafde rokers er waren, des te meer sigaretten werden er verkocht.
Het was een perfect punt om de dag te beëindigen.

9

Op dinsdagmorgen kwam Nicholas vroeg in de jurykamer. Lou Dell was nog bezig met de eerste pot cafeïnevrije koffie en de dagelijkse schaal met verse broodjes en doughnuts. Een collectie fonkelnieuwe koppen en schotels stond bij de schaal. Nicholas beweerde dat hij een hekel aan koffie uit plastic bekertjes had en gelukkig was gebleken dat twee andere juryleden daar ook een hekel aan hadden. Al gauw was er een lijst van verzoeken bij de rechter ingediend.

Toen hij binnenkwam, maakte Lou Dell haar werk vlug af. Hij glimlachte en groette haar vriendelijk, maar ze koesterde nog een wrok tegen hem vanwege hun eerdere aanvaringen. Hij schonk koffie in en sloeg een krant open.

Zoals Nicholas had verwacht, arriveerde de gepensioneerde kolonel Frank Herrera kort na acht uur, bijna een uur voordat ze er moesten zijn. Hij had twee kranten onder zijn arm, waaronder de *Wall Street Journal*. Hij had de kamer voor zich alleen willen hebben, maar zag kans tegen Easter te glimlachen.

'Goeiemorgen, kolonel,' zei Nicholas hartelijk. 'Je bent vroeg.'

'Jij ook.'

'Ja, ik kon niet slapen. Droomde steeds weer van nicotine en zwarte longen.' Nicholas bestudeerde de sportpagina.

Herrera roerde zijn koffie en ging aan de andere kant van de tafel zitten. 'Ik heb tien jaar gerookt toen ik in het leger zat,' zei hij, terwijl hij stijfjes ging zitten, zijn schouders recht, zijn kin naar voren, altijd klaar om in de houding te springen. 'Maar ik was zo verstandig ermee op te houden.'

'Sommige mensen kunnen dat blijkbaar niet. Zoals Jacob Wood.'

De kolonel bromde minachtend en sloeg een krant open. Voor hem was het beëindigen van een slechte gewoonte niets meer dan een simpele daad

van wilskracht. Als je maar wilde, kon je alles.
Nicolas sloeg een bladzijde om en zei: 'Waarom ben je gestopt?'
'Omdat het slecht voor je is. Daar hoef je geen genie voor te zijn, weet je. Sigaretten zijn dodelijk. Dat weet iedereen.'
Als Herrera zich op minstens twee vragen van de vragenlijsten in die bewoordingen had uitgelaten, had hij nu niet aan die tafel gezeten. Nicholas kon zich de vragen nog goed herinneren. Het feit dat Herrera zo'n duidelijke mening over roken had, betekende waarschijnlijk maar één ding: hij wilde graag in de jury zitten. Hij was gepensioneerd en had waarschijnlijk genoeg van golf, genoeg van zijn vrouw, en wilde graag iets te doen hebben. Bovendien koesterde hij blijkbaar een wrok tegen iets.
'Dus je vindt dat sigaretten verboden moeten worden?' vroeg Nicholas. Dat was een van de vragen die hij wel duizend keer aan de spiegel had gesteld. Hij had alle juiste reacties op alle mogelijke antwoorden in zijn hoofd zitten.
Herrera legde de krant langzaam op de tafel en nam een grote slok zwarte koffie. 'Nee. Ik vind dat mensen verstandiger moeten zijn dan dat ze dertig jaar lang drie pakjes per dag roken. Wat kun je dan verwachten? Een perfecte gezondheid?' Het klonk sarcastisch en hij liet er geen enkele twijfel over bestaan dat zijn besluit al vaststond toen hij jurylid werd.
'Wanneer ben je daarvan overtuigd geraakt?'
'Ben jij niet goed snik? Zo moeilijk is het toch niet om daar achter te komen?'
'Misschien is dat je mening. Maar daar had je mee moeten komen op het *voir dire.*'
'Wat is het *voir dire*?'
'De procedure om de jury te selecteren. Ze stelden ons vragen over die dingen. Ik kan me niet herinneren dat je toen iets hebt gezegd.'
'Daar had ik ook geen behoefte aan.'
'Je had het moeten doen.'
Herrera's wangen liepen rood aan, maar hij aarzelde nog even. Per slot van rekening kende die Easter de wet, in ieder geval wist hij er meer van dan de rest. Misschien had hij iets verkeerds gedaan. Misschien zou Easter hem kunnen aangeven en dan vloog hij uit de jury. Misschien zou hem zelfs meineed ten laste worden gelegd en kreeg hij gevangenisstraf of een boete.
Toen schoot hem iets anders te binnen. Ze mochten toch helemaal niet over de zaak spreken? Dus hoe kon Easter iets aan de rechter melden? Als Easter iets ging herhalen wat hij in de jurykamer had gehoord, kon hij daar zelf ook last mee krijgen. Herrera ontspande een beetje. 'Laat me eens raden. Jij gaat aansturen op een zwaar vonnis met een hoge schadevergoeding bij wijze van straf.'

'Nee, Herrera. In tegenstelling tot jou heb ik nog geen besluit genomen. We hebben nu naar drie getuigen geluisterd, die allemaal door de eiseres waren opgeroepen, en we krijgen er nog veel meer. Ik wil wachten tot de bewijsvoering van beide kanten compleet is, en dan zal ik eens zien wat ik ervan denk. Volgens mij hebben we beloofd dat we dat zouden doen.'
'Ja, nou, ik ook. Ik zou overgehaald kunnen worden, weet je.' Hij kreeg plotseling grote belangstelling voor zijn krant. De deur vloog open en Herman Grimes kwam binnen. Zijn blindenstok ging tikkend voor hem uit. Lou Dell en mevrouw Grimes volgden hem. Zoals gewoonlijk stond Nicholas op om de koffie voor zijn voorzitter in te schenken. Dat was inmiddels een ritueel geworden.

Fitch keek tot negen uur naar zijn telefoons. Ze had gezegd dat ze die dag misschien zou bellen.
Niet alleen speelde ze spelletjes, ze was blijkbaar ook geneigd tot liegen. Omdat hij geen zin had om weer door de jury te worden aangegaapt, deed hij zijn deur op slot en liep naar de projectiekamer, waar twee van zijn jury-experts in het donker naar een scheef beeld aan de muur zaten te kijken, wachtend tot de camera weer goed was ingesteld. Iemand had tegen McAdoo's aktetas geschopt en de camera zat er nu drie meter naast. De juryleden een, twee, zeven en acht waren uit beeld en van Millie Dupree en Rikki Coleman achter haar was maar de helft zichtbaar.
Omdat de jury nog maar twee minuten zat, kon McAdoo zijn plaats niet verlaten en dus geen gebruik maken van zijn zaktelefoon. Hij wist niet dat een of andere lomperik onder de tafel tegen de verkeerde tas had geschopt. Fitch vloekte toen hij het scherm zag en ging naar zijn kamer terug, waar hij een briefje schreef. Hij gaf het aan een goed geklede boodschappenjongen, die de straat over rende, het gerechtsgebouw binnenging, zoals wel honderd jonge advocaten of juridisch assistenten deden, en het briefje op de tafel van de gedaagde legde.
De camera schoof naar links en nu was de hele jury weer in zicht. McAdoo schoof een beetje te ver door en sneed de helft van Jerry Fernandez en Angel Weese, jurylid nummer zes, weg. Fitch vloekte weer. Hij zou tot de ochtendschorsing wachten en dan McAdoo bellen.

Doctor Bronsky had goed geslapen. Hij was helemaal klaar voor weer een dag van ernstige gesprekken over de verwoestingen die tabaksrook aanrichtte. Nadat ze het over nicotine en de kankerverwekkende stoffen in tabaksrook hadden gehad, zou hij het nu over andere chemische verbindingen hebben die van medisch belang waren: prikkelende stoffen.
Rohr gooide de ballen behendig op en Bronsky mepte ze het veld over. Tabak bevatte allerlei stoffen – ammonia, vluchtige zuren, aldehyden,

fenolen, ketonen – die een prikkelend effect op het slijmvlies hadden. Bronsky verliet de getuigenbank weer en liep naar een opengewerkte tekening van het bovenlichaam en het hoofd van een mens. Daarop kon de jury de luchtwegen, keel, bronchiën en longen zien. In dat deel van het lichaam stimuleerde tabaksrook de afscheiding van slijm. Tegelijk verstoorde de rook de afvoer van het slijm, doordat de werking van de ciliaire binnenwand van de bronchiën werd belemmerd.

Bronsky slaagde er opmerkelijk goed in om medische termen te vermijden en te zorgen dat zijn verhaal begrijpelijk was voor de gemiddelde leek. In eenvoudige bewoordingen legde hij nu uit wat er met de bronchiën gebeurde als er rook werd ingeademd. Twee andere grote, kleurrijke tekeningen werden op het statief gezet en Bronsky ging met zijn aanwijsstok aan het werk. Hij legde de jury uit dat de bronchiën bekleed waren met een membraan dat van fijne, haarachtige vezels was voorzien die cilia werden genoemd. Die cilia bewogen zich in golven en beheersten de verplaatsing van het slijm over het oppervlak van het membraan. Die beweging van de cilia bevrijdde de longen van nagenoeg alle stof en bacillen die werden ingeademd.

Roken was natuurlijk rampzalig voor dat proces. Zodra Bronsky en Rohr er zo zeker mogelijk van waren dat de juryleden begrepen hoe de dingen eigenlijk moesten werken, legden ze vlug uit hoe de rook dat zuiveringsproces precies verstoorde en hoe daardoor allerlei schade in het ademhalingssysteem werd aangericht.

Ze praatten een hele tijd over slijm en membranen en cilia.

De eerste zichtbare geeuw kwam van Jerry Fernandez in de achterrij. Hij had zijn maandagavond in een van de casino's doorgebracht, waar hij naar een footballwedstrijd had gekeken en meer had gedronken dan hij van plan was geweest. Hij rookte twee pakjes per dag en wist heel goed dat het een ongezonde gewoonte was. Toch had hij nu dringend behoefte aan een sigaret.

Er werd nog meer gegeeuwd en om half twaalf stuurde rechter Harkin de juryleden de zaal uit voor de twee uur lunchpauze waar ze hard aan toe waren.

De wandeling door het centrum van Biloxi was een idee van Nicholas geweest, een idee dat hij op maandag in een brief aan de rechter had voorgelegd. Het leek hem absurd dat ze de hele tijd in een klein kamertje moesten zitten zonder in de frisse lucht te komen. Het was heus niet zo dat hun leven op het spel stond of dat ze door onbekende samenzweerders werden belaagd als ze over een trottoir liepen. Het enige dat de rechter hoefde te doen, was Lou Dell en Willis de bewaker met hen meesturen, met eventueel nog een deputy, hun een route opgeven, bijvoorbeeld zes of acht blokken, hen zoals gewoonlijk verbieden met iemand te spreken en, nou ja,

dan konden ze na de lunch gerust een halfuur de straat opgaan om het eten wat te laten zakken. Het leek een onschuldig idee. Rechter Harkin dacht er een tijdje over na en nam het toen over alsof het zijn eigen idee was geweest.
Maar Nicholas had de brief aan Lou Dell laten zien, en toen de lunch was afgelopen, vertelde ze dat de juryleden een wandeling mochten maken, en dat ze dat te danken hadden aan meneer Easter, die een brief aan de rechter had geschreven. Zijn op zichzelf zo eenvoudige idee oogstte grote bijval.
Het liep tegen de dertig graden, de lucht was zuiver en fris en de bomen deden hun best om van kleur te verschieten. Lou Dell en Willis liepen voorop en de vier rokers – Fernandez, Poedel, Stella Hulic en Angel Weese – bleven een beetje achter, genietend van het diepe inhaleren en heerlijke uitblazen. Ze trokken zich niets aan van Bronsky en zijn slijm en zijn membranen, of van Fricke en zijn griezelfoto's van Jacob Woods kleverige zwarte longen. Ze waren nu in de buitenlucht. De lichte, zilte lucht en de weersomstandigheden waren ideaal voor een sigaret.
Fitch stuurde Doyle en een plaatselijke medewerker die Joe Boy werd genoemd de straat op om vanuit de verte foto's te maken.

Naarmate de middag verstreek, werd Bronsky minder boeiend. Het lukte hem niet meer de dingen in eenvoudige bewoordingen uit te leggen en de juryleden konden hem niet meer volgen. De mooie en zo te zien erg dure platen en tekeningen liepen door elkaar heen, evenals de lichaamsdelen en chemische verbindingen en gifstoffen. Niemand zou de mening van de getrainde en afschuwelijk dure jury-experts nodig hebben om te weten dat de juryleden zich verveelden en dat Rohr zich bezondigde aan iets waaraan advocaten bijna nooit weerstand konden bieden: te veel van het goede.
De rechter schorste de zitting al om vier uur. Hij zei dat hij twee uur nodig had om enige verzoeken aan te horen en andere zaken te behandelen waar de jury niet bij hoefde te zijn. Hij stuurde de juryleden met dezelfde strenge waarschuwingen naar huis, vermaningen die ze inmiddels al uit hun hoofd kenden en waar ze dus nauwelijks nog naar luisterden. Ze waren blij dat ze weg mochten.
Vooral Lonnie Shaver vond het geweldig dat het deze keer niet zo laat was geworden. Hij reed regelrecht naar zijn supermarkt, een ritje van tien minuten, zette zijn auto op zijn eigen parkeerplaats aan de achterkant en ging vlug via het magazijn naar binnen, in de vage hoop een vakkenvuller te betrappen die bij de groente lag te slapen. Hij had zijn kantoor op de bovenverdieping, boven de zuivel en vleeswaren, en door een eenrichtingsspiegel kon hij het grootste deel van de winkel overzien.

Lonnie was de enige zwarte bedrijfsleider in een keten van zeventien winkels. Hij verdiende veertigduizend dollar per jaar, plus ziektekostenverzekering en pensioenplan, en mocht over drie maanden opslag verwachten. Bovendien was hem te verstaan gegeven dat hij tot regiodirecteur zou worden bevorderd, mits hij als bedrijfsleider bevredigende resultaten behaalde. De onderneming wilde graag een zwarte bevorderen, was hem gezegd, maar natuurlijk was geen van die beloften op papier gezet.
Zijn kantoor was altijd open, en meestal zat er een van zijn ondergeschikten. Een assistent-bedrijfsleider begroette hem en knikte naar een deur. 'We hebben bezoek,' zei hij met gefronste wenkbrauwen.
Lonnie keek aarzelend naar de dichte deur van een grote kamer die voor van alles werd gebruikt: verjaardagsfeestjes, personeelsbesprekingen, bezoeken van bazen. 'Wie is het?' vroeg hij.
'Hoofdkantoor. Ze willen je spreken.'
Lonnie klopte aan en ging meteen naar binnen. Per slot van rekening was het zijn eigen kantoor. Aan het eind van de tafel zaten drie mannen met opgestroopte mouwen bij een berg papieren en uitdraaien. Ze stonden moeizaam op.
'Lonnie, blij je te zien,' zei Troy Hadley, de zoon van een van de eigenaars en de enige die Lonnie kende. Ze schudden elkaar de hand en Hadley stelde hen vlug aan elkaar voor. De andere twee mannen waren Ken en Ben; Lonnie zou zich hun achternamen pas later herinneren. Het was de bedoeling dat Lonnie aan het hoofd van de tafel ging zitten, op de stoel die de jonge Hadley graag aan hem afstond, met Ken aan de ene kant en Ben aan de andere.
Troy bracht het gesprek op gang, en hij klonk nogal nerveus. 'Hoe bevalt het jurywerk?'
'Stomvervelend.'
'Ja. Zeg, Lonnie, de reden waarom we hier zijn, is dat Ken en Ben voor SuperHouse werken, een grote supermarktketen met hoofdkantoor in Charlotte, en, nou ja, om allerlei redenen hebben mijn vader en mijn oom besloten hun keten aan SuperHouse te verkopen. De hele keten. Alle zeventien supermarkten en de drie pakhuizen.'
Lonnie zag dat Ken en Ben aandachtig naar hem keken. Daarom hield hij zijn gezicht in de plooi en haalde zelfs vaag zijn schouders op, alsof hij wilde zeggen: 'Nou en?' In werkelijkheid had hij moeite met slikken. 'Waarom?' kon hij nog uitbrengen.
'Om een heleboel redenen, maar ik zal je de voornaamste twee geven. Mijn vader is achtenzestig, en zoals je weet, is Al kort geleden geopereerd. Dat is reden nummer één. Nummer twee is het feit dat SuperHouse een erg goed bod heeft gedaan.' Hij wreef zijn handen tegen elkaar alsof hij niet kon wachten tot hij het nieuwe geld zou uitgeven. 'Het wordt tijd dat we

verkopen, Lonnie, zo simpel ligt het.'
'Dit verrast me. Ik heb nooit...'
'Je hebt gelijk. Veertig jaar in het vak, van een fruitkraampje tot een onderneming in vijf staten met vorig jaar een totale omzet van zestig miljoen dollar. Moeilijk te geloven dat ze de handdoek in de ring gooien.' Troy probeerde zijn gevoel te laten spreken, maar het kwam niet erg overtuigend over. Lonnie begreep dat wel. Troy was een oppervlakkige domkop, een rijkeluiszoontje dat de hele dag golf speelde terwijl hij zich probeerde voor te doen als een drukbezette, keiharde topmanager. Zijn vader en oom verkochten de zaak nu, want anders zou over een paar jaar Troy de teugels in handen krijgen en dan zou veertig jaar van hard werken en verstandig beleid binnen de kortste keren verloren gaan aan raceboten en strandhuizen.
Er volgde een korte stilte waarin Ben en Ken nog steeds aandachtig naar Lonnie keken. De een was midden veertig en had een slecht kapsel en een borstzakje vol goedkope balpennen. Misschien was hij Ben. De ander was een beetje jonger en had een smal gezicht, een managerstype met betere kleren en harde ogen. Lonnie keek hen aan en wist dat het zijn beurt was om iets te zeggen.
'Gaat deze winkel dicht?' vroeg hij, bijna verslagen.
Troy ging er meteen op in: 'Met andere woorden, wat gebeurt er met jou? Nou, Lonnie, ik kan je verzekeren dat ik alle goede dingen over je heb gezegd, de hele waarheid. Ik heb ze aanbevolen jou in dezelfde functie aan te houden.' Ben en Ken knikten erg vaag. Troy greep zijn jas. 'Maar dat zijn mijn zaken niet meer. Ik ga even een luchtje scheppen terwijl jullie de zaak bespreken.' In een ommezien was Troy de kamer uit.
Om de een of andere reden begonnen Ken en Ben nu meteen te glimlachen. Lonnie vroeg: 'Heeft u visitekaartjes?'
'Ja,' zeiden ze allebei, en ze haalden de kaartjes uit hun zak en schoven ze naar het hoofd van de tafel. Ben was de oudste, Ken de jongste.
Ken had ook de leiding van deze bespreking. Hij begon: 'Eerst iets over onze onderneming. We hebben ons hoofdkantoor in Charlotte en we hebben tachtig winkels in Georgia en North en South Carolina. SuperHouse is een divisie van Listing Foods, een concern met een hoofdkantoor in Scarsdale en een omzet van ongeveer twee miljard dollar in het afgelopen jaar. Het is een naamloze vennootschap, genoteerd aan NASDAQ. U zult er wel van hebben gehoord. Ik ben directeur Bedrijfsactiviteiten, Ben hier is regiodirecteur. We breiden de zaken naar het zuidwesten uit en Hadley Brothers leek ons aantrekkelijk. Daarom zijn we hier.'
'Dus u houdt de winkel?'
'Ja, in elk geval voorlopig.' Hij keek Ben even aan of er eigenlijk nog meer gezegd zou moeten worden.

'En ik?' vroeg Lonnie.
Ze wrongen zich bijna letterlijk in bochten, allebei, en Ben nam een balpen uit zijn collectie. Ken deed het woord. 'Nou, u moet begrijpen, meneer Shaver...'
'Zeg maar Lonnie.'
'Goed. Lonnie, zo'n overname gaat altijd gepaard met reorganisaties. Dat hoort erbij. Er gaan banen verloren, er worden banen gecreëerd, er worden banen overgeplaatst.'
'En mijn baan?' drong Lonnie aan. Hij had een voorgevoel van het ergste en wilde het zo gauw mogelijk achter de rug hebben.
Ken pakte een papier en deed of hij iets las. 'Nou,' zei hij, en bewoog het papier in zijn handen. 'Je hebt een goed dossier.'
'En erg goede aanbevelingen,' voegde Ben er behulpzaam aan toe.
'We zouden je graag op je plaats willen houden, in elk geval voorlopig.'
'Voorlopig? Wat betekent dat?'
Ken legde het papier langzaam op de tafel terug en boog zich op beide ellebogen naar voren. 'Laten we heel eerlijk zijn, Lonnie. We zien een toekomst voor jou in onze onderneming.'
'En het is een veel betere onderneming dan die waar je nu voor werkt,' voegde Ben er soepel aan toe. 'We hebben veel te bieden: hogere salarissen, betere voorzieningen, aandelenopties, noem maar op.'
'Lonnie, Ben en ik moeten tot onze schande bekennen dat onze onderneming geen enkele Afrikaans-Amerikaan in een managementpositie heeft. Evenals onze bazen zouden we daar graag onmiddellijk verandering in willen brengen. We denken daarbij aan jou.'
Lonnie keek hen aandachtig aan en onderdrukte wel duizend vragen. In een minuut tijd was hij van de drempel van de werkeloosheid naar schitterende vooruitzichten gegaan. 'Ik heb geen hoge opleiding. Er zijn grenzen aan...'
'Er zijn geen grenzen,' zei Ken. 'Je hebt twee jaar middelbare school en als het nodig is, kun je je studie afmaken. Onze onderneming zal alle studiekosten vergoeden.'
Lonnie glimlachte onwillekeurig, zowel van opluchting als van blijdschap. Hij besloot voorzichtig te werk te gaan, want hij had met vreemden te maken. 'Ik luister,' zei hij.
Ken had alle antwoorden. 'We hebben het personeelsbestand van Hadley Brothers bestudeerd, en tja, de meeste mensen uit het management en middenkader moeten binnenkort een andere baan zoeken. Jij viel ons op, en ook een andere jonge manager, iemand uit Mobile. We willen graag dat jullie beiden zo gauw mogelijk naar Charlotte komen om een paar dagen met ons door te brengen. Jullie ontmoeten dan onze mensen en leren onze onderneming kennen, en dan kunnen we over de toekomst praten. Maar

ik moet je wel waarschuwen. Als je vooruit wilt, kun je niet de rest van je leven hier in Biloxi blijven zitten. Dan moet je bereid zijn te verkassen.'
'Daar ben ik toe bereid.'
'Dat dachten we al. Wanneer kunnen we je laten overkomen?'
Plotseling moest hij aan Lou Dell denken die de deur achter hen dichtdeed. Hij fronste zijn wenkbrauwen, haalde diep adem en zei geërgerd: 'Nou, ik zit momenteel op de rechtbank vast. Jurydienst. Dat zal Troy jullie wel verteld hebben.'
Ken en Ben deden of ze verbaasd waren. 'Dat is toch maar voor een paar dagen?'
'Nee. Er is een maand voor het proces uitgetrokken en we zitten in week twee.'
'Een maand?' vroeg Ben met precies de juiste timing. 'Wat voor proces is het?'
'De weduwe van een overleden roker procedeert tegen een tabaksonderneming.'
Hun reacties waren bijna identiek. Het was volkomen duidelijk hoe ze over zulke processen dachten.
'Ik heb geprobeerd er onderuit te komen,' zei Lonnie, in een poging de zaak glad te strijken.
'Een proces wegens productaansprakelijkheid?' vroeg Ken met zichtbare walging.
'Ja, zoiets.'
'Nog drie weken?' vroeg Ben.
'Dat zeggen ze. Ik kan er nog niet over uit,' zei hij, en zijn woorden bleven in de lucht hangen.
Er volgde een lange stilte waarin Ben een pakje Bristols openmaakte en een sigaret opstak. 'Processen,' zei hij verbitterd. 'We krijgen zowat iedere week te maken met arme stumpers die struikelen en vallen en dan zeggen dat het door de azijn of de druiven kwam. Vorige maand ontplofte er een fles mineraalwater met koolzuur op een feestje in Rocky Mount. Waar denk je dat ze dat water gekocht hadden? Wie denk je dat vorige week een proces van tien miljoen aan de broek kregen? Wij en de bottelarij. Productaansprakelijkheid.' Een diepe trek, en hij kauwde even op een duimnagel. Ben was ziedend. 'We hebben een vrouw van zeventig in Athens die beweert dat ze haar rug heeft verrekt toen ze probeerde bij een blik meubelboenwas op een hoog schap te komen. Volgens haar advocaat heeft ze recht op een paar miljoen.'
Ken keek Ben aan alsof hij wilde dat hij zijn mond hield, maar dit was blijkbaar iets dat Ben erg hoog zat. 'Die smerige advocaten,' zei hij, rook uit zijn neusgaten blazend. 'We hebben vorig jaar drie miljoen dollar aan premies voor een aansprakelijkheidsverzekering betaald, geld dat we in feite

gewoon weggooien omdat al die hongerige aasgieren van advocaten boven ons hoofd cirkelen.'
'Zo is het wel genoeg,' zei Ken.
'Sorry.'
'En de weekends?' vroeg Lonnie gretig. 'Ik ben vrij van vrijdagmiddag tot zondagavond.'
'Daar zat ik net aan te denken. Weet je wat we doen? We sturen een van onze vliegtuigen om je op zaterdagmorgen op te halen. We vliegen jou en je vrouw naar Charlotte, geven je een rondleiding door het hoofdkantoor en stellen je aan onze bazen voor. De meeste van die kerels werken toch op zaterdag. Kun je dit weekend?'
'Ja.'
'Goed. Ik regel het vliegtuig.'
'Weet je zeker dat het proces je niet in de weg zit?' vroeg Ben.
'Niet voorzover ik nu kan overzien.'

10

Nadat de procedure opmerkelijk goed volgens schema was verlopen, kwam er op woensdagmorgen een kink in de kabel. De advocaten van Pynex dienden een verzoek in om Hilo Kilvan, een hoogleraar uit Montreal die gespecialiseerd was in statistisch onderzoek naar longkanker, niet als getuige toe te laten, en er brak een schermutseling uit over dat bezwaar. Wendall Rohr en zijn team maakten zich erg kwaad over de tactiek van de tegenpartij, die tot dan toe had geprobeerd al hun getuigen te weren. Inderdaad was het de advocaten van Pynex vier jaar lang heel goed gelukt de zaak te traineren, vooral door telkens weer bezwaar aan te tekenen. Rohr beweerde dat Cable en zijn cliënt weer aan het traineren waren. Woedend deed hij een beroep op rechter Harkin om de tegenpartij sancties op te leggen. De strijd om sancties, waarbij elke partij wilde dat de andere partij geldboetes werden opgelegd en de rechter die verzoeken telkens van de hand wees, was al aan de gang sinds het eerste processtuk was ingediend. Zoals bij de meeste civiele zaken het geval was, nam de strijd over sancties vaak meer tijd in beslag dan de zaak zelf.
Rohr raasde en tierde voor de lege jurybank. Hij legde uit dat dit nieuwste verzoek van de gedaagde het eenenzeventigste – 'tel ze maar, eenenzeventig!' – was dat door de advocaten van Pynex werd ingediend om bewijsmateriaal buiten het proces te houden. 'We hebben verzoeken gehad om bewijzen van andere door roken veroorzaakte ziekten uit te sluiten, verzoeken om bewijzen van waarschuwingen uit te sluiten, verzoeken om bewijzen van reclame-uitingen uit te sluiten, verzoeken om bewijzen van epidemiologische onderzoeken en statistische theorieën uit te sluiten, verzoeken om een verbod op het verwijzen naar patenten die niet door de gedaagde zijn gebruikt, verzoeken om bewijzen van latere, genezende maatregelen van het tabaksbedrijf uit te sluiten, verzoeken om gedeelten

van het sectierapport te schrappen, verzoeken om bewijzen van verslaving uit te sluiten, verzoeken...'
'Ik heb die verzoeken gezien, meneer Rohr,' onderbrak de rechter hem, toen het erop begon te lijken dat Rohr ze allemaal ging opnoemen.
Rohr ging in één ruk door. 'En edelachtbare, naast die eenenzeventig – tel ze maar, eenenzeventig! – verzoeken om bewijsmateriaal uit te sluiten, hebben ze welgeteld achttien verzoeken om continuatie ingediend.'
'Daar ben ik mij heel goed van bewust, meneer Rohr. Wilt u ter zake komen?'
Rohr liep naar zijn overvolle tafel en kreeg door een medewerker een dikke map aangereikt. 'En natuurlijk gaat ieder verzoek van de gedaagde vergezeld van een van deze verrekte dingen,' zei hij met luide stem terwijl hij de map op de tafel liet neerploffen. 'Zoals u weet, hebben wij geen tijd om die dingen te lezen, want we hebben al onze tijd nodig om ons op het proces voor te bereiden. Zij daarentegen hebben duizend advocaten die hun uren in rekening mogen brengen en die al aan het volgende idiote verzoek werken terwijl wij nog met het vorige bezig zijn, een verzoek dat ongetwijfeld weer drie kilo zal wegen en ongetwijfeld nog meer van onze tijd in beslag zal nemen.'
'Wilt u nu ter zake komen, meneer Rohr?'
Rohr hoorde hem niet. 'Omdat we geen tijd hebben om die dingen te lezen, edelachtbare, wegen we ze alleen maar, en daarom is ons nogal korte antwoord als volgt: "Wij verzoeken u dit korte memorandum te aanvaarden als onze reactie op het twee kilo zware, zoals gewoonlijk volstrekt overdreven dossier dat de advocaten van de gedaagde hebben ingediend ter ondersteuning van hun nieuwste, volstrekt overbodige verzoek."'
Nu de jury niet in de zaal was, vond niemand het nodig om te glimlachen of zich vriendelijk te gedragen. De spanning stond duidelijk op de gezichten van alle betrokkenen te lezen. Zelfs de stenografen keken nerveus.
Rohrs legendarische opvliegendheid was aan de oppervlakte gekomen, maar hij had al in een vroeg stadium van zijn leven geleerd er goed gebruik van te maken. Zijn incidentele vriend Cable diende hem wel van repliek maar hield zich in. Het publiek werd getrakteerd op een enigszins beheerste ruzie.
Om half tien stuurde de rechter bericht aan Lou Dell. Ze moest de juryleden vertellen dat hij bijna klaar was met een verzoek en dat de zitting spoedig zou worden hervat, hopelijk om tien uur. Aangezien dit nog maar de eerste keer was dat de behandeling van een verzoek langer duurde dan de juryleden van tevoren was verteld, hadden ze er weinig moeite mee. Ze gingen weer in groepjes bij elkaar zitten en praatten over van alles en nog wat, zoals mensen doen die tegen hun wil ergens moeten wachten. Ze waren gescheiden naar sekse, niet naar ras. De mannen zaten meestal bij

elkaar aan het ene eind van de kamer, de vrouwen aan het andere eind. De rokers kwamen en gingen. Alleen Herman Grimes bleef op dezelfde plaats zitten, aan het hoofd van de tafel, waar hij druk aan het werk was op een braille-laptop. Hij had verteld dat hij tot in de vroege uurtjes van de ochtend bezig was geweest met de beschrijvingen van Bronsky's afbeeldingen.

De andere laptop was aangesloten op een stopcontact in de hoek. Daar had Lonnie Shaver met behulp van drie klapstoelen een kantoor geïmproviseerd. Hij analyseerde uitdraaien van artikelenvoorraden, bestudeerde inventarislijsten, bekeek nog wel honderd andere details en wilde verder met rust gelaten worden. Hij was niet onvriendelijk, maar had het gewoon te druk.

Frank Herrera zat dicht bij de braillecomputer. Hij verdiepte zich in de slotnoteringen in de *Wall Street Journal* en praatte soms even met Jerry Fernandez, die aan de andere kant van de tafel de nieuwste Las Vegas-wedverhoudingen voor de sportwedstrijden van de komende zaterdag doornam. De enige man die het prettig vond om met de vrouwen te praten was Nicholas Easter, en vandaag sprak hij in alle rust over de zaak met Loreen Duke, een grote joviale zwarte vrouw die als secretaresse op de vliegbasis Keesler werkte. Als jurylid nummer één zat ze naast Nicholas, en ze hadden de gewoonte om onder het proces met elkaar te fluisteren, ten nadele van bijna iedereen. Loreen, vijfendertig jaar oud, was een alleenstaande moeder van twee kinderen en had een leuke baan bij de overheid die ze absoluut niet miste. Ze had Nicholas bekend dat het proces wat haar betrof wel een jaar mocht duren. Hij vertelde haar wilde verhalen over knoeierijen van de tabaksindustrie tijdens eerdere processen, en vertelde haar ook dat hij zich in de twee jaar van zijn rechtenstudie met name in processen tegen tabaksondernemingen had verdiept. Hij zei dat hij om financiële redenen met zijn studie was gestopt. Ze spraken net hard genoeg om elkaar te kunnen verstaan, maar niet zo hard dat hun woorden tot Herman Grimes doordrongen, die net zijn laptop dichtklapte.

De minuten verstreken en om tien uur ging Nicholas naar de deur. Lou Dell schrok op van haar pocketboek. Ze had geen idee wanneer de rechter hen zou laten komen en ze kon er echt niets aan doen.

Nicholas ging aan de tafel zitten en begon met Herman over de te volgen strategie te spreken. Het was nergens voor nodig dat ze zo lang opgesloten zaten als er zich een vertraging in de zaak voordeed. Nicholas was van mening dat ze in zulke gevallen toestemming moesten krijgen om naar buiten te gaan. Ze konden dan onder begeleiding een wandeling maken, zoals ze in de lunchpauze ook deden. Afgesproken werd dat Nicholas dit verzoek zoals gewoonlijk op schrift zou stellen. Hij kon het in de middagpauze aan rechter Harkin ter hand stellen.

Om half elf liepen ze eindelijk de rechtszaal in, waar de atmosfeer nog gespannen was van de verwoede strijd die was geleverd. De eerste die Nicholas zag, was de man die bij hem had ingebroken. Hij zat op de derde rij aan de kant van de eisende partij en droeg een overhemd met stropdas. Hij had een krant voor zich die op de rugleuning van de bank voor hem rustte. Hij was alleen en hij keek nauwelijks naar de juryleden die hun plaatsen innamen. Nicholas bleef niet naar hem kijken; twee keer goed kijken en hij wist zeker dat het die man was geweest.
Ondanks al zijn sluwheid deed Fitch ook wel eens iets doms. Dat hij die inbreker naar de rechtszaal stuurde, was een riskante zet waarvan het mogelijke voordeel niet groot kon zijn. Wat zou de man kunnen zien of horen dat niet werd gezien of gehoord door de meer dan tien advocaten, de stuk of vijf jury-experts en het handjevol andere lakeien die Fitch al in de rechtszaal had?
Hoewel het hem verbaasde die man te zien, had Nicholas al nagedacht over wat hij zou doen. Hij had verschillende plannen, afhankelijk van de plaats waar de man zou opduiken. Dat het in de rechtszaal gebeurde, verraste hem, maar hij had niet langer dan een minuut nodig om erover na te denken. Op de een of andere manier moest hij rechter Harkin laten weten dat een van de schurken waar hij zich zo druk om maakte op dit moment in de rechtszaal zat en deed alsof hij een willekeurige toeschouwer was. Harkin moest het gezicht zien, want later zou hij het op de videoband te zien krijgen.
De eerste getuige was doctor Bronsky, die nu aan zijn derde dag begon maar voor het eerst door de partij van de gedaagde zou worden ondervraagd. Sir Durr begon langzaam en beleefd, alsof hij een groot ontzag had voor deze eminente deskundige, en stelde een paar vragen die de meeste juryleden ook wel hadden kunnen beantwoorden. Toen veranderden de dingen snel. Terwijl Cable zich erg eerbiedig tegenover professor Milton Fricke had opgesteld, was hij er klaar voor om met Bronsky in de slag te gaan.
Hij begon met de driehonderd stoffen die in sigarettenrook waren geïdentificeerd, pikte er willekeurig een uit en vroeg welk effect tentiolaat op de longen had. Bronsky zei dat hij het niet wist en probeerde uit te leggen dat je nooit precies kon meten hoeveel schade één enkele stof aanrichtte. En hoe zat het met de bronchiën en de membranen en de cilia? Wat deed tentiolaat daarmee? Bronsky probeerde nog een keer uit te leggen dat niet wetenschappelijk kon worden vastgesteld welk effect één enkele stof in sigarettenrook had.
Cable ging genadeloos door. Hij pikte er weer een stof uit en dwong Bronsky te erkennen dat hij de jury niet kon vertellen welk effect die stof op de longen of bronchiën of membranen had. In elk geval niet specifiek.

Rohr maakte bezwaar, maar de rechter wees zijn bezwaar van de hand omdat het een kruisverhoor was. Bijna alles wat ook maar enigszins relevant was, mocht aan de getuige worden voorgelegd.
Doyle bleef op zijn plaats in de derde rij zitten. Hij keek verveeld, alsof hij wachtte op een gelegenheid om weg te gaan. Hij had opdracht gekregen naar het meisje uit te kijken, iets wat hij nu al vier dagen deed. Urenlang had hij beneden in de gang gestaan. Een hele middag had hij op een krat Dr. Pepper bij de frisdrankautomaten gezeten, pratend met een portier terwijl hij de voordeur in het oog hield. Hij had liters koffie gedronken in de cafés en cafetaria's in de buurt van de rechtbank. Hij en Pang en twee anderen waren hard aan het werk geweest. Het was tijdverspilling geweest, maar de baas wilde het nu eenmaal.
Nu hij vier dagen zes uur per dag op één plaats had gezeten, had Nicholas een indruk van Fitch' manier van werken. Zijn mensen verplaatsten zich steeds weer, zowel de jury-experts als de gewone medewerkers. Ze gebruikten de hele rechtszaal. Ze vormden groepjes of zaten in hun eentje. Als de zitting werd onderbroken, kwamen en gingen ze in stilte. Ze spraken bijna nooit met elkaar. Het ene moment keken ze aandachtig naar de getuigen en de juryleden, het volgende moment zaten ze aan een kruiswoordpuzzel of keken ze uit het raam.
Hij wist dat de man gauw weg zou gaan.
Hij schreef een briefje, vouwde het op en haalde Loreen Duke over om het vast te houden zonder het te lezen. Vervolgens haalde hij haar over om zich, toen Cable het kruisverhoor even onderbrak om in zijn aantekeningen te kijken, naar voren te buigen en het briefje aan Willis de deputy te geven, die tegen de muur stond om de vlag te bewaken. Willis, plotseling uit zijn versuffing ontwaakt, had even tijd nodig om bij zijn positieven te komen en realiseerde zich toen dat hij het briefje aan de rechter moest geven.
Doyle zag Loreen het briefje overhandigen, maar hij zag niet dat het van Nicholas kwam.
Rechter Harkin nam het briefje bijna gedachteloos aan en schoof het over de tafel naar zich toe, terwijl Cable weer een vraag afvuurde. Harkin vouwde het langzaam open. Het kwam van Nicholas Easter, nummer twee:

> Edelachtbare:
> Die man daar, linkerkant, derde rij van voren, aan het gangpad, wit overhemd, blauw-met-groene das, volgde me gisteren. Het was de tweede keer dat ik hem zag. Kunnen we erachter komen wie hij is?
>
> Nicholas Easter

De rechter keek eerst naar Durr Cable en toen naar het publiek. De man zat alleen en keek terug alsof hij wist dat iemand hem gadesloeg.
Dit was een nieuw probleem voor Frederick Harkin. Op dit moment kon hij zich geen enkel incident herinneren dat er zelfs in de verte op leek. Er waren weinig dingen die hij kon doen, en hoe meer hij erover nadacht, des te minder mogelijkheden zag hij. Ook hij wist dat beide partijen veel adviseurs en medewerkers en helpers in de rechtszaal of in de buurt daarvan hadden. Hij keek aandachtig de zaal in en zag veel kalme bewegingen van mensen die ervaring met zulke processen hadden en niet opgemerkt wilden worden. Hij wist dat de man ieder moment kon verdwijnen.
Als Harkin plotseling een korte schorsing aankondigde, zou de man waarschijnlijk meteen weg zijn.
Dit was een bijzonder spannend moment voor de rechter. Na alle verhalen en geruchten over andere processen en na alle schijnbaar loze vermaningen aan het adres van de jury zat op dit moment een van die mysterieuze figuren in de rechtszaal, een speurhond die door een van beide partijen was ingehuurd om zijn juryleden in de gaten te houden.
Deputy's die dienst deden in een rechtszaal waren in de regel geüniformeerd en gewapend en in het algemeen ook vrij onschadelijk. De jongere mannen streden op straat tegen de misdaad en degenen die rechtbankdienst hadden, waren vaak ouderen die naar hun pensioen uitkeken. Rechter Harkin keek de zaal weer in en zag het aantal mogelijkheden weer kleiner worden.
Willis leunde bij de vlag tegen de muur. Zo te zien was hij al in zijn gebruikelijke staat van halve sluimering vervallen. Zijn mond was bij de rechterhoek een beetje open en er droop speeksel uit. Aan het andere eind van het gangpad, recht tegenover Harkin maar minstens dertig meter van hem vandaan, bewaakten Jip en Rasco de hoofdingang. Jip zat op de achterste bank, bij de deur, met zijn leesbril op de punt van zijn vlezige neus de plaatselijke krant door te nemen. Twee maanden geleden was hij aan zijn heup geopereerd en omdat hij er nog steeds moeite mee had om lang achtereen te staan, had hij toestemming gekregen om tijdens de zittingen op de bank plaats te nemen. Rasco was achter in de vijftig, de jongste van het stel, en stond niet bekend om zijn snelle reacties. Meestal stond er een jongere deputy bij de hoofdingang, maar die stond op dit moment bij de metaaldetector aan de kant van het atrium.
Tijdens de juryselectie had Harkin overal geüniformeerde deputy's willen hebben, maar na een week van getuigenverklaringen was de aanvankelijke opwinding verdwenen. Het was nu gewoon een saaie civiele procedure, zij het wel een procedure waarbij enorm veel op het spel stond.
Harkin maakte een inschatting van de beschikbare troepen en zag ervan af om hen tegen de man in kwestie te laten optreden. Hij maakte vlug een

notitie, hield dat briefje nog even bij zich terwijl hij de man negeerde en schoof het toen naar Gloria Lane, de griffier, die aan haar kleine bureau onder de rechterszetel zat, tegenover de getuigenbank. In het briefje werd Gloria op de man gewezen en kreeg ze opdracht goed naar hem te kijken zonder dat hij het merkte. Vervolgens moest ze door een zijdeur de zaal verlaten en de sheriff halen. Harkin had ook instructies voor de sheriff, maar jammer genoeg waren die niet meer nodig.
Nadat hij meer dan een uur naar het genadeloze kruisverhoor van doctor Bronsky had gekeken, besloot Doyle weg te gaan. Het meisje was nergens te zien; dat had hij trouwens ook niet verwacht. Hij volgde alleen maar bevelen op. Bovendien stond dat doorgeven van briefjes hem helemaal niet aan. Hij pakte rustig zijn krant op en schuifelde de rechtszaal uit zonder dat iemand hem tegenhield. Harkin keek hem verbaasd na. Hij pakte zelfs zijn microfoon vast alsof hij de man wilde toeroepen dat hij moest blijven staan en weer moest gaan zitten en vragen moest beantwoorden. Maar hij hield zich in. De kans was groot dat de man vanzelf terugkwam.
Nicholas keek de rechter aan en beide mannen voelden zich machteloos. Cable nam weer even de tijd om in zijn papieren te kijken, en de rechter sloeg plotseling met zijn hamer. 'Ik schors de zitting tien minuten. Ik denk dat de juryleden wel een korte pauze kunnen gebruiken.'

Willis gaf de boodschap aan Lou Dell door, die haar hoofd om de deur stak en zei: 'Meneer Easter, kan ik u even spreken?'
Nicholas volgde Willis door een labyrint van smalle gangen tot ze bij de zijdeur van Harkins kamer kwamen. De rechter was alleen. Hij had zijn toga uitgedaan en had een kop koffie in zijn hand. Hij liet Willis gaan en deed de deur dicht. 'Gaat u zitten, meneer Easter,' zei hij, wijzend naar een stoel tegenover zijn rommelige bureau. Deze kamer was niet zijn eigen kantoor. Hij deelde hem met twee andere rechters die dezelfde rechtszaal gebruikten. 'Koffie?'
'Nee, dank u.'
Harkin liet zich in zijn stoel zakken en boog zich op zijn ellebogen naar voren. 'Wel, vertelt u me eens, waar hebt u die man gezien?'
Nicholas wilde de videoband voor een belangrijker ogenblik bewaren. Hij had zijn verhaal al zorgvuldig voorbereid. 'Gisteren liep ik na de zitting naar huis terug. Ik kocht een ijsje bij Mike's, om de hoek. Ik ging daar naar binnen en keek toen naar buiten, naar het trottoir, en toen zag ik hem naar binnen gluren. Hij zag mij niet, maar ik wist dat ik hem al eens eerder ergens had gezien. Ik kocht het ijsje en begon naar huis te lopen. Ik had het gevoel dat hij me volgde, dus ik liep opeens terug en volgde een andere route, en inderdaad, hij volgde me.'
'En u had hem al eerder gezien?'

'Ja, edelachtbare. Ik werk in een computerzaak in het winkelcentrum, en op een avond liep die man, ik weet zeker dat het dezelfde was, langs de deur en keek naar binnen. Later nam ik een pauze en toen dook hij aan het andere eind van het winkelcentrum op, waar ik een cola dronk.'
De rechter ontspande een beetje en streek door zijn haar. 'Vertelt u me eens eerlijk, meneer Easter, hebt u zoiets ook van een van de andere juryleden gehoord?'
'Nee, edelachtbare.'
'Wilt u het aan me doorgeven als ze zoiets vertellen?'
'Jazeker.'
'Er is niets verkeerds aan dit gesprekje dat we nu hebben, en als er iets gebeurt, moet ik het weten.'
'Hoe kan ik contact met u opnemen?'
'U stuurt gewoon een briefje via Lou Dell. U zegt dat we moeten praten, zonder in details te treden, want reken maar dat ze het leest.'
'Goed.'
'Is dat afgesproken?'
'Ja.'
Harkin haalde diep adem en begon in een open aktetas te vissen. Hij vond een krant en schoof hem over het bureau. 'Hebt u dit gezien? Het is de *Wall Street Journal* van vandaag.'
'Nee. Die lees ik niet.'
'Goed. Er staat een groot artikel in over dit proces en over de gevolgen die toewijzing van de eis voor de tabaksindustrie zou kunnen hebben.'
Nicholas kon de gelegenheid niet laten voorbijgaan. 'Er is maar één jurylid dat de *Wall Street Journal* leest.'
'Wie dan?'
'Frank Herrera. Hij leest hem iedere morgen van begin tot eind.'
'Vanmorgen ook?'
'Ja. Terwijl we zaten te wachten, las hij hem. Hij spelt die krant.'
'Heeft hij er iets over gezegd?'
'Niet voorzover ik weet.'
'Verdraaid nog aan toe.'
'Maar het doet er niet toe,' zei Nicholas, kijkend naar de muur.
'Waarom niet?'
'Zijn besluit staat vast.'
Harkin boog zich weer naar voren en keek hem indringend aan. 'Wat bedoelt u?'
'Volgens mij had hij nooit jurylid mogen worden. Ik weet niet hoe hij de schriftelijke vragen heeft beantwoord, maar hij heeft toen niet de waarheid verteld, anders zou hij hier nu niet zijn. En ik kan me specifieke vragen herinneren waarop hij had moeten reageren.'

'Ik luister.'
'Goed, edelachtbare, maar u moet niet kwaad worden. Ik sprak gistermorgen met hem. We waren de enigen in de jurykamer en ik zweer u dat we het niet over deze zaak in het bijzonder hadden. Maar op de een of andere manier kwam het gesprek op sigaretten. Frank is jaren geleden gestopt met roken en kan alleen maar minachting opbrengen voor mensen die niet kunnen stoppen. Hij is een gepensioneerde militair, weet u, nogal stijf en hard als het om...'
'Ik ben ex-marinier.'
'Sorry. Zal ik mijn mond houden?'
'Nee. Gaat u door.'
'Goed, maar dit zit me niet lekker en ik wil er best over ophouden.'
'Als u erover moet ophouden, zeg ik u dat wel.'
'Ja, nou, hoe dan ook, Frank is van mening dat iemand die dertig jaar drie pakjes per dag rookt niet moet klagen als hij zijn verdiende loon krijgt. Hij kon geen enkel medegevoel voor zo iemand opbrengen. Ik sprak hem een beetje tegen, gewoon om ook wat te zeggen, en hij beschuldigde mij ervan dat ik de eiseres een hoge schadevergoeding wilde toekennen.'
De schok kwam hard aan bij Harkin. Hij zakte een beetje in zijn stoel achterover, deed zijn ogen dicht, wreef erover en liet toen zijn schouders zakken. 'Net waar we op zaten te wachten,' mompelde hij.
'Sorry, rechter.'
'Nee, nee, ik vroeg erom.' Hij ging weer rechtop zitten, streek nog eens door zijn haar, dwong zich te glimlachen en zei: 'Hoor eens, meneer Easter, ik verlang niet van u dat u een verklikker wordt. Maar ik maak me zorgen over deze jury omdat er van buitenaf druk wordt uitgeoefend. Dit soort procedures heeft een erg onfrisse voorgeschiedenis. Als u iets ziet of hoort dat ook maar vaag op een verboden contact lijkt, zou ik graag willen dat u het me laat weten. Dan kunnen we ermee afrekenen.'
'Jazeker, edelachtbare.'

Het verhaal dat op de voorpagina van de *Wall Street Journal* had gestaan, was geschreven door Agner Layson, een journalist die het grootste deel van de juryselectie en alle getuigenverklaringen had bijgewoond. Layson was tien jaar advocaat geweest en had veel rechtbanken van binnen gezien. In het verhaal, het eerste van een serie, vertelde hij wat er op het spel stond en wie de betrokkenen waren. Hij gaf geen mening over de richting waarin het proces zich ontwikkelde, over de vraag wie aan de winnende en wie aan de verliezende hand was, alleen een zakelijk overzicht van het nogal overtuigende medische bewijs dat tot nu toe door de eiseres was geleverd.
In reactie op dit verhaal zakte het aandeel Pynex bij de opening van de

handel meteen een dollar, maar tegen de middag had het zich redelijk goed hersteld. Aangenomen mocht worden dat het aandeel de korte storm goed zou doorstaan.
Het verhaal leidde tot een lawine van telefoontjes van effectenhuizen in New York naar hun analisten in Biloxi. Minuten van nutteloos gepraat hoopten zich op tot uren van hopeloze speculatie. De gekwelde effectenmensen in New York pijnigden zich het hoofd over de enige vraag die telde: 'Wat gaat de jury doen?'
De jonge mannen en vrouwen die opdracht hadden het proces te volgen en te voorspellen wat de jury zou doen, hadden geen flauw idee.

11

Het kruisverhoor van Bronsky eindigde laat op de donderdagmiddag en op vrijdagmorgen sloeg Marlee weer toe. Konrad nam om vijf voor half acht het eerste telefoontje aan, gaf het vlug door aan Fitch, die met Washington aan het telefoneren was, en hoorde het gesprek toen uit de luidspreker komen: 'Goedemorgen, Fitch,' zei ze opgewekt.
'Goedemorgen, Marlee,' antwoordde Fitch met een blijmoedige stem. Hij deed zijn best om vriendelijk te zijn. 'Hoe gaat het met je?'
'Fantastisch. Nummer twee, Easter, zal een lichtblauw denim overhemd dragen, een gebleekte spijkerbroek, witte sokken, oude hardloopschoenen, Nikes, denk ik. En hij heeft een *Rolling Stone* bij zich, het nummer van oktober met Meat Loaf op de cover. Heb je dat?'
'Ja. Wanneer kunnen we elkaar spreken?'
'Als ik zover ben. Adios.' Ze hing op. Het telefoontje bleek afkomstig te zijn uit de hal van een motel in Hattiesburg, Mississippi, minstens anderhalf uur rijden met de auto.
Pang zat in een lunchroom, drie straten van Easters woning vandaan, en binnen enkele minuten stond hij onder een boom op vijftig meter afstand van Easters oude Volkswagen. Zoals iedere dag kwam Easter om kwart voor acht naar buiten en begon hij aan zijn gebruikelijke wandeling van twintig minuten naar het gerechtsgebouw. Hij kocht dezelfde kranten en dezelfde koffie in dezelfde winkel op de hoek.
Natuurlijk droeg hij precies wat Marlee had beloofd.
Haar tweede telefoontje kwam ook uit Hattiesburg, al was het vanuit een andere telefooncel. 'Ik heb iets nieuws voor je, Fitch, en je zult het prachtig vinden.'
Nauwelijks ademhalend, zei Fitch: 'Ik luister.'
'Als de juryleden vandaag in de zaal komen, gaan ze niet meteen zitten.

Raad eens wat ze gaan doen!'
Fitch verstijfde. Hij kon zijn lippen niet bewegen. Hij wist dat niet van hem werd verwacht dat hij serieus ging raden. 'Ik geef het op,' zei hij.
'Ze zweren trouw aan de vlag.'
Fitch keek Konrad verbaasd aan.
'Heb je dat, Fitch?' vroeg ze bijna spottend.
'Ja.'
Ze verbrak de verbinding.

Haar derde telefoontje ging naar het kantoor van Wendall Rohr, die volgens een secretaresse bezet was en niet gestoord kon worden. Marlee begreep dat heel goed, maar legde uit dat ze een belangrijke boodschap voor meneer Rohr had. De boodschap zou over ongeveer vijf minuten op de fax arriveren. Zou de secretaresse zo goed willen zijn de fax uit het apparaat te halen en regelrecht naar meneer Rohr te brengen voordat hij naar de rechtbank ging? De secretaresse beloofde het met tegenzin en vond vijf minuten later één vel papier in het bakje van de fax. Het nummer van de afzender stond er niet op en er stond ook niet op aangegeven wie de fax had verzonden. Midden op de pagina waren met enkele regelafstand de volgende woorden getypt:

> WR: Jurylid nummer 2, Easter, zal vandaag gekleed gaan in een blauw denim overhemd, een gebleekte spijkerbroek, witte sokken, oude Nikes. Hij leest de *Rolling Stone* en zal zich erg patriottisch gedragen.
>
> MM

De secretaresse ging er vlug mee naar Rohrs kamer, waar hij een grote aktetas aan het volstouwen was voor de veldslag van die dag. Rohr las de fax, keek de secretaresse vragend aan en liet toen zijn naaste medewerkers bij zich komen voor spoedoverleg.

De stemming kon niet bepaald feestelijk worden genoemd, zeker niet voor de twaalf mensen die tegen hun wil werden vastgehouden, maar het was vrijdag en toen ze bij elkaar kwamen en elkaar begroetten, waren de gesprekken meteen veel luchtiger. Nicholas zat aan de tafel, naast Herman Grimes en tegenover Frank Herrera, en hij wachtte tot het even stil was. Hij keek Herman aan, die druk aan het werk was met zijn laptop. 'Hé, Herman,' zei hij. 'Ik heb een idee.'
Inmiddels had Herman de elf stemmen in zijn geheugen zitten. Zijn vrouw was urenlang bezig geweest de juryleden voor hem te beschrijven. Vooral Easters stem kende hij goed.

'Ja, Nicholas.'
Nicholas verhief zijn stem om ieders aandacht te krijgen. 'Nou, als kind ging ik naar een kleine particuliere school en daar moesten we iedere dag trouw zweren aan de vlag. Iedere keer dat ik 's morgens die vlag zie, krijg ik zin om de eed op de vlag af te leggen.' De meeste juryleden luisterden. Poedel was de kamer uit om te roken. 'In de rechtszaal staat die schitterende vlag achter de rechter, en wij zitten daar maar als een stel schapen naar te kijken.'
'Hij was mij niet opgevallen,' zei Herman.
'Wou je daar de eed op de vlag afleggen, in de rechtszaal?' vroeg Herrera, Napoleon, de gepensioneerde kolonel.
'Ja. Waarom zouden we dat niet eens per week doen?'
'Helemaal geen slecht idee,' zei Jerry Fernandez, die al heimelijk was gerekruteerd.
'Maar de rechter dan?' vroeg Gladys Card.
'Waarom zou hij bezwaar hebben? Trouwens, waarom zou iemand er bezwaar tegen hebben als we even blijven staan om onze vlag eer te bewijzen?'
'Je speelt toch geen spelletje, hè?' vroeg de kolonel.
Nicholas keek plotseling gekwetst. Hij keek met verdrietige ogen over de tafel en zei: 'Mijn vader is gesneuveld in Vietnam, ja? Hij kreeg een onderscheiding. Die vlag betekent veel voor me.'
En daarmee was het afgesproken.
Toen ze een voor een de zaal binnenkwamen, begroette rechter Harkin hen met een warme vrijdagse glimlach. Hij wilde zijn standaardpreek over verboden contacten houden en daarna verder gaan met de getuigenverklaringen, maar na een ogenblik realiseerde hij zich dat ze niet meteen gingen zitten, zoals ze anders altijd deden. Ze bleven staan tot ze alle twaalf waren binnengekomen en keken toen naar de muur links van hem, achter de getuigenbank, en legden hun hand op hun hartstreek. Easter deed als eerste zijn mond open en ging hen voor in een krachtdadige eed op de vlag.
Eerst was Harkin alleen maar verbijsterd. Het was een ceremonie die hij nooit had meegemaakt, niet in een rechtszaal, niet van een groep juryleden. En hij had ook nooit van zoiets gehóórd, en dat terwijl hij zo langzamerhand dacht dat hij alles wel zo'n beetje had gehoord of gezien. Het maakte geen deel uit van het dagelijkse ritueel, was niet door hem goedgekeurd, stond ook in geen enkel handboek. En daarom stond hij na de eerste schrik al op het punt hen af te hameren en te laten ophouden; ze zouden er later nog over praten. Toen drong tot hem door dat het verschrikkelijk onpatriottisch en misschien zelfs regelrecht immoreel zou overkomen om een groep goedbedoelende burgers te onderbreken als ze even de tijd namen om hun vlag te groeten. Hij keek naar Rohr en Cable en

zag hen met open mond toekijken.
Daarom stond hij op. Ongeveer halverwege de eed boog hij naar voren en stond op, en terwijl zijn zwarte toga om hem heen golfde, draaide hij zich om naar de muur, drukte zijn hand tegen zijn borst en sloot zich aan bij de eed.
Nu de jury en de rechter eer bewezen aan de vlag, voelden alle andere aanwezigen zich opeens ook verplicht om hetzelfde te doen, vooral de advocaten, die absoluut niet uit de gunst wilden raken en dus blijk moesten geven van hun loyaliteit. Ze sprongen overeind, schopten daarbij tassen om en duwden stoelen opzij. Gloria Lane, haar griffiemedewerkers, de stenograaf en Lou Dell, die op de eerste rij zaten, stonden ook op, draaiden zich om en legden hun hand op hun borst. Maar ergens voorbij de derde rij toeschouwers raakte het vuur bekoeld, en dus bleef het Fitch bespaard dat hij als een padvinder moest opstaan om woorden te mompelen die hij zich nauwelijks kon herinneren.
Hij zat op de achterste rij, met José aan zijn ene en Holly, een aantrekkelijke jonge assistente, aan zijn andere kant. Pang was op het atrium. Doyle zat weer op zijn Dr. Pepper-kratje bij de frisdrankautomaten op de begane grond, verkleed als onderhoudsmonteur, maakte grappen met de portiers en hield de hal in de gaten.
Fitch keek en luisterde in volslagen verbijstering naar dit alles. De aanblik van een jury die uit eigen initiatief iets deed en als groep functioneerde en bovendien op zo'n manier de rechtszaal domineerde, ging zijn verstand bijna te boven. En het was bijna onvoorstelbaar dat Marlee had geweten dat dit zou gebeuren.
Het feit dat ze spelletjes met de jury speelde, was opwindend.
Fitch had ten minste een vermoeden gehad van wat er zou gebeuren. Wendall Rohr werd volkomen overrompeld. Hij was zo geschrokken van Easter – die precies de kleren aanhad die waren voorspeld, die het tijdschrift dat in het briefje was genoemd onder zijn stoel had gelegd, en die daarna zijn mede-juryleden was voorgegaan in de eed – dat hij de woorden van die eed alleen maar geluidloos met zijn lippen kon vormen. En hij deed dat zonder naar de vlag te kijken. Hij keek de hele tijd naar de jury, vooral naar Easter, en vroeg zich af wat er toch aan de hand was.
Toen de laatste woorden, '... en gerechtigheid voor allen', tegen het plafond galmden, gingen de juryleden weer op hun plaats zitten en keken ze allemaal de zaal in om de reacties te peilen. Rechter Harkin trok zijn toga recht, sorteerde wat papieren en was blijkbaar vastbesloten om zich te gedragen alsof alle jury's geacht werden eer te bewijzen aan de vlag. Wat kon hij ervan zeggen? Het had maar dertig seconden geduurd.
De meeste advocaten schaamden zich eigenlijk een beetje voor dit belachelijke vertoon van patriottisme, maar ach, als de juryleden er blij mee

waren, waren zij er ook blij mee. Alleen Wendall Rohr bleef sprakeloos voor zich uit staren. Een medewerker porde hem aan en ze begonnen fluisterend te overleggen, terwijl de rechter de gebruikelijke opmerkingen tegen en vragen aan de jury afraffelde.
'Ik geloof dat we aan een nieuwe getuige toe zijn,' zei de rechter, die er graag wat vaart achter wilde zetten.
Rohr stond op, nog steeds verbluft, en zei: 'De eiseres roept professor Hilo Kilvan op.'
Toen de nieuwe getuige uit een kamer achter in het gebouw werd gehaald, glipte Fitch de rechtszaal uit, op de voet gevolgd door José. Ze liepen door de straat naar het oude warenhuis.
De twee jury-experts in de projectiekamer zwegen. Een van hen keek op het grote scherm naar het begin van de ondervraging van professor Kilvan. Op een kleinere monitor keek de ander nogmaals naar de beelden van de eed op de vlag. Fitch ging bij die monitor staan en vroeg: 'Wanneer heb je dat voor het laatst gezien?'
'Het is Easter,' zei de dichtstbijzijnde expert. 'Hij ging ze voor.'
'Natuurlijk was het Easter,' snauwde Fitch. 'Dat kon ik vanaf de achterste rij in de zaal zien.' Zoals gewoonlijk was Fitch onredelijk. Deze experts wisten niets van Marlee's telefoongesprekken, want Fitch had daar alleen met zijn veiligheidsmensen over gesproken, dus met Swanson, Doyle, Pang, Konrad en Holly.
'Wat voor effect heeft dit op jullie computeranalyse?' vroeg Fitch met dik opgelegd sarcasme.
'Die ontploft.'
'Dat dacht ik al. Blijf kijken.' Hij gooide de deur achter zich dicht en ging naar zijn kantoor.

Professor Hilo Kilvan werd ondervraagd door een nieuwe advocaat van de eiseres, Scotty Mangrum uit Dallas. Mangrum had zijn fortuin gemaakt met processen tegen oliemaatschappijen, waarvan hij schadevergoedingen in verband met giftige stoffen lospeuterde. Nu, op zijn tweeënveertigste, hield hij zich intensief bezig met consumentenproducten die tot verwondingen of zelfs de dood leidden. Na Rohr was hij de eerste advocaat geweest die met zijn miljoen dollar over de brug kwam om de zaak-Wood te financieren, en ze hadden besloten dat hij zich in de statistische aspecten van longkanker zou verdiepen. In de afgelopen vier jaar had hij talloze uren besteed aan alle mogelijke publicaties en rapporten over dit onderwerp en had hij vele reizen gemaakt om met de deskundigen te praten. Met grote zorgvuldigheid en zonder op de kosten te letten had Rohr professor Kilvan als getuige-deskundige uitgekozen. Kilvan zou naar Biloxi gaan en zijn kennis op de jury overbrengen.

Kilvan sprak onberispelijk maar nogal nadrukkelijk Engels, met een licht accent dat meteen indruk op de jury maakte. Weinig dingen maakten in een rechtszaal meer indruk dan een expert die een grote reis had gemaakt om over zijn vak te vertellen, en die dan ook nog een exotische naam en een vreemd accent had. Kilvan kwam uit Montreal, waar hij de afgelopen veertig jaar had gewoond, en het feit dat hij uit een ander land kwam, maakte hem alleen maar geloofwaardiger. De jury hing al aan zijn lippen voordat hij zijn eerste woord had gezegd. Met een vlotte dialoog gaven hij en Mangrum een uitgebreid overzicht van zijn ontzagwekkende staat van dienst, waarbij ze vooral de nadruk legden op het grote aantal boeken dat Kilvan over de statistische waarschijnlijkheid van longkanker had gepubliceerd.
Uiteindelijk gaf Durr Cable desgevraagd toe dat professor Kilvan bevoegd was om op zijn terrein als getuige-deskundige op te treden. Scotty Mangrum bedankte hem en begon toen te spreken over het eerste onderzoek, waarin was nagegaan of onder sigarettenrokers meer mensen aan longkanker stierven dan onder niet-rokers. Kilvan had dat de afgelopen twintig jaar aan de universiteit van Montreal bestudeerd en hij ging er eens goed voor zitten om de jury de elementaire gegevens uiteen te zetten. Hij had groepen mannen en vrouwen uit de hele wereld onderzocht, maar vooral Canadezen en Amerikanen. Amerikaanse mannen die tien jaar lang vijftien sigaretten per dag rookten, liepen tien keer zoveel gevaar longkanker te krijgen als mannen die helemaal niet rookten. Maakte je daar twee pakjes per dag van, dan was het risico twintig keer zo groot. Maakte je er drie pakjes per dag van, de hoeveelheid die Jacob Wood rookte, dan was het risico vijfentwintig keer zo groot als voor een niet-roker.
Op drie statieven werden felgekleurde platen gezet. Zorgvuldig en zonder enige haast liet Kilvan de juryleden zijn bevindingen zien.
In een ander onderzoek was gekeken in hoeverre het soort tabak dat werd gerookt van invloed was op de sterfte aan longkanker bij mannen. Kilvan legde de elementaire verschillen tussen de rook van pijptabak en van sigaretten uit, en gaf de sterftecijfers van Amerikaanse mannen die deze typen tabak gebruikten. Hij had twee boeken over die vergelijkingen gepubliceerd en was er nu klaar voor om de juryleden de volgende serie figuren en grafieken te laten zien. De cijfers stapelden zich op en het begon hen te duizelen.

Loreen Duke was de eerste die het lef had om haar bord van de tafel te halen en mee te nemen naar een hoek, waar ze het op haar knieën liet balanceren en in haar eentje begon te eten. Omdat de lunches iedere morgen om negen uur werden besteld en omdat Lou Dell en Willis en de mensen van O'Reilly's Deli en alle andere betrokkenen vastbesloten waren het

eten om klokslag twaalf uur op tafel te hebben, moest er een zekere orde en regelmaat in acht worden genomen. Ze hadden ieder een eigen plaats. Loreen zat recht tegenover Stella Hulic, die smakte als ze praatte en grote stukken brood aan haar tanden liet hangen. Stella was een slecht geklede parvenue die, als ze in de jurykamer waren, voortdurend wanhopige pogingen deed om de andere elf goed duidelijk te maken dat zij en haar man Cal, een gepensioneerde eigenaar van een loodgieterszaak, rijker waren dan de rest. Cal had een hotel, en Cal had een appartementencomplex, Cal had een autowasserij. Er waren nog meer investeringen, en die kwamen onder het eten aan de oppervlakte alsof het toeval was. Ze maakten reizen, reisden zo ongeveer de hele tijd. Vooral naar Griekenland. Cal had een vliegtuig en een aantal boten.
Aan de Golfkust werd verteld dat Cal een paar jaar eerder een oude garnalenboot had gebruikt om marihuana uit Mexico te smokkelen. Of dat nu waar was of niet, de Hulics barstten van het geld en Stella zag zich gedwongen daarover met iedereen te praten die wilde luisteren. Ze ratelde maar door met die irritante nasale stem van haar, een stemgeluid zoals je aan de Golfkust niet veel hoorde. Voordat ze begon, wachtte ze altijd tot iedereen zijn mond vol had en er een diepe stilte over de tafel was neergedaald.
'Ik hoop echt dat we vandaag vroeg naar huis mogen,' zei ze. 'Cal en ik gaan dit weekend naar Miami. Er zijn daar een paar prachtige nieuwe winkels.' Iedereen zat met diep gebogen hoofd, want niemand kon ertegen om een half broodje duidelijk zichtbaar samengepropt te zien in een mond die maar doorpraatte. Elke lettergreep ging gepaard met geluiden van voedsel dat aan tanden plakte.
Loreen ging weg voordat ze de eerste hap nam. Ze werd gevolgd door Rikki Coleman, die met het zwakke excuus kwam dat ze bij het raam moest zitten. Lonnie Shaver moest plotseling werken onder de lunch. Hij verontschuldigde zich en ging achter zijn computer zitten, kauwend op een stukje kip.
'Die Kilvan is een indrukwekkende getuige, nietwaar?' vroeg Nicholas aan de juryleden die nog aan de tafel zaten. Enkelen keken naar Herman, die zijn gebruikelijke witte broodje kalkoen at, zonder mayonaise of mosterd of iets anders dat aan zijn mond of lippen kon blijven plakken. Een doorgesneden broodje kalkoen en een bergje geribbelde chips kon je gemakkelijk eten als je blind was. Hermans kaken hielden even op met kauwen, maar hij zei niets.
'Je kunt moeilijk om die statistische gegevens heen,' zei Nicholas, terwijl hij naar Jerry Fernandez glimlachte. Het was een opzettelijke poging om de voorzitter uit zijn tent te lokken.
'Zo is het genoeg,' zei Herman.

'Wat is genoeg, Herm?'
'Dat gepraat over het proces. Je kent de regels van de rechter.'
'Ja, maar de rechter is er toch niet bij, Herm? En hij kan toch nooit weten wat wij bespreken? Of jij zou het hem al moeten vertellen.'
'Misschien doe ik dat ook wel.'
'Goed, Herm. Waar zou jij dan over willen praten?'
'Over alles behalve het proces.'
'Kies maar een onderwerp. Football, het weer...'
'Ik kijk niet naar football.'
'Ha, ha.'
Er volgde een diepe stilte, waarin alleen te horen was hoe het voedsel zich door Stella Hulics mond bewoog. Blijkbaar had de korte woordenwisseling tussen de twee mannen de sfeer gespannen gemaakt. Stella kauwde nu nog sneller.
Maar Jerry Fernandez hield het niet meer uit. 'Zou je eens wat minder kunnen smakken?' snauwde hij venijnig.
Hij zei dat terwijl ze net een hap had genomen. Ze had haar mond nog open en je kon precies zien wat ze erin had. Hij keek haar aan alsof hij haar een klap zou geven, en nadat hij diep adem had gehaald, zei hij: 'Goed, het spijt me. Je hebt alleen van die vreselijke tafelmanieren.'
Eerst was ze stomverbaasd, toen schaamde ze zich. En toen ging ze in de aanval. Ze liep rood aan en het lukte haar om alles wat ze in haar mond had in één keer door te slikken. 'Misschien heb ik bezwaar tegen die van jou,' zei ze woedend, terwijl de anderen hun hoofd lieten zakken. Iedereen wilde dat dit moment gauw voorbij was.
'Ik eet tenminste zonder geluid te maken en hou mijn eten in mijn mond,' zei Jerry, die zelf wel besefte hoe kinderachtig hij klonk.
'Ik ook,' zei Stella.
'Nee, dat doe je niet,' zei Napoleon, die de pech had om naast Loreen Duke en tegenover Stella te zitten. 'Je maakt meer lawaai dan een kind van drie.'
Herman schraapte nadrukkelijk zijn keel en zei: 'Laten we nu allemaal diep ademhalen. En laten we dan in alle rust onze lunch opeten.'
Er werd geen woord meer gezegd. Ze deden hun best om de rest van hun lunch in stilte naar binnen te werken. Jerry en Poedel gingen als eersten naar de rookkamer, gevolgd door Nicholas Easter, die niet rookte maar behoefte had aan een andere omgeving. Buiten regende het een beetje. De dagelijkse wandeling door de stad moest worden afgelast.
Ze kwamen bij elkaar in de kleine, vierkante kamer met klapstoelen en met een raam dat open kon. Angel Weese, de stilste van de juryleden, voegde zich al gauw bij hen. Stella, de vierde roker, was gekwetst en besloot nog even in de jurykamer te blijven.
Poedel vond het niet erg om over het proces te praten. En Angel ook niet.

Wat hadden ze verder nog met elkaar gemeen? Ze waren het blijkbaar met Jerry eens dat iedereen wist dat je van sigaretten kanker kreeg. Dus als je rookte, deed je dat op eigen risico.
Waarom zou je miljoenen geven aan de erfgenamen van een dode man die vijfendertig jaar had gerookt? Dat was toch onzin?

12

Hoewel de Hulics naar een jet verlangden, zo'n leuk klein ding met leren zitplaatsen en twee piloten, zaten ze tijdelijk aan een oude tweemotorige Cessna vast, waar Cal zelf in kon vliegen als de zon aan een wolkeloze hemel stond. Hij durfde niet in het donker te vliegen, zeker niet naar een grote stad als Miami. Daarom stapten ze op het vliegveld van Gulfport in het lijntoestel naar Atlanta. Vandaar vlogen ze first class naar Miami International, waarbij Stella in nog geen uur tijd twee martini's en een glas wijn achteroversloeg. Het was een lange week geweest. De stress van het jurybestaan vergde veel van haar zenuwen.
Ze zetten hun bagage in een taxi en gingen naar Miami Beach, waar ze zich inschreven in een nieuwe Sheraton.
Marlee volgde hen. Ze had achter hen in het vliegtuig naar Atlanta gezeten en was daarna in een andere klasse van het vliegtuig meegereisd naar Miami. Haar taxi wachtte op haar terwijl ze in de lobby van het hotel rondhing om er zeker van te zijn dat de Hulics zich inschreven. Vervolgens nam ze een kilometer verderop een kamer in een toeristenhotel. Ze wachtte die vrijdagavond tot bijna elf uur en pakte toen de telefoon.
Stella was moe geweest en had alleen iets willen drinken en eten op de kamer. En ze liet het niet bij één glas. Morgen ging ze winkelen, maar nu had ze iets vloeibaars nodig. Toen de telefoon ging, lag ze languit op het bed, nauwelijks bij bewustzijn. Cal, gekleed in slechts een afzakkende boxershort, pakte de telefoon. 'Hallo?'
'Ja, meneer Hulic,' zei de heldere, professionele stem van een jonge vrouw. 'U moet voorzichtig zijn.'
'Wat zei u?'
'U wordt gevolgd.'
Cal wreef over zijn rode ogen. 'Met wie spreek ik?'

'Luistert u nu heel goed. Er zijn mannen die uw vrouw volgen. Ze zijn hier in Miami. Ze weten dat u vlucht 4476 van Biloxi naar Atlanta hebt genomen en vlucht 533 van Atlanta naar Miami, en ze weten precies in welke kamer u nu bent. Ze volgen u bij alles wat u doet.'
Cal keek naar de telefoon en sloeg zichzelf zachtjes tegen zijn voorhoofd. 'Wacht even. Ik...'
'En waarschijnlijk zullen ze vanaf morgen uw telefoons afluisteren,' voegde ze er behulpzaam aan toe. 'Dus weest u erg voorzichtig.'
'Wie zijn die mannen?' vroeg hij met luide stem, en Stella keek op. Ze slaagde erin haar blote voeten op de vloer te zetten en met wazige ogen naar haar man te kijken.
'Het zijn agenten in dienst van de tabaksondernemingen,' was het antwoord. 'En ze staan voor niets.'
De jonge vrouw hing op. Cal keek weer naar de telefoon en keek toen naar zijn vrouw, die er afgepeigerd uitzag. Ze pakte een sigaret. 'Wat is er?' vroeg ze met een gesmoorde stem, en Cal herhaalde ieder woord.
'O mijn god!' riep ze uit, en ze liep naar de tafel bij de televisie, waar ze een wijnfles pakte en zich nog een glas inschonk. 'Waarom zitten ze achter me aan?' vroeg ze. Ze plofte in een stoel neer en morste goedkope cabernet op de badjas van het hotel. 'Waarom ik?'
'Ze zei niet dat ze je gingen vermoorden,' zei hij, bijna alsof hij dat jammer vond.
'Waarom volgen ze me?' Ze was de tranen nabij.
'Hoe moet ik dat weten?' bromde Cal terwijl hij nog een biertje uit de minibar nam. Ze dronken een paar minuten in stilte. Ze wisten niet wat ze hiermee aan moesten en durfden elkaar niet aan te kijken.
Toen ging de telefoon weer en liet Stella een gilletje ontsnappen. Cal nam op en zei langzaam: 'Hallo.'
'Hallo, weer met mij,' zei dezelfde stem, ditmaal erg opgewekt. 'Ik was nog iets vergeten te zeggen. U moet niet de politie bellen of zoiets. Die kerels doen niets illegaals. Het is maar het beste om te doen alsof er niets aan de hand is.'
'Wie bent u?' vroeg hij.
'Daag.' En ze was weg.

Listing Foods bezat niet één maar drie jets, waarvan een op zaterdagmorgen in alle vroegte naar Biloxi werd gestuurd om Lonnie Shaver op te halen en naar de stad Charlotte in North Carolina te vliegen. Zijn vrouw had geen oppas voor de drie kinderen kunnen vinden. De piloten begroetten hem hartelijk en boden hem koffie en fruit aan voordat ze opstegen.
Ken haalde hem van het vliegtuig af in een bedrijfsbusje met chauffeur, en een kwartier later arriveerden ze op het hoofdkantoor van SuperHouse in

een buitenwijk van Charlotte. Lonnie werd begroet door Ben, de andere man die hij in Biloxi had ontmoet, en Ben en Ken samen gaven Lonnie een snelle rondleiding door het hoofdkantoor. Het was een nieuw bakstenen gebouw van één verdieping, met veel glas en absoluut niet te onderscheiden van minstens tien andere kantoorgebouwen waar ze langs waren gereden. De gangen waren breed en voorzien van plavuizen en ze waren smetteloos schoon. De kamers waren steriel en stonden vol technologie. Lonnie verbeeldde zich dat hij het geluid kon horen van geld dat gedrukt werd.
Ze dronken koffie met George Teaker, de president-directeur, in diens grote kamer met uitzicht op een kleine binnenplaats vol plastic struiken. Teaker was jeugdig, energiek en gekleed in denim (zijn gebruikelijke zaterdagse kantoorkleding, legde hij uit). Op zondagen droeg hij een joggingpak. Hij vertelde Lonnie wat Lonnie al wist: de onderneming maakte een stormachtige groei door en ze wilden hem erbij hebben. Toen moest Teaker naar een afspraak.
In een kleine, witte directiekamer zonder ramen werd Lonnie aan een tafel met koffie en doughnuts gezet. Ben verdween, maar Ken bleef bij hem en even later gingen de lichten uit en verschenen er beelden op de muur. Het was een dertig minuten lange videoflm over SuperHouse – haar voorgeschiedenis, haar huidige positie op de markt, haar ambitieuze groeiplannen. En haar mensen, de 'echte assets'.
Volgens het scenario wilde SuperHouse in de komende zes jaar zowel de omzet als het aantal winkels met vijftien procent verhogen. De winst zou duizelingwekkend zijn.
De lichten gingen aan en een ernstige jongeman met een naam die Lonnie snel was vergeten, ging aan de andere kant van de tafel zitten. Hij was gespecialiseerd in arbeidsvoorzieningen en had alle antwoorden op alle vragen over ziektekostenverzekeringen, pensioenplannen, vakanties, vrije dagen, ziekteverlof, aandelenopties. Al die informatie zat ook in een van de mappen die voor Lonnie op de tafel lagen, dan kon hij het later nog eens doornemen.
Na een lange lunch met Ben en Ken in een pretentieus restaurant in een buitenwijk ging Lonnie naar de directiekamer terug voor nog een paar besprekingen. Een daarvan ging over het trainingsprogramma dat ze voor hem hadden opgesteld. Vervolgens kreeg hij een videofilm te zien over de structuur van de onderneming in relatie tot het moederbedrijf en de concurrenten. De verveling sloeg toe. Voor een man die de hele week op zijn achterste had gezeten om advocaten met experts te horen debatteren was dit niet de ideale manier om de zaterdagmiddag door te brengen. Hoe opgewonden hij ook over dit bezoek en over zijn vooruitzichten was, hij had plotseling behoefte aan frisse lucht.

Ken wist dat natuurlijk, en zodra de videofilm was afgelopen, stelde hij voor een partijtje golf te gaan spelen, een sport waarin Lonnie zijn eerste schreden nog moest zetten. Dat wist Ken natuurlijk ook, en daarom stelde hij voor dat ze evengoed naar buiten zouden gaan. Kens BMW was blauw en smetteloos en hij reed met grote zorg door de omgeving van Charlotte, langs keurig verzorgde boerderijen en landhuizen, over wegen met hoge bomen erlangs, tot ze bij de countryclub aankwamen.

Voor een zwarte jongen uit een eenvoudig milieu in Gulfport was het een hele onderneming om een countryclub te betreden. In het begin had Lonnie er geen zin in. Hij nam zich voor om weg te gaan als hij geen andere zwarte gezichten zag. Maar bij nader inzien vond hij het ook wel vleiend dat zijn nieuwe werkgevers zo'n hoge dunk van hem hadden. Het waren eigenlijk erg aardige mensen, die hem er oprecht bij wilden helpen zich bij hun bedrijfscultuur aan te passen. Er was nog niet over geld gesproken, maar hoe zou het minder kunnen zijn dan wat hij nu verdiende?

Ze gingen naar de Club Lounge, een enorm vertrek met leren stoelen, opgezet wild aan de muren en een wolk van blauwe sigarenrook die onder het schuine plafond hing. Een echte mannenkamer. Aan een grote tafel bij het raam, boven de achttiende green, troffen ze George Teaker aan, die nu golfkleding droeg. Hij zat iets te drinken met twee zwarte mannen, die ook goed gekleed waren en blijkbaar net van de golfbaan kwamen. Alle drie stonden ze op om Lonnie, die blij was verwante zielen te zien, hartelijk te begroeten. Het was of een zware last van zijn schouders was genomen en hij was plotseling aan een drankje toe, al paste hij op met alcohol. Een van de zwarte mannen, stevig gebouwd, was Morris Peel, een luidruchtige, joviale kerel die de hele tijd glimlachte. De andere man was een zekere Percy Kellum uit Atlanta. Beide mannen waren midden veertig, en toen het eerste rondje werd besteld, door Peel, legde hij uit dat hij lid van de raad van bestuur was van Listing Foods, het moederconcern in New York, en dat Kellum een regiodirecteur van Listing was.

Er kwam geen pikorde tot stand; dat was ook niet nodig. Het was duidelijk dat Peel, omdat hij van het moederconcern in New York kwam, hoger in rang was dan Teaker, die de titel van president-directeur had maar eigenlijk alleen aan het hoofd stond van een divisie. Kellum bevond zich ergens lager op de ladder. Ken nog lager. En Lonnie mocht blij zijn dat hij met die mannen aan één tafel zat. Toen onder het tweede drankje de beleefdheidsfrasen waren afgewerkt, vertelde Peel met veel genoegen, en ook met veel humor, het verhaal van zijn leven. Zestien jaar geleden was hij de eerste zwarte middenkadermanager in de wereld van Listing Foods geweest, en toen had hij zich erg lastig opgesteld. Hij was in dienst genomen als symbool, niet als talent, en hij had zich een weg naar boven moeten vechten. Twee keer had hij tegen de onderneming geprocedeerd, en

beide keren had hij gewonnen. En toen de jongens op de bovenste verdieping eenmaal beseften dat hij vastbesloten was tot hen door te dringen en dat hij daar ook de hersens voor had, accepteerden ze hem. Het was nog steeds niet gemakkelijk, maar hij genoot hun respect. Teaker, die nu aan zijn derde whisky bezig was, boog zich naar voren en vertelde, uiteraard in vertrouwen, dat Peel op weg was naar de hoogste baan. 'Misschien praat je nu met een toekomstige bestuursvoorzitter,' zei hij tegen Lonnie. 'Een van de eerste zwarte bestuursvoorzitters van een Fortune 500-onderneming.'
Vanwege Peel had Listing Foods een agressief programma opgezet om zwarte managers aan te werven en vooruit te helpen. En dat was van belang voor Lonnie. Hadley Brothers was een fatsoenlijke onderneming, maar ook nogal ouderwets en typisch Zuidelijk, en het verbaasde Listing dan ook niet dat daar maar een paar zwarten met een hogere functie dan schoonmaker werkten.
Gedurende twee uren, waarin de duisternis over de achttiende green viel en een pianist in de lounge speelde, dronken ze en praatten ze en maakten ze plannen voor de toekomst. Het diner was opgediend in een aangrenzende kamer, een privé-eetkamer met een open haard en een elandskop boven de schoorsteenmantel. Ze aten dikke steaks met saus en champignons. Lonnie sliep die nacht in een suite op de tweede verdieping van de countryclub, en toen hij wakker werd, had hij een schitterend uitzicht op de golfbaan, en ook een lichte kater.
Voor het eind van die zondagochtend stonden maar twee korte ontmoetingen op het programma. De eerste, weer met Ken erbij, was een planningbespreking met George Teaker, die een joggingpak droeg en net terug was van tien kilometer hardlopen. 'Niets is beter tegen een kater,' zei hij. Hij wilde dat Lonnie met een nieuw contract voor drie maanden de winkel in Biloxi bleef leiden. Daarna zouden ze zijn prestaties beoordelen. Als iedereen tevreden was, zoals ze verwachtten, zou hij worden overgeplaatst naar een grotere winkel, waarschijnlijk in Atlanta of omgeving. Een grotere winkel betekende meer verantwoordelijkheid en een hogere beloning. Als hij daar een jaar was geweest, zou zijn werk opnieuw worden beoordeeld, en waarschijnlijk zou hij dan promotie maken. In die periode van vijftien maanden moest hij iedere maand minstens één weekend in Charlotte doorbrengen om daar een managementtraining te volgen, een training die tot in de kleinste details werd beschreven in een map die op de tafel lag.
Eindelijk was Teaker klaar. Hij bestelde nog meer zwarte koffie.
De laatste gast was een pezige jonge zwarte man met een kaal hoofd en een onberispelijk pak met stropdas. Hij heette Taunton en hij was een advocaat uit New York, om precies te zijn van Wall Street. Zijn kantoor vertegenwoordigde Listing Foods, legde hij ernstig uit, en in feite werkte

hij alleen voor Listing. Hij was naar Charlotte gekomen om een concept-arbeidscontract aan te bieden, in feite een routinekwestie maar toch wel belangrijk. Het document dat hij Lonnie gaf telde maar drie of vier pagina's, maar omdat het helemaal van Wall Street kwam, leek het veel zwaarder. Lonnie was enorm onder de indruk.
'Bekijk het maar eens,' zei Taunton, terwijl hij met een luxe vulpen tegen zijn kin tikte. 'Dan praten we er volgende week over. Het is min of meer een standaardcontract. In de beloningsparagraaf zijn een paar dingen opengelaten. Die vullen we later in.'
Lonnie keek naar de eerste pagina en legde het document toen bij de andere papieren en mappen en memo's, een stapel die met de minuut groeide. Taunton haalde een schrijfblok te voorschijn en bereidde zich zo te zien voor op een vervelend kruisverhoor. 'Het zijn maar een paar vragen,' zei hij.
Lonnie werd op pijnlijke wijze herinnerd aan de rechtszaal in Biloxi, waar de advocaten ook altijd zeiden: 'Nog een paar vragen.'
'Goed,' zei Lonnie met een blik op zijn horloge. Hij kon het niet helpen.
'Geen enkel crimineel verleden?'
'Nee. Alleen een paar bekeuringen voor te hard rijden.'
'Geen processen aan de gang tegen jou persoonlijk?'
'Nee.'
'Tegen je vrouw?'
'Nee.'
'Heb je ooit een faillissement aangevraagd?'
'Nee.'
'Ooit gearresteerd?'
'Nee.'
'In staat van beschuldiging gesteld?'
'Nee.'
Taunton sloeg een bladzijde om. 'Ben je in je hoedanigheid van bedrijfsleider ooit betrokken geweest bij een juridische procedure?'
'Ja, eens kijken. Een oude man gleed zo'n vier jaar geleden uit over een natte vloer. Hij diende een eis tot schadevergoeding in. Ik heb toen een verklaring afgelegd.'
'Kwam het tot een proces?' vroeg Taunton met grote belangstelling. Hij had het dossier al doorgenomen, had zelfs een kopie in zijn dikke aktetas en kende alle details van die zaak.
'Nee. De verzekeringsmaatschappij kwam tot een schikking. Ik geloof dat ze hem twintigduizend dollar of zoiets hebben betaald.'
Het was vijfentwintigduizend en Taunton noteerde het bedrag op zijn schrijfblok. Volgens het scenario moest Teaker nu tussenbeide komen. 'Die verrekte advocaten met hun processen. Ze vormen een regelrechte

vloek voor de samenleving,' zei Teaker.
Taunton keek eerst Lonnie en toen Teaker aan en zei, alsof hij zich wilde verdedigen: 'Ik ben geen advocaat die tegen bedrijven procedeert.'
'O, dat weet ik,' zei Teaker. 'Jij bent een van de goeien. Het zijn die rottige ambulancejagers aan wie ik zo de pest heb.'
'Weet je hoeveel we vorig jaar aan premie voor onze aansprakelijkheidsverzekering hebben betaald?' vroeg Taunton aan Lonnie, alsof die in staat zou zijn daarnaar te raden. Hij schudde alleen maar met zijn hoofd.
'Listing heeft meer dan twintig miljoen betaald.'
'Alleen om de haaien op een afstand te houden,' voegde Teaker eraan toe.
Er volgde een dramatische pauze in het gesprek. Taunton en Teaker beten op hun lip en lieten blijken hoe ze van die gang van zaken walgden. Zo te zien dachten ze aan al het geld dat aan bescherming tegen processen werd verspild. Toen zag Taunton iets op zijn schrijfblok. Hij keek Teaker aan en vroeg: 'Je hebt het proces zeker niet met hem besproken, hè?'
Teaker keek verrast. 'Dat lijkt me niet nodig. Lonnie is aan boord gekomen. Hij is een van ons.'
Taunton deed alsof hij dat negeerde. 'Dat tabaksproces in Biloxi is van grote betekenis voor de hele economie, vooral voor ondernemingen als de onze,' zei hij tegen Lonnie, die beleefd knikte en zich probeerde voor te stellen welke gevolgen het proces zou hebben voor anderen dan Pynex.
Teaker zei tegen Taunton: 'Ik weet niet of je daar wel over mag praten.'
'Dat zit wel goed,' zei Taunton. 'Ik ken de procedure van dat soort processen. Je hebt er toch geen bezwaar tegen, Lonnie? Ik bedoel, we kunnen je toch wel vertrouwen?'
'Natuurlijk. Ik zal geen woord zeggen.'
'Als de eiseres die zaak wint en het komt tot een grote schadevergoeding, dan is het hek van de dam. Dan gaan advocaten links en rechts tegen bedrijven procederen. Het zou het failliet van de tabaksondernemingen betekenen.'
'Wij verdienen veel geld aan de verkoop van tabak, Lonnie,' zei Teaker met perfecte timing.
'En dan gaan ze daarna waarschijnlijk tegen de vleesverwerkende industrie procederen, omdat cholesterol ook dodelijk zou zijn.' Taunton sprak met stemverheffing en boog zich over de tafel naar voren, alsof deze zaak hem erg hoog zat. 'Er moet een eind aan die processen komen. De tabaksindustrie heeft er nog nooit een verloren. Ik geloof dat ze nu zo'n vijfentwintig overwinningen hebben behaald. Juryleden hebben altijd begrepen dat iemand die rookt dat op eigen risico doet.'
'Lonnie begrijpt dat,' zei Teaker, bijna sussend.
Taunton haalde diep adem. 'Ja. Het spijt me als ik te veel heb gezegd, maar bij dat proces in Biloxi staat erg veel op het spel.'

'Geen probleem,' zei Lonnie. Hij had helemaal geen moeite met dit gesprek. Per slot van rekening was Taunton een advocaat en kende hij de wet. Misschien was het inderdaad wel toegestaan dat hij in algemene bewoordingen over het proces sprak, zonder in details te treden. Lonnie was tevreden. Hij was door SuperHouse geaccepteerd. Hij zou niet moeilijk doen.
Taunton begon plotseling te glimlachen. Hij pakte zijn schrijfblok op en beloofde dat hij Lonnie in de loop van de week zou bellen. De bespreking was voorbij en Lonnie was vrij man. Ken reed hem naar het vliegtuig, waar dezelfde Lear met dezelfde sympathieke piloten op hem stond te wachten.

Volgens de weerberichten was er die middag kans op een bui, en meer hoefde Stella niet te horen. Cal hield vol dat er geen wolkje te zien was, maar ze wilde niet eens kijken. Ze trok de gordijnen dicht en keek tot twaalf uur 's middags naar films. Ze bestelde een cheeseburger en twee bloody mary's en sliep toen een tijdje met de deur op de ketting en een stoel ertegenaan. Cal was naar het strand, vooral naar een topless-strand waar hij van had gehoord maar waar hij vanwege zijn vrouw nooit heen had kunnen gaan. Nu ze veilig in hun kamer op de negende verdieping zat, kon hij rustig over het zand slenteren en het jonge vlees bewonderen. Hij dronk een biertje in een bar met strodak en realiseerde zich hoe goed deze trip had uitgepakt. Omdat ze niet naar buiten durfde, waren de creditcards dit weekend veilig.
Op zondagochtend namen ze het vliegtuig naar Biloxi terug. Stella had een kater en was moe van een weekend waarin ze was geschaduwd. Ze zag op tegen maandag, tegen de rechtszaal.

13

Ze begroetten elkaar die maandagochtend op gedempte toon. Zo langzamerhand kregen ze er genoeg van om met zijn allen bij de koffiepot te staan en de doughnuts en broodjes te inspecteren, niet zozeer omdat ze dat iedere ochtend al deden, maar vooral omdat ze niet wisten hoe lang het nog zou duren. Ze vormden kleine groepjes en vertelden elkaar wat ze in hun vrije weekend hadden gedaan. De meesten hadden boodschappen en klusjes gedaan, familiebezoeken afgelegd en een kerkdienst bijgewoond, en voor deze mensen, die een week van afzondering tegemoet zagen, kregen al die doodgewone dingen een bijzondere betekenis. Omdat Herman er nog niet was, konden ze ook over het proces fluisteren. Wat dat betrof, hadden ze niets belangrijks te zeggen, al waren ze het er in het algemeen over eens dat de bewijsvoering van de eiseres in een moeras van grafieken en schema's en cijfers dreigde weg te zakken. Dat roken longkanker veroorzaakte, wisten ze allemaal wel. Ze wilden iets nieuws horen.
Nicholas zag kans Angel Weese in het begin van de ochtend apart te nemen. Ze hadden tijdens het proces beleefdheden uitgewisseld, maar nog niet echt met elkaar gepraat. Zij en Loreen Duke waren de enige twee zwarte vrouwen in de jury en gingen elkaar vreemd genoeg een beetje uit de weg. Angel was slank en stil, alleenstaand, en werkte voor een biergroothandel. Ze zag eruit als iemand die voortdurend verdriet had en het was moeilijk om een gesprek met haar te beginnen.
Stella kwam laat en zag er belabberd uit; haar ogen waren roodomrand en opgezet, haar huid was grauw. Met trillende handen schonk ze koffie in, en daarna ging ze regelrecht naar de rookkamer, waar Jerry Fernandez en Poedel al stonden te praten en te flirten, zoals ze tegenwoordig altijd deden.
Nicholas was benieuwd naar wat Stella over haar weekend te vertellen

had. 'Zullen we gaan roken?' zei hij tegen Angel, de vierde officiële roker in de jury.
'Sinds wanneer rook jij?' vroeg ze met een vaag glimlachje.
'Sinds vorige week. Ik stop ermee als het proces voorbij is.' Ze verlieten de jurykamer onder de spiedende blikken van Lou Dell, en voegden zich bij de anderen – Jerry en Poedel nog pratend, Stella met een strak gezicht, wankelend op de drempel van een zenuwinstorting.
Nicholas bietste een Camel van Jerry en stak hem met een lucifer aan.
'Nou, hoe was het in Miami?' vroeg hij Stella.
Ze keek hem geschrokken aan en antwoordde: 'Het regende.' Ze beet op haar filter en inhaleerde diep. Ze had geen zin om te praten. Het gesprek sleepte zich voort terwijl ze zich op hun sigaretten concentreerden. Het was tien voor negen, tijd voor de laatste dosis nicotine.
'Ik denk dat ik dit weekend ben gevolgd,' zei Nicholas na een minuut van stilte.
Ze rookten gewoon door, maar dachten intussen koortsachtig na.
'Wat zei je?' vroeg Jerry.
'Ze hebben me gevolgd,' herhaalde hij, en hij keek naar Stella, die grote angstige ogen opzette.
'Wie?' vroeg Poedel.
'Weet ik niet. Het gebeurde zaterdag, toen ik van huis ging om naar mijn werk te gaan. Ik zag iemand bij mijn auto rondhangen, en later zag ik hem in het winkelcentrum terug. Het zal wel iemand zijn geweest die door de tabaksjongens is ingehuurd.'
Stella's mond viel open, haar kin trilde. Grijze rook ontsnapte uit haar neusgaten. 'Ga je het aan de rechter vertellen?' vroeg ze, terwijl ze haar adem inhield. Het was een vraag waar zij en Cal ruzie over hadden gemaakt.
'Nee.'
'Waarom niet?' vroeg Poedel, die maar een beetje nieuwsgierig was.
'Ik weet het niet zeker. Ik bedoel, ik weet wel dat ik gevolgd ben, maar ik weet niet zeker wie het was. Wat zou ik dan tegen de rechter moeten zeggen?'
'Je kunt tegen hem zeggen dat je gevolgd bent,' zei Jerry.
'Waarom zouden ze je volgen?' vroeg Angel.
'Om de reden waarom ze ons allemaal volgen.'
'Dat geloof ik niet,' zei Poedel.
Stella geloofde het wel degelijk, maar als Nicholas, die een paar jaar rechten had gestudeerd, het niet tegen de rechter zou zeggen, zou zij het ook niet doen.
'Waarom volgen ze ons?' vroeg Angel opnieuw, nerveus.
'Omdat het hun werk is. De tabaksindustrie heeft miljoenen uitgegeven

om ons te selecteren, en nu geven ze nog meer uit om ons in de gaten te houden.'

'Waar letten ze dan op?'

'Hoe ze ons kunnen beïnvloeden. Vrienden met wie we praten. Plaatsen waar we komen. Ze brengen roddelverhalen in omloop in onze omgeving, kleine geruchten over de overledene, slechte dingen die hij deed toen hij nog leefde. Ze zijn altijd op zoek naar een zwakke plek. Daarom hebben ze nog nooit een procedure met een jury verloren.'

'Hoe weet je dat het de tabaksbedrijven zijn?' vroeg Poedel, terwijl ze weer een sigaret opstak.

'Dat weet ik niet zeker. Maar ze hebben meer geld dan de andere partij. Sterker nog, ze hebben onbeperkte middelen om dit soort procedures uit te vechten.'

Jerry Fernandez, die altijd klaarstond om hem met een grap te helpen of de mensen op stang te jagen, zei: 'Weet je, nu ik erover nadenk, heb ik dit weekend ook een raar klein kereltje om een hoek naar me zien gluren. Ik heb hem verschillende keren gezien.' Hij keek Nicholas afwachtend aan, maar Nicholas keek naar Stella. Jerry knipoogde naar Poedel, maar ze zag het niet.

Lou Dell klopte op de deur.

Die maandagochtend zwoeren ze geen trouw aan de vlag. Rechter Harkin en de advocaten wachtten daarop, zaten klaar om met gretig patriottisme op te springen zodra de juryleden zelfs maar vaag te kennen gaven dat ze daarvoor in de stemming waren, maar er gebeurde niets. De juryleden gingen zitten. Zo te zien waren ze al moe bij de gedachte aan de lange week van getuigenverklaringen die ze te wachten stond. Harkin keek hen met een warme, verwelkomende glimlach aan en begon toen aan zijn verplichte monoloog over verboden contacten. Stella keek zwijgend naar de vloer. Cal zat op de derde rij van de tribune om haar morele steun te geven.

Scotty Mangrum stond op en vertelde het hof dat de partij van de eiseres nu verder wilde gaan met de getuigenverklaring van professor Hilo Kilvan, die ergens achter uit de zaal kwam en in de getuigenbank plaatsnam. Hij knikte de jury beleefd toe. Niemand knikte terug.

Wendall Rohr en zijn team van advocaten hadden het hele weekend doorgewerkt. Ze hadden hun handen al vol aan het proces zelf, maar na die fax van een zekere MM op vrijdag heerste er grote opwinding in hun gelederen. Ze hadden ontdekt dat de fax afkomstig was uit een telefooncel bij een chauffeursrestaurant bij Hattiesburg, en nadat ze een personeelslid wat geld hadden toegestopt, had hij een vaag signalement gegeven van een jonge vrouw, achter in de twintig, misschien begin dertig, met donker haar onder een bruine visserspet en een gezicht dat half verscholen ging

achter grote donkere brillenglazen. Ze was klein, of misschien normaal van postuur. Ze was slank, dat stond vast, maar ja, het was kort voor negen uur op vrijdagmorgen geweest, een van hun drukste tijden. Ze had vijf dollar betaald voor een fax van één pagina naar een nummer in Biloxi, een advocatenkantoor, iets wat op zichzelf nogal vreemd was, daarom had hij het onthouden. De meeste faxen gingen over brandstofdeclaraties en bijzondere ladingen.
Haar auto was nergens te zien geweest, maar zoals hij al zei, het was druk geweest.
De acht voornaamste advocaten van de eiseres, een groep met in totaal honderdvijftig jaar proceservaring, waren allemaal van mening dat dit iets nieuws was. Niemand herinnerde zich een procedure waarbij iemand van buitenaf aan de advocaten voorspelde wat de jury ging doen. Ze waren unaniem van mening dat zij, MM, opnieuw contact zou opnemen. En hoewel ze het eerst ontkenden, waren ze in het weekend met tegenzin tot de overtuiging gekomen dat de vrouw waarschijnlijk om geld zou vragen. Een transactie. Geld voor een bepaalde jury-uitspraak.
Toch konden ze niet de moed opbrengen om een strategie te bepalen voor het geval dat ze wilde onderhandelen. Misschien later, maar niet nu.
Fitch daarentegen dacht aan bijna niets anders. Het Fonds bevatte momenteel zeseneenhalf miljoen dollar, waarvan er twee waren uitgetrokken voor de rest van dit proces. Dat geld was erg liquide en gemakkelijk verplaatsbaar. Hij had dat weekend juryleden geobserveerd, met advocaten overlegd en naar rapportages van zijn jury-experts geluisterd, en hij had ook met D. Martin Jankle van Pynex getelefoneerd. Hij was blij geweest met de resultaten van de Ken & Ben-show in Charlotte en George Teaker had hem verzekerd dat ze vertrouwen in Lonnie Shaver konden hebben. Hij had zelfs naar een geheime video-opname van de laatste bespreking gekeken, waarop Shaver zich al bijna door Taunton en Teaker tot een belofte had laten overhalen.
Fitch had zaterdag vier uur geslapen en zondag vijf, wat voor hem ongeveer het gemiddelde was, want slapen ging hem niet gemakkelijk af. Hij droomde van het meisje Marlee en van wat ze voor hem kon doen. Misschien werd dit het gemakkelijkste proces van allemaal.
Op maandag zat hij samen met een jury-expert in de projectiekamer naar de openingsceremonie te kijken. De verborgen camera had zo goed gewerkt dat ze hadden besloten het met een nog betere te proberen, een camera met een grotere lens en een duidelijker beeld. Die camera zat in dezelfde aktetas, die onder dezelfde tafel stond, en niemand in de drukke rechtszaal had een flauw vermoeden.
Geen eed op de vlag, niets dat buiten de normale gang van zaken viel, maar Fitch had ook niets verwacht. Als er iets bijzonders op het programma had

gestaan, had Marlee wel gebeld.
Hij luisterde naar professor Hilo Kilvan, die verderging met zijn getuigenverklaring, en glimlachte bijna in zichzelf toen hij zag dat de juryleden er als een berg tegenop zagen. Zijn experts en advocaten geloofden allemaal dat de getuigen van de eiseres nog steeds niet veel indruk op de jury maakten. De experts hadden indrukwekkende achtergronden en beschikten over fraaie visuele hulpmiddelen, maar de advocaten van de tabaksindustrie hadden het allemaal al eerder gezien.
Hun verweer zou eenvoudig en subtiel zijn. Hun artsen zouden nadrukkelijk verklaren dat roken geen longkanker veroorzaakte. Andere indrukwekkende experts zouden naar voren brengen dat mensen bewust gingen roken. Hun advocaten zouden met het argument komen dat als sigaretten zo gevaarlijk waren, je op eigen risico rookte.
Fitch had het al zo vaak meegemaakt. Hij kende die getuigenverklaringen uit zijn hoofd. Hij had de argumenten van de advocaten al zo vaak gehoord. Hij had al zo vaak zitten zweten terwijl de jury overlegde. Hij had al zo vaak in stilte de uitspraken gevierd, maar hij had nog nooit de kans gehad een jury-uitspraak te kopen.

Sigaretten doodden jaarlijks vierhonderdduizend Amerikanen, zei professor Kilvan, en hij had vier grote grafieken om dat te bewijzen. Tabak was verreweg het dodelijkste product dat op de markt was, behalve vuurwapens, en die werden natuurlijk niet gemaakt om ermee op mensen te schieten. Sigaretten werden gemaakt om aangestoken en opgerookt te worden; dat was het normale gebruik. Als ze precies zo werden gebruikt als de bedoeling van de maker was, waren ze dodelijk.
Dat argument trof doel bij de juryleden; ze zouden het niet vergeten. Maar om half elf waren ze aan de koffie- en plaspauze toe. Rechter Harkin schorste de zitting voor vijftien minuten. Nicholas stopte Lou Dell een briefje toe en ze gaf het aan Willis, die op dat moment toevallig wakker was. Hij bracht het briefje naar de rechter. Easter wilde graag om twaalf uur een gesprek met hem hebben. Het was dringend.

Nicholas zei dat hij niet lunchte, omdat hij last van zijn maag had. Hij moest even naar het toilet en hij was zo terug, zei hij. Het kon niemand iets schelen. De meesten gingen toch niet aan de tafel zitten omdat ze niet bij Stella Hulic in de buurt wilden zijn.
Hij liep door de smalle gangetjes aan de achterkant van het gerechtsgebouw en ging de kamer binnen waar de rechter achter een broodje zat te wachten. Ze begroetten elkaar gespannen. Nicholas had een kleine bruine leren tas bij zich. 'We moeten praten,' zei hij, terwijl hij ging zitten.
'Weten de anderen dat u hier bent?' vroeg Harkin.

'Nee. Ik heb ook niet veel tijd.'
'Gaat uw gang.' Harkin nam een hap en schoof zijn bord weg.
'Drie dingen. Stella Hulic, nummer vier, voorste rij, is dit weekend naar Miami geweest, en ze werd daar gevolgd door onbekende personen die vermoedelijk voor het tabaksbedrijf werken.'
De rechter hield op met kauwen. 'Hoe weet u dat?'
'Ik hoorde vanmorgen een gesprek. Ze probeerde het een ander jurylid toe te fluisteren. Vraagt u me niet hoe ze wist dat ze gevolgd werd – ik heb niet alles gehoord. Maar die arme vrouw is een wrak. Eerlijk gezegd geloof ik dat ze vanmorgen een paar glazen heeft gedronken voordat ze naar de rechtbank ging. Wodka, zou ik zeggen. Waarschijnlijk bloody mary's.'
'Gaat u verder.'
'Ten tweede heeft Frank Herrera, nummer zeven, we hebben het de vorige keer over hem gehad, in feite zijn besluit al genomen. Ik ben bang dat hij de anderen probeert te beïnvloeden.'
'Ik luister.'
'Toen dit proces begon, stond zijn mening al vast. Ik denk dat hij erg graag jurylid wilde worden; hij is een gepensioneerde militair of zoiets, verveelt zich waarschijnlijk dood, maar hij is erg op de hand van de gedaagde en, nou ja, dat zit me een beetje dwars. Ik weet niet wat u met zulke juryleden moet doen.'
'Spreekt hij over de zaak?'
'Eén keer met mij. Herman is erg trots op zijn functie van voorzitter en hij wil niet dat er over het proces wordt gepraat.'
'Daar doet hij goed aan.'
'Maar hij kan niet alles volgen. En zoals u weet, kunnen mensen nu eenmaal moeilijk hun mond houden. Hoe dan ook, Herrera heeft een giftige invloed.'
'Goed. En ten derde?'
Nicholas maakte zijn leren tasje open en haalde een videocassette te voorschijn. 'Werkt dat ding?' vroeg hij, knikkend naar een kleinbeeldtelevisie met videorecorder in de hoek.
'Ik denk het. Vorige week nog wel.'
'Mag ik?'
'Gaat uw gang.'
Nicholas drukte op de knop om het toestel aan te zetten en stak de videocassette erin. 'Weet u nog, die man die ik vorige week in de rechtbank zag? Die man die me had gevolgd?'
'Ja.' Harkin stond op en ging vlak voor het televisiescherm staan. 'Dat weet ik nog.'
'Nou, hier hebt u hem.' Het waren zwart-witbeelden, een beetje wazig, maar ze waren duidelijk genoeg. Op het scherm ging de deur open en

kwam de man Easters woning binnen. Hij keek gespannen om zich heen en gedurende een erg lange seconde leek het of hij recht in de camera keek die in een luchtkoker boven de koelkast verborgen zat. Nicholas zette de videoband stop toen het gezicht van de man goed in beeld was, en zei: 'Dat is hem.'
Zonder adem te halen herhaalde rechter Harkin: 'Ja, dat is inderdaad dezelfde man.'
Op de band kwam de man (Doyle) telkens weer in beeld. Hij maakte foto's, boog zich naar de computer toe en ging na nog geen tien minuten weg. Het scherm werd zwart.
'Wanneer is...' vroeg Harkin langzaam. Hij staarde nog steeds naar het beeld.
'Zaterdagmiddag. Ik werkte toen, en hij brak in terwijl ik op mijn werk was.' Dat was niet helemaal waar, maar Harkin zou het verschil nooit zien. Nicholas had de video opnieuw geprogrammeerd, zodat in de rechter benedenhoek nu de tijd en datum van zaterdagmiddag stonden aangegeven.
'Waarom hebt u...'
'Ik ben vijf jaar geleden, toen ik in Mobile woonde, overvallen en mishandeld. Dat kostte me bijna mijn leven en het gebeurde toen er bij me werd ingebroken. Ik ben nogal gebrand op veiligheid, dat is alles.'
En dat maakte het allemaal volkomen geloofwaardig: de aanwezigheid van verfijnde surveillance-apparatuur in een armoedige woning, de computer en camera van iemand die het minimumloon verdiende. De man was doodsbang voor geweld. Dat kon iedereen zich voorstellen. 'Wilt u het nog een keer zien?'
'Nee. Het is hem.'
Nicholas haalde de cassette uit het apparaat en gaf hem aan de rechter. 'U mag hem houden. Ik heb nog een exemplaar.'

Fitch at een broodje rosbief, maar werd daarbij gestoord door Konrad, die op de deur klopte en de woorden uitsprak die Fitch zo graag wilde horen: 'Het meisje is aan de telefoon.'
Hij streek met de rug van zijn hand over zijn mond en zijn sikje en pakte de telefoon. 'Hallo.'
'Fitch, kerel,' zei ze. 'Met mij, Marlee.'
'Ja, meisje.'
'Ik weet niet hoe hij heet, maar hij is de gangster die je op donderdag de negentiende naar Easters woning stuurde, elf dagen geleden, om acht minuten voor vijf in de middag, om precies te zijn.' Fitch hapte naar adem en hoestte stukjes van zijn broodje op. Hij vloekte in stilte en ging rechtop staan. Ze ging verder: 'Dat was kort nadat ik je dat briefje gaf waarin ik

schreef dat Nicholas een grijs golfshirt en een kaki broek zou dragen, weet je nog wel?'
'Ja,' zei hij hees.
'Hoe dan ook, later stuurde je die gangster naar de rechtszaal, waarschijnlijk om naar mij uit te kijken, dat was woensdag de vijfentwintigste. Een nogal stomme zet, want Easter herkende die man en stuurde een briefje naar de rechter, die hem ook goed kon bekijken. Luister je nog, Fitch?'
Hij luisterde, maar haalde geen adem. 'Ja!' snauwde hij.
'Dus nu weet de rechter dat die kerel bij Easter heeft ingebroken. Hij heeft een arrestatiebevel getekend. Dus stuur hem meteen de stad uit, anders word je in grote verlegenheid gebracht. Misschien word je dan zelf ook gearresteerd.'
Honderd vragen gingen razendsnel door Fitch' hoofd, maar hij wist dat hij geen antwoorden zou krijgen. Als Doyle op de een of andere manier werd herkend en gearresteerd, en als hij dan te veel vertelde, nou, dan konden er ondenkbare dingen gebeuren. Inbraak was overal op de planeet een ernstig misdrijf, en Fitch moest snel handelen. 'Verder nog iets?' zei hij.
'Nee, dat is voorlopig alles.'
Doyle zou eigenlijk aan een tafeltje bij het raam van een eenvoudig Vietnamees restaurant moeten zitten, vier straten van de rechtbank vandaan, maar in werkelijkheid zat hij twee-dollar-blackjack te spelen in de Lucy Luck, toen hij opeens de pieper aan zijn riem hoorde. Het was Fitch, op kantoor. Drie minuten later reed Doyle in oostelijke richting over Highway 90, naar het oosten omdat de staatsgrens met Alabama dichterbij was dan die met Louisiana. Twee uur later zat hij in het vliegtuig naar Chicago.
Het kostte Fitch een uur om vast te stellen dat er geen arrestatiebevel was uitgevaardigd tegen Doyle Dunlap, en ook niet tegen een onbekend persoon met zijn signalement. Dat was een schrale troost. Het bleef echter wel een feit dat Marlee wist dat ze in Easters woning hadden ingebroken. Maar hoe wist ze dat? Dat was de grote, verontrustende vraag. Fitch riep door de dichte deur naar Konrad en Pang. Het zou drie uur duren voor ze het antwoord hadden.

Op maandagmiddag maakte rechter Harkin om half vier een eind aan professor Kilvans getuigenverklaring. Hij stuurde hem voor de rest van die dag naar huis. Toen maakte hij aan de verbaasde advocaten bekend dat er een paar onaangename dingen met de jury aan de hand waren en stuurde hij alle toeschouwers de zaal uit. Jip en Rasco leidden iedereen weg en deden de deur op slot.
Oliver McAdoo duwde voorzichtig met zijn linkervoet tegen de aktetas onder de tafel, totdat de camera op de rechter was gericht. Naast die tas stonden nog vier andere, min of meer soortgelijke tassen, en ook twee gro-

te kartonnen dozen met beëdigde verklaringen en ander juridisch materiaal. McAdoo wist niet wat er ging gebeuren, maar hij veronderstelde terecht dat Fitch het zou willen zien.
Rechter Harkin schraapte zijn keel en sprak tot de horde advocaten die aandachtig naar hem zat te kijken. 'Heren, het is mij ter ore gekomen dat verscheidene juryleden het gevoel hebben dat ze worden gadegeslagen en gevolgd. Ik beschik over het bewijs dat bij minstens één van onze juryleden is ingebroken.' Hij liet dit even bezinken, en bezinken deed het. De advocaten waren stomverbaasd. Beide partijen wisten heel goed dat ze onschuldig waren aan malversaties en legden onmiddellijk de schuld waar die thuishoorde: bij de tegenpartij.
'Nou, ik kan twee dingen doen. Ik kan het proces ongeldig verklaren of ik kan de jury in afzondering houden. Ik ben geneigd tot het laatste, hoeveel bezwaren daar ook aan verbonden zijn. Meneer Rohr?'
Rohr kwam langzaam overeind. Dit was een van de zeldzame keren dat hij niet wist wat hij moest zeggen. 'Eh, tja, rechter, we zouden niet graag willen dat het proces ongeldig werd verklaard. Ik bedoel, ik ben er zeker van dat wij niets verkeerds hebben gedaan.' Hij keek daarbij naar de tafel van Pynex. 'Heeft er iemand bij een jurylid ingebroken?' vroeg hij.
'Dat zei ik. Ik zal u straks het bewijs laten zien, meneer Cable.'
Sir Durr stond op en knoopte zijn jasje goed dicht. 'Dit is schokkend, edelachtbare.'
'Dat is het zeker.'
'Ik kan er eigenlijk weinig op zeggen zolang ik niet meer heb gehoord,' zei hij, en hij richtte een buitengewoon achterdochtige blik op de advocaten die blijkbaar schuldig waren: die van de eiseres.
'Goed. Breng jurylid nummer vier binnen. Stella Hulic,' zei de rechter tegen Willis. Verstijfd van angst en lijkbleek kwam Stella de rechtszaal weer binnen.
'Wilt u in de getuigenbank plaatsnemen, mevrouw Hulic? Dit duurt maar even.' De rechter glimlachte geruststellend en wees naar de getuigenbank. Toen Stella ging zitten, wierp ze wilde blikken in alle richtingen.
'Dank u. Wel, mevrouw Hulic, ik wil u graag een paar vragen stellen.'
In de rechtszaal kon je een speld horen vallen. De advocaten zaten met hun pen in de hand en negeerden hun heilige schrijfblokken. Ze wachtten op het grote geheim dat zou worden onthuld. Aan dit proces was vier jaar oorlogvoering voorafgegaan en ze wisten van bijna alle getuigen wat ze zouden zeggen. Het idee dat nu iets in de getuigenbank zou worden gezegd dat niet was ingestudeerd, was fascinerend.
Ze stond vast en zeker op het punt een ernstig vergrijp bekend te maken dat door de tegenpartij was begaan. Ze keek de rechter smekend aan. Iemand had haar verklikt.

'Bent u dit weekend naar Miami geweest?'
'Ja, edelachtbare,' antwoordde ze langzaam.
'Met uw man?'
'Ja.' Cal was voor de lunchpauze uit de rechtszaal vertrokken. Hij had zaken te doen.
'En wat was het doel van die reis?'
'Winkelen.'
'Is er iets ongewoons gebeurd toen u daar was?'
Ze haalde diep adem en keek naar de nieuwsgierige advocaten achter de langwerpige tafels. Toen keek ze rechter Harkin aan en zei: 'Ja, edelachtbare.'
'Wilt u ons vertellen wat er gebeurd is?'
Haar ogen werden waterig. De arme vrouw stond op het punt zich te laten gaan. Rechter Harkin besloot haar gerust te stellen: 'Het is niet erg, mevrouw Hulic. U hebt niets verkeerds gedaan. Vertelt u ons maar gewoon wat er gebeurd is.'
Ze beet op haar lip en klemde haar tanden op elkaar. 'We kwamen vrijdagavond in het hotel aan, en toen we daar twee of drie uur waren, ging de telefoon. Het was een vrouw, ze vertelde ons dat die mannen van de tabaksbedrijven ons volgden. Ze zei dat ze ons vanuit Biloxi waren gevolgd, en ze wisten onze vluchtnummers en alles. Ze zei dat ze ons het hele weekend zouden volgen en misschien zelfs zouden proberen onze telefoons af te luisteren.'
Rohr en zijn mensen haalden opgelucht adem. Een of twee van hen wierpen venijnige blikken naar de andere tafel, waar Cable en consorten verstijfd zaten te luisteren.
'Hebt u iemand gezien die u volgde?'
'Nou, eerlijk gezegd ben ik de kamer niet meer uit geweest. Ik was erg van streek. Mijn man Cal is een paar keer naar buiten geweest, en hij zag inderdaad iemand, een Cubaans uitziende man met een camera op het strand, en toen zag hij diezelfde man ook op zondag, toen we het hotel verlieten.'
Het drong plotseling tot Stella door dat dit haar uitweg was, het moment om zich zo geëmotioneerd voor te doen dat ze niets meer kon uitbrengen. Met een beetje moeite kwamen de tranen wel.
'Verder nog iets, mevrouw Hulic?'
'Nee,' zei ze snikkend. 'Het is gewoon afschuwelijk. Ik kan niet...' De rest van de woorden ging verloren.
De rechter keek de advocaten aan. 'Ik zal mevrouw Hulic ontheffen en haar door reserve nummer één vervangen.' Stella uitte een zachte jammerklacht, en nu de vrouw er zo ellendig aan toe was, kon niemand nog beweren dat ze in de jury moest blijven. Het zat er dik in dat de juryleden voortaan werden afgezonderd, en daar zou ze nooit tegen kunnen.

'U kunt naar de jurykamer teruggaan, uw spullen pakken en naar huis gaan. Ik dank u voor uw diensten en het spijt me dat dit is gebeurd.'
'Het spijt me zo,' kon ze nog fluisteren, en toen stond ze op en verliet de rechtszaal. Haar vertrek was een slag voor de partij van de gedaagde. Ze had tijdens de selectie een hoog cijfer gekregen, en na twee weken van ononderbroken observatie waren de jury-experts aan beide kanten bijna unaniem tot de conclusie gekomen dat haar sympathie bepaald niet naar de kant van de eiseres uitging. Ze had vierentwintig jaar gerookt zonder één keer te proberen daarmee te stoppen.
Degene die haar zou vervangen, was een onbekende factor, gevreesd door beide partijen maar vooral door de gedaagde.
'Laat jurylid nummer twee, Nicholas Easter, binnenkomen,' zei Harkin tegen Willis, die bij de open deur stond. Toen Easter werd geroepen, reden Gloria Lane en een assistente een grote televisie en videorecorder naar het midden van de rechtszaal. De advocaten, vooral die van de gedaagde, begonnen op hun pennen te kauwen.
Durwood Cable deed alsof hij door andere aangelegenheden aan zijn tafel in beslag werd genomen, maar de enige vraag die hem bezighield was: Wat heeft Fitch nu gedaan? Voordat het proces was begonnen, had Fitch alles geregisseerd: de samenstelling van het advocatenteam, de keuze van de getuige-deskundigen, de keuze van jury-experts, het onderzoek naar alle potentiële juryleden. Hij onderhield de gevoelige communicatie met de cliënt, Pynex, en lette als een havik op de advocaten van de eiseres. Maar wat Fitch na het begin van het proces deed, bleef grotendeels geheim. Cable wilde het niet weten. Hij hield zich aan de regels en deed zijn werk. Fitch mocht van hem op een ander niveau proberen de zaak te winnen.
Easter ging in de getuigenbank zitten en sloeg zijn benen over elkaar. Als hij bang of nerveus was, was dat niet aan hem te zien. De rechter vroeg hem naar de mysterieuze man die hem had gevolgd en Easter gaf specifieke tijden en plaatsen. En hij legde tot in details uit wat er woensdag was gebeurd, toen hij de rechtszaal in keek en dezelfde man daar zag zitten, op de derde rij.
Vervolgens beschreef hij de veiligheidsmaatregelen die hij thuis had genomen en pakte hij de videoband van rechter Harkin aan. Hij stak hem in de videorecorder en de advocaten gingen op de punt van hun stoel zitten. Hij draaide de volle negeneneenhalve minuut van de opname af, en toen het voorbij was, ging hij weer in de getuigenbank zitten en bevestigde de identiteit van de indringer – het was de man die hem ook had gevolgd, dezelfde man die woensdag in de rechtszaal had gezeten.
Fitch kon die verrekte monitor niet via zijn verborgen camera zien, omdat stuntel McAdoo of een andere klungel per ongeluk tegen de tas had geschopt. Maar Fitch hoorde wel ieder woord dat Easter zei, en als hij zijn

ogen dichtdeed, zag hij precies voor zich wat er in de rechtszaal gebeurde. Onder in zijn schedel begon een zware hoofdpijn op te komen. Hij slikte een aspirientje en spoelde het weg met mineraalwater. Hij zou Easter graag een eenvoudige vraag stellen: waarom installeerde je, als je uit angst voor indringers verborgen camera's installeerde, geen alarmsysteem op je deur? Maar blijkbaar was hij de enige bij wie die vraag opkwam.
De rechter zei: 'Ik kan ook bevestigen dat de man op de video afgelopen woensdag in deze zaal was.' Maar de man op de video was allang weg. Toen de aanwezigen in de rechtszaal Doyle de woning zagen binnengaan en zagen rondsluipen alsof hij nooit betrapt zou worden, zat Doyle alweer veilig weggestopt in Chicago.
'U kunt naar de jurykamer terugkeren, meneer Easter.'

Er ging een uur voorbij waarin de advocaten hun nogal zwakke en onvoorbereide betogen voor en tegen afzondering van de jury hielden. Toen ze eenmaal op dreef kwamen, vlogen de beschuldigingen over en weer, waarbij vooral de advocaten van Pynex het zwaar te verduren kregen. Beide partijen wisten dingen die ze niet konden bewijzen en dus niet konden uitspreken en daarom bleven de beschuldigingen grotendeels in het vage.
De juryleden kregen een volledig verslag van Nicholas, een verfraaid relaas van alles wat zowel in de rechtszaal als op de video was voorgevallen. In zijn haast had rechter Harkin verzuimd Nicholas te verbieden de zaak met de andere juryleden te bespreken. Dat was Nicholas niet ontgaan en hij kon niet wachten tot hij het verhaal naar eigen wensen zou kunnen aanpassen. Hij nam ook de vrijheid om een verklaring voor Stella's snelle vertrek te geven. Ze was in tranen van hen weggegaan.
Fitch kreeg bijna een beroerte toen hij door zijn kamer ijsbeerde. Hij wreef over zijn nek en zijn slapen, plukte aan zijn sikje en eiste onmogelijke antwoorden van Konrad, Swanson en Pang. Naast die drie beschikte hij over de jonge Holly, Joe Boy, een plaatselijke privé-detective met ongelooflijk zachte voeten, Dante, een zwarte ex-politieman uit Washington, en Dubaz, ook een jongen van de Kust met een lange staat van dienst. En hij beschikte ook over vier mensen in het kantoor bij Konrad, en nog eens twaalf in Biloxi die hij binnen drie uur kon oproepen, en massa's juristen en jury-experts. Fitch had mensen genoeg, en ze kostten geld genoeg, maar hij had niemand naar Miami gestuurd om Stella en Cal te zien winkelen.
Een Cubaan? Met een camera? Denkend aan die woorden, gooide Fitch een telefoonboek tegen de muur.
'Als het nu eens het meisje is?' vroeg Pang, die langzaam weer opkeek nadat hij zijn hoofd had ingetrokken om het telefoonboek te ontwijken.
'Welk meisje?'

'Marlee. Hulic zei dat ze werden opgebeld door een meisje.' Pangs kalmte stond in scherp contrast met de opvliegendheid van zijn baas. Fitch verstijfde meteen en liet zich even later in zijn stoel zakken. Hij nam weer een aspirientje en dronk nog wat mineraalwater, en ten slotte zei hij: 'Ik denk dat je gelijk hebt.'

En dat had hij. De Cubaan was een derderangs 'beveiligingsadviseur' die Marlee in de beroepengids had gevonden. Ze had hem tweehonderd dollar betaald om er verdacht uit te zien, wat niet moeilijk voor hem was, en om zich met een camera te laten betrappen als de Hulics het hotel verlieten.

De elf juryleden en drie reserves werden in de rechtszaal teruggeroepen. Stella's lege stoel op de eerste rij werd bezet door Phillip Savelle, een achtenveertigjarige zonderling die voor beide partijen een raadsel was gebleven. Hij noemde zich zelfstandig boomchirurg, maar in geen enkele administratie waren gegevens ontdekt waaruit bleek dat hij dat beroep in de afgelopen vijf jaar aan de Golfkust had uitgeoefend. Hij was ook een avantgardistisch glasblazer die gespecialiseerd was in felgekleurde, vormloze creaties waaraan hij obscure zee- en waternamen gaf en die soms geëxposeerd werden in kleine, vervallen galerieën in Greenwich Village. Hij beweerde een goed zeeman te zijn en had inderdaad eens zijn eigen kits gebouwd, waarmee hij naar Honduras was gezeild, waar het vaartuig in kalm water was gezonken. Soms pretendeerde hij archeoloog te zijn, en toen zijn boot was gezonken, zat hij elf maanden in een Hondurese gevangenis vanwege illegale opgravingen.

Hij was vrijgezel, agnosticus, afgestudeerd aan Grinnell, niet-roker. Alle advocaten in de rechtszaal waren doodsbang voor Savelle.

Rechter Harkin verontschuldigde zich voor wat hij nu ging doen, maar hij had geen keus. Het gebeurde bijna nooit dat een jury volstrekt in afzondering werd gehouden, meestal onder buitengewone omstandigheden, en bijna altijd alleen wanneer het om sensationele moordzaken ging. Maar in dit geval had hij geen keus. Er had verboden contact plaatsgevonden. Er was geen reden om aan te nemen dat daar een eind aan zou komen, ongeacht zijn waarschuwingen. Het beviel hem helemaal niet en hij vond het erg jammer dat de juryleden het moeilijk zouden krijgen, maar op dit moment was het zijn taak om te zorgen dat het proces eerlijk verliep.

Hij legde uit dat hij al maanden geleden een plan had gemaakt voor het geval dat deze situatie zich zou voordoen. De county had een blok kamers in een nabijgelegen niet nader te noemen motel gereserveerd. De beveiliging zou worden opgevoerd. Hij had een lijst met regels die hij met hen zou doornemen. Het proces kwam nu in de tweede volledige week van getuigenverklaringen en hij zou er bij de advocaten op aandringen vaart achter de zaak te zetten.

De veertien juryleden mochten nu naar huis gaan om hun koffers te pakken en hun zaken op orde te brengen. De volgende ochtend moesten ze zich bij de rechtbank melden en dan zouden ze de komende twee weken in strikte afzondering doorbrengen.
Er kwam geen onmiddellijke reactie van de juryleden. Daar waren ze te verbaasd voor. Alleen Nicholas Easter vond het grappig.

14

Omdat Jerry zoveel van bier en gokken en football en luidruchtigheid in het algemeen hield, stelde Nicholas voor dat ze die maandagavond met elkaar naar het casino zouden gaan om de laatste uren van hun vrijheid te vieren. Jerry vond het een geweldig idee. Toen ze de rechtbank verlieten, dachten ze erover een paar andere juryleden uit te nodigen. Het idee klonk goed, maar het werkte niet. Herman kwam niet in aanmerking. Lonnie Shaver ging haastig weg; hij was nogal opgewonden en wilde met niemand praten. Savelle was nieuw en onbekend en blijkbaar iemand die je beter op een afstand kon houden. Zo bleef Herrera, Napoleon de Kolonel, over en daar hadden ze gewoon geen zin in. Ze zouden straks nog twee weken met hem opgesloten zitten.

Jerry nodigde Sylvia Taylor-Tatum, de Poedel, uit. Ze waren min of meer bevriend geraakt. Zij was voor de tweede keer gescheiden en Jerry was net met zijn eerste scheiding bezig. Omdat Jerry alle casino's aan de Golfkust kende, stelde hij voor dat ze elkaar in The Diplomat zouden ontmoeten. Dat casino had een sportbar met een groot televisiescherm, goedkope drankjes, een beetje privacy en cocktailserveersters met lange benen en schaarse kleding.

Toen Nicholas om acht uur arriveerde, was Poedel er al. Ze hield een tafel bezet in de drukke bar, nipte aan haar bier en glimlachte vriendelijk, iets wat ze in het gerechtsgebouw nooit deed. Haar golvende krulhaar was naar achteren getrokken. Ze droeg een strakke gebleekte spijkerbroek, een wijde trui en rode cowboylaarzen. Hoewel nog verre van aantrekkelijk, zag ze er in die bar veel beter uit dan in de jurybank.

Sylvia had de donkere, trieste, wereldse ogen van een vrouw die zwaar door het leven getroffen was, en Nicholas was vastbesloten zo vlug en diep mogelijk in haar leven te spitten voordat Fernandez er was. Hij bestelde

iets te drinken en sloeg de beleefdheidsfrasen over. 'Ben je getrouwd?' vroeg hij, wetend dat ze dat niet was. Ze was voor het eerst getrouwd toen ze negentien was en toen had ze een tweeling gekregen, twee jongens die nu twintig waren. De een werkte op een olieplatform, de ander studeerde. Ze waren erg verschillend. Haar eerste man verliet haar na vijf jaar en ze had de jongens zelf grootgebracht. 'En jij?' vroeg ze.
'Nee. Officieel ben ik nog student, maar ik heb momenteel een baan.'
Haar tweede echtgenoot was een oudere man geweest en van hem had ze gelukkig geen kinderen gekregen. Het huwelijk hield zeven jaar stand en toen ruilde hij haar in voor een jonger model. Ze had zich voorgenomen nooit meer te trouwen. De Bears deden de aftrap tegen de Packers en Sylvia keek met belangstelling naar de wedstrijd. Ze was gek op football, want haar jongens waren daar op school erg goed in geweest.
Jerry kwam nogal gehaast aan. Hij keek argwanend om zich heen en verontschuldigde zich omdat hij zo laat was. Zijn eerste glas bier had hij in een paar tellen achter de knopen. Hij geloofde dat hij gevolgd werd. Poedel keek hem smalend aan en zei dat alle juryleden zo langzamerhand een stijve nek kregen van het omkijken. Iedereen dacht dat hij geschaduwd werd.
'Ik heb het niet over de jury,' zei Jerry. 'Ik denk dat het mijn vrouw is.'
'Je vrouw?' zei Nicholas.
'Ja. Ik denk dat ze een privé-detective achter me aan heeft gestuurd.'
'Dan vind je het zeker prachtig dat we afgezonderd worden,' zei Nicholas.
'Ja, daar verheug ik me op,' zei Jerry, knipogend naar Poedel.
Hij had vijfhonderd dollar op de Packers gezet, plus zes punten, maar die weddenschap gold alleen voor de gecombineerde score in de eerste helft. In de rust zou hij opnieuw inzetten. Op zo'n wedstrijd kon je op enorm veel manieren wedden, legde hij de twee nieuwelingen uit die bij hem aan het tafeltje zaten, en die weddenschappen hadden dan niets te maken met de vraag wie uiteindelijk zou winnen. Jerry wedde er soms op wie als eerste een bal liet glippen, wie het eerste velddoelpunt maakte, wie de meeste onderscheppingen op zijn naam bracht. Hij keek naar de wedstrijd met de nervositeit van iemand die geld had ingezet dat hij eigenlijk niet kon missen. In het eerste kwart van de wedstrijd dronk hij vier biertjes. Nicholas en Sylvia konden hem al gauw niet meer bijhouden.
Telkens wanneer Jerry zijn lange verhalen over football en de kunst van het succesvol gokken even onderbrak, deed Nicholas een poging om over het proces te beginnen, maar het lukte hem geen enkele keer. De afzondering van de jury was een pijnlijk onderwerp, en omdat ze er geen ervaring mee hadden, konden ze er weinig over zeggen. De getuigenverklaring van die dag was een saaie, langdurige aangelegenheid geweest en ze hadden absoluut geen zin om in hun vrije tijd nog eens de hele uiteenzetting van professor Kilvan door te nemen. En in de zaak als geheel waren ze op dat moment

ook niet geïnteresseerd. Vooral Sylvia trok al een vies gezicht als hij haar alleen maar vroeg hoe ze in het algemeen over aansprakelijkheid dacht.

Mevrouw Grimes was de rechtszaal uit geleid en bevond zich op het atrium toen rechter Harkin de regels voor de afzondering van de jury bekendmaakte. Toen ze Herman naar huis reed, legde hij uit dat hij de komende veertien dagen in een motelkamer zou doorbrengen, op vreemd terrein, zonder dat zij erbij mocht zijn. Kort na hun thuiskomst belde ze rechter Harkin en liet ze hem in niet mis te verstane termen weten hoe ze over de recente ontwikkelingen dacht. Haar man was blind, bracht ze hem meermalen in herinnering, en hij had speciale hulp nodig. Herman zat op de bank zijn enige biertje van die dag te drinken. Hij ergerde zich mateloos aan de bemoeizucht van zijn vrouw.
Rechter Harkin vond al gauw een tussenoplossing. Hij vond het goed dat mevrouw Grimes bij Herman in zijn motelkamer was. Ze mocht met Herman ontbijten en dineren en voor hem zorgen, maar ze moest ieder contact met de andere juryleden vermijden. Bovendien mocht ze niet meer in de rechtszaal aanwezig zijn, want ze mocht beslist niet in staat zijn de zaak met Herman te bespreken. Dat zat mevrouw Grimes helemaal niet lekker, want ze was een van de weinige mensen die tot nu toe elk woord had gehoord. En hoewel ze het niet aan de rechter vertelde, of aan Herman, had ze al een duidelijke mening over de zaak. De rechter was onvermurwbaar. Herman was woedend. Maar mevrouw Grimes behaalde de overwinning en ze ging naar de slaapkamer om de koffers te pakken.

Lonnie Shaver deed die maandagavond op kantoor het werk van een week. Na enkele pogingen kreeg hij George Teaker thuis in Charlotte te spreken. Hij legde uit dat de jury voor de rest van het proces in quarantaine zou worden gehouden. Later in de week zou hij eigenlijk een gesprek met Taunton moeten hebben, maar dat zou er waarschijnlijk dus niet van kunnen komen. Hij legde uit dat de rechter alle directe telefoongesprekken van en naar de motelkamer verbood en dat hij tot na het proces met niemand zou kunnen communiceren. Teaker toonde begrip en vertelde in de loop van het gesprek dat hij nogal bang was voor de uitkomst van het proces.
'Onze mensen in New York vrezen dat een negatieve uitkomst een schokgolf door de hele detailhandel zal jagen, vooral in onze bedrijfstak. God mag weten hoe hoog de verzekeringspremies dan worden.'
'Ik zal doen wat ik kan,' beloofde Lonnie.
'De jury is toch niet van plan de eiseres gelijk te geven?'
'Dat is moeilijk te zeggen. We hebben nu de helft van de bewijsvoering van de eiseres gehad. Het is nog te vroeg.'

'Je moet ons beschermen, Lonnie. Ik weet dat het je in een lastige positie brengt, maar verdraaid nog aan toe, je zit daar nou eenmaal, begrijp je wat ik bedoel?'
'Ja, ik begrijp het. Ik zal doen wat ik kan.'
'We rekenen op je. Hou je haaks.'

De confrontatie met Fitch was kort en leidde tot niets. Durwood Cable wachtte tot bijna negen uur maandagavond, toen er in het kantoor nog druk aan de voorbereidingen van het proces werd gewerkt en er in de vergaderkamer een laat diner van de catering werd gegeten. Cable vroeg Fitch even bij hem in zijn kamer te komen. Fitch deed het, hoewel hij eigenlijk naar zijn kantoor terug wilde.
'Ik wil iets met je bespreken,' zei Durr stijfjes. Hij bleef aan zijn kant van het bureau staan.
'Wat is er?' blafte Fitch, die met zijn handen op zijn heupen ging staan. Hij wist precies waar Durr heen wilde.
'Vanmiddag, op de rechtbank, voelden we ons in verlegenheid gebracht.'
'Jullie zijn helemaal niet in verlegenheid gebracht. Als ik me goed herinner was de jury er niet bij. Dus wat er is gebeurd, heeft geen invloed op het uiteindelijke resultaat.'
'Je bent betrapt, en wij zijn te schande gezet.'
'Ik ben niet betrapt.'
'Hoe noem je het dan?'
'Ik noem het een leugen. Wij hebben geen mensen de straat op gestuurd om Stella Hulic te volgen. Waarom zouden we dat doen?'
'Wie heeft haar dan opgebeld?'
'Ik weet het niet, maar het was in ieder geval niet een van onze mensen. Nog meer vragen?'
'Ja, wie was die vent in die woning?'
'Dat was niet een van mijn mannen. Ik heb de video niet gezien en zijn gezicht dus ook niet, maar we hebben reden om aan te nemen dat het een gangster was, in dienst van Rohr en zijn jongens.'
'Kun je dat bewijzen?'
'Ik hoef helemaal niks te bewijzen. En ik hoef verder ook geen vragen meer te beantwoorden. Het is jouw taak dit proces te voeren. Laat de beveiliging nou maar aan mij over.'
'Zet me niet te schande, Fitch.'
'En zet jij mij niet te schande door dit proces te verliezen.'
'Ik verlies bijna nooit.'
Fitch draaide zich om en liep naar de deur. 'Dat weet ik. En je doet goed werk, Cable. Je hebt alleen een beetje hulp van buitenaf nodig.'

Nicholas arriveerde als eerste. Hij had twee sporttassen met kleren en toiletspullen bij zich. Lou Dell en Willis en een andere deputy, een nieuwe, wachtten op de gang buiten de jurykamer om de tassen in ontvangst te nemen en ze een tijdje in een lege getuigenkamer op te slaan. Het was dinsdagmorgen tien voor half negen.
'Hoe gaan de tassen van hier naar het motel?' vroeg Nicholas, die zijn sporttassen nog vasthield en een beetje argwanend keek.
'We rijden ze er in de loop van de dag heen,' was Willis' antwoord. 'Maar we moeten ze eerst doorzoeken.'
'Had je gedacht.'
'Pardon?'
'Niemand doorzoekt deze tassen,' zei Nicholas, en hij liep de lege jurykamer in.
'Opdracht van de rechter,' zei Lou Dell, die achter hem aan kwam.
'Het kan me niet schelen wat de rechter heeft bevolen. Niemand doorzoekt mijn tassen.' Hij zette ze in een hoek, liep naar de koffiepot en zei tegen Willis en Lou Dell in de deuropening: 'Willen jullie nu weggaan? Dit is de jurykamer.'
Ze schuifelden terug en Lou Dell deed de deur dicht. Een minuut later waren er stemmen op de gang te horen. Nicholas deed de deur open en zag Millie Dupree met zweet op haar voorhoofd tegenover Lou Dell en Willis staan. Ze had twee kolossale Samsonite-koffers bij zich. 'Ze denken dat ze onze tassen gaan doorzoeken, maar dat gebeurt niet,' legde Nicholas uit. 'Laten we ze hier binnen zetten.' Hij pakte de dichtstbijzijnde koffer vast, tilde hem met moeite op en versjouwde hem naar dezelfde hoek van de kamer.
'Opdracht van de rechter,' hoorden ze Lou Dell nog mompelen.
'Wij zijn geen terroristen,' snauwde Nicholas hijgend. 'Wat denkt hij dat we gaan doen? Wapens of drugs of zoiets naar binnen smokkelen?' Millie pakte een doughnut en bedankte Nicholas voor het beschermen van haar privacy. Er zaten dingen in die koffers waarvan ze gewoon niet wilde dat Willis of iemand anders ze in handen nam.
'Ga weg,' riep Nicholas, wijzend naar Lou Dell en Willis, die zich weer naar de gang terugtrokken.
Om kwart voor negen waren alle twaalf juryleden aanwezig en stond de kamer vol met bagage die Nicholas had gered. Bij iedere nieuwe lading was hij weer tekeergaan en het was hem gelukt de juryleden in een vechtlustige stemming te brengen. Om negen uur klopte Lou Dell op de deur en draaide meteen aan de knop om naar binnen te gaan.
De deur was aan de binnenkant op slot gedaan.
Ze klopte weer aan.
In de jurykamer kwam niemand in beweging, behalve Nicholas. Hij liep

naar de deur en zei: 'Wie is daar?'
'Lou Dell. Het is tijd om te gaan. De rechter is klaar voor jullie.'
'Zeg maar tegen de rechter dat hij naar de pomp kan lopen.'
Lou Dell keek Willis aan, die grote ogen opzette en naar zijn roestige revolver greep. Zelfs de meest opstandige juryleden waren van Nicholas' harde woorden geschrokken, maar het front bleef intact.
'Wat zei je?' vroeg Lou Dell.
Er volgde een harde klik. De deurknop werd omgedraaid. Nicholas liep de gang op en deed de deur achter zich dicht. 'Zeg maar tegen de rechter dat we niet komen,' zei hij met een venijnige blik op Lou Dell en de vettige grijze lokken over haar voorhoofd.
'Dat kun je niet maken,' zei Willis zo agressief mogelijk, wat helemaal niet erg agressief was maar nogal zwakjes.
'Hou je kop, Willis.'

De moeilijkheden rond de jury betekenden sensatie, en dat lokte een aantal mensen die dinsdagochtend naar de rechtszaal terug. Het was al gauw bekend geraakt dat één jurylid eruit was gegooid en dat bij een ander was ingebroken, en dat de rechter kwaad was en de hele jury had laten opsluiten. Er deden de wildste geruchten de ronde, vooral het verhaal over een inbreker in dienst van de tabaksindustrie die in de woning van een jurylid was betrapt en tegen wie nu een arrestatiebevel was uitgevaardigd. De politie en de FBI waren overal op zoek naar die man.
De ochtendbladen uit Biloxi, New Orleans, Mobile en Jackson brachten grote verhalen op hun voorpagina.
De vaste klanten van de rechtszaal kwamen in drommen terug. De meeste plaatselijke advocaten hadden plotseling een dringende reden om in de rechtszaal te zijn. Een stel verslaggevers van allerlei kranten bezette de voorste rij aan de kant van de eiseres. De jongens van Wall Street, die met steeds minder waren geweest naarmate ze de casino's en het diepzeevissen en de lange nachten in New Orleans hadden ontdekt, waren weer allemaal present.
En dus zagen veel mensen hoe Lou Dell nerveus via de jurydeur de zaal binnenkwam en naar de rechter liep, waar ze opkeek naar Harkin, die zich naar haar toe boog. Ze pleegden fluisterend overleg. Harkin hield zijn hoofd schuin alsof hij het niet goed had verstaan, en keek toen strak naar de jurydeur, waar Willis met opgetrokken schouders stond te wachten.
Lou Dell was klaar met haar boodschap en liep vlug terug naar de plaats waar Willis stond te wachten. Rechter Harkin keek in de vragende gezichten van de advocaten en richtte toen zijn blik op alle toeschouwers in de zaal. Hij noteerde iets wat hij zelf niet kon lezen. Hij vroeg zich af wat hij nu moest doen.

Zijn jury was in staking!
En wat stond daarover in zijn rechtershandboek?
Hij trok zijn microfoon dichter naar zich toe en zei: 'Heren, er doet zich een probleem voor met de juryleden. Ik moet even met ze gaan praten. Ik verzoek de heren Rohr en Cable me te assisteren. Alle anderen dienen op hun plaats te blijven zitten.'
De deur was weer op slot. De rechter klopte beleefd aan, drie zachte tikken gevolgd door draaien aan de deurknop. De deur wilde niet open. 'Wie is daar?' riep een mannenstem binnen.
'Rechter Harkin,' antwoordde hij met luide stem. Nicholas stond bij de deur. Hij draaide zich om en glimlachte naar de anderen. Millie Dupree en Gladys Card stonden nerveus bij een stapel bagage in de hoek. Ze waren bang voor de gevangenis of waar de rechter hen verder mee kon bedreigen. Maar de andere juryleden toonden zich vooral nog in hun wiek geschoten.
Nicholas maakte de deur open. Hij glimlachte vriendelijk, alsof er niets aan de hand was, alsof stakingen van juryleden een doodnormale zaak waren. 'Komt u binnen,' zei hij.
Harkin, in een grijs pak, zonder toga, ging naar binnen, op de voet gevolgd door Rohr en Cable. 'Wat is het probleem?' vroeg hij terwijl hij in de kamer om zich heen keek. De meeste juryleden zaten aan de tafel, met overal koffiekopjes en kranten en lege borden. Phillip Savelle stond alleen bij een raam. Lonnie Shaver zat in een hoek met een laptop op zijn knieën. Easter was zonder enige twijfel de woordvoerder en waarschijnlijk de aanstichter.
'We zijn het er niet mee eens dat de deputy's onze bagage doorzoeken.'
'Waarom niet?'
'Dat lijkt me wel duidelijk. Het zijn onze persoonlijke bezittingen. Wij zijn geen terroristen of drugssmokkelaars en u bent geen douanier.' Easter sprak met gezag, en het feit dat hij zo zelfverzekerd tegen een vooraanstaand rechter sprak, stemde de meeste juryleden erg trots. Hij was een van hen en hij was duidelijk hun leider, hoe Herman daar ook over mocht denken, en hij had hun meer dan eens verteld dat zij, de juryleden – niet de rechter, niet de advocaten, niet de partijen – de belangrijkste mensen van dit proces waren.
'Dat gebeurt in alle gevallen waarin de jury wordt afgezonderd,' zei de rechter. Hij ging een stap dichter naar Easter toe, maar die was tien centimeter langer en liet zich niet intimideren.
'Maar het staat niet zwart op wit, of wel? Sterker nog, ik wed dat het iets is waarover de rechter in kwestie zelf mag beslissen. Dat is toch zo?'
'Er zijn goede redenen voor.'
'Niet goed genoeg. We komen niet naar buiten, edelachtbare, totdat u

belooft dat niemand aan onze tassen komt.' Easter zei het op gedecideerde, bijna snauwende toon. Het was de rechter en de advocaten duidelijk dat hij het meende. Hij sprak ook namens de groep. Niemand anders was in beweging gekomen.
Harkin beging de fout over zijn schouder naar Rohr te kijken, die stond te popelen om ook een duit in het zakje te doen. 'Ach, edelachtbare, wat maakt het nou uit?' zei hij. 'Die mensen hebben geen kneedbommen bij zich.'
'Zo is het wel genoeg,' zei Harkin, maar Rohr had kans gezien een beetje sympathie bij de jury te verwerven. Cable dacht er natuurlijk ook zo over en wilde vertellen dat hij een volledig vertrouwen had in wat de juryleden in hun tassen hadden, maar Harkin gaf hem geen kans.
'Goed,' zei de rechter. 'De bagage wordt niet doorzocht. Maar als blijkt dat een jurylid iets bij zich heeft dat op de lijst van verboden artikelen voorkomt die ik u gisteren heb verstrekt, zal dat jurylid wegens minachting van het hof in staat van beschuldiging worden gesteld, en daar staat gevangenisstraf op. Begrijpen we elkaar?'
Easter keek in de kamer om zich heen, keek aandachtig naar elk van zijn mede-juryleden, die voor het merendeel opgelucht waren. Enkelen knikten. 'Akkoord, rechter,' zei hij.
'Goed, kunnen we dan nu met het proces beginnen?'
'Nou, er is nog één probleem.'
'Wat dan?'
Nicholas nam een papier van de tafel, las iets en zei: 'Volgens uw regels mogen we één keer per week onze partner ontvangen. Wij vinden dat het vaker mogelijk moet zijn.'
'Hoe vaak?'
'Zo vaak als mogelijk is.'
Voor de meeste juryleden was dat iets nieuws. Sommige van de mannen, met name Easter en Fernandez en Lonnie Shaver, hadden gemopperd, maar de vrouwen hadden het er niet over gehad. Vooral Gladys Card en Millie Dupree schaamden zich dood bij het idee dat de edelachtbare nu zou denken dat ze zoveel mogelijk seks eisten als ze konden krijgen. Meneer Card had twaalf jaar geleden prostaatklachten gehad, en, nou ja, Gladys dacht erover dat aan de rechter te vertellen om haar goede naam te zuiveren, maar toen zei Herman Grimes: 'Twee keer vind ik genoeg.'
Onwillekeurig stelde iedereen zich de oude Herm voor, frunnikend onder de lakens met mevrouw Grimes. Er werd hier en daar gelachen en dat verbrak de spanning.
'Ik vind dat we een enquête moeten houden,' zei rechter Harkin. 'Kunnen we het niet eens worden over twee keer? We hebben het over niet meer dan twee weken, mensen.'

'Twee, eventueel drie,' bood Nicholas aan.
'Dat is goed. Gaat iedereen akkoord?' De rechter keek in de kamer om zich heen. Loreen Duke zat aan de tafel in zichzelf te giechelen. Gladys Card en Millie deden hun best om in de muur te verdwijnen en wilden de rechter absoluut niet in de ogen kijken.
'Ja, dat is goed,' zei Jerry Fernandez, die een kater en roodomrande ogen had. Als Jerry een dag geen seks had, kreeg hij hoofdpijn, maar hij wist twee dingen: zijn vrouw was blij dat ze hem de komende twee weken het huis uit had, en hij en Poedel zouden wel iets regelen.
'Ik maak bezwaar tegen de bewoordingen hiervan,' zei Phillip Savelle bij het raam, de eerste woorden die hij sprak. Hij had het papier met regels in zijn handen. 'Uw definitie van de personen die in aanmerking komen voor het afleggen van een echtelijk bezoek is onvolledig.'
De passage waartegen hij bezwaar maakte, luidde in heldere taal: 'Tijdens ieder echtelijk bezoek mag een jurylid twee uren in zijn of haar kamer met zijn of haar echtgenoot, echtgenote, vriendin of vriend doorbrengen.'
Rechter Harkin, de twee advocaten die over zijn schouder keken, en alle juryleden in de kamer, namen de tekst nog eens door en vroegen zich af wat ter wereld die rare snuiter bedoelde. Maar Harkin was niet van plan daarnaar te informeren. 'Ik verzeker u, meneer Savelle en leden van de jury, dat ik niet van plan ben iemand beperkingen op te leggen ten aanzien van de echtelijke bezoeken. Eerlijk gezegd kan het me niet schelen wat u doet of met wie u het doet.'
Savelle was daar blijkbaar tevreden mee, terwijl Gladys Card zich beledigd voelde.
'Nu, verder nog iets?'
'Dat is alles, edelachtbare, en dank u,' zei Herman met luide stem om weer te laten horen dat hij de leider was.
'Dank u,' zei Nicholas.

Zodra de jury zich in de rechtszaal had geïnstalleerd, maakte Scotty Mangrum aan het hof bekend dat hij klaar was met professor Kilvan. Durr Cable begon aan een kruisverhoor en deed dat zo voorzichtig dat het leek of hij bijna niets aan de grote expert durfde te vragen. Ze werden het eens over een paar cijfers die geen enkele betekenis hadden. Professor Kilvan verklaarde dat hij op grond van zijn enorme hoeveelheid cijfers geloofde dat ongeveer tien procent van alle rokers uiteindelijk longkanker kreeg.
Cable verscherpte dat gegeven, iets wat hij van het begin af aan had gedaan en tot het eind zou blijven doen. 'Professor Kilvan: als roken longkanker veroorzaakt, waarom krijgen dan zo weinig rokers longkanker?'
'Roken maakte het risico van longkanker veel groter.'
'Maar het veroorzaakt niet altijd longkanker?'

'Nee. Niet iedere roker krijgt longkanker.'
'Dank u.'
'Maar bij mensen die roken is de kans op longkanker veel groter.'
Cable begon warm te lopen en oefende nu meer druk op Kilvan uit. Hij vroeg hem of hij op de hoogte was van een twintig jaar oud onderzoek van de universiteit van Chicago, waaruit bleek dat longkanker meer voorkwam bij rokers die in de stad woonden dan bij rokers die buiten woonden. Kilvan kende dat onderzoek heel goed, al had hij er zelf niets mee te maken gehad.
'Kunt u het verklaren?' vroeg Cable.
'Nee.'
'Kunt u een vermoeden uitspreken?'
'Ja. Het was destijds een controversieel onderzoek, want er zou uit blijken dat andere factoren dan tabaksrook longkanker kunnen veroorzaken.'
'Zoals luchtvervuiling?'
'Ja.'
'Gelooft u dat?'
'Het is mogelijk.'
'Dus u geeft toe dat luchtvervuiling longkanker veroorzaakt.'
'Het zou kunnen. Maar dat doet niets af aan mijn onderzoeksresultaten. Stedelijke rokers krijgen vaker kanker dan stedelijke niet-rokers, en dat geldt ook voor rokers en niet-rokers buiten de stad.'
Cable pakte weer een dik rapport op en begon daar met veel vertoon in te bladeren. Hij vroeg Kilvan of hij op de hoogte was van een onderzoek uit 1989 van de universiteit van Stockholm, waaruit zou blijken dat er verband bestaat tussen erfelijkheid en roken en longkanker.
'Ik heb dat rapport gelezen,' zei Kilvan.
'Hebt u er een mening over?'
'Nee. Erfelijkheid is niet mijn specialisme.'
'Dus u kunt niet ja of nee zeggen op de vraag of erfelijkheid in verband zou kunnen staan met roken en longkanker?'
'Dat kan ik niet.'
'Maar u betwist dat rapport niet?'
'Ik heb geen standpunt over dat rapport.'
'Kent u de deskundigen die dat onderzoek hebben verricht?'
'Nee.'
'Dus u kunt ons niet vertellen of het bekwame mensen zijn of niet?'
'Nee. Maar u hebt vast wel met hen gesproken.'
Cable liep naar zijn tafel, pakte een ander rapport en liep naar de lessenaar terug.

Na twee weken van nauwgezet volgen en weinig koersbeweging, hadden de aandelen Pynex plotseling een reden om van waarde te verschieten. Afgezien van de geïmproviseerde eed op de vlag, een verschijnsel dat iedereen zo had verbaasd dat niemand wist wat hij ervan denken moest, had het proces tot aan het eind van die maandagmiddag, toen de jury in opspraak kwam, weinig dramatische gebeurtenissen opgeleverd. Een van de vele advocaten van Pynex was zo onverstandig aan een van de vele financieel analisten te laten weten dat Stella Hulic algemeen als een goed jurylid voor de gedaagde was beschouwd. Dat werd een paar keer herhaald en bij elke herhaling steeg Stella's betekenis voor de tabaksindustrie naar nieuwe hoogten. Tegen de tijd dat de telefoontjes naar New York werden gepleegd, had Pynex haar kostbaarste bezit verloren; Stella Hulic, die inmiddels thuis op de sofa lag, in diepe slaap verzonken na een groot aantal martini's.

De geruchtenmolen werd nog meer naar de wind gezet door het prachtige verhaal over de inbraak bij jurylid Easter. Het lag voor de hand dat de indringer door de tabaksindustrie was betaald, en omdat er mensen van Pynex betrapt waren, of op zijn minst onder sterke verdenking waren gekomen, stonden ze er slecht voor. Ze waren een jurylid kwijtgeraakt. Ze waren op valsspelen betrapt. De wereld was te klein.

Pynex opende dinsdagmorgen op negenenzeventig en een half en zakte vlug naar achtenzeventig. De handel werd levendiger naarmate de ochtend vorderde en de geruchten steeds verder werden opgeblazen. Halverwege de ochtend, toen er weer een verslag uit Biloxi binnenkwam, stond Pynex op zesenzeventig en een kwart. Een analist die in de rechtszaal zelf was, belde zijn kantoor met het nieuws dat de juryleden die ochtend hadden geweigerd naar buiten te komen, ja, dat ze in staking waren gegaan, omdat ze schoon genoeg hadden van de saaie getuigen die de partij van de eiseres liet opdraven.

Binnen enkele seconden werd het bericht honderd keer herhaald en al gauw was het in Wall Street een vaststaand feit dat de jury in opstand was gekomen tegen de partij van de eiseres. De prijs sprong naar zevenenzeventig, vloog achtenzeventig voorbij, bereikte de negenenzeventig en kwam tegen de middag dicht bij de tachtig.

15

Van de zes vrouwen die nog in de jury zaten, had Fitch het met name voorzien op Rikki Coleman, een gezonde, aantrekkelijke, dertigjarige moeder van twee kinderen. Ze verdiende eenentwintigduizend dollar per jaar op de administratie van een plaatselijk ziekenhuis. Haar man verdiende zesendertigduizend dollar als privé-piloot. Ze woonden in een mooie buitenwijk met een strak gazon en een hypotheek van negentigduizend dollar, en ze reden allebei in een Japanse auto waar geen schuld op rustte. Ze spaarden ijverig en belegden conservatief – alleen al vorig jaar achtduizend dollar in beleggingsfondsen. Ze waren erg actief in hun kerk – zij gaf les op de zondagsschool en hij zong in het koor.

Het leek wel of de Colemans helemaal geen slechte gewoonten hadden. Ze rookten geen van beiden en voorzover was na te gaan, dronken ze ook niet. Hij mocht graag joggen en tennissen en zij bracht iedere dag een uur in de fitnessclub door. Omdat ze zo'n gezond leven leidde en bovendien in een ziekenhuis werkte, verwachtte Fitch weinig goeds van haar als jurylid. Ze hadden haar gynaecologische gegevens te pakken gekregen, maar ook daar was niets bijzonders in te vinden. Twee zwangerschappen, telkens een perfecte bevalling en een goed herstel. Ze kwam op tijd naar de jaarlijkse controle. Twee jaar geleden was er een mammogram gemaakt en daar was niets bijzonders op te zien geweest. Ze was een meter drieënzestig en woog drieënvijftig kilo.

Fitch had medische gegevens van zeven van de twaalf juryleden. Easters gegevens waren om voor de hand liggende redenen niet te vinden geweest. Herman Grimes was blind en had niets te verbergen. Savelle was nieuw en Fitch was nog aan het spitten. Lonnie Shaver was in minstens twintig jaar niet naar de dokter geweest. Sylvia Taylor-Tatums arts was een paar maanden geleden bij een ongeluk met een boot om het leven

gekomen en zijn opvolger was een nieuweling die niet wist hoe het spel gespeeld werd.
Het was een keihard spel en Fitch had zelf de meeste regels geschreven. Ieder jaar droeg het Fonds een miljoen dollar bij aan de Alliantie voor Gerechtelijke Hervorming (AGH), een actieve lobbygroep in Washington die hoofdzakelijk door verzekeringsmaatschappijen, medische genootschappen en industriële federaties werd gefinancierd. En door tabaksfabrikanten. De Grote Vier droegen elk honderdduizend dollar per jaar bij en Fitch en het Fonds schoven nog eens een miljoen onder de deur door. De AGH had tot doel te lobbyen voor wetgeving die de aansprakelijkheid van ondernemingen aan banden wilde leggen. Ze streefden met name naar afschaffing van schadevergoedingen die bij wijze van straf werden toegekend.
Luther Vandemeer, bestuursvoorzitter van Trellco, was een spraakmakend lid van het AGH-bestuur, en terwijl Fitch op de achtergrond aan de touwtjes trok, ging Vandemeer er in het bestuur van de organisatie vaak hard tegenaan. Fitch bleef onzichtbaar, maar kreeg zijn zin. Via Vandemeer en de AGH oefende Fitch een enorme druk op de verzekeringsmaatschappijen uit, die op hun beurt her en der een arts onder druk zetten, die op zijn beurt vertrouwelijke en uiterst geheime gegevens van bepaalde patiënten liet uitlekken. Dus toen Fitch wilde dat dokter Dow uit Biloxi de medische gegevens van Gladys Card per ongeluk naar een postbusnummer in Baltimore stuurde, zei hij tegen Vandemeer dat hij druk moest uitoefenen op relaties bij de St. Louis Mutual, waar Dow zich tegen beroepsaansprakelijkheid had verzekerd. Dow kreeg van de St. Louis Mutual te horen dat zijn verzekering misschien zou worden opgezegd als hij het spel niet meespeelde, en hij deed maar al te graag wat er van hem verlangd werd.
Fitch had een hele collectie medische dossiers, maar daar stond eigenlijk niets in waar hij iets aan had. Dat veranderde onder de lunch op dinsdag.
Toen Rikki Coleman nog Rikki Weld heette, studeerde ze aan een klein bijbelcollege in Montgomery, Alabama, waar ze erg populair was. Sommige van de knapste meisjes van de school gingen uit met jongens uit Auburn. Tijdens het routineonderzoek naar haar achtergronden kreeg Fitch' privédetective in Montgomery de indruk dat Rikki waarschijnlijk met veel jongens omging. Fitch oefende weer de nodige druk via de AGH uit en na twee weken van vruchteloze pogingen vonden ze ten slotte de juiste kliniek.
Het was een kleine, particuliere vrouwenkliniek in het centrum van Montgomery, een van de drie plaatsen in de stad waar destijds abortussen werden verricht. In het derde jaar van haar studie, een week na haar twintigste verjaardag, onderging Rikki Weld een abortus.
En Fitch had de gegevens. Na een telefoontje wist hij dat ze op komst waren en hij lachte in zichzelf toen hij de papieren uit zijn fax haalde. De

vader was onbekend geweest, maar dat gaf niet. Rikki had Rhea, haar man, een jaar na haar afstuderen ontmoet. Ten tijde van de abortus was Rhea vierdejaars student aan het Texas A & M, en het was maar zeer de vraag of ze elkaar toen ooit hadden ontmoet.
Fitch durfde er heel wat onder te verwedden dat de abortus een duister geheim was, een geheim dat door Rikki al bijna vergeten was en dat ze vast en zeker nooit aan haar man had verteld.

Het motel was een Siesta Inn in Pass Christian, een kustplaats dertig kilometer ten westen van Biloxi. Ze gingen er met een gehuurde autobus naar toe. Lou Dell en Willis zaten voorin bij de chauffeur en de veertien juryleden zaten verspreid door de bus. Er zaten er nergens twee naast elkaar. Er werd niet gepraat. Ze waren moe en in mineur, voelden zich nu al geïsoleerd en gedetineerd, al hadden ze hun tijdelijke onderkomen nog niet eens gezien. Gedurende de eerste twee weken van het proces hadden ze zich vrij gevoeld wanneer de zitting om vijf uur ophield; ze waren vlug weggegaan, vlug in de realiteit teruggekeerd, terug naar hun huis en kinderen en warme maaltijd, terug naar hun karweitjes en eventueel hun werk. Voortaan werden ze, als de zitting verdaagd werd, naar een andere cel gebracht, waar ze werden bewaakt en gadegeslagen en beschermd tegen boze schimmen die ergens rondwaarden.
Nicholas Easter was de enige die blij was met het besluit tot afzondering, maar het lukte hem er net zo kregelig uit te zien als de rest.
De county Harrison had de hele begane grond van een vleugel voor hen afgehuurd, in totaal twintig kamers, al zouden er maar negentien nodig zijn. Lou Dell en Willis hadden ieder een eigen kamer bij de deur die naar het hoofdgebouw leidde, waar de receptie en het restaurant waren. Een grote jonge deputy, Chuck, had een kamer aan het andere eind van de gang, kennelijk om de deur te bewaken die naar het parkeerterrein leidde. De kamers waren door rechter Harkin zelf aan de juryleden toegewezen. De tassen waren al overgebracht en in de kamers gezet, ongeopend en niet doorzocht. Sleutels werden als snoepgoed uitgedeeld door Lou Dell, die zich met het uur gewichtiger voelde. Bedden werden ingedrukt en geïnspecteerd – om de een of andere reden stond er in elke kamer een tweepersoonsbed. Televisies werden aangezet, maar bleken het niet te doen. Geen programma's, geen nieuws tijdens de afzondering. Alleen films op het kanaal van het motel. Badkamers werden onderzocht, kranen uitgeprobeerd, toiletten doorgespoeld. Die twee weken hier zouden zo lang lijken als een heel jaar.
De bus werd natuurlijk gevolgd door Fitch' jongens. Hij verliet de rechtbank dan ook met een politie-escorte, motoragenten voor en achter. Daardoor was hij gemakkelijk te volgen. Twee detectives die voor Rohr werk-

ten, volgden hem ook. Niemand verwachtte dat het motel geheim bleef. Nicholas had Savelle aan zijn ene en kolonel Herrera aan zijn andere kant. De kamers van de mannen bevonden zich naast elkaar; de vrouwen zaten aan de andere kant van de gang, alsof ze van elkaar gescheiden moesten worden om ongeoorloofd gerotzooi te voorkomen. Vijf minuten nadat de deur was opengegaan, was het of de muren op hem afkwamen, en tien minuten later klopte Willis hard aan en vroeg of alles in orde was. 'Fantastisch,' zei Nicholas zonder de deur open te doen.

De telefoons waren weggehaald, evenals de minibars. In een kamer aan het eind van de gang waren de bedden vervangen door twee ronde tafels, telefoons, comfortabele stoelen, een breedbeeldtelevisie en een bar met alle mogelijke niet-alcoholische dranken. Iemand noemde het de feestzaal, en die naam hield stand. Voor ieder telefoontje moest toestemming worden gevraagd aan een van hun bewakers en er waren geen inkomende telefoontjes toegestaan. Noodsituaties zouden via de receptie worden afgehandeld. In kamer 40, recht tegenover de feestzaal, waren de bedden ook weggehaald en was een eettafel geïmproviseerd.

Geen enkel jurylid mocht de vleugel verlaten zonder voorafgaande toestemming van rechter Harkin of goedkeuring van Lou Dell of een deputy. Er was geen avondklok, want ze konden toch nergens heen, maar de feestzaal ging om tien uur dicht.

Het avondeten was van zes tot zeven uur, het ontbijt van zes tot half negen, en ze hoefden niet allemaal tegelijk te komen eten. Ze konden komen en gaan wanneer ze wilden. Ze konden iets op een bord doen en daarmee naar hun kamer teruggaan. Rechter Harkin maakte zich erg druk om de kwaliteit van het eten en vroeg iedere morgen of er klachten waren. Het smörgœsbord van dinsdag bestond uit gebraden kip of geroosterde snapper, met salades en veel groenten. Ze verbaasden zich over hun eigen eetlust. De hele dag hadden ze niets anders gedaan dan zitten luisteren, maar toen het eten om zes uur arriveerde, waren de meesten slap van de honger. Nicholas maakte het eerste bord klaar en ging aan het eind van de tafel zitten, waar hij met iedereen begon te praten en erop stond dat ze als groep zouden eten. Hij was opgewekt en enthousiast en gedroeg zich alsof hun afzondering alleen maar een avontuur was. Zijn enthousiasme sloeg enigszins op de anderen over.

Herman Grimes was de enige die in zijn kamer at. Mevrouw Grimes maakte twee borden klaar en ging vlug weg. Rechter Harkin had haar met strikte schriftelijke instructies verboden om met de jury te eten. Dat gold ook voor Lou Dell en Willis en Chuck. Dus toen Lou Dell de kamer binnenkwam om eten te halen en Nicholas net een verhaal aan het vertellen was, hield het gesprek abrupt op. Ze schepte een paar groene bonen en een kippenborst en een warm broodje op, en ging weg.

Ze vormden nu een groep, geïsoleerd en verbannen, afgesneden van de realiteit en tegen hun wil opgesloten in een Siesta Inn. Ze hadden alleen elkaar. Easter was vastbesloten de stemming erin te houden. Misschien werden ze geen gezin, maar wel een soort broederschap. Hij zou alles in het werk stellen om ruzie en kliekvorming te voorkomen.
Ze keken naar twee films in de feestzaal. Om tien uur sliepen ze allemaal.

'Ik ben aan mijn echtelijke bezoek toe,' zei Jerry Fernandez onder het ontbijt. Hij keek daarbij in de richting van Gladys Card, die meteen begon te blozen.
'God nog aan toe,' zei ze en ze rolde met haar ogen. Jerry glimlachte naar haar alsof zij het voorwerp van zijn begeerte zou kunnen zijn. Het ontbijt was een waar feestmaal. Alles was er, van gebakken ham tot en met cornflakes.
Nicholas kwam midden onder de maaltijd. Hij groette de aanwezigen zachtjes en maakte een zorgelijke indruk. 'Ik begrijp niet dat we geen telefoon mogen hebben,' was het eerste wat hij zei, en de opgewekte ochtendstemming was meteen verzuurd. Hij ging tegenover Jerry zitten, die zijn gezicht zag en meteen meedeed.
'Waarom krijgen we geen koel glas bier?' vroeg Jerry. 'Als ik thuis ben, neem ik iedere avond een koel glas bier, soms wel twee. Wie heeft het recht om te dicteren wat we hier mogen drinken?'
'Rechter Harkin,' antwoordde Millie Dupree, een vrouw die geen alcohol gebruikte.
'Allemachtig.'
'En televisie?' vroeg Nicholas. 'Waarom mogen we geen televisie kijken? Ik heb sinds het begin van het proces naar de televisie gekeken en ik kan me niet herinneren dat ik er opgewonden van werd.' Hij wendde zich tot Loreen Duke, een forsgebouwde vrouw met een bord vol roerei. 'Heb jij ooit meegemaakt dat het programma plotseling werd onderbroken voor het laatste nieuws over het proces?'
'Nee.'
Hij keek Rikki Coleman aan, die achter een heel klein kommetje onschuldige vlokken zat. 'En een fitnessruimte, ergens waar we lekker kunnen zweten als we acht uur in de rechtszaal hebben gezeten? Ze hadden toch wel een motel met een fitnessruimte voor ons kunnen vinden?' Rikki knikte meteen.
Loreen slikte haar roerei door en zei: 'Wat ik niet begrijp is dat we geen telefoon mogen hebben. Misschien moeten mijn kinderen me bellen. Het is heus niet zo dat een gangster naar mijn kamer gaat bellen om me te bedreigen.'
'Ik zou wel een koel biertje willen, of twee,' zei Jerry. 'En misschien een

paar extra echtelijke bezoeken,' voegde hij eraan toe, weer met zijn blik in Gladys Cards richting.
Het gemopper won terrein rondom de tafel en binnen tien minuten nadat Easter was binnengekomen stonden de juryleden op het punt om in opstand te komen. De willekeurige ergernissen vormden nu een hele waslijst van grieven. Zelfs Herrera, de gepensioneerde kolonel die in jungles had gekampeerd, was niet blij met de keuze van de drankjes in de feestzaal. Millie Dupree protesteerde tegen de afwezigheid van kranten. Lonnie Shaver had dringende zaken te doen en had grote bezwaren tegen de afzondering zelf. 'Ik kan zelf denken,' zei hij. 'Niemand kan me beïnvloeden.' Hij had op zijn minst een telefoon nodig. Phillip Savelle deed iedere morgen bij zonsopgang yoga in de bossen, in zijn eentje, om in contact te staan met de natuur, en er stond geen boom binnen tweehonderd meter van het motel. En hoe zat het met de kerkgang? Mevrouw Card was een vrome baptiste die nooit een dienst op woensdagavond of een visitatie op dinsdag of een gebedsbijeenkomst op vrijdag oversloeg, en natuurlijk had ze op de sabbat ook tal van religieuze activiteiten.
'We kunnen beter meteen orde op zaken stellen,' zei Nicholas ernstig. 'We zitten hier twee weken, misschien wel drie. Ik vind dat we met rechter Harkin moeten praten.'

Rechter Harkin zat met negen advocaten in zijn kamer. Zoals iedere dag kibbelden ze over de punten die ze buiten de jury wilden houden. Hij wilde dat de advocaten elke ochtend om acht uur bij hem kwamen, en als 's middags de jury was vertrokken, dwong hij de advocaten ook vaak nog een uur of twee bij hem te blijven. Een verhit debat tussen Rohr en Cable werd onderbroken doordat er opeens hard op de deur werd geklopt. Gloria Lane duwde de deur open totdat deze de stoel raakte waar Oliver McAdoo op zat.
'We hebben een probleem met de jury,' zei ze ernstig.
Harkin sprong overeind. 'Wat?'
'Ze willen u spreken. Meer weet ik er ook niet van.'
Harkin keek op zijn horloge. 'Waar zijn ze?'
'In het motel.'
'Kunnen we ze niet hierheen brengen?'
'Nee. Dat hebben we geprobeerd. Ze komen pas als ze met u hebben gesproken.'
Hij liet zijn schouders zakken en zijn mond viel open. 'Dit begint belachelijk te worden,' zei Wendall Rohr tegen niemand in het bijzonder. De advocaten blikten naar de rechter, die peinzend naar de stapels papieren op zijn bureau keek en probeerde zijn gedachten te ordenen. Toen wreef hij zijn handen over elkaar en keek alle aanwezigen met een brede, gespeelde

glimlach aan. 'Laten we naar ze toe gaan.'
Konrad nam om twee minuten over acht het eerste telefoontje aan. Marlee wilde niet met Fitch spreken, wilde hem alleen de boodschap geven dat de jury weer in de contramine was en pas te voorschijn zou komen als Harkin zich naar de Siesta Inn had begeven om hen gerust te stellen. Konrad rende naar Fitch' kamer om de boodschap door te geven.
Om negen over acht belde ze opnieuw en gaf ze Konrad de informatie dat Easter een donker denim shirt over een lichtbruin T-shirt zou dragen, met rode sokken en de gebruikelijke gestreken kaki broek. Rode sokken, herhaalde ze.
Om twaalf over acht belde ze voor de derde keer en vroeg ze naar Fitch, die inmiddels rondjes om zijn bureau liep en aan zijn sikje plukte. Hij klemde de hoorn in zijn hand. 'Hallo.'
'Goedemorgen, Fitch,' zei ze.
'Goedemorgen, Marlee.'
'Ben je ooit in het St. Regis Hotel in New Orleans geweest?'
'Nee.'
'Dat is aan Canal Street in het French Quarter. Er is een openluchtbar op het dak. Die heet de Terrace Grill. Neem een tafel met uitzicht op het Quarter. Zorg dat je er om zeven uur vanavond bent. Ik kom later. Kun je me volgen?'
'Ja.'
'En kom alleen, Fitch. Ik zal zien dat je het hotel binnengaat, en als je vrienden meebrengt, gaat het niet door. Goed?'
'Goed.'
'En als je me probeert te volgen, verdwijn ik.'
'Je hebt mijn woord.'
'Waarom ben ik niet gerust op jouw woord, Fitch?' Ze hing op.

Cable, Rohr en rechter Harkin werden bij de receptie opgewacht door Lou Dell, die in haar zenuwen meteen begon te ratelen dat dit haar nog nooit eerder was overkomen; ze had haar jury's altijd onder controle gehad. Ze bracht hen naar de feestzaal, waar dertien van de veertien juryleden zaten. Herman Grimes was de enige dissident. Hij had met de anderen over hun tactiek gediscussieerd en had Jerry Fernandez zo kwaad gemaakt dat hij zelf een schoffering moest incasseren. Jerry had opgemerkt dat Herman zijn vrouw bij zich had, dat hij niets aan televisie of kranten had, niet meer dronk en waarschijnlijk ook geen fitnessruimte nodig had. Jerry had zich verontschuldigd nadat Millie Dupree hem daarom had gevraagd.
Als de rechter al in een slecht humeur was, duurde dat in elk geval niet lang. Na enkele aarzelende begroetingen ging hij echter nogal slecht van start: 'Ik vind dit alles een klein beetje verontrustend.'

Waarop Nicholas Easter antwoordde: 'We zijn niet in de stemming om met ons te laten sollen.'
Het was Rohr en Cable uitdrukkelijk verboden iets te zeggen. Ze bleven bij de deur staan en keken geamuseerd toe. Ze wisten allebei dat dit een tafereel was dat ze in hun hele juridische carrière waarschijnlijk nooit meer zouden meemaken.
Nicholas had hun klachten op papier gezet. Rechter Harkin trok zijn jas uit, ging zitten en werd al gauw van alle kanten bestookt. Hij was vreselijk in de minderheid en kon zich nauwelijks verweren.
Bier was geen probleem. Kranten konden worden gecensureerd. Ze konden telefoon krijgen en mochten daar dan onbeperkt gebruik van maken. En ook een televisie, maar alleen als ze beloofden niet naar het regionale nieuws te kijken. Die fitnessruimte zou wel een probleem kunnen zijn, maar hij zou er zeker alles aan doen. Bezoeken aan de kerk konden geregeld worden.
In feite was alles aan te passen.
'Kunt u uitleggen waarom we hier zijn?' wilde Lonnie Shaver weten.
De rechter probeerde het. Hij schraapte zijn keel en probeerde met tegenzin uiteen te zetten waarom hij hen had opgesloten. Hij had het een tijdje over ongeoorloofde contacten, over wat er tot nu toe met deze jury was gebeurd, en hij verwees vaag naar dingen die in andere tabaksprocessen waren gebeurd.
De misdragingen waren goed gedocumenteerd en beide partijen hadden zich er in het verleden schuldig aan gemaakt. Fitch had een breed spoor getrokken door het landschap van de tabaksprocessen. Mensen die voor de advocaten werkten hadden in andere zaken ook wel eens dingen gedaan die niet door de beugel konden. Maar daar kon rechter Harkin in het bijzijn van zijn jury niet over praten. Hij moest voorzichtig zijn, mocht niet de indruk wekken dat hij voor een van beide partijen koos.
Het gesprek duurde een uur. Harkin vroeg om de belofte dat ze niet meer zouden staken, maar Easter wilde zich niet vastleggen.

Pynex opende twee punten lager zodra het nieuws van de tweede jurystaking tot de beurs doordrong. Volgens een analist die in de rechtszaal zat te wachten, was de staking een uiting van een niet helemaal duidelijke, negatieve reactie van de juryleden op iets in de tactiek die de vorige dag door het Pynex-team was gebruikt. Die tactiek was zelf ook niet helemaal duidelijk. Een tweede gerucht, afkomstig van een andere analist in Biloxi, was iets minder ongunstig. Volgens dit gerucht wist niemand in de rechtszaal zeker waarom de jury staakte. Het aandeel zakte nog een half punt alvorens zich te herstellen en in de loop van de ochtendhandel langzaam weer omhoog te kruipen.

De teer in sigaretten veroorzaakt kanker, in elk geval bij laboratoriumratten. Doctor James Ueuker uit Palo Alto werkte al vijftien jaar met muizen en ratten. Hij had zelf veel onderzoek gedaan en ook het werk van andere onderzoekers op de hele wereld grondig bestudeerd. Uit minstens zes grote onderzoeken was naar zijn mening onomstotelijk gebleken dat er verband bestond tussen sigaretten roken en longkanker. Tot in details legde hij de jury precies uit hoe hij en zijn team condensaten van tabaksrook hadden genomen, die meestal kortweg 'teren' werden genoemd, en hoe ze die rechtstreeks op de huid hadden gestreken van wat wel een miljoen witte muizen leken. De foto's waren groot en in kleur. De muizen die geluk hadden, kregen maar een klein beetje teer, de pechmuizen kwamen helemaal onder te zitten. Het resultaat verbaasde niemand: hoe meer teer, des te eerder ontstond er huidkanker.
Op het eerste gezicht was er veel verschil tussen huidkanker bij muizen en longkanker bij mensen. Doctor Ueuker kon, geassisteerd door Rohr, bijna niet wachten tot hij het verband had aangetoond. In de medische geschiedenis was telkens weer gebleken dat laboratoriumresultaten uiteindelijk ook van toepassing waren op mensen. Daar waren maar heel weinig uitzonderingen op. Hoewel muizen en mensen een totaal verschillend leefmilieu hadden, waren de resultaten van sommige dierproeven volkomen consistent met de epidemiologische bevindingen bij mensen.
Alle beschikbare jury-experts waren tijdens Ueukers getuigenverklaring in de rechtszaal aanwezig. Walgelijke kleine knaagdieren waren tot daaraan toe, maar konijnen en beagles waren zulke leuke diertjes. In het kader van Ueukers volgende onderzoek werden konijnen op soortgelijke wijze met teer besmeurd, met praktisch hetzelfde resultaat. Voor zijn laatste onderzoek had hij dertig beagles gebruikt, die hij leerde roken door een slangetje in hun luchtpijp. De zware rokers rookten negen sigaretten per dag, het equivalent van ongeveer veertig sigaretten voor een man van zeventig kilo. Bij die honden werd na achthonderdvijfenzeventig dagen van roken ernstige longbeschadiging in de vorm van invasieve tumoren geconstateerd. Ueuker gebruikte honden, omdat ze dezelfde reactie op het roken van sigaretten vertoonden als mensen.
Maar hij zou niet de kans krijgen deze jury over zijn konijnen en beagles te vertellen. Een goedwillende amateur hoefde maar even naar Millie Dupree's gezicht te kijken en hij wist dat ze diep medelijden met de muizen had en een wrok tegen Ueuker koesterde omdat hij ze doodmaakte. Sylvia Taylor-Tatum en Angel Weese vertoonden ook een zekere stemming van ongenoegen. Gladys Card en Phillip Savelle gaven op subtiele wijze blijk van hun afkeuring. De andere mannen deed het niets.
Rohr en zijn mensen besloten in de lunchpauze om van de rest van de getuigenverklaring van James Ueuker af te zien.

16

Jumper, de deputy in de rechtszaal die dertien dagen eerder het briefje van Marlee had aangenomen en aan Fitch had gegeven, werd in de lunchpauze benaderd. Er werd hem vijfduizend dollar geboden als hij zich ziek meldde met maagkramp of diarree of zoiets, en in burgerkleding met Pang naar New Orleans wilde reizen, voor een avond met lekker eten, veel plezier en misschien een call-girl als Jumper daar iets voor voelde. Pang verlangde alleen maar een paar uur licht werk van hem. Jumper kon het geld goed gebruiken.

Om half een verlieten ze Biloxi in een gehuurd busje. Toen ze twee uur later in New Orleans arriveerden, was Jumper overgehaald om zijn baan bij de county tijdelijk op te geven en een tijdje voor Arlington West Associates te gaan werken. Pang bood hem vijfentwintigduizend dollar voor zes maanden werken, negenduizend meer dan hij momenteel in een heel jaar verdiende.

Ze namen hun kamers in het St. Regis, twee eenpersoonskamers aan weerskanten van Fitch, die maar vier kamers van het hotel had kunnen loskrijgen. Holly had een kamer aan dezelfde gang. Dubaz, Joe Boy en Dante zaten vier straten verderop in het Royal Sonesta. Jumper werd eerst op een barkruk in de lounge geparkeerd, waar hij een goed zicht had op de hoofdingang van het hotel.

Het wachten begon. De middag ging over in de avond en ze had zich nog steeds niet laten zien. Dat verbaasde niemand. Jumper werd vier keer verplaatst en kreeg al gauw genoeg van het surveillancewerk.

Tegen zeven uur verliet Fitch zijn kamer en ging met de lift naar het dak. Hij had een hoektafel met een mooi uitzicht op het Quarter. Holly en Dubaz zaten drie meter van hem vandaan aan een tafel, allebei goed gekleed, en hadden zo te zien geen belangstelling voor andere mensen.

Dante en een escortmeisje in zwarte minirok hadden een andere tafel. Joe Boy zou de foto's maken.
Om half acht dook ze uit het niets op. Jumper en Pang hadden haar niet bij de hoofdingang gezien. Ze kwam gewoon door de openslaande tuindeuren het dak op en was in een ommezien bij Fitch' tafel. Hij begreep later dat ze hetzelfde had gedaan als zij: onder een andere naam een kamer in het hotel genomen en de trap gebruikt. Ze droeg een broek en een jasje en was erg aantrekkelijk: kort donker haar, bruine ogen, interessant gezicht, erg weinig make-up, maar ze had ook niet veel nodig. Hij schatte haar ergens tussen de achtentwintig en tweeëndertig. Ze ging vlug zitten, zo vlug dat Fitch niet eens gelegenheid had haar een stoel aan te bieden. Ze zat recht tegenover hem, met haar rug naar de andere tafels toe.
'Ik ben blij je te ontmoeten,' zei hij zachtjes. Hij keek om zich heen naar de andere tafels om te zien of er iemand luisterde.
'Ja, een groot genoegen,' antwoordde ze, leunend op haar ellebogen.
De ober kwam snel en efficiënt naar hen toe en vroeg of ze iets wilde drinken. Nee, dat wilde ze niet. De ober was omgekocht om alles wat ze met haar vingers had aangeraakt zorgvuldig apart te houden: glazen, borden, bestek, asbakken, alles. Hij zou die kans niet krijgen.
'Heb je honger?' vroeg Fitch, terwijl hij een slokje mineraalwater nam.
'Nee. Ik heb haast.'
'Waarom?'
'Hoe langer ik hier zit, des te meer foto's kunnen jouw gangsters van me maken.'
'Ik ben alleen.'
'Maak dat de kat wijs. Hoe vond je die rode sokken?' Er begon een jazzbandje op het dak te spelen, maar ze negeerde het. Haar blik liet Fitch geen moment los.
Fitch legde zijn hoofd in de nek en snoof. Het was nog steeds bijna niet te geloven dat hij met de vriendin van een van zijn juryleden praatte. Hij had wel vaker indirect contact met juryleden gehad, een aantal keren op verschillende manieren, maar nooit zo dichtbij.
En ze kwam naar hem toe!
'Waar komt hij vandaan?' vroeg Fitch.
'Wat doet dat ertoe? Hij is nu hier.'
'Is hij je man?'
'Nee.'
'Je vriendje?'
'Je stelt veel vragen.'
'Jij roept veel vragen op, jongedame. En je verwacht van me dat ik ze stel.'
'Hij is een kennis.'
'Wanneer heeft hij de naam Nicholas Easter aangenomen?'

'Wat maakt dat uit? Dat is zijn officiële naam. Hij is officieel ingezetene van Mississippi, een geregistreerde kiezer. Als hij dat wil, verandert hij iedere maand van naam.'
Ze vouwde haar handen samen onder haar kin. Hij wist dat ze niet de fout zou maken vingerafdrukken achter te laten. 'En jij?' vroeg Fitch.
'Ik?'
'Ja, jij staat niet geregistreerd als kiezer in Mississippi.'
'Hoe weet je dat?'
'Dat zijn we nagegaan. Waarbij we natuurlijk veronderstellen dat Marlee je echte naam is en dat we die naam goed spellen.'
'Je veronderstelt te veel.'
'Dat is mijn werk. Kom je van de Golfkust?'
'Nee.'
Joe Boy boog zich net lang genoeg tussen twee plastic buksboompjes naar voren om zes foto's van de zijkant van haar gezicht te maken. Een goed zicht zou hij pas hebben wanneer hij als een koorddanser boven op een stenen muurtje ging staan, achttien verdiepingen boven de straat. Hij zou in het groen verscholen blijven en hopen dat hij een betere kans kreeg als ze wegging.
Fitch liet de ijsblokjes in zijn glas tinkelen. 'Waarom zijn we hier?' vroeg hij.
'De ene ontmoeting leidt tot de andere.'
'En waartoe leiden al die ontmoetingen ons?'
'Tot de uitspraak van de jury.'
'Voor een vergoeding, neem ik aan.'
'Dat woord "vergoeding" klinkt nogal klein, vind ik. Neem je dit op?' Ze wist heel goed dat Fitch ieder geluid op de band opnam.
'Natuurlijk niet.'
Wat haar betrof, mocht hij het bandje in zijn slaap afspelen. Hij had er niets bij te winnen als hij het aan iemand liet horen. Hij had te veel boter op zijn hoofd om naar de politie of de rechter te kunnen rennen, en trouwens, dat was niet zijn manier van werken. Het idee dat hij haar kon chanteren door te dreigen haar bij de autoriteiten aan te geven, kwam niet bij Fitch op, en dat wist zij ook.
Hij mocht alle foto's nemen die hij wilde, en hij en zijn gangsters in het hotel mochten haar schaduwen en afluisteren. Ze zou het spel een tijdje meespelen en er dan vandoor gaan en hen laten werken voor hun geld. Ze zouden niets ontdekken.
'Laten we het nu niet over geld hebben. Goed, Fitch?'
'We zullen praten over alles waarover jij wilt praten. Dit is jouw show.'
'Waarom hebben jullie bij hem ingebroken?'
'Zulke dingen doen we nu eenmaal.'

'Wat vind je van Herman Grimes?' vroeg ze.
'Waarom vraag je me dat? Jij weet precies wat er in de jurykamer gebeurt.'
'Ik wil weten hoe slim jij bent. Ik wil graag weten of al die jury-experts en juristen hun geld opbrengen.'
'Ik heb nooit verloren, dus ze brengen altijd hun geld op.'
'Nou, hoe denken jullie over Herman?'
Fitch dacht even na en vroeg met een handgebaar om nog een glas water. 'Hij zal veel invloed op de uitspraak hebben omdat hij iemand is met een duidelijke mening. Op dit moment stelt hij zich nog open voor beide standpunten. Hij luistert aandachtig naar alles wat er in de rechtszaal wordt gezegd en weet waarschijnlijk meer dan ieder ander jurylid, met natuurlijk één uitzondering: jouw vriend. Zie ik het goed?'
'Je zit er tamelijk dichtbij.'
'Ik ben blij dat te horen. Hoe vaak praat je met je vriend?'
'Soms. Herman was vanmorgen tegen die staking. Wist je dat?'
'Nee.'
'Hij was de enige van de veertien.'
'Waarom staakten ze?'
'Voor betere leefomstandigheden. Telefoon, televisie, bier, seks, kerk, de gebruikelijke hunkeringen van de mensheid.'
'Wie leidde de staking?'
'Degene die vanaf de eerste dag de leiding heeft gehad.'
'Ik begrijp het.'
'Daarom ben ik hier, Fitch. Als mijn vriend niet de leiding had, zou ik niets te bieden hebben.'
'En wat heb je te bieden?'
'Ik zei dat we nu niet over geld zouden praten.'
De ober zette het glas water voor Fitch neer en vroeg weer aan Marlee of ze iets wilde drinken. 'Ja, een suikervrije cola in een plastic bekertje, alstublieft.'
'We, eh, we hebben geen plastic bekertjes,' zei de ober met een vragende blik in Fitch' richting.
'Laat dan maar,' zei ze, grijnzend naar Fitch.
Fitch besloot niet aan te dringen. 'Hoe is de stemming in de jury momenteel?'
'Ze vervelen zich. Herrera vindt het prachtig. Hij vindt dat advocaten die dit soort processen aanspannen tuig van de richel zijn en dat dit soort processen aan banden moeten worden gelegd.'
'Mijn held. Kan hij zijn vrienden overtuigen?'
'Nee. Hij heeft geen vrienden. Ze hebben allemaal de pest aan hem. Hij is zonder enige twijfel het minst populaire lid van de jury.'
'Wie is het populairste meisje?'

'Millie is voor iedereen een moeder, maar ze zal geen grote rol spelen. Rikki is charmant en populair, en ze vindt gezondheid erg belangrijk. Van haar hebben jullie weinig goeds te verwachten.'
'Dat is geen verrassing.'
'Wil je een verrassing, Fitch?'
'Ja, verras me eens.'
'Welk jurylid is begonnen met roken sinds het proces is begonnen?'
Fitch kneep zijn ogen half dicht en hield zijn hoofd een beetje schuin. Hoorde hij dat goed? 'Begonnen met roken?'
'Ja.'
'Ik geef het op.'
'Easter. Ben je nu verrast?'
'Je vriend.'
'Ja. Zeg Fitch, ik moet weg. Ik bel je morgen wel.' Ze stond op en was weg. Ze verdween even snel als ze gekomen was.
Dante en de escortdame reageerden eerder dan Fitch, die zich had laten overbluffen door de snelheid waarmee ze was weggegaan. Dante nam zijn radio en gaf haar vertrek door aan Pang in de hal, die haar de lift zag uitkomen en het hotel zag verlaten. Jumper volgde haar twee straten te voet en raakte haar in een druk straatje kwijt.
Een uur lang keken ze in straten en parkeergarages en hotels en bars, maar ze vonden haar niet. Fitch was in zijn kamer in het St. Regis toen er een telefoontje kwam van Dubaz, die inmiddels op het vliegveld was geposteerd. Marlee wachtte op een forensenvlucht die over anderhalf uur vertrok en om tien voor elf in Mobile zou landen, zei hij. Volg haar niet, zei Fitch tegen hem, en hij belde twee van zijn mensen in Biloxi, die meteen in volle vaart naar het vliegveld van Mobile reden.
Marlee had een flat tegenover de Back Bay van Biloxi gehuurd. Toen ze nog twintig minuten van huis was, belde ze de politie van Biloxi door 911 in te toetsen op haar zaktelefoon. Ze legde uit dat ze gevolgd werd door twee gangsters in een Ford Taurus. Ze volgden haar al sinds ze uit Mobile was vertrokken, zei ze. Het waren ongure types en ze vreesde voor haar leven. Op aanwijzingen van de man in de politiecentrale reed Marlee het ene na het andere straatje in en stopte ten slotte bij een benzinestation. Terwijl zij haar tank liet vollopen, stopte er een politiewagen achter de Taurus, die om de hoek achter een gesloten stomerij verscholen stond. De twee boeven kregen opdracht uit te stappen en werden over het parkeerterrein geleid om de confrontatie aan te gaan met de vrouw die ze hadden gevolgd.
Marlee wist de rol van doodsbang slachtoffer erg goed te spelen. De politiemannen werden nog woedender toen ze begon te huilen. Fitch' gangsters gingen de cel in.

Om tien uur vouwde Chuck, de grote deputy met het norse gezicht, een klapstoel aan het eind van de gang open, dicht bij zijn kamer, en begon aan de wacht van die nacht. Het was woensdagavond, de tweede avond van de afzondering, en het werd tijd dat ze de bewaking te slim af waren.
Om kwart over elf belde Nicholas naar Chucks kamer. Zodra Chuck zijn post verliet om de telefoon op te nemen, glipten Jerry en Nicholas hun kamer uit en verdwenen vlug door de uitgang bij Lou Dells kamer. Lou Dell was in diepe slaap verzonken. En hoewel Willis het grootste deel van de dag op de rechtbank had zitten dutten, lag hij ook al in bed. Hij snurkte zo hard, dat het op de gang te horen was.
Ze vermeden de hal en slopen door het donker tot ze bij de taxi kwamen die precies op de plaats stond waar ze hem hadden besteld. Een kwartier later betraden ze het Nugget Casino in Biloxi Beach. Ze dronken drie biertjes in de sportbar en Jerry verloor honderd dollar aan een hockeywedstrijd. Ze flirtten met twee getrouwde vrouwen, wier echtgenoten aan de crap-tafels bezig waren een fortuin te winnen of te verliezen. Dat flirten begon serieus te worden, en om een uur verliet Nicholas de bar om vijf-dollar-blackjack te spelen en cafeïnevrije koffie te drinken. Hij speelde en wachtte en keek naar de mensen. Het begon wat rustiger in het casino te worden.
Marlee ging op de stoel naast hem zitten en zei niets. Nicholas schoof haar een klein stapeltje chips toe. De enige andere speler was een dronken student. 'Boven,' fluisterde ze tussen twee spelletjes door, toen de croupier iets tegen de zaalchef zei.
Ze ontmoetten elkaar op een groot balkon met uitzicht op het parkeerterrein en de oceaan in de verte. Het was november en de lucht was licht en koel. Er was daar verder niemand. Ze kusten elkaar en zaten dicht tegen elkaar aan op een bankje. Ze vertelde over haar reis naar New Orleans; ieder detail, ieder woord. Ze lachten om de twee jongens uit Mobile die nu in de cel zaten. De volgende morgen zou ze Fitch bellen om zijn mannen vrij te krijgen.
Ze spraken korte tijd over zaken, want Nicholas wilde naar de bar terug en Jerry ophalen voordat die te veel dronk en al zijn geld verloor of met de vrouw van iemand anders werd betrapt.
Ze hadden allebei een kleine zaktelefoon, maar die kon je nooit helemaal beveiligen. Ze wisselden nieuwe codes en wachtwoorden uit.
Nicholas gaf haar een afscheidskus en liet haar op het balkon achter.

Wendall Rohr had sterk de indruk dat de jury er genoeg van had om naar al die geleerden te luisteren, al die mannen die met hun onderzoeksresultaten te koop liepen en college gaven met hun tabellen en grafieken. Zijn jury-experts vertelden hem dat de juryleden nu wel genoeg over longkanker en roken hadden gehoord en er waarschijnlijk al voordat het proces

begon van overtuigd waren geweest dat sigaretten verslavend en gevaarlijk waren. Hij vond dat hij nu een duidelijk causaal verband had aangetoond tussen de Bristols en de tumoren die Jacob Wood hadden gedood. Het werd nu tijd om de zaak af te werken. Op donderdagochtend maakte hij bekend dat de eiseres nu Lawrence Krigler als getuige opriep. In de tijd die nodig was om Krigler van een van de achterste tribunebanken naar voren te krijgen, daalde er een tastbare spanning over de Pynex-tafel neer. Een andere advocaat van de eiseres, John Riley Milton uit Denver, stond op en glimlachte vriendelijk naar de jury.
Lawrence Krigler was achter in de zestig, gebruind en fit, goed gekleed en had een veerkrachtige tred. Hij was de eerste getuige in twee weken tijd die geen doctor of professor voor zijn naam had staan. Hij woonde tegenwoordig in Florida. Daar woonde hij sinds hij niet meer voor Pynex werkte. John Riley Milton joeg hem vlug door de inleidende vragen heen, want hij wilde zo gauw mogelijk terzake komen.
Krigler, een ingenieur die aan de North Carolina State University had gestudeerd, had dertig jaar voor Pynex gewerkt voordat hij, dertien jaar geleden, met grote ruzie bij Pynex weg was gegaan. Hij had een proces tegen Pynex aangespannen. De onderneming had een proces tegen hem aangespannen. Het kwam tot een schikking buiten de rechtbank om. De voorwaarden van die schikking waren nooit bekendgemaakt.
Toen hij voor Pynex ging werken, had het bedrijf, dat toen nog Union Tobacco heette, of kortweg U-Tab, hem naar Cuba gestuurd, waar hij een studie van de tabaksproductie moest maken. Sindsdien had hij altijd in de productie gewerkt, of tenminste tot de dag dat hij wegging. Hij had studie gemaakt van het tabaksblad en van duizend en een manieren om het efficiënter te verbouwen. Hij beschouwde zich als een deskundige op dat terrein, al trad hij niet als getuige-deskundige op en zou hij geen mening geven. Alleen feiten.
In 1969 voltooide hij een intern onderzoek dat drie jaar had geduurd. Het ging over de mogelijkheid om een experimenteel tabaksblad te kweken dat door de onderzoekers Raleigh 4 was genoemd. Het bevatte een derde van de nicotine die normale tabak bevatte. Op grond van een uitgebreid onderzoek constateerde Krigler dat Raleigh 4 even efficiënt kon worden verbouwd en geproduceerd als alle andere soorten tabak die indertijd door U-Tab werden verbouwd en geproduceerd.
Het was een monumentaal werk en hij was er trots op. Daarom kwam het zo hard aan dat zijn onderzoek aanvankelijk volkomen door de hogere echelons van de onderneming werd genegeerd. Moeizaam baande hij zich een weg door de onwrikbare bureaucratie boven hem, met ontmoedigend resultaat. Niemand scheen zich voor die nieuwe tabak met minder nicotine te interesseren.

Toen merkte hij dat hij zich volkomen vergiste. Zijn bazen hadden wel degelijk grote belangstelling voor het nicotinegehalte. In de zomer van 1971 legde hij de hand op een memorandum waarin het hoger management opdracht kreeg om in alle discretie alles in het werk te stellen om Kriglers werk aan Raleigh 4 in diskrediet te brengen. Zijn eigen mensen staken hem stilletjes een dolk in de rug. Hij liet niets blijken, vertelde niemand dat hij dat memorandum had, en probeerde in het geheim de achtergronden van dat complot tegen hem te ontdekken.
Op dit punt van zijn getuigenverklaring diende John Riley Milton twee bewijsstukken in: het dikke onderzoeksrapport van Krigler uit 1969 en het memorandum uit 1971.
Het antwoord werd Krigler volkomen duidelijk, en het was iets wat hij al vermoedde. U-Tab kon het zich niet veroorloven een tabak met veel minder nicotine te produceren, want nicotine betekende winst. De tabaksindustrie wist al sinds het eind van de jaren dertig dat nicotine lichamelijk verslavend was.
'Hoe weet u dat de industrie het wist?' vroeg Milton nadrukkelijk. Met uitzondering van de advocaten van Pynex, die hun best deden om een gemelijke, onverschillige indruk te maken, luisterde de hele rechtszaal gefascineerd naar de getuige.
'Dat wist iedereen die daar werkte,' antwoordde Krigler. 'Er was een geheim onderzoek uit het eind van de jaren dertig, betaald door een tabaksonderneming. Uit dat onderzoek bleek zonneklaar dat de nicotine in een sigaret verslavend is.'
'Hebt u dat rapport gezien?'
'Nee. Zoals te verwachten was, is het goed verborgen gehouden.' Krigler zweeg even en keek naar de tafel van Pynex. Nu zou de bom inslaan. Hij genoot van dit moment. 'Maar ik kreeg een memorandum onder...'
'Ik maak bezwaar!' riep Cable, en stond op. 'Deze getuige kan niet verklaren wat hij in een schriftelijk document al dan niet heeft gezien. Daar zijn tal van redenen voor en die hebben we uiteengezet in een notitie over dit onderwerp.'
Die notitie was tachtig bladzijden lang en er was nu al een maand over geargumenteerd. Rechter Harkin had al schriftelijk een beslissing genomen. 'Uw bezwaar is gehoord, meneer Cable. Meneer Krigler, u kunt verdergaan.'
'In de winter van 1973 zag ik een memorandum van één pagina waarin een samenvatting werd gegeven van het nicotineonderzoek uit de jaren dertig. Dat memorandum was vele malen gekopieerd. Het was erg oud en er was iets in veranderd.'
'In welk opzicht veranderd?'

'De datum was weggehaald, evenals de naam van de persoon die het had ingediend.'
'Aan wie was het verzonden?'
'Het was verzonden aan Sander S. Fraley, die destijds president-directeur van Allegheny Growers was, de voorganger van een onderneming die nu ConPack heet.'
'Een tabaksbedrijf.'
'Ja, in feite wel. Het noemt zich producent van consumentenartikelen, maar de sigarettenproductie vormt het overgrote deel van de activiteiten.'
'Wanneer was hij president-directeur?'
'Van 1931 tot 1942.'
'Mogen we dus aannemen dat het memorandum vóór 1942 is verzonden?'
'Ja. De heer Fraley is in 1942 overleden.'
'Waar was u toen u dat memorandum zag?'
'In een Pynex-vestiging in Richmond. Toen Pynex nog Union Tobacco was, stond het hoofdkantoor in Richmond. In 1979 veranderde het van naam en verhuisde het naar New Jersey. Maar de gebouwen in Richmond zijn nog in gebruik, en daar werkte ik tot ik wegging. Het grootste deel van het bedrijfsarchief is daar, en iemand die ik ken liet me het memorandum zien.'
'Wie was die iemand?'
'Hij was een vriend, en hij leeft niet meer. Ik heb hem beloofd dat ik zijn identiteit nooit bekend zou maken.'
'Hebt u dat memorandum zelf in handen gehad?'
'Ja. Ik heb er zelfs een kopie van gemaakt.'
'En waar is uw kopie?'
'Die heb ik niet lang gehad. Op de dag nadat ik hem in mijn afgesloten bureaulade had gedaan, werd ik voor zaken uit de stad weggeroepen. Terwijl ik weg was, werd mijn bureau doorzocht en werd er een aantal dingen uitgehaald, waaronder mijn kopie van het memorandum.'
'Weet u nog wat er in het memorandum stond?'
'Ik kan het me nog heel goed herinneren. Vergeet niet dat ik al een hele tijd op zoek was geweest naar de bevestiging van wat ik al vermoedde. Ik zal nooit het moment vergeten waarop ik dat memorandum onder ogen kreeg.'
'Wat stond erin?'
'Het waren drie of vier alinea's, kort en terzake. Degene die het had geschreven, legde uit dat hij zojuist het nicotinerapport had gelezen, dat hem was voorgelegd door het hoofd research van Allegheny Growers, iemand die in het memorandum niet met naam werd genoemd. Volgens hem waren de onderzoeksresultaten duidelijk. Het leed geen enkele twijfel dat nicotine verslavend was. Als ik het me goed herinner, was dat de essentie van de eerst twee alinea's.'

'En de volgende alinea?'
'De schrijver stelde Fraley voor dat de onderneming serieus over een verhoging van het nicotineniveau in haar sigaretten zou denken. Meer nicotine betekende meer rokers, en dat betekende een hogere omzet en meer winst.'
Krigler bracht zijn tekst met veel flair. Alle toehoorders namen zijn woorden aandachtig in zich op. Voor het eerst in dagen keken de juryleden naar elke beweging die de getuige maakte. Het woord 'winst' zweefde door de rechtszaal en bleef hangen als een vuile nevel.
John Riley Milton zweeg even en zei toen: 'Voor alle duidelijkheid. Dat memorandum was opgesteld door iemand van een andere onderneming en naar de president-directeur van die onderneming gestuurd, nietwaar?'
'Ja.'
'Een onderneming die toen een concurrent van Pynex was en dat nog steeds is?'
'Ja.'
'Hoe is dat memorandum in 1973 bij Pynex terechtgekomen?'
'Dat heb ik nooit kunnen ontdekken. Maar in ieder geval wist Pynex van het onderzoek. In feite wist de hele tabaksindustrie in het begin van de jaren zeventig van het onderzoek, misschien zelfs eerder.'
'Hoe weet u dat?'
'Vergeet niet, ik heb dertig jaar in die bedrijfstak gewerkt. En ik heb me al die tijd met productie beziggehouden. Ik heb met veel mensen gepraat, vooral met mijn collega's bij andere ondernemingen. Laten we zeggen dat de tabaksfabrikanten soms een hecht front kunnen vormen.'
'Hebt u geprobeerd om van uw vriend een nieuwe kopie van het memorandum te krijgen?'
'Dat heb ik geprobeerd. Het is niet gelukt. Laten we het daarop houden.'

Afgezien van de gebruikelijke koffiepauze om half elf zat Krigler de hele ochtendzitting ononderbroken in de getuigenbank, drie uur lang. Toch was het of zijn getuigenverklaring maar enkele minuten had geduurd. Het was een belangrijk moment in de procedure. Het drama van een ex-werknemer die onverkwikkelijke geheimen vertelt, werd tot in de perfectie opgevoerd. De juryleden vergaten zelfs dat ze trek hadden in hun lunch. De advocaten keken aandachtiger dan ooit naar de juryleden en het leek wel of de rechter ieder woord noteerde dat de getuige zei.
De verslaggevers waren ongewoon eerbiedig, de jury-experts ongewoon aandachtig. De waakhonden van Wall Street telden de minuten tot ze de zaal uit konden rennen om ademloos verslag uit te brengen aan New York. De verveelde plaatselijke advocaten die in de rechtszaal rondhingen, zou-

den nog jaren over deze getuigenverklaring praten. Zelfs Lou Dell, op de eerste rij, hield op met breien.

Fitch keek en luisterde in de projectiekamer naast zijn kantoor. Krigler had eerst voor het begin van de volgende week op het programma gestaan en daarna was er een kans geweest dat hij helemaal geen getuigenverklaring zou mogen afleggen. Fitch was een van de weinige nog levende mensen die het memorandum met eigen ogen hadden gezien, en Krigler had het verbazingwekkend goed beschreven. Er mankeerde niets aan zijn geheugen en het was voor iedereen, zelfs Fitch, volkomen duidelijk dat hij de waarheid sprak.

Toen Fitch negen jaar geleden door de Grote Vier was ingehuurd, was het een van zijn eerste opdrachten geweest om alle exemplaren van het memorandum op te sporen en te vernietigen. Hij was daar nog steeds mee bezig.

Noch Cable noch enige andere advocaat die ooit door Fitch in de arm was genomen, had het memorandum gezien.

De vraag of het bestaan van het memorandum in de rechtszaal ter sprake mocht worden gebracht, had tot een kleine oorlog geleid. Om voor de hand liggende redenen verbood het procesrecht onder normale omstandigheden een dergelijke mondelinge beschrijving van een verloren gegaan document. Het beste bewijs was het document zelf. Maar zoals op ieder terrein van het recht waren er uitzonderingen en uitzonderingen op uitzonderingen, en uiteindelijk waren Rohr en consorten er meesterlijk in geslaagd rechter Harkin ervan te overtuigen dat de jury Kriglers beschrijving van wat in feite een verloren gegaan document was moest aanhoren. Cables kruisverhoor van die middag zou keihard zijn, maar de schade was al aangericht. Fitch sloeg zijn lunch over en sloot zich in zijn kantoor op.

In de jurykamer heerste onder de lunch een opvallend andere stemming. Het gebruikelijke gewauwel over football en recepten was vervangen door een bijna volledige stilte. Na twee weken van saaie wetenschappelijke verhandelingen door deskundigen die grote bedragen hadden ontvangen om naar Biloxi te reizen en daar hun lezing te geven, was de jury in een staat van halve versuffing geraakt. Nu waren de juryleden wakker geschud door Kriglers sensationele verhaal.

Ze aten minder en hadden meer oogcontact met elkaar. De meesten zouden het liefst met hun favoriete mede-jurylid naar een andere kamer gaan om nog eens af te spelen wat ze gehoord hadden. Hadden ze het goed gehoord? Kon iemand begrijpen wat die man zojuist had gezegd? Ze hadden het nicotinegehalte met opzet hoog gehouden opdat mensen verslaafd raakten!

En dat was hun goed gelukt. De rokers – na Stella's vertrek waren het er

nog maar drie, al kon Easter misschien ook een roker worden genoemd, omdat hij graag bij Jerry en Poedel en Angel Weese zat – aten vlug door en excuseerden zich. Ze gingen allemaal op klapstoelen zitten, keken voor zich uit en bliezen rook naar het open raam. Nu ze wisten dat het nicotineniveau opzettelijk verhoogd was, voelden de sigaretten een beetje zwaarder aan. Maar toen Nicholas dat zei, lachte niemand.
Gladys Card en Millie Dupree zagen kans om tegelijk naar het toilet te gaan. Nadat ze uitgebreid hadden gewaterd, stonden ze vijftien minuten hun handen te wassen en via de spiegel met elkaar te praten. In de loop van hun gesprek kregen ze gezelschap van Loreen Duke, die bij de handdoekautomaat tegen de muur leunde en meteen liet weten hoe ze na dit nieuws van de tabaksindustrie walgde.
Toen de tafel was afgeruimd, opende Lonnie Shaver zijn laptop. Hij zat twee stoelen van Herman vandaan, die zijn braillemachine had aangezet en druk aan het typen was. De kolonel zei tegen Herman: 'Voor die getuigenverklaring heb je geen vertaler nodig, hè?' Waarop Herman brommend antwoordde: 'Verbazingwekkend, zou ik zeggen.' Dat was de enige keer dat Herman Grimes liet blijken hoe hij over enig aspect van de zaak dacht. Lonnie Shaver was niet verbaasd of onder de indruk of wat dan ook.
Phillip Savelle had beleefd aan rechter Harkin gevraagd of hij een deel van zijn lunchpauze mocht gebruiken om yoga-oefeningen te doen onder een grote eik achter het gerechtsgebouw. Hij werd door een deputy naar de boom gebracht, trok zijn overhemd, sokken en schoenen uit, ging in het zachte gras zitten en vouwde zich helemaal op. Toen hij begon te reciteren, ging de deputy op een betonnen bankje zitten en boog zijn hoofd, opdat niemand hem zou herkennen.

Cable zei Krigler gedag alsof ze oude vrienden waren. Krigler glimlachte en zei met veel zelfvertrouwen: 'Goedemiddag, meneer Cable.' Zeven maanden eerder, in Rohrs kantoor, hadden Cable en zijn mensen Krigler drie dagen lang een verklaring afgenomen. Dat was toen op video opgenomen en die opnamen waren bekeken en bestudeerd door meer dan twintig advocaten en verscheidene jury-experts en zelfs door twee psychiaters. Krigler sprak de waarheid, maar de waarheid moest enigszins worden verdoezeld. Dit was een kruisverhoor, een uiterst belangrijk kruisverhoor, dus wat deed de waarheid er nog toe? De getuige moest in diskrediet worden gebracht!
Na honderden uren van plannen maken was een strategie ontwikkeld. Cable vroeg eerst aan Krigler of hij kwaad was op zijn vroegere werkgever.
'Ja,' antwoordde hij.
'Haat u de onderneming?'
'De onderneming is een eenheid, een ding. Hoe kun je een ding haten?'

'Haat u oorlog?'
'Nooit meegemaakt.'
'Haat u kindermisbruik?'
'Het lijkt me walgelijk, maar gelukkig heb ik er nooit iets mee te maken gehad.'
'Haat u geweld?'
'Het zal vast wel verschrikkelijk zijn, maar nogmaals, ik heb geluk gehad.'
'Dus u haat niets?'
'Broccoli.'
In alle hoeken van de rechtszaal werd zacht gelachen, en Cable wist dat hij zijn handen vol had.
'U haat Pynex niet?'
'Nee.'
'Haat u iemand die daar werkt?'
'Nee. Ik heb wel een hekel aan sommige mensen daar.'
'Haatte u iemand die daar werkte toen u daar werkte?'
'Nee. Ik had er een paar vijanden, maar ik kan me niet herinneren dat ik iemand haatte.'
'En de mensen tegen wie u een proces aanspande?'
'Nee. Nogmaals, het waren vijanden, maar ze deden gewoon hun werk.'
'Dus u hebt uw vijanden lief?'
'Dat nu ook weer niet. Ik weet dat je dat moet proberen, maar het is erg moeilijk. Voorzover ik me herinner, heb ik nooit gezegd dat ik ze liefhad.'
Cable had gehoopt een klein punt te scoren door aannemelijk te maken dat Krigler met wraakgevoelens rondliep. Als hij het woord 'haten' vaak genoeg gebruikte, zou het misschien bij sommige juryleden blijven hangen.
'Wat is uw motief om hier als getuige op te treden?'
'Dat is een ingewikkelde vraag.'
'Is het geld?'
'Nee.'
'Wordt u door meneer Rohr of iemand anders die voor de eiseres werkt betaald om te komen getuigen?'
'Nee. Ze waren bereid me mijn reiskosten te vergoeden, maar dat is alles.'
Het laatste wat Cable wilde, was Krigler de gelegenheid geven uiteen te zetten waarom hij hier als getuige kwam optreden. Hij had dat even aangeroerd toen hij door Milton werd ondervraagd en tijdens de video-opnamen was hij er vijf uur lang gedetailleerd op ingegaan. Het was van cruciaal belang dat hij nu met andere zaken werd beziggehouden.
'Hebt u ooit sigaretten gerookt, meneer Krigler?'
'Ja. Jammer genoeg heb ik twintig jaar gerookt.'
'Dus u wou dat u nooit had gerookt?'

'Natuurlijk.'
'Wanneer bent u begonnen?'
'In 1952, toen ik voor de onderneming ging werken. In die tijd moedigden ze alle werknemers aan om sigaretten te roken. Dat doen ze trouwens nog steeds.'
'Gelooft u dat u uw gezondheid hebt geschaad door twintig jaar te roken?'
'Natuurlijk. Ik mag blij zijn dat ik niet dood ben, zoals meneer Wood.'
'Wanneer bent u gestopt?'
'In 1973. Toen ik de waarheid over nicotine ontdekte.'
'Denkt u dat uw huidige gezondheid in enig opzicht minder goed is doordat u twintig jaar hebt gerookt?'
'Natuurlijk.'
'Was de onderneming volgens u in enig opzicht verantwoordelijk voor uw beslissing om sigaretten te roken?'
'Ja. Zoals ik al zei, het werd aangemoedigd. Ze rookten daar allemaal. In de bedrijfswinkel konden we sigaretten kopen voor de halve prijs. Op iedere bespreking ging er eerst een schaaltje sigaretten rond. Het hoorde bij de cultuur.'
'Was er ventilatie in uw kantoren?'
'Nee.'
'Hoe erg was het met passief roken gesteld?'
'Heel erg. Er hing altijd een blauwe nevel dicht boven je hoofd.'
'Dus u neemt het de onderneming nu nog kwalijk dat u niet zo gezond bent als u denkt dat u zou moeten zijn?'
'De onderneming had daar veel mee te maken. Gelukkig heb ik ermee kunnen stoppen. Al was dat niet gemakkelijk.'
'En koestert u daarom een wrok tegen de onderneming?'
'Laten we zeggen dat ik wou dat ik na mijn studie in een andere bedrijfstak was gaan werken.'
'Bedrijfstak. Koestert u een wrok tegen de hele bedrijfstak?'
'Ik ben geen fan van de tabaksindustrie.'
'Bent u daarom hier?'
'Nee.'
Cable zocht in zijn aantekeningen en veranderde vlug van koers. 'Wel, u hebt een zuster gehad, nietwaar, meneer Krigler?'
'Ja.'
'Wat is er met haar gebeurd?'
'Ze is in 1970 overleden.'
'Hoe is ze gestorven?'
'Aan longkanker. Ze rookte zo'n drieëntwintig jaar twee pakjes per dag. Het roken heeft haar gedood, meneer Cable, als u daarheen wilt.'
'Had u een nauwe band met haar?' vroeg Cable met genoeg medegevoel om

de indruk weg te nemen dat hij dit onderwerp uit pure kwaadwilligheid ter sprake had gebracht.
'Een erg nauwe band. We hadden geen andere broers of zussen.'
'En haar dood heeft u erg getroffen?'
'Ja. Ze was een heel bijzonder mens en ik mis haar nog steeds.'
'Het spijt me dat ik dit ter sprake breng, meneer Krigler, maar het is relevant.'
'Uw medegevoel is ontroerend, meneer Cable, maar er is niets relevants aan.'
'Wat vond ze ervan dat u rookte?'
'Dat stond haar niet aan. Toen ze stervende was, smeekte ze me ermee te stoppen. Is dat wat u wilt horen, meneer Cable?'
'Alleen als het de waarheid is.'
'O, het is waar, meneer Cable. Op de dag voordat ze stierf, beloofde ik dat ik zou stoppen met roken. En dat heb ik ook gedaan, al deed ik er drie lange jaren over. Ik was namelijk verslaafd, meneer Cable, evenals mijn zuster, omdat de onderneming die de sigaretten maakte die haar hebben gedood, en mij ook hadden kunnen doden, het nicotineniveau met opzet hoog hield.'
'Wel...'
'Valt u me niet in de rede, meneer Cable. Nicotine is op zichzelf geen kankerverwekkende stof, dat weet u ook wel. Het is gewoon een gif, een gif waardoor je verslaafd raakt, opdat de kankerverwekkende stoffen op een dag met je afrekenen. Daarom zijn sigaretten door hun samenstelling zo gevaarlijk.'
Cable keek hem doodkalm aan. 'Bent u klaar?'
'Ik ben klaar voor de volgende vraag. Maar valt u me niet meer in de rede.'
'Goed, en ik bied u mijn verontschuldigingen aan. Nu, wanneer bent u er voor het eerst van overtuigd geraakt dat sigaretten door hun samenstelling gevaarlijk zijn?'
'Dat weet ik niet precies. Het is al een hele tijd bekend, weet u. Ook vroeger hoefde je geen genie te zijn om het te weten. Maar ik denk dat ik het ergens in het begin van de jaren zeventig zeker wist, toen ik mijn onderzoek had gedaan, toen mijn zuster was gestorven, en kort voordat ik dat beruchte memorandum te zien kreeg.'
'In 1973.'
'Of daaromtrent.'
'Wanneer kwam er een eind aan uw dienstverband bij Pynex? In welk jaar?'
'In 1982.'
'Dus u bleef werken voor een onderneming die producten maakte waarvan u vond dat ze gevaarlijk waren?'
'Ja.'

'Hoeveel verdiende u in 1982?'
'Negentigduizend dollar per jaar.'
Cable zweeg en liep naar zijn tafel, waar hij weer een schrijfblok in ontvangst nam. Hij bestudeerde het even, bijtend op het montuur van zijn leesbril, ging toen naar zijn lessenaar terug en vroeg Krigler waarom hij in 1982 tegen de onderneming had geprocedeerd. Krigler was niet blij met die vraag en keek Rohr en Milton aan alsof hij hulp van hen verwachtte. Cable ging in op details van de gebeurtenissen die tot het proces leidden, een hopeloos gecompliceerd en persoonlijk proces, en het kruisverhoor kwam nagenoeg tot stilstand. Rohr maakte bezwaar en Milton maakte bezwaar, en Cable gedroeg zich alsof hij met geen mogelijkheid begreep waarom ze bezwaar maakten. De advocaten gingen naar rechter Harkin toe om in diens bijzijn verder te kibbelen, en Krigler kreeg er genoeg van om in de getuigenbank te zitten.
Cable ging eindeloos door over Kriglers staat van dienst in zijn laatste tien jaren bij Pynex en liet duidelijk doorschemeren dat hij andere getuigen kon oproepen om Krigler tegen te spreken.
De truc werkte bijna. Omdat Cable niets tegen de schadelijke aspecten van Kriglers getuigenverklaring kon doen, besloot hij in plaats daarvan rook in de richting van de jury te blazen. Als een getuige niet aan het wankelen te krijgen is, sla je hem met irrelevante details om de oren.
Maar die truc werd aan de jury uitgelegd door de jonge Nicholas Easter, die twee jaar rechten had gestudeerd en zijn mede-juryleden tijdens de koffiepauze van die middag daaraan herinnerde. Ondanks bezwaren van Herman zei Nicholas dat Cable met modder had gegooid en had geprobeerd de jury in verwarring te brengen. 'Hij denkt dat we achterlijk zijn,' zei hij fel.

17

In reactie op koortsachtige telefoontjes van Biloxi zakte de prijs van Pynex die donderdag bij een levendige handel tot vijfenzeventig en een half, een val van bijna vier punten die werd toegeschreven aan de dramatische gebeurtenissen in de rechtszaal.

Bij andere tabaksprocessen hadden ex-werknemers verklaringen afgelegd over pesticiden en insecticiden die op oogsten werden gesproeid. Deskundigen hadden die chemicaliën in verband gebracht met kanker. De jury's waren niet onder de indruk geweest. In een van die processen had een ex-werknemer verklapt dat zijn voormalige werkgever jonge tieners had bestookt met reclame waarin slanke, aantrekkelijke idioten met perfecte kinnen en perfecte tanden alle mogelijke plezier hadden met tabak. Dezelfde werkgever had oudere tienerjongens bestookt met reclame waarin cowboys en stockcar-racers iets bijzonders van hun leven maakten met een sigaret tussen hun lippen.

Maar de jury's van die processen hadden de eisers geen gelijk gegeven.

Maar geen enkele ex-werknemer had zoveel schade aangericht als Lawrence Krigler. Het beruchte memorandum uit de jaren dertig was een handvol mensen onder ogen gekomen, maar het was nooit in een procedure ter sprake gebracht. Geen enkele advocaat van een eiser was ooit dichter bij het echte document gekomen dan Krigler met zijn beschrijving ervan. Het feit dat rechter Harkin hem toestemming had gegeven het voor de jury te beschrijven zou heftig worden betwist als ze in hoger beroep gingen, ongeacht wie deze procedure won.

Krigler werd vlug door Rohrs veiligheidsmensen de stad uit gebracht, en een uur nadat hij zijn verklaring had beëindigd, was hij in een privé-vliegtuig op de terugweg naar Florida. Sinds hij bij Pynex weg was gegaan, was hij meermalen in de verleiding gekomen om contact te zoeken met een

advocaat van een eiser in een tabaksproces, maar hij had nooit de moed gehad.
In de schikking die destijds buiten de rechter om was getroffen, had Pynex hem driehonderdduizend dollar betaald om van hem af te zijn. De onderneming had eigenlijk gewild dat hij zich erop zou vastleggen dat hij nooit als getuige zou optreden in een proces als dit, maar dat had hij geweigerd. En door te weigeren had hij een doodvonnis tegen zichzelf uitgevaardigd.
Ze noemden hun naam niet, maar ze zeiden dat ze hem zouden doden. In de loop van de jaren was hij nu en dan met de dood bedreigd, altijd door onbekende stemmen en altijd wanneer hij er het minst op rekende. Krigler was niet iemand die zich schuilhield. Hij had een boek geschreven waarin hij alles uiteenzette en dat, zo zei hij, zou worden gepubliceerd als hij een ontijdige dood zou sterven. Het was in het bezit van een advocaat in Melbourne Beach. De advocaat was een vriend van hem en had ook de eerste ontmoeting met Rohr geregeld. De advocaat had ook contact opgenomen met de FBI, voor het geval dat Krigler iets overkwam.

Millie Dupree's man Hoppy bezat een klein makelaarskantoor in Biloxi. Omdat hij bepaald niet van het agressieve type was, had hij weinig aanbod en weinig vraag, maar hij deed zijn best met het beetje werk dat hem in de schoot viel. Aan een muur in zijn voorkantoor waren foto's van beschikbare TE KOOP-huizen met punaises op een bord geprikt – vooral kleine bakstenen huizen met keurige gazons en enkele vervallen twee-onder-een-kap-huizen. De casinokoorts had een stroom van nieuwe flitsende makelaars naar de Golfkust gelokt, die het lef hadden om zich diep in de schulden te steken en grote projecten op te zetten. Hoppy en de kleine jongens hadden op veilig gespeeld en waren teruggedrongen op markten die ze maar al te goed kenden – gezellige kleine STARTERS voor jonggehuwden en hopeloze OPKNAPPERS voor wanhopigen en BUITENKANSJES voor mensen die niet voor een hypotheek in aanmerking kwamen.
Maar hij kon al zijn rekeningen betalen en zelfs voor zijn gezin zorgen: zijn vrouw Millie en hun vijf kinderen, van wie er drie aan een hogeschool studeerden en twee op de middelbare school zaten. Hij kon altijd beschikken over een stuk of zes parttime verkopers, voor het merendeel nogal luie types die net zo'n hekel aan schulden en krachtdadigheid hadden als hij. Hoppy hield van het kaartspel pinochle en zat vele uren aan zijn bureau over de kaarten gebogen, terwijl overal om hem heen de nieuwe wijken als paddestoelen uit de grond schoten. Makelaars, of ze nu talent hebben of niet, dromen altijd van een grote kans. Hoppy en zijn ongeregelde clubje voelden zich er niet boven verheven om laat in de middag nog iets te gaan drinken en onder het kaarten over grote zaken te mijmeren.

Op donderdag, kort voor zes uur, toen het pinochlespel bijna was afgelopen en ze aanstalten maakten om weer een niet-productieve werkdag af te sluiten, kwam een goedgeklede jonge zakenman met een glanzend zwart diplomatenkoffertje het kantoor binnen en vroeg naar de heer Dupree. Hoppy zat in de achterkamer. Hij spoelde zijn mond met Scope en wilde vroeg naar huis, omdat Millie er niet was. Ze stelden zich aan elkaar voor. De jongeman gaf een visitekaartje en bleek Todd Ringwald van de KLX Property Group uit Las Vegas te zijn. Het kaartje maakte zoveel indruk op Hoppy dat hij de laatste van zijn verkopers de deur uitwerkte en de deur van zijn kantoor op slot deed. De bezoeker was zo goed gekleed en had zo'n lange reis gemaakt, dat hij alleen maar voor serieuze zaken kon komen.
Hoppy bood iets te drinken aan, en toen koffie, die hij in een ommezien kon zetten. Ringwald wilde niets hebben en vroeg of hij op een ongelegen moment kwam.
'Nee, helemaal niet. We maken krankzinnige uren, weet u. Het is een krankzinnig vak.'
Ringwald glimlachte en beaamde het, want hij was zelf ook makelaar geweest, nog niet zo lang geleden. Hij vertelde eerst iets over zijn bedrijf. KLX was een onderneming met investeringen in meer dan tien staten. Hoewel de onderneming geen casino's bezat en ook geen plannen in die richting had, had KLX een specialisme ontwikkeld dat daarmee verband hield, een lucratieve activiteit. KLX deed aan projectontwikkeling in verband met casino's. Hoppy knikte enthousiast, alsof dat soort projecten dagelijks werk voor hem waren.
Wanneer er ergens casino's kwamen, maakte de plaatselijke onroerendgoedmarkt een dramatische verandering door. Ringwald twijfelde er niet aan dat Hoppy daar alles van wist, en Hoppy beaamde dat van ganser harte, alsof hij kort geleden een fortuin had gemaakt. KLX begaf zich altijd onopvallend op de markt, en Ringwald benadrukte dat de onderneming uiterst discreet opereerde. Ze volgden de casino's en ontwikkelden winkelcentra en dure appartementengebouwen en woonwijken. Casino's betalen goed, nemen veel mensen in dienst, er verandert het een en ander in de plaatselijke economie, en, tja, er ging opeens veel meer geld rond en KLX wilde daar ook iets van hebben. 'Onze onderneming is een gier,' legde Ringwald grijnzend uit. 'We leunen achterover en volgen de casino's. Als ze ergens neerstrijken, storten wij ons er meteen op.'
'Briljant,' zei Hoppy, die zich niet helemaal kon inhouden.
Nu had KLX aan de Golfkust nog niet veel ondernomen. In vertrouwen wilde Ringwald wel vertellen dat dit een paar mensen in Las Vegas hun baan had gekost. Toch waren er nog steeds ongelooflijke mogelijkheden, waarop Hoppy meteen zei: 'Nou en of.'
Ringwald opende zijn diplomatenkoffertje en haalde er een opgevouwen

kadastrale kaart uit, die hij op zijn knieën legde. Hij, als directeur Ontwikkeling, deed bij voorkeur zaken met kleinere makelaarskantoren. Op de grote firma's hingen te veel mensen rond. Er kwamen daar te veel dikke huisvrouwen die in de aanbiedingen neusden, op zoek naar iets om over te roddelen. 'Zo is het maar net!' zei Hoppy, zijn blik op de kadastrale kaart gericht. 'Plus dat u betere service krijgt van een kleiner kantoor, zoals het mijne.'
'We hebben veel goeds over u gehoord,' zei Ringwald, en Hoppy kon een glimlach niet onderdrukken. De telefoon ging. Het was een van zijn kinderen die wilde weten wat ze die avond te eten kregen en wanneer moeder weer thuiskwam. Hoppy was vriendelijk maar hield het kort. Hij had het erg druk, legde hij uit, en misschien lag er nog wat oude lasagne in de vriezer.
De kadastrale kaart werd op Hoppy's bureau opengevouwen. Ringwald wees naar een groot, rood ingekleurd perceel in Hancock County, naast Harrison County en de meest westelijke van de drie county's aan de kust. Beide mannen bogen zich van weerskanten over het bureau.
'MGM Grand komt hier,' zei Ringwald, wijzend naar een grote baai. 'Maar niemand weet het nog. U mag het absoluut niet aan iemand vertellen.'
Hoppy schudde al heftig met zijn hoofd voordat Ringwald was uitgesproken.
'Ze gaan het grootste casino aan de Golfkust bouwen, waarschijnlijk medio volgend jaar. Over drie maanden maken ze het bekend. Ze gaan hier zo'n veertig hectare kopen.'
'Dat is prachtige grond. Nagenoeg ongerept.' Hoppy was nooit met een TE KOOP-bord in de buurt van die grond geweest, maar hij woonde al veertig jaar aan de Golfkust.
'We willen dit hebben,' zei Ringwald, en hij wees weer naar het perceel dat rood was ingekleurd. Het grensde aan het noordwesten van het MGM-terrein. 'Tweehonderd hectare, want dan kunnen we dìt doen.' Hij haalde het bovenste papier weg en liet een tekening van een schitterend project zien. De naam Stillwater Bay stond er met grote blauwe letters boven. Appartementengebouwen, kantoorgebouwen, grote huizen, kleinere huizen, speelterreinen, kerken, een plein in het midden, een winkelstraat, een winkelcentrum, een jachthaven, een bedrijvencentrum, parken, joggingpaden, fietsroutes, zelfs plannen voor een middelbare school. Het was Utopia, uitgedacht voor Hancock County door een paar mensen in Las Vegas met een geweldige visie.
'Wow,' zei Hoppy. Er lag een fortuin op zijn bureau.
'Vier verschillende fasen in de loop van vijf jaar. Het hele project gaat dertig miljoen kosten. Het is verreweg het grootste project dat ooit in deze regio is ontwikkeld.'

'Niets kan eraan tippen.'
Ringwald sloeg weer om en liet een tekening van het havengebied zien, en nog een close-up van de woonwijk. 'Dit zijn nog maar de voorlopige tekeningen. Als u naar ons hoofdkantoor kunt komen, laat ik u nog meer zien.'
'Las Vegas.'
'Ja. Als we het erover eens kunnen worden dat u ons vertegenwoordigt, willen we u graag een paar dagen laten overkomen, u weet wel, om onze mensen te ontmoeten, om het hele project vanuit het perspectief van de ontwerpers te zien.'
Hoppy's knieën trilden en hij haalde diep adem. Rustig aan, zei hij tegen zichzelf. 'Ja, en aan wat voor vertegenwoordiging dacht u dan?'
'In het begin hebben we een makelaar nodig die de grond voor ons aankoopt. Als we het eenmaal hebben gekocht, moeten we de plaatselijke autoriteiten zover krijgen dat ze het project goedkeuren. Dat is niet altijd zo eenvoudig, zoals u weet. Wij besteden erg veel tijd aan commissies voor ruimtelijke ordening en dergelijke. Als het moet, stappen we zelfs naar de rechter. Maar dat hoort nu eenmaal bij ons werk. U zult daar tot op zekere hoogte bij betrokken zijn. Is het project eenmaal goedgekeurd, dan hebben we een makelaarskantoor nodig voor de verkoop van de verschillende eenheden.'
Hoppy leunde in zijn stoel achterover en zat even te rekenen. 'Hoeveel gaat het land kosten?' vroeg hij.
'Het is duur, veel te duur voor die omgeving. Vijfentwintigduizend per hectare voor land dat ongeveer half zoveel waard is.'
Vijfentwintigduizend per hectare, tweehonderd hectare, dat was vijf miljoen dollar. Hoppy's courtage, zes procent daarvan, zou driehonderdduizend dollar zijn, vooropgesteld dat er geen andere makelaar bijgehaald zou worden. Ringwald keek met een pokergezicht naar Hoppy, die druk aan het hoofdrekenen was.
'Tienduizend is te veel,' zei Hoppy met gezag.
'Ja, maar de grond is niet op de markt. De eigenaren willen eigenlijk niet verkopen, dus we moeten er stilletjes op afgaan, voordat het MGM-verhaal in de openbaarheid komt. We moeten het gauw wegkapen. Daarom hebben we een plaatselijke makelaar nodig. Als bekend wordt dat een grote onderneming uit Las Vegas in die grond geïnteresseerd is, vragen ze meteen vijftigduizend per hectare. Dat gebeurt de hele tijd.'
Het feit dat de grond niet op de markt was, liet Hoppy's hart een slag overslaan. Er waren geen andere makelaars bij betrokken! Alleen hij. Alleen kleine Hoppy met zijn volle zes procent courtage. Zijn schip met goud was eindelijk de haven binnengevaren. Hij, Hoppy Dupree, die tientallen jaren tweekappers aan gepensioneerden had verkocht, stond op het punt zijn slag te slaan.

Om nog maar te zwijgen van de 'verkoop van de verschillende eenheden'. Al die huizen en appartementen en winkelpanden... Het was voor minstens dertig miljoen aan felbegeerd vastgoed en overal zou een bord van Makelaardij Dupree hangen. Binnen vijf jaar was Hoppy miljonair, wist hij onmiddellijk.
Ringwald ging verder. 'Ik neem aan dat uw courtage acht procent is. Dat zijn we gewend te betalen.'
'Natuurlijk,' zei Hoppy met een droge mond. In een seconde van driehonderdduizend naar vierhonderdduizend. 'Wie zijn de verkopers?' vroeg hij om vlug van onderwerp te veranderen nu ze het eens waren geworden over acht procent.
Ringwald slaakte een hoorbare zucht en liet zijn schouders zakken, al was dat van korte duur. 'Daar zit het probleem.' Hoppy was meteen weer somber.
'De grond bevindt zich in het zesde district van Hancock County,' zei Ringwald langzaam. 'En het zesde district is het domein van een county-opziener met de naam...'
'Jimmy Hull Moke,' onderbrak Hoppy hem met een bedroefd gezicht.
'U kent hem?'
'Iedereen kent Jimmy Hull. Hij is al dertig jaar in functie. De gladste schurk van de Golfkust.'
'Kent u hem persoonlijk?'
'Alleen van reputatie.'
'En die reputatie is nogal dubieus, hebben we gehoord.'
'Het woord "dubieus" is nog een compliment voor Jimmy Hull. In zijn deel van de county heeft die man alle touwtjes in handen.'
Ringwald keek hem verbaasd aan, alsof hij en zijn onderneming geen idee hadden hoe ze verder moesten gaan. Hoppy wreef over zijn trieste ogen en maakte plannen om zijn fortuin vast te houden. Een volle minuut hadden ze geen oogcontact en toen zei Ringwald: 'Het is niet verstandig om het land te kopen als we geen garanties van Moke en de plaatselijke autoriteiten kunnen krijgen. Zoals u weet, heb je voor zo'n project een enorme hoeveelheid vergunningen nodig.'
'Bestemmingsplannen, welstandscommissie, bodemerosie, noem maar op,' zei Hoppy, alsof hij dat soort oorlogen dagelijks voerde.
'We hebben gehoord dat Moke al die dingen in handen heeft.'
'In ijzeren vuisten.'
Weer een stilte.
'Misschien doen we er goed aan met meneer Moke te gaan praten,' zei Ringwald.
'Dat lijkt me niet.'
'Waarom niet?'

'Met praten komen we er niet.'
'Ik kan u niet volgen.'
'Geld. Zo simpel ligt het. Jimmy Hull heeft het graag onder de tafel, dikke pakken bankbiljetten die niet gemerkt zijn.'
Ringwald knikte met een ernstige grijns, alsof dit ongelukkig uitkwam maar niet onverwacht was. 'Zoiets hoorden we al,' zei hij, bijna in zichzelf.
'Eigenlijk is het niet zo ongewoon, zeker niet in regio's waar casino's zijn gekomen. Er is veel nieuw geld van buitenaf in omloop en dan worden mensen hebzuchtig.'
'Jimmy Hull is hebzuchtig geboren. Toen de casino's kwamen, was hij al dertig jaar aan het stelen.'
'Hij is nooit betrapt?'
'Nee. Voor een county-opziener is hij tamelijk intelligent. Alles in baar geld, geen sporen, hij weet zich altijd goed in te dekken. Aan de andere kant hoef je daar ook geen kerngeleerde voor te zijn.' Hoppy streek zachtjes met een zakdoek over zijn voorhoofd. Hij boog zich naar voren en pakte twee glazen uit een benedenla, en vervolgens een fles wodka. Hij schonk twee stevige porties in en zette een van de glazen voor Ringwald neer. 'Cheers,' zei hij voordat Ringwald zijn glas had aangeraakt.
'Nou, wat doen we?' vroeg Ringwald.
'Wat doet u meestal in dit soort situaties?'
'Meestal vinden we wel een manier om de plaatselijke autoriteiten te bewerken. Er staat zoveel geld op het spel dat we het niet meteen opgeven en naar huis gaan.'
'Hoe bewerken we de plaatselijke autoriteiten?'
'We hebben onze methoden. We hebben geld bijgedragen aan herverkiezingscampagnes. We hebben onze vrienden op dure vakanties getrakteerd. We hebben honoraria betaald aan echtgenotes en kinderen.'
'Hebt u ooit direct smeergeld betaald?'
'Daar wil ik liever niets over zeggen.'
'Dat zal hier moeten gebeuren. Jimmy Hull is een eenvoudige man. Gewoon geld.' Hoppy nam een grote slok en smakte met zijn lippen.
'Hoeveel?'
'Wie zal het zeggen? Maar het moet wel genoeg zijn. Als hij te weinig krijgt, boort hij het project later de grond in. En dan houdt hij het geld. Jimmy Hull doet niet aan geldteruggave.'
'Zo te horen kent u hem vrij goed.'
'Iedereen die hier aan de kust zijn zaken doet, weet hoe hij het spel speelt. Je zou hem een plaatselijke legende kunnen noemen.'
Ringwald schudde ongelovig met zijn hoofd. 'Welkom in Mississippi,' zei Hoppy, en nam weer een slok. Ringwald had zijn eigen glas niet aangeraakt.

Vijfentwintig jaar lang had Hoppy eerlijk zaken gedaan. Hij was niet van plan zich nu nog te compromitteren. Het geld was dat risico niet waard. Hij had kinderen, een gezin, een reputatie, een positie in de gemeenschap. Soms de kerk. De Rotary. En wie was die vreemde nu eigenlijk die daar in dat dure pak en met die dure schoenen tegenover hem zat en hem een schatkist vol geld aanbood als ze het alleen maar even eens werden? Hij, Hoppy, zou vast en zeker telefonisch gaan onderzoeken of de KLX Property Group en Todd Ringwald wel zuivere koffie waren. Dat zou hij doen zodra Ringwald zijn kantoor had verlaten.
'Dit is niet ongewoon,' zei Ringwald. 'We maken het de hele tijd mee.'
'En wat doet u dan?'
'Nou, ik denk dat we eerst Moke moeten benaderen om te onderzoeken of we tot zaken kunnen komen.'
'Reken maar dat hij wel tot zaken wil komen.'
'En dan moeten we de condities vaststellen. Of, zo u wilt, bepalen hoeveel geld we hem geven.' Ringwald zweeg even en nam een heel klein slokje uit zijn glas. 'Bent u bereid daaraan mee te werken?'
'Dat weet ik niet. In welk opzicht?'
'Wij kennen niemand in Hancock County. We proberen ons op de achtergrond te houden. We komen uit Las Vegas. Als we vragen gaan stellen, kan het hele project de mist in gaan.'
'U wilt dat ik met Jimmy Hull ga praten?'
'Alleen als u aan het project wilt meewerken. Zo niet, dan zien we ons gedwongen een andere makelaar te zoeken.'
'Ik heb een brandschone reputatie,' zei Hoppy op zo'n krachtige toon dat hij zich er zelf over verbaasde. Meteen daarop moest hij even slikken bij het idee dat een concurrent zijn vierhonderdduizend dollar in de wacht zou slepen.
'U hoeft geen onoorbare dingen te doen.' Ringwald zweeg even, zocht naar de juiste woorden. Hoppy wachtte gespannen af. 'Laten we zeggen dat we over middelen beschikken om aan Mokes wensen tegemoet te komen. U hoeft daar niet over te spreken. U zult zelfs niet eens weten wanneer het gebeurt.'
Hoppy ging rechtop zitten. Het was of er een last van zijn schouders was genomen. Misschien kon hij tussen de klippen door zeilen. Ringwald en zijn mensen deden de hele tijd dit soort dingen. Waarschijnlijk hadden ze te maken gehad met schurken die nog veel geraffineerder waren dan Jimmy Hull Moke. 'Ik luister,' zei hij.
'U hebt hier uw vinger aan de pols. Wij zijn buitenstaanders en rekenen dus op u. Laat me u een scenario geven, dan kunt u me vertellen of het kans van slagen heeft. U ontmoet Moke, alleen u tweeën, en u vertelt hem in grote lijnen over het ontwikkelingsproject. Onze namen worden niet

genoemd. U hebt gewoon een cliënt die zaken met hem wil doen. Hij zal zijn prijs noemen. Als het onder onze limiet is, kunt u tegen hem zeggen dat we akkoord gaan. Wij zorgen voor de aflevering en u zult nooit zeker weten of het geld inderdaad is overgedragen. U hebt niets verkeerds gedaan. Hij is tevreden. Wij zijn tevreden, want we gaan een heleboel geld verdienen, en u ook, mag ik daar wel aan toevoegen.'
Dit beviel Hoppy wel! Hij zou zijn handen schoon kunnen houden. Zijn cliënt en Jimmy Hull zouden het vuile werk opknappen. Hij zou buiten het geknoei blijven en hoefde alleen maar een andere kant op te kijken. Toch moest hij voorzichtig zijn. Hij zei dat hij er graag over wilde nadenken.
Ze praatten nog wat, keken nog eens naar de plannen en namen om acht uur afscheid van elkaar. Ringwald zou vrijdagochtend bellen.
Voordat hij naar huis ging, draaide Hoppy het nummer op Ringwalds visitekaartje. Een efficiënte receptioniste in Las Vegas zei: 'Goedenavond, met de KLX Property Group.' Hoppy glimlachte en vroeg naar Todd Ringwald. Hij werd met zachte popmuziek op de achtergrond naar Ringwalds kantoor doorverbonden, waar hij met Madeline sprak, een of andere assistente die hem uitlegde dat meneer Ringwald de stad uit was en pas maandag terug zou zijn. Ze vroeg met wie ze sprak en Hoppy hing vlug op.
Zo. Dus KLX was een werkelijk bestaande onderneming.

Binnenkomende telefoongesprekken kwamen niet verder dan de receptie, waar de boodschappen op gele briefjes werden genoteerd. Die briefjes gingen naar Lou Dell, die ze uitdeelde zoals de paashaas op chocolade-eieren trakteert. De boodschap van George Teaker arriveerde donderdagavond om twintig voor acht en werd doorgegeven aan Lonnie Shaver, die niet naar de film keek maar met zijn computer aan het werk was. Hij belde Teaker meteen en deed de eerste tien minuten niets anders dan vragen over het proces beantwoorden. Lonnie gaf toe dat het een slechte dag voor Pynex was geweest. Lawrence Krigler had grote indruk op de juryleden gemaakt, behalve natuurlijk op Lonnie. Lonnie was niet onder de indruk geweest, verzekerde hij Teaker. De mensen in New York maakten zich grote zorgen, zei Teaker meer dan eens. Ze waren erg blij dat Lonnie in de jury zat en dat ze op hem konden rekenen, maar toch stond de zaak er niet goed voor. Of viel het wel mee?
Lonnie zei dat hij daar in dit stadium nog niets over kon zeggen.
Teaker zei dat ze nog een paar losse eindjes van het arbeidscontract moesten afwerken. Lonnie kon maar één los eindje bedenken, en dat was de hoogte van zijn nieuwe salaris. Momenteel verdiende hij veertigduizend dollar. Teaker zei dat SuperHouse hem vijftigduizend kon bieden, plus aandelenopties en een prestatiebonus van maximaal twintigduizend.
Ze wilden dat hij meteen na het proces aan een managementtraining in

Charlotte begon. Zodra het proces opnieuw ter sprake kwam, stelde Teaker weer vragen over de stemming onder de juryleden.
Een uur later stond Lonnie voor zijn raam naar het parkeerterrein te kijken. Hij probeerde zichzelf ervan te overtuigen dat hij op het punt stond zeventigduizend dollar per jaar te gaan verdienen. Drie jaar geleden had hij nog maar vijfentwintigduizend verdiend.
Niet slecht voor een jongen wiens vader voor drie dollar per uur in een vrachtwagen met melk reed.

18

Op vrijdagochtend bracht de *Wall Street Journal* een voorpaginaverhaal over Lawrence Krigler en de getuigenverklaring die hij de vorige dag had afgelegd. Het artikel was geschreven door Agner Layson, die tot nu toe geen woord van het proces had gemist, en begon met een vrij accurate samenvatting van wat de jury had gehoord. Vervolgens speculeerde Layson over de invloed die Krigler op de jury zou hebben. In de tweede helft van het artikel werd geprobeerd afbreuk aan Kriglers beweringen te doen. Daarin werden die goeie ouwe kerels van ConPack, voorheen Allegheny Growers, aangehaald. Zoals te verwachten was, ontkenden ze alles wat Krigler zei. De onderneming had in de jaren dertig geen onderzoek naar nicotine gedaan, of in ieder geval wist niemand nu nog iets van zo'n onderzoek af. Het was lang geleden. Niemand bij ConPack had dat memorandum ooit gezien. Waarschijnlijk was het maar een verzinsel van Krigler. Het was in de tabaksindustrie niet algemeen bekend dat nicotine verslavend was. De niveaus van het gif werden niet kunstmatig hoog gehouden door ConPack, of door een andere tabaksfabrikant. En de onderneming wilde niet toegeven, ontkende zelfs zwart op wit, dat nicotine verslavend was.

Pynex loste ook een paar schoten voor de boeg, allemaal uit anonieme bron. Krigler was een mislukkeling. Hij beschouwde zichzelf als een wetenschapper, maar was in werkelijkheid niet meer dan een ingenieur. Zijn werk aan Raleigh 4 vertoonde grote tekortkomingen. De productie van dat tabaksblad was volkomen onpraktisch. De dood van zijn zuster had zijn werk en gedrag nadelig beïnvloed. Hij was iemand die nogal gauw met een proces dreigde. Het leek er sterk op dat de schikking die dertien jaar geleden was getroffen sterk in Pynex' voordeel was geweest.

Er stond een kort artikel naast over de aandelenprijs van Pynex. Bij het

sluiten van de markt had de koers op vijfenzeventig en een half gestaan. Er was eerst enig herstel opgetreden, maar aan het eind was er bij levendige handel weer drie punten afgegaan.
Rechter Harkin las het artikel een uur voordat de jury arriveerde. Hij belde Lou Dell in de Siesta Inn om zich ervan te vergewissen dat de juryleden het absoluut niet te lezen zouden krijgen. Ze verzekerde hem dat ze alleen de plaatselijke kranten kregen en dat die volgens zijn instructies gecensureerd werden. Ze vond het wel leuk werk om de verhalen over het proces uit te knippen. Soms knipte ze ook een artikel uit dat er niets mee te maken had, gewoon voor de lol, opdat ze zich zouden afvragen wat ze misten. Hoe zouden ze er ooit achter kunnen komen?

Hoppy Dupree sliep slecht. Nadat hij de afwas had gedaan en de kamer had gestofzuigd, sprak hij bijna anderhalf uur door de telefoon met Millie. Ze was in een goed humeur.
Om twaalf uur 's nachts ging hij het bed uit om op de veranda te gaan zitten en over KLX en Jimmy Hull Moke na te denken. Hij dacht aan de rijkdom die in het verschiet lag, bijna voor het grijpen. Het geld zou hij gebruiken voor de kinderen, had hij besloten voordat hij zijn kantoor verliet. Ze konden aan betere scholen studeren. Ze hoefden er geen baantje bij te nemen. Een groter huis zou mooi zijn, maar alleen omdat de kinderen zo weinig ruimte hadden. Hij en Millie konden overal wonen; ze hadden een eenvoudige smaak.
Helemaal geen schulden meer. Na aftrek van de belastingen zou hij het geld op twee plaatsen onderbrengen – beleggingsfondsen en onroerend goed. Hij zou kleine commerciële panden kopen met degelijke huurders. Hij zou er zo al een stuk of zes kunnen noemen.
De transactie met Jimmy Hull Moke zat hem ongelooflijk dwars. Hij had nog nooit met corruptie te maken gehad, zelfs niet zijdelings. Hij had een neef die in tweedehands auto's handelde en die drie jaar in de gevangenis had gezeten omdat hij zijn inventaris drie keer had beleend. Het had zijn huwelijk kapotgemaakt en van zijn kinderen was niets terechtgekomen.
Tegen de ochtend vond hij het juist wel geruststellend dat Jimmy Hull Moke zo'n slechte reputatie had. De man had een jarenlange ervaring met corruptie, had daar zelfs een hogere kunstvorm van gemaakt. Ondanks zijn bescheiden ambtenarensalaris was hij rijk geworden. En iedereen wist dat! Moke zou vast en zeker precies weten hoe ze dit konden regelen zonder betrapt te worden. Hoppy zou het geld nooit te zien krijgen, zou niet eens zeker weten of en wanneer het was overgedragen.
Hij nam een Pop-Tart als ontbijt en kwam tot de conclusie dat het risico minimaal was. Hij zou een ongevaarlijk gesprekje met Jimmy Hull hebben en het initiatief aan hem overlaten, want dan kwamen ze gauw genoeg

over geld te spreken. Later zou hij verslag uitbrengen aan Ringwald. Hij ontdooide kaneelbroodjes voor de kinderen, liet hun lunchgeld op het aanrecht achter en ging om acht uur naar kantoor.

Op de dag na Krigler kozen de advocaten van Pynex voor een voorzichtiger tactiek. Het was van het grootste belang dat ze een ontspannen indruk maakten, alsof de zware slag die de tegenpartij de vorige dag had toegediend volkomen langs hen heen was gegaan. Ze droegen lichtere pakken, zachtgrijs, zachtblauw en zelfs kaki. Verdwenen waren het strenge zwart en donkerblauw. Verdwenen waren ook de serieuze gezichten van mannen die gebukt gingen onder hun eigen gewichtigheid. Zodra de deur openging en het eerste jurylid verscheen, werd er achter de tafel van Pynex alom geglimlacht. Hier en daar werd zelfs gegrinnikt. Wat een ontspannen clubje!
Rechter Harkin groette de juryleden, maar in de jurybank werd nauwelijks geglimlacht. Het was vrijdag en dat betekende dat het weekend gauw zou beginnen, een weekend dat ze opgesloten in de Siesta Inn moesten doorbrengen. Onder het ontbijt hadden ze besloten dat Nicholas de rechter door middel van een briefje zou vragen de mogelijkheid van zaterdagse zittingen te overwegen. De juryleden zaten liever in de rechtszaal om te proberen zo gauw mogelijk een eind aan deze beproeving te maken dan dat ze in hun motelkamer zaten en niets anders te doen hadden dan aan het proces te denken.
De meesten zagen wel hoe stompzinnig Cable en consorten zaten te grijnzen. Ze zagen de zomerpakken, de joviale atmosfeer, het onderling gefluister. 'Waar zijn ze zo vrolijk om?' fluisterde Loreen Duke binnensmonds, terwijl Harkin zijn vragenlijst voorlas.
'Ze willen ons het gevoel geven dat ze alles onder controle hebben,' fluisterde Nicholas terug. 'Laten we kwaad terugkijken.'
Wendall Rohr stond op en riep de volgende getuige. 'Dokter Roger Bunch,' zei hij gewichtig. Hij keek naar de jury om te zien of die naam reacties opriep.
Het was vrijdag. Op reacties van de jury hoefde hij niet te rekenen.
Bunch had tien jaar eerder roem verworven toen hij als hoofd-inspecteur voor de volksgezondheid genadeloze kritiek op de tabaksindustrie had uitgeoefend. In de zes jaar dat hij die functie had bekleed had hij opdracht gegeven tot tal van onderzoeken, enkele keren een frontale aanval geleid, honderden anti-roken-toespraken gehouden, drie boeken over dit onderwerp geschreven en bij andere overheidsdiensten op strengere regelgeving aangedrongen. Erg veel overwinningen had hij overigens niet behaald. Sinds hij geen inspecteur meer was had hij echter zijn kruistocht met veel gevoel voor publiciteit voortgezet.

Hij was iemand die overal een mening over had en die zijn mening graag aan de jury wilde mededelen. Er was maar één conclusie mogelijk: sigaretten veroorzaakten longkanker. Iedere professionele medische organisatie op de wereld die zich met dit onderwerp had beziggehouden, had vastgesteld dat sigaretten longkanker veroorzaakten. De enige organisaties die er anders over dachten, waren de fabrikanten zelf en hun ingehuurde spreekbuizen – lobbygroepen en dergelijke.
Sigaretten waren verslavend. Vraag dat maar aan iedere roker die heeft geprobeerd te stoppen. De tabaksindustrie beweerde dat roken een kwestie van vrije keuze was. 'Typische nonsens van de tabaksbranche,' zei hij vol walging. In de zes jaar dat hij hoofd-inspecteur was geweest, had hij drie afzonderlijke onderzoeksrapporten gepubliceerd, en uit elk daarvan was onomstotelijk gebleken dat sigaretten verslavend waren.
De tabaksindustrie gaf miljarden uit om het publiek te misleiden. Ze hielden onderzoeken waaruit zou blijken dat roken nagenoeg onschadelijk was. Alleen al aan reclame gaven ze twee miljard per jaar uit, om vervolgens te beweren dat mensen zelf heel goed in staat waren te besluiten of ze rookten of niet. Dat was gewoon niet waar. Mensen, vooral tieners, ontvingen tegenstrijdige signalen. Roken was blijkbaar leuk, interessant, zelfs gezond.
Ze gaven tonnen uit aan allerlei idiote onderzoeken om de bewijzen te leveren voor alles wat ze beweerden. De tabaksfabrikanten stonden erom bekend dat ze logen en bedrogen. De ondernemingen weigerden achter hun eigen producten te staan. Ze adverteerden en promootten als gekken, maar als een van hun klanten aan longkanker stierf, beweerden ze dat hij beter had moeten weten.
Bunch liet een onderzoek doen om te bewijzen dat sigaretten allerlei rotzooi bevatten: resten van insecticiden en pesticiden, asbestvezels, ongeïdentificeerde substanties en stof dat van vloeren was geveegd. Terwijl ze met geld smeten als het om reclame ging, hadden de tabaksbedrijven er niets voor over om die giftige stoffen uit hun tabak te verwijderen.
Hij had onderzoeken gedaan waaruit bleek dat tabaksfabrikanten zich op bedrieglijke wijze tot jonge mensen richtten, en tot arme mensen, en dat ze met aparte merken voor de verschillende seksen en maatschappelijke groeperingen adverteerden.
Omdat hij hoofd-inspecteur voor de volksgezondheid was geweest, was het dokter Bunch toegestaan zijn mening te geven over allerlei onderwerpen. In de loop van de ochtend kon hij zijn walging van de tabaksindustrie soms niet goed verborgen houden, en telkens als zijn verbittering aan de oppervlakte kwam, leed zijn geloofwaardigheid eronder. Toch had hij de aandacht van de jury. Niemand gaapte en niemand zat maar wat voor zich uit te kijken.

Todd Ringwald was ervan overtuigd dat de ontmoeting het best kon plaatsvinden in Hoppy's kantoor. Jimmy Hull Moke, zo zei hij, zou op andermans territorium minder op zijn hoede zijn. Hoppy nam aan dat hij gelijk had. Hij had weinig kaas gegeten van dit soort transacties. Tot zijn geluk trof hij Moke thuis aan. De county-opziener was zijn heg aan het snoeien en zei dat hij later op de dag toch nog naar Biloxi moest. Moke beweerde dat hij weleens van Hoppy gehoord had. Hoppy zei dat het een erg belangrijke aangelegenheid was en dat het met een mogelijk erg groot project in Hancock County te maken had. Ze spraken af een broodje met elkaar te eten in Hoppy's kantoor. Moke zei dat hij precies wist waar Hoppy zijn kantoor had.

Om de een of andere reden hingen er tegen de middag drie parttime verkopers in het kantoor rond. Een van hen, een jonge vrouw, telefoneerde met een vriendje. Een ander keek in de aanbiedingen. De derde wachtte blijkbaar op een spelletje pinochle. Met veel moeite kreeg Hoppy ze de straat op, waar het onroerend goed te vinden was. Hij wilde niemand in de buurt hebben als Moke kwam.

Behalve Hoppy was er niemand in het kantoor toen Jimmy Hull Moke in spijkerbroek en cowboylaarzen binnenstapte. Hoppy begroette hem met een nerveuze handdruk en een onvaste stem en leidde hem naar zijn kamer. Hij had zijn bureau gedekt, broodjes en ijsthee. Ze spraken onder het eten over de lokale politiek, casino's en sportvissen. Hoppy kon bijna geen hap door zijn keel krijgen. Zijn maag trok zich samen van angst en zijn handen wilden niet ophouden met beven. Ten slotte ruimde hij het bureau af en liet de tekening van Stillwater Bay zien. Ringwald had die tekening nog laten brengen. Er stond niet op aangegeven wie er achter het project zat. Hoppy gaf in tien minuten een korte samenvatting van het project en merkte dat hij er steeds meer vertrouwen in kreeg. Hij wist het erg goed te brengen, vond hij zelf.

Jimmy Hull keek naar de tekening, wreef over zijn kin en zei: 'Dertig miljoen dollar, hè?'

'Minstens,' antwoordde Hoppy. Zijn ingewanden trokken zich plotseling niet meer samen.

'En wie doet het?'

Hoppy had zijn antwoord ingestudeerd en gaf het met overtuigend gezag. Hij kon de naam echt niet noemen, niet in dit stadium. Jimmy Hull hield wel van die geheimhouding. Hij stelde vragen, die allemaal met geld en financiering te maken hadden. Hoppy beantwoordde de meeste.

'Het bestemmingsplan zou een groot probleem kunnen opleveren,' zei Jimmy Hull met gefronste wenkbrauwen.

'Zeker.'

'En de plancommissie kan moeilijk gaan doen.'

'We verwachten niet anders.'
'Natuurlijk zullen de opzieners de definitieve beslissing nemen. Zoals u weet, heeft een bestemmingsplan alleen maar een aanbevelend karakter. Het komt erop neer dat wij zessen doen wat we willen.' Hij grinnikte en Hoppy lachte mee. In Mississippi hadden de zes county-opzieners het hoogste gezag.
'Mijn cliënt weet hoe het gaat. En mijn cliënt wil erg graag met u samenwerken.'
Jimmy Hull nam zijn ellebogen van het bureau en leunde in zijn stoel achterover. Hij kneep zijn ogen half dicht. Er kwamen rimpels in zijn voorhoofd. Hij streek over zijn kin en zijn zwarte kraaloogjes schoten laserstralen over het bureau en troffen de arme Hoppy als hete kogels diep in zijn borst. Hoppy drukte met al zijn tien vingers op het bureau om te voorkomen dat zijn handen trilden.
Hoe vaak zou Jimmy Hull dit moment al hebben beleefd, het moment waarop hij een inschatting maakte van de prooi voordat hij in de aanval ging?
'U weet dat ik mijn district volkomen beheers,' zei hij. Zijn lippen bewogen nauwelijks.
'Ik weet precies hoe het gaat,' antwoordde Hoppy zo kalm mogelijk.
'Als ik wil dat dit wordt goedgekeurd, komt het er wel door. Als ik ertegen ben, maakt het geen schijn van kans.'
Hoppy knikte alleen maar.
Jimmy Hull wilde graag weten welke andere lokale makelaars hierbij betrokken waren, wie ervan wisten, hoe geheim het project op dat moment precies was. 'Niemand behalve ik,' verzekerde Hoppy hem.
'Komt uw cliënt uit het gokwezen?'
'Nee. Maar ze komen uit Las Vegas. Ze weten hoe ze dingen gedaan moeten krijgen op plaatselijk niveau. En ze willen graag snel van start gaan.'
Las Vegas was het toverwoord. Jimmy Hull genoot. Hij keek in het armzalige, kleine kantoor om zich heen. Het was nogal kaal en Spartaans en maakte een onschuldige indruk, alsof hier niet veel gebeurde en ook niet veel verwacht werd. Hij had twee vrienden in Biloxi gebeld en die hadden hem allebei verteld dat Dupree een onnozel type was dat tegen de kerstdagen taartjes op de Rotary Club verkocht. Hij had een groot gezin en het lukte hem zich buiten controversiële zaken te houden – en ook buiten veel andere zaken. De vraag lag voor de hand: waarom zouden de jongens achter Stillwater Bay zich afgeven met een onbenullig kantoortje als Makelaardij Dupree?
Hij besloot die vraag niet te stellen. Hij zei: 'Weet u dat mijn zoon een erg goede consultant is, gespecialiseerd in dit soort projecten?'
'Dat wist ik niet. Mijn cliënt zal graag gebruikmaken van de diensten van uw zoon.'

'Hij zit in Bay St. Louis.'
'Zal ik hem bellen?'
'Nee. Ik regel het wel.'
Randy Moke bezat twee grindwagens en besteedde het grootste deel van zijn tijd aan een vissersboot die, zo adverteerde hij, door sportvissers kon worden gecharterd. Hij was twee maanden voor zijn eerste drugsveroordeling van school af gegaan.
Hoppy bleef aandringen. Ringwald had gezegd dat hij moest proberen zo snel mogelijk zaken met Moke te doen. Als ze het niet in het beginstadium eens werden, bestond het gevaar dat Moke naar Hancock County terugreed en over het project begon te praten. 'Mijn cliënt zou graag willen weten hoeveel hij aan honoraria dient te voldoen wanneer hij de grond koopt. Hoeveel zou uw zoon voor zijn diensten in rekening brengen?'
'Honderdduizend.'
Hoppy vertrok geen spier en was erg trots op zijn kalmte. Ringwald had voorspeld dat Moke zou proberen hun iets tussen de honderdduizend en tweehonderdduizend dollar af te persen. En KLX zou graag betalen. Eerlijk gezegd was het goedkoop in vergelijking met New Jersey. 'Ik begrijp het. Te betalen...'
'In contanten.'
'Mijn cliënt is bereid tot een bespreking daarover.'
'Geen bespreking. Vooruit betalen, of het gaat niet door.'
'En wat houdt de transactie precies in?'
'Honderdduizend dollar in contanten en het project krijgt het groene licht. Dat garandeer ik. Een cent minder en ik kap het met één telefoontje af.'
Opmerkelijk genoeg was er geen enkele dreiging in zijn stem of op zijn gezicht te bespeuren. Hoppy vertelde later aan Ringwald dat Jimmy Hull gewoon de condities uiteenzette alsof hij gebruikte autobanden verkocht op een rommelmarkt.
'Ik moet telefoneren,' zei Hoppy. 'Wilt u even wachten?' Hij liep naar de voorkamer, waar gelukkig niemand was, en belde Ringwald, die in zijn hotel bij de telefoon zat. Hij gaf de condities door, ze spraken er even over en toen ging Hoppy naar zijn kamer terug. 'Het is goed. Mijn cliënt zal het betalen.' Hij zei het langzaam, en eerlijk gezegd was het een erg goed gevoel om te bemiddelen in een zaak die in de miljoenen zou lopen. KLX aan de ene kant, Moke aan de andere kant, en Hoppy in het midden maar buiten al het vuile werk.
Jimmy Hulls gezicht ontspande en hij kon weer glimlachen. 'Wanneer?'
'Ik bel u maandag.'

19

Fitch volgde het proces vrijdagmiddag niet. Er was iets dringends aan de hand met een van zijn juryleden. Hij sloot zich samen met Pang en Carl Nussman in een vergaderkamer van Cables kantoor op en keek een uur naar een projectiescherm.

Het was een idee van Fitch geweest, van hem alleen. Het was een schot in het duister, een van de vreemdste invallen uit zijn leven, maar hij werd ervoor betaald om onder stenen te kijken waar niemand anders onder keek. Het geld gaf hem de luxe om onwaarschijnlijke dromen te realiseren.

Vier dagen eerder had hij Nussman opdracht gegeven het complete jurydossier van het Cimmino-proces, dat een jaar eerder in Allentown in Pennsylvania had plaatsgevonden, naar Biloxi te laten overbrengen. De Cimmino-jury had vier weken lang getuigenverklaringen aangehoord en toen ten gunste van de tabaksonderneming beslist. In Allentown waren driehonderd potentiële juryleden opgeroepen. Een van hen was een jongeman die David Lancaster heette.

Het dossier van Lancaster was dun. Hij werkte in een videotheek en beweerde student te zijn. Hij woonde boven een Koreaans restaurantje en verplaatste zich kennelijk per fiets. Er was geen teken van een ander vervoermiddel en volgens de county-gegevens stond er geen motorvoertuig op zijn naam. Volgens zijn jurykaart met persoonlijke gegevens was hij op 8 mei 1967 in Philadelphia geboren, al was dat ten tijde van het proces niet geverifieerd. Er was geen reden geweest om aan te nemen dat hij loog. Nussmans mensen hadden nu vastgesteld dat die geboortedatum verzonnen was. Op de kaart was ook ingevuld dat hij nooit wegens een misdrijf was veroordeeld, in het afgelopen jaar nergens in het land jurydienst had verricht, geen medische redenen had om niet in een jury zitting te nemen

en een geregistreerde kiezer was. Hij had zich vijf maanden voor het begin van het proces als kiezer laten registreren.
Er was niets vreemds in het dossier te vinden, behalve een met de hand geschreven briefje van een jury-expert waarin stond dat toen Lancaster zich op de eerste dag voor jurydienst aanmeldde, de griffie niet over een oproep beschikte. Hij liet toen een oproep zien die er echt genoeg uitzag en mocht in de rechtszaal plaatsnemen. Een van Nussmans jury-experts merkte op dat Lancaster blijkbaar erg graag in de jury wilde.
De enige foto van de jongeman was op enige afstand genomen toen hij op zijn mountainbike naar zijn werk reed. Hij droeg een pet en een bril met donkere glazen en had lang haar en een ruige baard. Een van Nussmans medewerksters maakte een praatje met Lancaster toen ze video's kwam huren, en rapporteerde dat hij een gebleekte spijkerbroek, Birckenstocks, wollen sokken en een flanellen overhemd droeg. Zijn haar was in een strakke staart naar achteren getrokken en onder zijn kraag weggestopt. Hij was beleefd maar niet erg spraakzaam.
Lancaster had pech bij het trekken van de nummers, maar kwam door de eerste twee ronden en zat op vier rijen afstand toen de jury werd gekozen. Zijn dossier was onmiddellijk gesloten.
Nu was het weer open. In de afgelopen vierentwintig uur was vastgesteld dat David Lancaster een maand na het einde van het proces uit Allentown was verdwenen. Zijn Koreaanse huisbaas wist van niets. Zijn baas in de videowinkel zei dat hij op een dag niet was komen opdagen en dat ze nooit meer iets van hem hadden gehoord. Er was niemand in Allentown te vinden die wilde toegeven dat Lancaster ooit had bestaan. Fitch' mensen gingen het na, maar niemand verwachtte iets te vinden. Hij stond nog steeds als kiezer geregistreerd, maar de kiezerslijsten werden volgens de administrateur van de county pas over vijf jaar geschoond.
Op woensdagavond was Fitch er nagenoeg zeker van dat David Lancaster en Nicholas Easter een en dezelfde persoon waren.
In de nacht van woensdag op donderdag had Nussman in alle vroegte twee grote dozen van zijn kantoor in Chicago ontvangen. In die dozen zat het jurydossier van het Glavine-proces in Broken Arrow, Oklahoma. Dat was twee jaar geleden een genadeloze rechtszaaloorlog tegen Trellco geweest, waarbij Fitch de uitspraak al voor elkaar had toen de advocaten nog druk aan het bakkeleien waren. Nussman had die nacht niet geslapen, maar zich wel door het jury-onderzoek van de zaak-Glavine geploegd.
Er was in Broken Arrow een jonge blanke man geweest, een zekere Perry Hirsch, vijfentwintig jaar oud, naar eigen zeggen geboren in St. Louis op een datum waarvan nu bleek dat hij hem had verzonnen. Hij zei dat hij in een lampenfabriek werkte en in het weekend pizza's bezorgde. Ongehuwd, katholiek, studie niet afgemaakt, nooit eerder in een jury gezeten –

zo stond het in zijn eigen woorden op een korte vragenlijst die voor het proces aan de advocaten was gegeven. Hij had zich vier maanden voor het proces als kiezer laten registreren en zei dat hij met een tante in een stacaravan woonde. Hij was een van de tweehonderd mensen die aan de oproep voor jurydienst gehoor gaven.
Er waren twee foto's van Hirsch. Op een daarvan sjouwde hij, gekleed in een kleurrijk blauw-met-rood Rizzo-shirt met bijpassende pet, een stapel pizza's naar zijn auto, een gedeukte Pinto. Hij droeg een bril met metalen montuur en had een baard. Op de andere foto stond hij naast de stacaravan waar hij woonde, maar zijn gezicht was nauwelijks te zien.
Hirsch kwam bijna in de Glavine-jury, maar werd door de advocaten van de eiser gewraakt om redenen die destijds niet duidelijk waren. Blijkbaar verliet hij het stadje enige tijd na het proces. De fabriek waar hij werkte had een zekere Terry Hurtz in dienst, maar geen Perry Hirsch.
Fitch betaalde een privé-detective ter plaatse om een grondig onderzoek in te stellen. De tante, van wie de naam nooit was genoemd, werd niet gevonden; de beheerder van het stacaravanpark had geen gegevens meer. Niemand bij de Rizzo kon zich een Perry Hirsch herinneren.
Fitch, Pang en Nussman zaten die vrijdagmiddag in het donker naar het projectiescherm te kijken. De foto's van Hirsch, Lancaster en Easter waren vergroot en zo scherp mogelijk gemaakt. Easter was nu natuurlijk gladgeschoren. Zijn foto was op zijn werk gemaakt, dus hij droeg geen pet of bril met donkere glazen.
De drie gezichten behoorden aan dezelfde persoon toe.
Nussmans grafoloog arriveerde vrijdag na de lunchpauze. Hij was in een jet van Pynex uit Washington overgevlogen. Hij had nog geen halfuur nodig om zich enkele indrukken te vormen. De enige stukjes handschrift waarover ze beschikten, waren de jurykaarten uit het Cimmino- en het Wood-proces en de korte vragenlijst van het Glavine-proces. Het was meer dan genoeg. De expert twijfelde er niet aan dat Perry Hirsch en David Lancaster dezelfde persoon waren. Easters handschrift zag er anders uit dan dat van Lancaster, maar hij had een fout gemaakt wat dat van Hirsch betrof. De keurige blokletters die Easter had gebruikt, moesten het waarschijnlijk onmogelijk maken een gelijkenis met eerdere handschriften te constateren. Hij had hard gewerkt om een heel nieuwe stijl van schrijven te ontwikkelen, een stijl die niet in verband te brengen was met het verleden. Zijn fout maakte hij onder op de kaart, toen hij zijn handtekening had gezet. De 't' had een laag dwarsstreepje dat schuin omlaag liep van links naar rechts, erg opvallend. Hirsch had een slordige schuine stijl gebruikt, ongetwijfeld om de schijn te wekken dat hij weinig schoolopleiding had. De 't' in St. Louis, zijn zogenaamde geboorteplaats, was identiek aan de 't' in Easter, hoewel een ongeoefend oog weinig bijzonders aan die

twee nauwelijks op elkaar lijkende letters zou zien.
Hij zei het zonder enige twijfel: 'Hirsch en Lancaster zijn dezelfde persoon. Hirsch en Easter zijn dezelfde persoon. Dus moeten Lancaster en Easter dezelfde persoon zijn.'
'Alle drie zijn dezelfde,' zei Fitch langzaam, toen het tot hem doordrong.
'Dat klopt. En hij is erg, erg intelligent.'
De grafoloog verliet Cables kantoor. Fitch ging naar zijn eigen kantoor terug, waar hij de rest van de vrijdag tot in de late avond met Pang en Konrad overlegde. Zowel in Allentown als in Broken Arrow had hij mensen die onderzoek deden en mensen omkochten en probeerden arbeidsgegevens en belastingformulieren van Hirsch en Lancaster los te krijgen.
'Heb je ooit meegemaakt dat iemand achter processen aan zat?' vroeg Konrad.
'Nooit,' gromde Fitch.

De regels voor echtelijke bezoeken waren eenvoudig. Op vrijdagavond mochten alle juryleden tussen zeven en negen uur hun echtgenoot of partner of wie dan ook in hun kamer ontvangen. De gasten konden komen en gaan wanneer ze wilden, maar ze moesten zich eerst aanmelden bij Lou Dell, die hen onderzoekend bekeek, alsof zij en zij alleen de macht bezat om goed te keuren wat ze gingen doen.
De eerste die kwam, precies om zeven uur, was Derrick Maples, het knappe vriendje van de jonge Angel Weese. Lou Dell noteerde zijn naam, wees naar de gang en zei: 'Kamer 55.' Ze zagen hem pas terug om negen uur, toen hij vermoeid uit de kamer kwam.
Nicholas zou die vrijdagavond geen bezoek hebben. En Jerry Fernandez ook niet. Zijn vrouw was een maand geleden naar een aparte slaapkamer verhuisd en was niet van plan haar tijd te verspillen aan een man voor wie ze alleen maar minachting kon opbrengen. Trouwens, Jerry en de Poedel brachten iedere nacht een echtelijke verbintenis tot stand. Kolonel Herrera's vrouw was de stad uit. Lonnie Shavers vrouw kon geen oppas vinden. En dus keken die vier mannen in de feestzaal naar een film van John Wayne, klagend over de erbarmelijke staat van hun relatie. De blinde oude Herman had wel iemand en zij niet.
Phillip Savelle had een gast, maar Lou Dell weigerde iets te vertellen over het geslacht, het ras, de leeftijd of enige andere eigenschap van zijn bezoek. Het bleek een erg aardige jongedame te zijn, zo te zien afkomstig uit India of Pakistan.
Gladys Card keek in haar kamer televisie met haar man, Nelson Card. Loreen Duke, die gescheiden was, kreeg bezoek van haar twee tienerdochters. Rikki Coleman onderhield echtelijke betrekkingen met haar man Rhea, en daarna praatten ze een uur en drie kwartier over hun kinderen.

En Hoppy Dupree bracht Millie bloemen en een doos bonbons, waar ze het grootste deel van opat terwijl hij zo opgewonden door de kamer liep als ze hem bijna nooit eerder had meegemaakt. Het ging goed met de kinderen, die waren allemaal met een vriend of vriendin op stap, en met de zaken ging het ook erg goed. Sterker nog, met de zaken ging het beter dan ooit. Hij had een geheim, een groot geweldig geheim. Het had te maken met superzaken waar hij bij betrokken was geraakt, maar hij kon het haar nog niet vertellen. Misschien maandag. Misschien later. Maar nu echt niet. Hij bleef een uur en ging toen vlug naar zijn kantoor terug om daar nog wat te werken.
Nelson Card ging om negen uur weg en Gladys beging de fout om naar de feestzaal te gaan, waar de jongens nu met bier en popcorn naar het boksen zaten te kijken. Ze pakte een flesje limonade en ging aan de tafel zitten. Jerry keek argwanend in haar richting. 'Jij kleine ondeugd,' zei hij. 'Kom op, vertel ons alles.'
Haar mond viel open en ze liep rood aan. Ze kon geen woord uitbrengen.
'Kom op, Gladys. Wij hebben niks gehad.'
Ze pakte haar limonade en sprong overeind. 'Misschien is daar een goede reden voor,' snauwde ze woedend, en ze liep met venijnige passen de kamer uit. Jerry zag kans om te lachen. De andere mannen waren daar te moe en te chagrijnig voor.

Marlee's auto was een Lexus die ze voor een termijn van drie jaar van een dealer in Biloxi had geleast. De leaseprijs van zeshonderd dollar per maand werd voldaan door de Rochelle Group, een fonkelnieuwe onderneming waar Fitch nog niets van wist. Bij het linker achterwiel was met behulp van een magneet een zendertje bevestigd dat nog geen pond woog, zodat Marlee's bewegingen nu gevolgd konden worden door Konrad, die aan zijn bureau zat. Enkele uren nadat ze haar uit Mobile hadden gevolgd en haar nummerbord hadden gezien, had Joe Boy het zendertje aangebracht.
Haar grote nieuwe flat was door dezelfde onderneming gehuurd. Bijna tweeduizend dollar per maand. Marlee leefde op grote voet, maar Fitch en zijn mensen vonden niets dat op een baan leek.
Ze belde vrijdagavond laat, enkele minuten nadat Fitch al zijn kleren had uitgetrokken, behalve zijn boxershorts maat XXL en zwarte sokken. Hij lag languit op zijn bed, als een gestrande walvis. Hij verbleef in de Presidentiële Suite op de bovenste verdieping van het Colonial Hotel in Biloxi, aan Highway 90, zo'n honderd meter van de Golf vandaan. Als hij de moeite nam om naar buiten te kijken, had hij een mooi uitzicht over het strand. Niemand buiten zijn kleine kringetje wist waar hij was.
Marlee kreeg de receptie aan de lijn. Ze zei dat ze een dringende boodschap voor meneer Fitch had. Voor de nachtreceptionist was het een

dilemma. Het hotel kreeg veel geld om de privacy en identiteit van meneer Fitch te beschermen. De receptionist kon niet toegeven dat Fitch een gast was. Marlee begreep dat wel.
Toen Marlee tien minuten later terugbelde, werd ze meteen doorverbonden, zoals Fitch inmiddels bevolen had. Fitch stond nu naast zijn bed. Zijn boxershorts waren bijna tot zijn borst opgetrokken maar hingen toch nog slap langs zijn vlezige dijen. Hij krabde over zijn voorhoofd en vroeg zich af hoe ze hem had gevonden. 'Goedenavond,' zei hij.
'Hallo, Fitch. Het spijt me dat ik zo laat nog bel.' Dat speet haar helemaal niet. Marlee probeerde met een Zuidelijk accent te spreken, maar de opnamen van alle acht telefoongesprekken, hoe kort ook, waren evenals de opname van hun gesprekje in New Orleans door stem- en dialectdeskundigen in New York bestudeerd. Marlee kwam uit de Midwest, ergens tussen het oosten van Kansas en het westen van Missouri, waarschijnlijk binnen een straal van honderdvijftig kilometer van Kansas City.
'Geen probleem,' zei hij, en hij keek of de recorder op het inklapbare tafeltje naast het bed goed werkte. 'Hoe gaat het met je vriend?'
'Hij is eenzaam. Vanavond hadden ze de echtelijke bezoeken, weet je wel?'
'Dat hoorde ik. En, hebben ze allemaal echtelijke betrekkingen onderhouden?'
'Niet precies. Het is eigenlijk nogal triest. De mannen keken naar een film van John Wayne terwijl de vrouwen zaten te breien.'
'Heeft niemand een nummertje gemaakt?'
'Bijna niemand. Angel Weese, maar die heeft net een nieuwe vriend. Rikki Coleman. Millie Dupree's man kwam ook, maar hij bleef niet lang. De Cards waren bij elkaar. Van Herman weet ik het niet. En Savelle had bezoek.'
'Wat voor type mens voelt zich tot Savelle aangetrokken?'
'Weet ik niet. Niemand heeft gezien wie hij op bezoek had.'
Fitch liet zijn brede achterste op de rand van het bed zakken en kneep in zijn neus. 'Waarom ben jij niet bij je vriend op bezoek gegaan?' vroeg hij.
'Wie zegt dat we minnaars zijn?'
'Wat zijn jullie dan?'
'Vrienden. Welke juryleden denk je dat het met elkaar doen?'
'Hoe moet ik dat nou weten?'
'Raad eens.'
Fitch glimlachte tegen zichzelf in de spiegel en stond weer eens versteld van het grote geluk dat hij had. 'Jerry Fernandez en iemand.'
'Goed geraden. Jerry staat op het punt te scheiden, en Sylvia is eenzaam. Hun kamers liggen tegenover elkaar aan de gang, en tja, in de Siesta Inn is weinig anders te doen.'
'Is de liefde niet iets moois?'

'Ik moet je zeggen, Fitch, dat Krigler de eiseres veel goodwill heeft bezorgd.'
'Ze luisterden naar hem, hè?'
'Naar ieder woord. Ze luisterde naar hem en ze geloofden hem. Hij heeft ze op andere gedachten gebracht, Fitch.'
'Vertel me eens wat goed nieuws.'
'Rohr maakt zich zorgen.'
Zijn ruggegraat verstijfde enigszins. 'Wat zit Rohr dwars?' vroeg hij, zijn blik nog steeds aandachtig gericht op het gezicht in de spiegel. Het zou hem niet moeten verbazen dat ze met Rohr in contact stond. Waarom schrok hij dan zo? Hij voelde zich verraden.
'Jij zit hem dwars. Hij weet dat je van alles uithaalt om de juryleden te bewerken. Zou jij je geen zorgen maken, Fitch, wanneer iemand als jij hard aan het werk was voor de eiseres?'
'Ik zou doodsbang zijn.'
'Rohr is niet doodsbang. Maar hij maakt zich zorgen.'
'Hoe vaak praat je met hem?'
'Vaak. Hij is aardiger dan jij, Fitch. Hij is een erg prettige man om mee te praten, en bovendien neemt hij mijn gesprekken niet op en stuurt hij geen gangsters de straat op om mijn auto te volgen. Dat soort dingen doet hij niet.'
'Hij weet echt hoe hij een meisje moet inpalmen, hè?'
'Ja. Maar in één opzicht is hij zwak, en daar draait het nou juist om.'
'Wat is dat dan?'
'Zijn portefeuille. Hij beschikt bij lange na niet over jouw middelen.'
'Hoeveel van mijn middelen wil je?'
'Later, Fitch. Ik moet nu weg. Er staat een verdachte auto aan de overkant. Dat zal wel een van die clowns van jou zijn.' Ze hing op.
Fitch nam een douche en probeerde te slapen. Om twee uur reed hij zelf naar de Lucy Luck, waar hij een Sprite dronk en blackjack speelde voor vijfhonderd dollar per keer, tot het licht begon te worden. Toen hij wegging, had hij een winst van bijna twintigduizend dollar op zak.

20

Op de eerste zaterdag van november was het zo'n vijftien graden. Dat was te koel voor de Golfkust, waar een bijna tropisch klimaat heerste. Een lichte bries uit het noorden bracht bomen aan het ruisen en liet bladeren over de straten en trottoirs neerdwarrelen. De herfst kwam laat en duurde tot het begin van het nieuwe jaar, als de lente zich alweer aankondigde. De winter ging aan de Golfkust voorbij.

In het eerste ochtendlicht waren er een paar joggers op straat. Niemand lette op de effen zwarte Chrysler die het garagepad van een bescheiden bakstenen split-level woning opreed. Omdat het nog zo vroeg was, zagen de buren niet dat er twee jongemannen in donker pak uit de auto stapten, naar de voordeur liepen, op de bel drukten en geduldig wachtten. Nu zag niemand ze, maar over een uur zouden de buren al bladeren harken op de gazons en zou het op de trottoirs krioelen van de kinderen.

Hoppy had net water in zijn koffiezetapparaat gedaan toen hij de bel hoorde. Hij trok de ceintuur van zijn gerafelde badstoffen ochtendjas strak en probeerde zijn ongekamde haren recht te strijken met zijn vingers. Het moesten wel padvinders zijn die op dit onchristelijke uur doughnuts liepen te verkopen. Het zouden toch niet weer jehova's zijn? Nou, die zou hij eens flink de waarheid zeggen! Als er iets was waar hij de pest aan had, dan waren het sekten! Hij ging vlug naar de deur, want de bovenverdieping lag vol met comateuze tieners. Zes, volgens de meest recente telling. Vijf van hemzelf en een gast die iemand van school mee naar huis had genomen. Een typische vrijdagnacht in huize Dupree.

Hij deed de voordeur open en stond tegenover twee ernstige jonge mannen, die allebei hun hand in hun zak staken en bliksemsnel een gouden medaillon, gevat in zwart leer, te voorschijn haalden. In hun snelle woordenstroom ving Hoppy minstens twee keer 'FBI' op. Hij viel bijna flauw.

'Bent u de heer Dupree?' vroeg FBI-agent Nitchman.
Hoppy's mond viel open. 'Ja, maar...'
'We zouden u graag een paar vragen willen stellen, meneer Dupree,' zei agent Napier terwijl hij op de een of andere manier kans zag nog een stap dichterbij te komen.
'Waarover?' vroeg Hoppy. Zijn mond was opeens helemaal droog en hij probeerde tussen hen door te kijken, de straat op en naar de overkant, waar Mildred Yancy ongetwijfeld alles gadesloeg.
Nitchman en Napier wisselden een norse, veelbetekenende blik. Toen zei Napier tegen Hoppy: 'We kunnen het hier doen of ergens anders.'
'Vragen over Stillwater Bay, Jimmy Hull Moke, onder andere...' verduidelijkte Nitchman, en Hoppy klampte zich aan de deurpost vast.
'O mijn god,' zei hij. De lucht werd uit zijn longen gezogen en hij verstijfde bijna helemaal.
'Mogen we binnenkomen?' vroeg Napier.
Hoppy liet zijn hoofd zakken en wreef over zijn ogen alsof hij huilde. 'Nee, alstublieft, niet hier.' De kinderen! Meestal sliepen ze tot negen of tien uur, of zelfs tot twaalf uur als Millie ze niet wakker maakte, maar als er stemmen te horen waren, had je ze in een ommezien beneden. 'Mijn kantoor,' kon hij met moeite uitbrengen.
'We zullen wachten,' zei Napier.
'Komt u wel vlug,' zei Nitchman.
'Dank u,' zei Hoppy, en hij deed meteen de deur dicht en draaide hem op slot. Hij liet zich op een bank in de huiskamer vallen en staarde naar het plafond, dat met de klok mee draaide. Boven was alles stil. De kinderen sliepen nog. Zijn hart bonsde en een volle minuut dacht hij erover om daar te blijven liggen tot hij dood was. De dood zou hem nu welkom zijn. Hij kon zijn ogen dichtdoen en wegzweven, en over een paar uur zou het eerste kind dat beneden kwam hem zien en 911 bellen. Hij was drieënvijftig en in zijn familie van moederskant kwamen veel hartkwalen voor. Millie zou honderdduizend dollar van de levensverzekering krijgen.
Toen hij besefte dat zijn hart er nog niet mee wilde ophouden, kwam hij langzaam overeind. Nog duizelig strompelde hij naar de keuken en schonk een kop koffie in. Volgens het digitale klokje van de oven was het vijf over zeven. De vierde november. Ongetwijfeld een van de ergste dagen uit zijn leven. Hoe had hij zo stom kunnen zijn!
Hij dacht erover Todd Ringwald te bellen, en hij dacht erover Millard Putt, zijn advocaat, te bellen. Hij besloot daarmee te wachten. Plotseling had hij haast. Hij wilde het huis uit voordat de kinderen opstonden, en hij wilde die twee FBI-agenten van zijn garagepad af hebben voordat de buren hen zagen. Trouwens, Millard Putt deed alleen maar zaken die met onroerend goed te maken hadden en was daar niet eens erg goed in. Dit was een strafzaak.

Een strafzaak! Hij sloeg de douche over en kleedde zich in een paar seconden aan. Pas toen hij zijn tanden al aan het poetsen was, zag hij eindelijk zijn gezicht in de spiegel. Dat gezicht sprak boekdelen, verklaarde zich schuldig aan iedereen die het zag. Hij kon niet liegen. Het bedrog zat niet in hem. Hij was gewoon Hoppy Dupree, een eerlijke man met een leuk gezin, een goede reputatie, en noem maar op. Hij had zelfs nooit geknoeid met zijn belastingaangifte!
Dus waarom, Hoppy, stonden buiten nu twee FBI-agenten te wachten om met hem weg te gaan, nog niet naar de gevangenis, al zou dat vast nog wel gebeuren, maar naar een plaats waar ze de privacy hadden om zijn fraude boven tafel te krijgen en hem te vermorzelen? Hij besloot het scheren ook over te slaan. Hij streek door zijn haren en dacht aan Millie, en de schande die over hen zou komen, en de kinderen, en wat iedereen zou denken.
Voordat hij de badkamer verliet, gaf Hoppy over.
Buiten stond Napier erop dat hij met Hoppy zou meerijden. Nitchman volgde in de zwarte Chrysler. Er werd geen woord gezegd.

Makelaardij Dupree was niet het soort firma dat mensen trok die vroeg opstonden. Dat gold voor deze zaterdag en het gold ook voor de rest van de week. Hoppy wist dat het wel negen of tien uur zou worden voordat er iemand kwam. Hij maakte deuren open, deed lichten aan, zei niets totdat het tijd werd om te vragen of ze koffie wilden. Ze wilden geen van beiden koffie. Blijkbaar wilden ze zo gauw mogelijk met de slachtpartij beginnen.
Hoppy ging aan zijn kant van het bureau zitten. Ze zaten dicht naast elkaar tegenover hem, als een tweeling. Hij kon hen niet lang in de ogen kijken.
Nitchman begon door te zeggen: 'Weet u iets van Stillwater Bay?'
'Ja.'
'Hebt u een man ontmoet die Todd Ringwald heet?'
'Ja.'
'Hebt u een contract met hem getekend?'
'Nee.'
Napier en Nitchman keken elkaar aan alsof ze wisten dat hij loog. Met een vaag lachje zei Napier: 'Meneer Dupree, dit zal voor u veel gemakkelijker verlopen als u de waarheid vertelt.'
'Ik zweer u dat ik de waarheid spreek.'
'Wanneer hebt u Todd Ringwald voor het eerst ontmoet?' vroeg Nitchman, terwijl hij een smal notitieboekje uit zijn zak haalde en daarin begon te schrijven.
'Donderdag.'
'Kent u Jimmy Hull Moke?'
'Ja.'
'Wanneer hebt u hem voor het eerst ontmoet?'

'Gisteren.'
'Waar?'
'Hier.'
'Wat was het doel van die ontmoeting?'
'We spraken over de ontwikkeling van Stillwater Bay. Het is de bedoeling dat ik ga optreden namens een onderneming die KLX Properties heet. Die firma wil Stillwater Bay ontwikkelen en dat ligt in het district van Hancock County waar Moke opziener is.'
Napier en Nitchman keken Hoppy aan en dachten daar zo lang over na dat het wel een uur leek. Hoppy herhaalde de woorden in stilte voor zichzelf. Had hij iets gezegd? Iets wat zijn vertrek naar de gevangenis zou bespoedigen? Misschien moest hij nu meteen zijn mond houden en een advocaat nemen.
Napier schraapte zijn keel. 'Wij hebben de afgelopen zes maanden een onderzoek naar meneer Moke ingesteld en twee weken geleden heeft hij een afspraak met ons gemaakt. Hij krijgt een lichtere straf en in ruil daarvoor assisteert hij ons.'
Hoppy begreep niet wat de man bedoelde. Hij hoorde het wel, maar het wilde niet goed tot hem doordringen.
'Hebt u meneer Moke geld aangeboden?' vroeg Napier.
'Nee,' zei Hoppy, want hij kon onmogelijk ja zeggen. Hij zei het vlug, zonder overtuiging, het kwam er gewoon uit. 'Nee,' zei hij opnieuw. Hij had ook niet echt geld aangeboden. Hij had gezorgd dat zijn cliënt geld kon aanbieden. Tenminste, dat was zijn interpretatie van wat hij had gedaan.
Nitchman greep langzaam in de zak van zijn jasje, tastte daarin tot hij te pakken had wat hij wilde hebben. Toen haalde hij langzaam een smal apparaatje te voorschijn en legde dat midden op het bureau. 'Weet u dat zeker?' vroeg hij, bijna uitdagend.
'Ja, dat weet ik zeker,' zei Hoppy. Hij keek met open mond naar dat afschuwelijke slanke apparaatje.
Nitchman drukte voorzichtig op een knop. Hoppy hield zijn adem in en balde zijn vuisten. En toen was er zijn stem. Hij hoorde zichzelf nerveus over politiek en casino's en sportvissen praten, en zo nu en dan zei Moke ook iets. 'Hij had een recorder op zak!' riep Hoppy uit, ademloos en totaal verslagen.
'Ja,' zei een van hen ernstig.
Hoppy kon alleen maar naar de recorder staren. 'O nee,' mompelde hij.
De woorden waren nog geen vierentwintig uur geleden uitgesproken en op de band opgenomen, hier aan ditzelfde bureau, met broodjes en ijsthee. Jimmy Hull Moke had gezeten waar Nitchman nu zat en hij had gepraat over een omkoopsom van honderdduizend dollar, en hij had dat gedaan terwijl hij ergens op zijn lichaam een recordertje van de FBI had.

Het bandje ging pijnlijk traag rond, tot de schade was aangericht en Hoppy en Jimmy Hull haastig afscheid van elkaar namen. 'Zullen we er nog een keer naar luisteren?' vroeg Nitchman terwijl hij op de knop drukte.
'Nee, liever niet,' zei Hoppy. 'Zou ik met een advocaat moeten praten?' vroeg hij zonder op te kijken.
'Geen slecht idee,' zei Napier met medegevoel.
Toen hij hen eindelijk aankeek, waren zijn ogen rood en nat. Zijn lip trilde, maar hij stak zijn kin naar voren en probeerde dapper te zijn. 'Wat staat me te wachten?' vroeg hij.
Napier en Nitchman ontspanden tegelijk. Napier stond op en liep naar een boekenkast. 'Dat is moeilijk te zeggen,' zei Nitchman, alsof de beslissing aan iemand anders was. 'We hebben het afgelopen jaar een stuk of tien opzieners gearresteerd. De rechters zijn het zat. De vonnissen worden langer.'
'Ik ben geen opziener,' zei Hoppy.
'Daar zit iets in. Ik zou zeggen drie tot vijf jaar in een federale gevangenis.'
'Poging tot omkoping van een overheidsfunctionaris,' voegde Napier er behulpzaam aan toe. Napier ging weer naast Nitchman zitten. Beide mannen zaten op de rand van hun stoel, alsof ze ieder moment over het bureau heen konden vliegen om Hoppy af te ranselen voor zijn zonden.
De microfoon zat in de dop van een blauwe wegwerp-Bic die tussen een stuk of tien goedkope pennen en potloden in een stoffig fruitpotje op Hoppy's bureau stond. Ringwald had hem daar vrijdag achtergelaten toen Hoppy naar het toilet ging. De pennen en potloden zagen eruit alsof ze nooit gebruikt werden, zo'n verzameling waar iemand soms maandenlang niets mee doet. Voor het geval dat Hoppy of iemand anders de blauwe Bic wilde gebruiken, zat er geen inkt in en zou hij onmiddellijk in de prullenbak terechtkomen. Alleen een technicus zou het microfoontje kunnen ontdekken door de pen uit elkaar te halen.
Vanaf het bureau werden de woorden doorgegeven aan een kleine, krachtige zender die verborgen stond achter de lysol en luchtverfrisser in een wastafelkastje naast Hoppy's kantoor. Die zender gaf de woorden door aan een onopvallend busje dat in een winkelcentrum aan de overkant van de straat geparkeerd stond. De woorden werden in dat busje op de band opgenomen en kwamen zo uiteindelijk bij Fitch terecht.
Jimmy Hull had geen recorder bij zich gehad en werkte niet met de FBI samen. In feite had hij alleen maar gedaan wat hij het beste kon: smeergeld versieren.
Ringwald, Napier en Nitchman waren ex-politiemannen die privé-detective waren geworden en voor een internationale beveiligingsfirma in Bethesda werkten. Het was een firma waar Fitch vaak gebruik van maakte. De Hoppy-operatie zou het Fonds tachtigduizend dollar kosten.
Kleingeld.

Hoppy bracht de mogelijkheid dat hij een advocaat zou bellen weer ter sprake. Napier weerde het af met een langdurig verhaal over de pogingen van de FBI om de welig tierende corruptie aan de Golfkust een halt toe te roepen. Hij gaf de gokindustrie de schuld van alle problemen.
Ze moesten voorkomen dat Hoppy een advocaat belde. Een advocaat zou namen en telefoonnummers en papieren willen hebben. Napier en Nitchman hadden genoeg valse papieren om de arme Hoppy te overbluffen, maar als er een goede advocaat op het toneel verscheen, zouden ze meteen moeten verdwijnen.
Napier praatte maar door: wat als een routineonderzoek naar Jimmy Hull en huis-tuin-en-keuken-corruptie was begonnen, had zich ontwikkeld tot een veel groter onderzoek naar de gokindustrie en, magische woorden, 'de georganiseerde misdaad'. Hoppy luisterde zo goed mogelijk, maar het viel hem niet mee. Zijn gedachten draafden voor hem uit. Hij dacht aan Millie en de kinderen. Hoe zouden ze zich kunnen redden in de drie tot vijf jaar dat hij weg zou zijn?
'U was dus niet ons doelwit,' zei Napier, samenvattend.
'En eerlijk gezegd hadden we nog nooit van KLX Properties gehoord,' voegde Nitchman eraan toe. 'We zijn hier min of meer bij toeval op gestuit.'
'Kunt u er niet gewoon van weg stuiteren?' vroeg Hoppy, en hij zag zowaar kans een vaag, hulpeloos glimlachje te produceren.
'Misschien,' zei Napier nadrukkelijk en toen keek hij Nitchman aan alsof ze Hoppy iets nog veel belangrijkers te zeggen hadden.
'Misschien wat?' vroeg hij.
Ze trokken zich tegelijk van de rand van het bureau terug. Hun timing was zo perfect dat het leek of ze uren hadden geoefend of dit al honderd keer hadden gedaan. Ze keken allebei aandachtig naar Hoppy, die een beetje ineenkromp en naar het bureaublad keek.
'Wij weten dat u geen crimineel bent, meneer Dupree,' zei Nitchman zachtjes.
'U hebt gewoon een fout gemaakt,' voegde Napier eraan toe.
'Dat is zo,' mompelde Hoppy.
'U hebt zich laten gebruiken door een paar bijzonder geraffineerde gangsters. Ze komen voorrijden met grote plannen en grote geldkoffers, en, tja, dat maken we bij drugszaken de hele tijd mee.'
Drugs! Hoppy was diep geschokt, maar zei niets. Weer een stilte waarin ze elkaar aankeken.
'Kunnen we een afspraak voor vierentwintig uur met u maken?' vroeg Napier.
'Hoe zou ik nee kunnen zeggen?'
'Laten we dit vierentwintig uur stil houden. U vertelt niemand iets, wij vertellen niemand iets. U spreekt er niet met uw advocaat over, wij vervol-

gen u niet. Niet in de komende vierentwintig uur.'
'Ik begrijp het niet.'
'We kunnen nu niet alles uitleggen. We hebben tijd nodig om uw situatie te beoordelen.'
Nitchman boog zich weer naar voren, met zijn ellebogen op het bureau. 'Misschien is er nog een uitweg voor u, meneer Dupree.'
Hoppy kreeg weer een klein beetje hoop. 'Ik luister.'
'U bent een klein, onbelangrijk visje dat in een groot net is gevangen,' legde Napier uit. 'Misschien kunnen we u wel missen.'
Dat klonk goed, vond Hoppy. 'Wat gebeurt er over vierentwintig uur?'
'Dan ontmoeten we elkaar hier weer. Morgenvroeg om negen uur.'
'Afgesproken.'
'Eén woord tegen Ringwald, één woord tegen iemand, zelfs uw vrouw, en uw toekomst verkeert in groot gevaar.'
'U hebt mijn woord.'

De gehuurde bus verliet de Siesta Inn om tien uur. Aan boord waren alle veertien juryleden, mevrouw Grimes, Lou Dell en haar man Benton, Willis en zijn vrouw Ruby, vijf part-time deputy's in burgerkleding, Earl Hutto, de sheriff van Harrison County en zijn vrouw Claudelle, en twee griffiemedewerkers. Al met al achtentwintig mensen, plus de chauffeur. Allemaal goedgekeurd door rechter Harkin. Twee uur later reden ze door Canal Street in New Orleans. Op de hoek van Magazine stapten ze uit. De lunch werd opgediend in een gereserveerde kamer van een oude oesterbar aan Decatur in het French Quarter en kwam voor rekening van de belastingbetalers van Harrison County.
Ze mochten op eigen gelegenheid door het Quarter wandelen. Ze winkelden op de markt, slenterden met de toeristen over Jackson Square, vergaapten zich aan naakte lichamen in een obscure bar en kochten T-shirts en andere souvenirs. Sommigen rustten even uit op een bankje aan de Riverwalk. Anderen doken een kroegje in of maakten een rondvaart met een raderboot. Om zes uur dineerden ze in een pizzeria in Canal Street.
Om tien uur werden ze opgesloten in hun kamers in Pass Christian, moe en verlangend naar slaap. Drukbezette juryleden zijn blije juryleden.

21

Nu de Hoppy-show opperbest verliep, nam Fitch laat op die zaterdagavond het besluit om de volgende aanval op de jury te doen. Het was een slag die hij zonder voorafgaande zorgvuldige planning zou toedienen, een manoeuvre zo agressief als de Hoppy-truc listig was.
Zondagmorgen in alle vroegte forceerden Pang en Dubaz, allebei gekleed in een geelbruine overall met het logo van een loodgietersbedrijf boven een borstzak, het slot op de deur van Easters woning. Er klonk geen alarm. Dubaz ging regelrecht naar de ventilatiekoker boven de koelkast, verwijderde het schermpje en rukte de verborgen camera los waarmee Doyle de vorige keer was gefilmd. Hij legde hem in een grote gereedschapskist, die hij had meegebracht voor de spullen die ze zouden weghalen.
Pang ging naar de computer. Hij had de foto's die Doyle tijdens zijn bezoek inderhaast had gemaakt grondig bestudeerd en had geoefend op een identieke computer die in een kantoor naast dat van Fitch was geïnstalleerd. Hij draaide enkele schroeven los en verwijderde de kap van de computer. De harde schijf zat precies waar hij zou moeten zitten. Binnen een minuut was hij eruit. Pang vond twee stapels 3,5 inch-schijfjes, zestien in totaal, in een rek bij de monitor.
Terwijl Pang voorzichtig de harde schijf verwijderde, deed Dubaz overal laden open en zocht hij geruisloos in het goedkope meubilair naar nog meer schijfjes. De woning was zo klein en had zo weinig plaatsen waar je iets kon verbergen dat zijn taak niet moeilijk was. Hij doorzocht de keukenladen en -kastjes, de andere kasten, de kartonnen dozen die Easter gebruikte om er zijn sokken en ondergoed in op te bergen. Hij vond niets. Alles wat met de computer te maken had, werd blijkbaar bij de computer bewaard.
'Laten we gaan,' zei Pang. Hij trok de kabels van de computer, monitor en printer los.

Ze smeten alles op de versleten bank, en Dubaz stapelde er kussens en kleren op, om er vervolgens een jerrycan met aanmaakvloeistof over leeg te gieten. Toen de bank, stoel, computer, goedkope kleedjes en kleren voldoende doorweekt waren, liepen de twee mannen naar de deur en wierp Dubaz een lucifer. Het vuur laaide snel op en maakte bijna geen geluid, tenminste niet voor iemand die buiten de kamer zou luisteren. Ze wachtten tot de vlammen tegen het plafond kwamen en de zwarte rook door de woning kolkte, en gingen toen haastig weg, waarbij ze de deur achter zich op slot deden. Nadat ze de trap waren afgegaan, drukten ze op een brandalarm. Dubaz rende weer naar boven, waar de rook nu uit de woning kwam, en begon te schreeuwen en op deuren te slaan. Pang deed hetzelfde op de begane grond. Al gauw heerste er groot tumult in de gangen, waar paniekerige mensen in ochtendjas en joggingpak doorheen renden. Het schelle rinkelen van oude brandalarmbellen maakte de hysterie nog groter.
'Zorg verdomd goed dat er niemand omkomt,' had Fitch hen gewaarschuwd. Terwijl de rook dichter werd, bleef Dubaz op deuren bonken. Er waren sirenes te horen. Er verscheen rook voor de ramen van twee bovenwoningen, die van Easter en die naast hem. Nog meer mensen kwamen naar buiten gedraafd, sommigen met dekens om zich heen, anderen met baby's en peuters in hun armen. Ze sloten zich bij de menigte aan en wachtten ongeduldig op de brandweer.
Toen de brandweer kwam, bleven Pang en Dubaz op de achtergrond, en even later waren ze verdwenen.

Er kwam niemand om. Er raakte niemand gewond. Vier woningen werden volledig verwoest, elf liepen grote schade op en bijna dertig gezinnen zouden dakloos zijn totdat alles weer was opgeknapt.
Easters harde schijf bleek niet te kraken te zijn. Hij had zoveel wachtwoorden, geheime codes, beveiligingen en anti-virus-barrières aangebracht, dat Fitch' computerdeskundigen perplex stonden. Hij had ze zaterdag uit Washington laten overkomen. Het waren eerlijke mensen die niet wisten waar de harde schijf en de diskettes vandaan kwamen. Hij zette ze in een kamer met een systeem dat identiek was aan dat van Easter, en zei ze wat hij wilde. De meeste schijfjes hadden soortgelijke beveiligingen. Maar ongeveer op de helft van de stapel werd de spanning doorbroken: ze wisten de wachtwoorden te omzeilen op een ouder schijfje dat Easter nog niet afdoende had beveiligd. De bestandenlijst bevatte zestien nietszeggende namen. Fitch werd in kennis gesteld toen het eerste document werd afgedrukt. Het was een zes pagina's tellend overzicht van actuele nieuwsberichten over de tabaksindustrie, gedateerd 11 oktober 1994. Artikelen uit *Time*, de *Wall Street Journal* en *Forbes* werden genoemd. Het tweede

document was een uitgebreide, twee pagina's tellende beschrijving van een documentaire over procedures naar aanleiding van borstimplantaties die Easter pas had gezien. Het derde was een klungelig gedicht over rivieren dat hij had geschreven. Het vierde was weer een compilatie van recente nieuwsberichten over longkankerprocedures.

Fitch en Konrad lazen het allemaal zorgvuldig door. De stijl was helder en ongecompliceerd, en blijkbaar was het haastig geschreven, want het wemelde van de typefouten. Hij schreef als een onbevooroordeeld verslaggever. Het was niet vast te stellen of Easter aan de kant van de rokers stond of alleen maar hevig in dit soort procedures geïnteresseerd was.

Er volgden nog meer afschuwelijke gedichten. Een onvoltooid verhaal. En toen: bingo! Document nummer vijftien was een brief van twee pagina's aan zijn moeder, een zekere mevrouw Pamela Blanchard in Gardner, Texas. De brief, gedateerd 20 april 1995, begon als volgt: 'Beste moeder: ik woon nu in Biloxi, Mississippi, aan de Golfkust.' Hij legde uit hoeveel hij van de zee en het strand hield en dat hij nooit meer op het platteland zou kunnen leven. Hij putte zich uit in verontschuldigingen omdat hij zo lang met schrijven had gewacht en verontschuldigde zich toen in twee lange alinea's voor zijn neiging tot zwerven. Wat het schrijven van brieven betrof, beloofde hij beterschap. Hij vroeg naar Alex, zei dat hij hem in drie maanden niet had gesproken. Hij kon bijna niet geloven dat Alex toch naar Alaska was gegaan en daar een baan als gids voor sportvissers had gekregen. Alex was blijkbaar een broer. Er kwam geen vader in de brief voor. En ook geen meisje, zeker niet iemand die Marlee heette.

Hij zei dat hij een baan in een casino had gevonden en dat het voor een tijdje wel leuk was maar dat er weinig toekomst in zat. Hij dacht er nog over om advocaat te worden en vond het jammer van de rechtenstudie, maar betwijfelde of hij ooit terug zou gaan. Hij bekende dat hij gelukkig was met zijn eenvoudige leven: weinig geld en nog minder verantwoordelijkheden. 'Zeg, ik moet nu weg. Veel liefs. Doe de groeten aan tante Sammie en zeg dat ik haar gauw bel.'

Hij tekende simpelweg met 'Jeff'. Nergens in de brief kwam een achternaam voor.

Een uur nadat de brief was ontdekt, vertrokken Dante en Joe Boy met een privé-jet. Ze hadden opdracht van Fitch om naar Gardner te gaan en alle privé-detectives die daar waren meteen in te huren.

De computermensen kraakten nog een schijfje, het op een na laatste van de stapel. Opnieuw konden ze met behulp van een gecompliceerde serie wachtwoordaanwijzingen om de beveiliging heen komen. Ze waren erg onder de indruk van Easters bekwaamheid als hacker.

Op het schijfje stond een deel van een lang document – de kiezersregistratie van Harrison County. De lijst ging van A tot K, meer dan zestiendui-

zend namen en adressen. Fitch nam hier en daar steekproeven in de uitdraai. Hij had zelf ook een complete uitdraai van de complete kiezerslijst van de county. Het was geen geheime lijst, je kon hem voor vijfendertig dollar van Gloria Lane kopen. De meeste politieke kandidaten kochten hem als er verkiezingen waren.
Twee dingen waren wel vreemd aan Easters lijst. Ten eerste stond hij op een computerschijfje, wat betekende dat het Easter op de een of andere manier was gelukt in Gloria Lanes computer te komen en de informatie te stelen. Ten tweede: wat moest een parttime computerhacker en parttime student met zo'n lijst?
Als Easter toegang tot de computer van de griffie had, kon hij daar vast en zeker ook mee knoeien en had hij zijn eigen naam op de lijst van potentiële juryleden in de zaak-Wood kunnen zetten.
Hoe meer Fitch erover nadacht, des te logischer begon hij het te vinden.

Het was zondagmorgen negen uur. Hoppy zat met gezwollen, roodomrande ogen sterke koffie te drinken aan zijn bureau. Op zaterdagmorgen, voordat de deurbel was gegaan en Napier en Nitchman in zijn leven waren gekomen, had hij een banaan gegeten terwijl hij koffie aan het zetten was, maar in de vierentwintig uur daarna had hij geen hap meer door zijn keel kunnen krijgen. Zijn maag en darmen waren van slag. Zijn zenuwen waren tot het uiterste gespannen. Op zaterdagavond had hij te veel wodka gedronken, en dat had hij thuis gedaan, iets wat Millie verbood.
De kinderen hadden op zaterdag door alles heen geslapen. Hij had niemand iets verteld, was ook niet in de verleiding gekomen om dat te doen. Vernederd als hij zich voelde, had hij er geen enkele behoefte aan om zijn walgelijke geheim aan iemand prijs te geven.
Om precies negen uur kwamen Napier en Nitchman binnen. Ze hadden een oudere man bij zich die net als zij een stemmig donker pak droeg en een ernstige uitdrukking op zijn gezicht had, alsof hij was meegekomen om de arme Hoppy persoonlijk af te ranselen. Nitchman stelde hem voor als George Cristano. Uit Washington! Het Ministerie van Justitie!
Cristano's handdruk was koud. Hij deed niet aan beleefdheidsfrases.
'Zeg Hoppy, zou het niet beter zijn als we ons gesprekje ergens anders hadden?' vroeg Napier en hij keek een beetje minachtend in het kantoor om zich heen.
'Dat is veiliger,' voegde Nitchman er ter verduidelijking aan toe.
'Je weet nooit of je wordt afgeluisterd,' zei Cristano.
'Vertel mij wat,' zei Hoppy, maar de humor ontging ze. Verkeerde hij in de positie om nee te zeggen? 'Goed,' zei hij.
Ze vertrokken in een smetteloze Lincoln Town Car, Nitchman en Napier voorin, Hoppy achterin met Cristano, die op zakelijke toon begon uit te

leggen dat hij een hooggeplaatste officier van justitie op het Ministerie was. Hoe dichter ze bij de Golfkust kwamen, des te weerzinwekkender werd de functie van de man. Toen zweeg hij.
'Ben je Democraat of Republikein, Hoppy?' vroeg Cristano zachtjes, toen het een tijdje stil was geweest in de auto. Ze naderden de zee en Napier sloeg af om in westelijke richting de kust te volgen.
Hoppy was niet van plan iemand te beledigen. 'O, dat weet ik niet. Ik stem altijd op de persoon, weet je. Ik leg me niet vast op partijen. Begrijp je wat ik bedoel?'
Cristano wendde zijn ogen af, keek uit het raam. Blijkbaar was hij niet tevreden over Hoppy's antwoord. 'Ik hoopte dat je een goede Republikein was,' zei hij, en hij bleef door het raam naar de zee kijken.
Hoppy wilde alles wel zijn wat die verrekte kerels wilden. Alles. Een doorgewinterde, radicale, fanatieke communist, als hij Cristano daarmee een genoegen kon doen.
'Ik heb op Reagan en Bush gestemd,' zei hij trots. 'En op Nixon. Zelfs op Goldwater.'
Cristano knikte vaag en het lukte Hoppy om uit te ademen.
Het werd weer stil in de auto. Napier parkeerde op een kade bij Bay St. Louis, veertig minuten van Biloxi vandaan. Hoppy volgde Cristano over een pier. Ze liepen naar een verlaten, twintig meter lange charterboot, de *Afternoon Delight*. Nitchman en Napier bleven bij de auto wachten, uit het zicht.
'Ga zitten, Hoppy.' Cristano wees naar een met schuimrubber gevulde bank op het dek. Hoppy ging zitten. De boot schommelde een beetje. Het water was rimpelloos. Cristano ging tegenover hem zitten en boog zich naar voren. Hun hoofden waren nog geen meter van elkaar vandaan.
'Mooie boot,' zei Hoppy, wrijvend over de kunstleren zitting van de bank.
'Hij is niet van ons. Zeg Hoppy, jij draagt toch geen microfoontje bij je?'
Instinctief ging hij met een ruk overeind zitten, geschrokken van het idee.
'Natuurlijk niet!'
'Sorry, maar die dingen gebeuren. Eigenlijk zou ik je moeten fouilleren.' Cristano bekeek hem vlug van top tot teen. Hoppy moest er niet aan denken dat hij betast werd door een vreemde, alleen op een boot.
'Ik zweer je dat ik geen microfoontje bij me heb,' zei Hoppy met zoveel overtuigingskracht dat hij trots op zichzelf was. Cristano's gezicht ontspande. 'Wil jij mij fouilleren?' vroeg hij. Hoppy keek om zich heen om te zien of er iemand naar hen keek. Het zou nogal vreemd overkomen, nietwaar, twee volwassen mannen die elkaar bij klaarlichte dag betastten in een boot die voor anker lag?
'Heb jij een microfoontje?' vroeg Hoppy.
'Nee.'

'Zweer je dat?'
'Ik zweer het.'
'Goed.' Hoppy was opgelucht. Hij wilde de man erg graag geloven. Het alternatief was ondenkbaar.
Cristano glimlachte en fronste toen zijn wenkbrauwen. Hij zou nu ter zake komen. 'Ik zal er niet omheen draaien, Hoppy. We willen je een aanbod doen, een aanbod dat je in staat zal stellen om hier zonder kleerscheuren van af te komen. Geen arrestatie, geen telastelegging, geen proces, geen gevangenis. Geen gezicht in de krant. Niemand zal er iets van weten, Hoppy.'
Hij zweeg even en Hoppy zei meteen: 'Tot nu toe klinkt het goed. Ik luister.'
'Het is een bizarre afspraak en we hebben nog nooit zoiets gedaan. Het heeft niets te maken met recht en wet en straf en dat soort dingen. Het is een politieke afspraak, Hoppy. Zuiver politiek. Er zullen in Washington geen gegevens van te vinden zijn. Niemand zal het ooit weten, behalve ik, jij, die twee kerels bij de auto en nog geen tien mensen op het ministerie van Justitie. We worden het eens, jij doet wat er van je verlangd wordt, en alles wordt vergeten.'
'Mooi. Vertel me maar wat ik moet doen.'
'Maak jij je zorgen over misdaad, drugs, orde en gezag, Hoppy?'
'Natuurlijk.'
'Heb je een hekel aan corruptie?'
Vreemde vraag. Op dat moment voelde Hoppy zich net iemand in een reclamespotje tegen corruptie. 'Ja!'
'In Washington heb je goede mensen en slechte mensen, Hoppy. Bij ons op het Ministerie van Justitie zijn veel mensen die hun leven wijden aan het bestrijden van de misdaad. Ik heb het nu over zware criminaliteit, Hoppy. Ik heb het over geld dat van de drugshandel naar rechters en politici gaat, mensen die geld aannemen van buitenlandse vijanden. Ik heb het over criminele activiteiten die onze democratie bedreigen. Weet je wat ik bedoel?'
Als Hoppy dat nog niet wist, stond hij in ieder geval sympathiek tegenover Cristano en zijn geweldige vrienden in Washington. 'Ja, ja,' zei hij, hangend aan zijn lippen.
'Maar alles is tegenwoordig politiek, Hoppy. We liggen constant in de clinch met het Congres en met de president. Weet je wat wij in Washington nodig hebben, Hoppy?'
Wat het ook was, Hoppy wilde dat ze het kregen.
Cristano gaf hem de kans niet om antwoord te geven. 'We hebben meer Republikeinen nodig, meer goede, conservatieve Republikeinen die ons geld geven en niet voor de voeten lopen. De Democraten willen zich altijd overal mee bemoeien, dreigen altijd met inkrimping van budgetten, reor-

ganisaties, maken zich altijd druk om de rechten van die arme criminelen die zo door ons worden gepest. Er wordt daar een oorlog gevoerd, Hoppy. We voeren die oorlog elke dag.'
Hij keek Hoppy aan alsof die iets zou moeten zeggen, maar Hoppy moest nog even aan het idee van die oorlog wennen. Hij knikte ernstig en sloeg zijn ogen neer.
'We moeten onze vrienden beschermen, Hoppy, en daarbij kun jij een rol spelen.'
'Goed.'
'Nogmaals, dit is een vreemd aanbod. Als je het aanneemt, wordt het bandje waarop je Moke omkoopt vernietigd.'
'Ik ga akkoord. Zeg me maar wat ik moet doen.'
Cristano zweeg en keek op, langs de pier. Ver weg maakten een paar vissers nogal veel herrie. Hij boog zich dichter naar Hoppy toe en tikte op zijn knie. 'Het gaat over je vrouw,' zei hij, bijna fluisterend, en toen trok hij zich enigszins van Hoppy terug om zijn woorden te laten bezinken.
'Mijn vrouw?'
'Ja. Je vrouw.'
'Millie?'
'Ja.'
'Wat...'
'Ik zal het uitleggen.'
'Millie?' Hoppy was verbijsterd. Wat kon die lieve Millie met al die smerigheid te maken hebben?
'Het gaat over het proces, Hoppy,' zei Cristano, en het eerste stukje van de puzzel plofte op zijn plaats.
'Wie denk je dat het meeste geld bijdragen aan verkiezingscampagnes van Republikeinse kandidaten?'
Hoppy was te verbaasd en verward om daar antwoord op te geven.
'Jazeker. De tabaksbedrijven. Ze dragen miljoenen bij omdat ze bang zijn voor de FDA en omdat al die wetten en voorschriften ze de strot uitkomen. Het zijn vrije ondernemers, Hoppy, net als jij. Ze geloven dat mensen roken omdat ze willen roken, en ze hebben de pest aan de regering en die procederende advocaten die hen kapot willen maken.'
'Het is politiek,' zei Hoppy, die nu ongelovig naar de Golf staarde.
'Niets dan politiek. Als de tabaksindustrie dit proces verliest, komt er een lawine van processen zoals dit land nog nooit heeft meegemaakt. De tabaksondernemingen zullen miljarden verliezen, en dan verliezen wij miljoenen in Washington. Kun je ons helpen, Hoppy?'
Hoppy keerde met een schok in de realiteit terug. 'Waarmee dan?' kon hij nog uitbrengen.
'Kun je ons helpen?'

'Ja, ik denk van wel, maar hoe?'
'Millie. Je praat met je vrouw, zorgt dat ze begrijpt hoe nutteloos en hoe gevaarlijk die zaak is. Ze moet de leiding nemen in die jurykamer, Hoppy. Ze moet zich te weer stellen tegen de progressievelingen in de jury die voorstander van een grote schadevergoeding zijn. Kun je dat?'
'Natuurlijk kan ik dat.'
'Maar doe je het ook, Hoppy? Dan gebruiken wij dat bandje niet. Als je ons helpt, spoelen we dat bandje door de plee.'
Hoppy herinnerde zich plotseling het bandje. 'Ja, ik ga akkoord. Toevallig spreek ik haar vanavond.'
'Praat op haar in. Het is verschrikkelijk belangrijk – belangrijk voor ons van Justitie, voor het hele land, en natuurlijk bespaart het jou vijf jaar gevangenisstraf.' Cristano liet die laatste woorden gepaard gaan met een hinniklachje en een klap op zijn knie. Hoppy lachte ook.
Ze praatten een halfuur over strategie. Hoe langer ze op de boot zaten, des te meer vragen had Hoppy. Als Millie nu eens voor de tabaksindustrie stemde, maar de rest van de jury was het niet met haar eens en koos voor een grote schadevergoeding? Wat zou er dan met Hoppy gebeuren?
Cristano beloofde dat hij zich aan zijn kant van de afspraak zou houden, hoe het vonnis ook zou uitvallen – zolang Millie maar tegen de eis stemde.
Toen ze naar de auto teruggingen, liep Hoppy bijna huppelend over de pier, en toen hij Napier en Nitchman terugzag, voelde hij zich herboren.

Nadat hij drie dagen over zijn beslissing had nagedacht, veranderde rechter Harkin op zaterdagavond van mening en verbood hij de juryleden op zondag naar hun kerk te gaan. Hij twijfelde er niet aan dat ze alle veertien plotseling een groot verlangen naar een stichtelijk woord hadden, maar het zou op te veel problemen stuiten als ze naar alle hoeken van de county uitwaaierden. Hij belde zijn predikant, die op zijn beurt ook een paar mensen belde, en ze vonden een jonge theologiestudent. Op zondagmorgen zou er om elf uur een dienst worden gehouden in de feestzaal in de Siesta Inn.
Rechter Harkin stuurde een persoonlijk briefje aan ieder jurylid. Die briefjes werden onder hun deur door geschoven voordat ze uit New Orleans terug waren.
Zes mensen gingen naar de dienst, die nogal een saaie aangelegenheid was. Gladys Card was aanwezig en verkeerde in een verrassend slecht humeur voor de sabbat. Ze had in zestien jaar tijd geen dienst van haar Calvarie Baptistenkerk overgeslagen. Ze was voor het laatst afwezig geweest toen haar zuster in Baton Rouge was gestorven. Zestien jaren achtereen zonder één keer te ontbreken. Ze had de Spelden van Perfecte Presentie op een rij liggen op haar kaptafel. Esther Koblach van de Missie-

Unie van Vrouwen had tweeëntwintig jaar, het huidige record in de Calvariegemeente, maar die was negenenzeventig en leed aan hoge bloeddruk. Gladys was drieënzestig en goed gezond en dacht dus dat ze Esther wel zou inhalen. Ze kon dat aan niemand toegeven, maar iedereen in de Calvariegemeente vermoedde het.
Maar nu waren haar kansen verkeken, door toedoen van rechter Harkin, een man aan wie ze van het begin af een hekel had gehad en voor wie ze nu een diepe minachting voelde. En ze moest ook niets van die theologiestudent hebben.
Rikki Coleman kwam in een joggingpak. Millie Dupree bracht haar bijbel mee. Loreen Duke was een vrome kerkbezoekster maar stoorde zich aan de korte duur van de dienst. Om elf uur begonnen en om half twaalf alweer afgelopen – typisch de jachtige stijl van blanke mensen. Ze had wel van dat idiote gedoe gehoord, maar had zelf nooit zo'n korte dienst bijgewoond. Haar eigen predikant beklom de preekstoel nooit voor één uur en verliet hem vaak niet voor drie uur, wanneer ze de dienst onderbraken voor de lunch, die ze op het grasveld bij de kerk aten als het mooi weer was. Daarna gingen ze allemaal weer naar binnen voor de volgende preek. Ze at een broodje en leed in stilte.
De heer en mevrouw Grimes kwamen ook, niet uit religieuze overwegingen maar omdat de muren van kamer 58 op hen afkwamen. Met name Herman was sinds zijn kindertijd niet meer vrijwillig naar de kerk geweest.
In de loop van de ochtend raakte bekend dat Phillip Savelle grote bezwaren had tegen het houden van een eredienst. Hij zei tegen iemand dat hij atheïst was en dat nieuws verspreidde zich als een lopend vuurtje. Bij wijze van protest ging hij op zijn bed zitten, blijkbaar naakt of bijna naakt. Hij vouwde zijn pezige benen en armen op tot hij in een soort yogahouding zat en begon uit volle borst te reciteren. Hij deed dat met de deur open.
Hij was onder de dienst vaag te horen in de feestzaal, en dat droeg er vast en zeker toe bij dat de jonge theologiestudent de dienst nogal snel afwerkte.
Lou Dell ging als eerste naar Savelle toe om te zeggen dat hij zijn mond moest houden, maar deinsde vlug terug toen ze zag dat hij naakt was. Toen probeerde Willis het, maar Savelle hield zijn ogen dicht en zijn mond open en trok zich niets van de deputy aan. Willis bleef op een afstand.
De onkerkelijke juryleden zaten achter gesloten deuren naar de televisie te kijken, waarvan ze het geluid flink hard hadden gezet.
Om twee uur kwamen de eerste familieleden met schone kleren en andere benodigdheden voor de komende week. Nicholas Easter was het enige jurylid dat geen nauw contact met iemand in de buitenwereld had. Rech-

ter Harkin had besloten dat Easter door Willis in een politieauto naar zijn woning zou worden gereden.
Het vuur was al enkele uren uit. De brandweer was allang weg. Het trottoir en het smalle gazon voor het gebouw lagen bezaaid met verkoolde brokstukken en bergen drijfnatte kleren. Overal liepen buren rond, diep geschokt maar toch al druk bezig met opruimen.
'Waar woon je?' vroeg Willis, toen hij stopte en naar de uitgebrande krater in het midden van het gebouw keek.
'Daar boven,' zei Nicholas. Hij probeerde te wijzen en tegelijk te knikken. Met knikkende knieën stapte hij uit de auto en liep naar het eerste groepje mensen, een Vietnamees gezin dat zwijgend naar een gesmolten plastic tafellamp stond te staren.
'Wanneer is het gebeurd?' vroeg hij. Overal hing nog de bittere lucht van pas verbrand hout en verf en vloerbedekking.
Ze zeiden niets.
'Vanmorgen om een uur of acht,' antwoordde een vrouw die met een zware kartonnen doos voorbij kwam lopen. Nicholas keek naar de mensen en realiseerde zich dat hij niet één naam kende. In de kleine hal maakte een drukbezette dame met een klembord notities terwijl ze in een zaktelefoon sprak. Bij de trap naar de eerste verdieping was iemand van een bewakingsdienst geposteerd, die nu bezig was een bejaarde vrouw te helpen een nat kleedje de trap af te krijgen.
'Woont u hier?' vroeg de vrouw toen ze klaar was met haar telefoongesprek.
'Ja. Easter, in 312.'
'Wow. Totaal verwoest. Daar is het waarschijnlijk begonnen.'
De man van de bewakingsdienst leidde Nicholas en de vrouw de trap naar de eerste verdieping op, waar de schade duidelijk zichtbaar was. Ze stopten voor een geel afzettingslint aan de rand van de krater. Het vuur had zich naar boven verplaatst, door de gipsen plafonds en goedkope balken, en had kans gezien twee grote gaten in het dak te branden, recht boven de plaats waar vroeger zijn slaapkamer was, voorzover hij kon zien. En het had zich ook naar beneden verplaatst en had de woning recht onder hem ernstig beschadigd. Van nummer 312 was niets meer over, afgezien van de keukenmuur, waar het aanrecht nog aan één kant hing alsof het ieder moment kon vallen. Niets. Er was niets meer over van het goedkope meubilair in de huiskamer, niets meer over van de huiskamer zelf. Niets meer over van de slaapkamer, behalve zwartgeblakerde muren.
En tot zijn grote schrik was er geen computer meer.
Bijna alle vloeren, plafonds en wanden van de woning waren verdwenen, met achterlating van niets dan een gapend gat.
'Iemand gewond geraakt?' vroeg Nicholas zachtjes.

'Nee. Was u thuis?' vroeg ze.
'Nee. Wie bent u?'
'Ik ben van de firma die dit gebouw beheert. Ik heb wat vragenformulieren voor u.'
Ze gingen naar de hal terug, waar Nicholas vlug de formulieren invulde en daarna met Willis vertrok.

22

Phillip Savelle liet in een nors geformuleerd, nauwelijks leesbaar briefje aan rechter Harkin weten dat het woord 'echtelijk' volgens het Websterwoordenboek alleen betrekking had op gehuwden en dat hij bezwaar maakte tegen die term. Hij had geen echtgenote en moest niets van het huwelijk hebben. Hij stelde de term 'gemeenschappelijke intermezzo's' voor en klaagde ook over de religieuze dienst van die ochtend. Hij faxte de brief naar Harkin, die hem thuis te lezen kreeg toen de Saints aan het vierde kwart van hun wedstrijd bezig waren. Lou Dell had de fax via de receptie verzonden. Twintig minuten later kreeg ze een fax van de rechter terug waarin het woord 'echtelijk' door 'persoonlijk' was vervangen. Voortaan zou van 'persoonlijke bezoeken' worden gesproken. Hij gaf haar opdracht kopieën voor alle juryleden te maken. Omdat het zondag was, deed hij er een uur extra bij, van zes tot tien, in plaats van negen. Vervolgens belde hij haar om te vragen wat meneer Savelle verder nog wilde en informeerde meteen naar de stemming onder de juryleden in het algemeen.
Lou Dell kon het gewoon niet opbrengen hem te vertellen dat meneer Savelle spiernaakt in yogahouding op zijn bed had gezeten. Ze dacht dat de rechter al genoeg aan zijn hoofd had. Alles was goed, verzekerde ze hem.
Hoppy was de eerste gast die kwam. Lou Dell stuurde hem vlug door naar Millies kamer, waar hij haar weer bonbons en een klein boeket bloemen gaf. Ze kusten elkaar vluchtig op de wang, dachten geen moment aan iets echtelijks, en keken vanaf de bedden naar *60 Minutes.* Hoppy bracht het gesprek voorzichtig op het proces en deed zijn uiterste best om erover aan de gang te blijven. 'Het is gewoon niet te begrijpen, vind ik, dat mensen om zoiets gaan procederen. Ik bedoel, het is echt idioot. Iedereen weet dat sigaretten verslavend en gevaarlijk zijn, dus waarom zou je roken? Weet je nog, Boyd Dogan, die rookte vijfentwintig jaar Salems, en zo ineens was

hij weg.' Hij knipte met zijn vingers.
'Ja, hij stierf vijf minuten nadat de dokter die tumor op zijn tong had gevonden,' zei Millie, en ze knipte zelf ook met haar vingers.
'Ja, maar veel mensen stoppen met roken. Het gaat erom wat sterker is, de geest of de materie. Het gaat niet aan dat je blijft roken en miljoenen eist als die verrekte dingen je kapotmaken.'
'Hoppy, je taal.'
'Sorry.' Hoppy vroeg hoe de andere juryleden tot nu toe over de zaak dachten. Het had Cristano beter geleken dat hij zou proberen Millie met argumenten te overtuigen, in plaats van haar lastig te vallen met de waarheid. Ze hadden er onder de lunch over gepraat. Het zat Hoppy niet lekker dat hij complotteerde tegen zijn vrouw, maar telkens wanneer hij last van zijn schuldgevoel had, kreeg hij nog veel meer last van het idee dat hij vijf jaar in de gevangenis zou zitten.
Nicholas verliet zijn kamer in de rust van de wedstrijd op zondagavond. Er waren geen juryleden of bewakers op de gang. In de feestzaal waren stemmen te horen, blijkbaar alleen mannenstemmen. Ze zaten weer aan het bier en keken naar het football, terwijl de vrouwen de meeste persoonlijke bezoeken en gemeenschappelijke intermezzo's voor hun rekening namen. Hij glipte door de dubbele glazen deur aan het eind van de gang, sloop de hoek om, langs de frisdrankautomaten, en liep vlug de trap op naar de eerste verdieping. Marlee wachtte op hem in een kamer waarvoor ze contant had betaald. Ze had zich ingeschreven onder de naam Elsa Broome, een van haar vele schuilnamen.
Ze gingen meteen naar bed, met een minimum aan woorden en inleidingen. Ze waren het erover eens dat acht nachten zonder elkaar niet alleen een record voor hen was, maar ook ongezond.

Marlee ontmoette Nicholas toen ze ieder een andere naam hadden. Dat gebeurde in een bar in Lawrence, Kansas, waar zij als serveerster werkte en hij 's avonds vaak doorzakte met vrienden van de rechtenstudie. Toen ze in Lawrence aankwam, had ze al twee studies afgerond, en omdat ze nog niet veel zin had om aan een carrière te beginnen, dacht ze erover om rechten te gaan studeren, het grote Amerikaanse vangnet voor afgestudeerden die niet wisten wat ze wilden gaan doen. Ze had geen haast. Een paar jaar voordat ze Nicholas ontmoette, was haar moeder gestorven en had ze bijna tweehonderdduizend dollar geërfd. Ze werkte als serveerster omdat het een prettige bar was en ze zich anders toch zou vervelen. Het hield haar in vorm. Ze reed in een oude Jaguar, leefde nogal zuinig en ging alleen met rechtenstudenten uit.
Al lang voordat ze elkaar spraken, hadden ze elkaar opgemerkt. Hij kwam vaak laat binnen met een stel anderen, de gebruikelijke gezichten. Ze gin-

gen dan in een hoek zitten en discussieerden over abstracte en ongelooflijk saaie juridische theorieën. Ze bracht glazen bier en probeerde te flirten, maar had daar meestal weinig succes mee. In zijn eerste jaar was hij vooral gecharmeerd van het recht en schonk hij weinig aandacht aan meisjes. Ze informeerde naar hem en hoorde dat hij een goede student was, de nummer drie van zijn jaar, maar verder niet opvallend. Hij slaagde na het eerste jaar en kwam terug voor het tweede. Ze liet haar haar korter knippen en viel vijf kilo af, al was dat eigenlijk niet nodig.
Hij had zich na zijn middelbare school aangemeld bij dertig rechtenfaculteiten. Elf wilden hem hebben, al zat daar niet één uit de top-10 bij. Hij gooide een muntje op en reed naar Lawrence, een plaats waar hij nog nooit was geweest. Hij vond een tweekamerwoning aan de achterkant van het vervallen huis van een oude vrijster. Hij studeerde hard en had weinig tijd voor de omgang met anderen, zeker niet in de eerste twee semesters.
In de zomer na zijn eerste jaar werkte hij op een groot advocatenkantoor in Kansas City, waar hij met een wagentje over de afdelingen reed om de post rond te brengen. Op dat kantoor zaten driehonderd advocaten en soms leek het of ze allemaal aan één zaak werkten – het verweer van Smith Greer in een tabak/longkankerzaak in Joplin. Het proces duurde vijf weken en uiteindelijk werd de tabaksfabrikant in het gelijk gesteld. Na afloop gaf de firma een feest voor duizend mensen. Volgens de geruchten had de catering voor dat feest Smith Greer tachtigduizend dollar gekost. Wat gaf het? Die zomer was een ellendige ervaring.
Hij verafschuwde dat grote kantoor en in de loop van zijn tweede jaar kreeg hij genoeg van de juristerij in het algemeen. Hij had geen zin om vijf jaar in een kamertje te zitten en telkens weer dezelfde stukken op te stellen om rijke cliënten af te zetten.
Het eerste waar ze samen naartoe gingen, was een bierfeest van de rechtenfaculteit na een football-wedstrijd. De muziek was hard en het bier vloeide rijkelijk en de hasj ging rond alsof het snoepgoed was. Ze gingen vroeg weg, want hij hield niet van het lawaai en zij hield niet van de lucht van cannabis. Ze huurden wat videofilms en kookten spaghetti in haar woning, die tamelijk ruim was, en goed ingericht. Hij sliep op de bank.
Een maand later trok hij bij haar in en bracht hij voor het eerst ter sprake dat hij met zijn studie wilde stoppen. Zij dacht er juist over met de rechtenstudie te beginnen. Terwijl hun romance opbloeide, had hij steeds minder belangstelling voor zijn studie. Het scheelde niet veel of hij legde niet eens zijn herfstexamens af. Ze waren smoorverliefd en de rest interesseerde ze niet. Bovendien beschikte zij over een beetje kapitaal, zodat ze zich over geld niet echt druk hoefden te maken. Tussen de semesters van zijn tweede en laatste jaar brachten ze de kerstdagen op Jamaica door.
Toen hij met zijn studie stopte, was zij drie jaar in Lawrence geweest. Ze

had wel zin om ergens anders heen te gaan. Hij zou haar overal volgen.

Marlee was weinig over de brand van zondagochtend aan de weet gekomen. Ze verdachten Fitch, maar wisten niet waarom hij het zou doen. Het enige voorwerp van waarde was de computer en Nicholas was er zeker van dat niemand de beveiliging daarvan zou kunnen kraken. De belangrijkste schijfjes lagen veilig in een kluis in Marlee's flat. Wat had Fitch eraan om een vervallen woning in de fik te steken? Het zou intimidatie kunnen zijn, maar waarom? De brandweer deed een routineonderzoek.
Ze hadden in betere gelegenheden dan de Siesta Inn geslapen, en ook in slechtere. In vier jaar tijd hadden ze in vier plaatsen gewoond. Ze hadden reizen naar zes landen gemaakt, het grootste deel van Noord-Amerika gezien, waren met rugzakken door Alaska en Mexico getrokken, waren twee keer met een vlot de Colorado afgezakt en hadden zelfs een keer met een vlot op de Amazone gevaren. Ze waren ook achter de tabaksprocessen aan gereisd en hadden zich daardoor gedwongen gezien zich in plaatsen als Broken Arrow, Allentown en nu Biloxi te vestigen. Samen wisten ze meer over nicotineniveaus, kankerverwekkende stoffen, statistische kansen op longkanker, juryselectie, procestactieken en Rankin Fitch dan welke groep dure jury-experts ook.
Na een uur onder de lakens ging het licht naast het bed aan en kwam Nicholas met verwarde haren te voorschijn. Hij pakte zijn kleren. Marlee kleedde zich ook aan en gluurde door de zonwering naar het parkeerterrein.
Recht onder hen deed Hoppy zijn best om de sensationele onthullingen van Lawrence Krigler te bagatelliseren, onthullingen die blijkbaar grote indruk op Millie hadden gemaakt. Ze vertelde Hoppy er alles over en vond het vreemd dat hij telkens met tegenargumenten kwam.
Voor de lol had Marlee haar auto dicht bij het kantoor van Wendall Rohr geparkeerd. Zij en Nicholas gingen ervan uit dat Fitch haar overal liet volgen. Het was een grappig idee dat Fitch zich nu zat op te vreten omdat hij dacht dat zij daar was, in Rohrs kantoor, en hem persoonlijk ontmoette. Wie wist welke zaken ze met elkaar deden? Voor het bezoek aan het motel had ze een huurauto genomen, een van de vele die ze in de afgelopen maand had gebruikt.
Nicholas had plotseling genoeg van de kamer, die precies hetzelfde was als de kamer waarin hij was opgesloten. Ze gingen een eind langs de kust rijden; zij reed, hij dronk bier. Ze liepen over een pier boven de Golf en kusten elkaar terwijl het water beneden zacht kabbelde. Over het proces spraken ze nauwelijks.
Om half elf stapte Marlee twee straten van Rohrs kantoor vandaan uit de auto. Ze liep vlug over het trottoir. Nicholas volgde op enige afstand. Haar

auto stond ergens waar geen andere auto's stonden. Joe Boy zag haar instappen en nam radiocontact met Konrad op. Nadat ze was weggereden, ging Nicholas vlug in de huurauto naar het motel terug.
Rohr zat midden in een verhitte bespreking, de dagelijkse bijeenkomst van de acht advocaten die elk een miljoen dollar hadden ingebracht. Het ging die zondagavond om het aantal getuigen dat ze nog zouden oproepen. Zoals gewoonlijk waren er acht verschillende meningen over wat te gebeuren stond. Twee denkrichtingen, maar acht erg hardnekkige en erg verschillende ideeën over wat het beste zou zijn.
De drie dagen van de juryselectie meegerekend, was het proces nu drie weken oud. De volgende dag zou week vier beginnen, en de partij van de eiseres had genoeg deskundigen en andere getuigen voor nog minstens twee weken. Cable had zijn eigen leger van deskundigen, al had de gedaagde in zulke zaken meestal nog niet half zoveel tijd nodig als de eiser. Zes weken was een redelijke voorspelling. Dat betekende dat de jury bijna vier weken in afzondering zou leven, iets waarover iedereen zich zorgen maakte. Op een gegeven moment zou de jury in opstand komen en omdat de partij van de eiseres de meeste procestijd gebruikte, had die het meest te verliezen. Aan de andere kant zou de gedaagde op het laatst komen. De jury zou dan moe zijn en misschien zou de ergernis van de juryleden zich tegen Cable en Pynex richten. Deze discussie ging een uur in alle heftigheid door.
Wood versus Pynex was een unieke zaak, want het was het eerste tabaksproces met een jury die in afzondering werd gehouden. Sterker nog, het was de eerste civiele procedure met een afgezonderde jury uit de geschiedenis van de staat Mississippi. Rohr was van mening dat de jury al genoeg had gehoord. Hij wilde nog maar twee getuigen oproepen. Hun bewijsvoering zouden ze dan dinsdagmiddag om twaalf uur kunnen afsluiten en daarna konden ze wachten op wat Cable deed. Hij kreeg bijval van Scotty Mangrum uit Dallas en André Duron uit New Orleans. Jonathan Kotlack uit San Diego wilde nog drie getuigen oproepen.
Het andere standpunt werd met verve verdedigd door John Riley Milton uit Denver en Rayner Lovelady uit Savannah. Omdat ze zo ontzaglijk veel geld aan de grootste collectie deskundigen ter wereld hadden uitgegeven, hoefden ze nu geen haast te hebben, argumenteerden ze. Ze hadden nog een paar belangrijke, indrukwekkende getuigen op het programma staan. De jury liep niet weg. Zeker, de juryleden zouden moe worden, maar dat gebeurde toch altijd? Het was veel veiliger om aan het oorspronkelijke plan vast te houden en met een gedegen bewijsvoering te komen. Waarom zouden ze het schip verlaten omdat een paar juryleden moe werden?
Carney Morrison uit Boston kwam steeds weer terug op de wekelijkse rapporten van de jury-experts. Deze jury was niet overtuigd! Volgens de wet

van Mississippi had je negen van de twaalf juryleden nodig om een uitspraak te krijgen. Morrison was er zeker van dat ze geen negen stemmen hadden. Rohr daarentegen zag niet veel in die analyses: dat Jerry Fernandez over zijn ogen wreef, dat Loreen Duke onrustig heen en weer zat te schuiven, dat de arme oude Herman nerveuze bewegingen met zijn nek maakte als doctor die-en-die aan het woord was. Eerlijk gezegd had Rohr zijn buik vol van de jury-experts en vooral van de buitensporige honoraria die ze kregen. Als je onderzoek deed naar potentiële juryleden, had je nog wel iets aan ze, maar het was heel iets anders als je ze tijdens het proces de hele tijd in de zaal had zitten, waar ze constant bezig waren met hun rapporten over de houding van de juryleden. Rohr had zelf veel meer kijk op een jury dan al die experts bij elkaar.

Arnold Levine zei weinig, want iedereen wist hoe hij erover dacht. Hij had eens een proces van elf maanden tegen General Motors gevoerd. Zes weken was in zijn ogen alleen maar een warming-up.

Toen de stemmen staakten, werd er geen muntje opgeworpen. Al lang voor de juryselectie waren ze het erover eens geworden dat dit Wendall Rohrs proces was. Dit was zijn stad en de strijd werd gestreden in zijn rechtszaal, voor zijn rechter en zijn juryleden. De acht advocaten van de eiseres vormden een democratische raad, maar Rohr had een vetorecht.

Hij nam zijn beslissing op zondagavond. Een aantal ego's werd gekwetst maar niet permanent beschadigd. Er stond te veel op het spel om te gaan kibbelen of achteraf met kritiek te komen.

23

Het eerste dat die maandagochtend gebeurde, was een privé-gesprek tussen rechter Harkin en Nicholas. Het ging over de brand en over Nicholas' welzijn. Ze ontmoetten elkaar onder vier ogen in de kamer van de rechter. Nicholas verzekerde hem dat hij zich goed voelde en genoeg kleren in het motel had; hij zou ze alleen steeds moeten wassen. Hij was maar een student met weinig te verliezen, met uitzondering van een goede computer en wat dure surveillanceapparaten, die allemaal natuurlijk onverzekerd waren, net als de rest.
De brand was gauw afgehandeld, en omdat ze toch alleen waren, vroeg Harkin: 'En hoe gaat het met de rest van onze vrienden?' Een dergelijk informeel gesprekje met een jurylid was niet ongeoorloofd, maar bevond zich wel in de grijze zone van de gerechtelijke praktijk. Eigenlijk moesten de advocaten erbij zijn en moest ieder woord door een gerechtsstenograaf worden opgetekend. Maar Harkin wilde alleen maar een babbeltje van een paar minuten maken. Hij kon deze jongeman vertrouwen.
'Alles gaat goed,' zei Nicholas.
'Niets bijzonders?'
'Niet dat ik zou weten.'
'Wordt er over de zaak gesproken?'
'Nee. Als we bij elkaar zijn, proberen we dat te vermijden.'
'Goed. Nog ruzie of kibbelarij?'
'Nog niet.'
'Het eten is goed?'
'Het eten is prima.'
'Genoeg persoonlijke bezoeken?'
'Ik denk het. Ik heb geen klachten gehoord.'
Harkin zou erg graag willen weten of er ook werd gescharreld tussen de

juryleden, al zou dat geen juridische betekenis hebben. Hij mocht gewoon graag aan schunnige dingen denken. 'Goed. Laat u het me weten als er zich een probleem voordoet. En laten we dit stil houden.'
'Ja,' zei Nicholas. Ze schudden elkaar de hand en hij ging weg.
Harkin begroette de juryleden hartelijk en heette hen welkom aan het begin van de nieuwe week. Zo te zien waren ze er helemaal klaar voor om weer aan het werk te gaan en een eind aan deze beproeving te maken.
Rohr stond op en riep Leon Robilio als volgende getuige op. Het proces was hervat. Leon werd door een zijdeur de rechtszaal binnengeleid. Hij schuifelde aarzelend naar de getuigenbank, waar hij, geholpen door een deputy, ging zitten. Hij was oud en bleek en droeg een donker pak en een wit overhemd, geen stropdas. Hij had een gat in zijn keel, een opening die met een dun wit verband was bedekt waar hij een witte linnen halsdoek overheen droeg. Toen hij de eed aflegde, deed hij dat door een potloodachtige microfoon bij zijn hals te houden. De woorden hadden de doffe toonloze klank van een keelkankerslachtoffer zonder strottenhoofd.
Maar de woorden waren hoorbaar en verstaanbaar. Robilio hield de microfoon dicht bij zijn keel en zijn stem was in de hele zaal te horen. Zo praatte hij, verdraaid nog aan toe, zo praatte hij iedere dag van zijn leven. Hij wilde dat de mensen hem verstonden.
Rohr kwam snel terzake. Robilio was vierenzestig jaar oud, iemand die kanker had overleefd maar acht jaar geleden zijn strottenhoofd had verloren en daarna had geleerd door zijn slokdarm te praten. Bijna veertig jaar had hij zwaar gerookt en zijn gewoonten hadden hem bijna gedood. Nu leed hij niet alleen aan de nawerkingen van de kanker maar ook aan een hartkwaal en emfyseem. Dat alles door de sigaretten.
Zijn gehoor raakte snel aan zijn versterkte, robotachtige stem gewend. Hij had definitief ieders aandacht toen hij vertelde dat hij twintig jaar lang als lobbyist voor de tabaksindustrie had gewerkt. Hij had die baan opgegeven toen hij kanker kreeg en had gemerkt dat hij zelfs toen nog niet kon stoppen met roken. Hij was verslaafd, lichamelijk en geestelijk verslaafd aan de nicotine in sigaretten. Nog twee jaar nadat zijn strottenhoofd was verwijderd en zijn lichaam geteisterd werd door de chemotherapie, bleef hij roken. Hij hield pas op na een bijna fatale hartaanval.
Hoewel zijn gezondheid duidelijk te wensen overliet, werkte hij nog fulltime in Washington, zij het nu aan de andere kant van de scheidslijn. Hij had de reputatie van een fervente anti-roken-activist. Een guerrillero, noemden sommigen hem.
In een vorig leven was hij in dienst geweest van de Tabakscommissie. 'Dat was niets meer dan een ordinaire lobbyclub, voor honderd procent gefinancierd door de tabaksindustrie,' zei hij vol minachting. 'We hadden opdracht de tabaksondernemingen over wetsvoorstellen in te lichten en

eventueel te proberen die wetsvoorstellen in goede banen te leiden. We hadden een vet budget en beschikten over ruimschoots voldoende middelen om invloedrijke politici te fêteren. We speelden een keihard spel en we leerden andere tabaksverdedigers de fijne kneepjes van het politieke vuistvechten.'
Bij de Commissie had Robilio toegang tot talloze onderzoeken naar sigaretten en de tabaksindustrie. Het behoorde zelfs tot de taken van de Commissie om alle onderzoeken, projecten en experimenten zorgvuldig te ordenen. Jazeker, Robilio had het beruchte nicotinememorandum gezien dat door Krigler was beschreven. Hij had het vele malen gezien, al had hij er geen kopie van bewaard. Het was de Commissie heel goed bekend dat alle tabaksfabrikanten de nicotine op een hoog peil hielden om de rokers verslaafd te maken.
Verslaving was een woord dat Robilio keer op keer gebruikte. Hij had rapporten gezien van onderzoeken die in opdracht van de tabaksindustrie waren gedaan, onderzoeken waarbij dieren door middel van nicotine snel aan sigaretten verslaafd waren gemaakt. Hij had onderzoeken gezien en helpen verbergen waaruit onomstotelijk bleek dat wanneer mensen als jonge tiener al aan sigaretten verslaafd waren, de kans dat ze er ooit mee stopten veel kleiner was. Ze werden klanten voor het leven.
Rohr haalde een doos met dikke rapporten te voorschijn en liet ze aan Robilio zien. De onderzoeksrapporten waren als bewijsmateriaal aanvaard, alsof de juryleden de tijd zouden vinden om zich door tienduizend bladzijden heen te werken voordat ze hun besluit namen.
Robilio had spijt van veel dingen die hij als lobbyist had gedaan, maar zijn grootste zonde, die hem nog dagelijks door het hoofd spookte, was dat hij zorgvuldig geformuleerde verklaringen de wereld in had gestuurd, waarin hij had ontkend dat de tabaksindustrie zich met haar reclame specifiek op tieners richtte. 'Nicotine is verslavend. Verslaving betekent winst. De tabaksindustrie kan zich alleen handhaven als iedere nieuwe generatie gaat roken. Kinderen ontvangen via de reclame gemengde signalen. De tabaksindustrie geeft miljarden uit om sigaretten als iets geweldigs, iets aantrekkelijks te doen voorkomen, ja zelfs iets onschuldigs. Tieners raken gemakkelijker verslaafd en blijven langer verslaafd. Daarom is het van groot belang dat jonge mensen worden verleid.' Robilio zag kans om via zijn kunstmatige strottenhoofd uiting te geven aan zijn verbittering. Het lukte hem zelfs om tegelijk spottend naar de tafel van Pynex en vriendelijk naar de juryleden te kijken.
'We gaven miljoenen uit aan onderzoeken onder tieners. We wisten dat ze de drie sigarettenmerken konden noemen waarvoor de meeste reclame werd gemaakt. We wisten dat bijna negentig procent van de tieners onder de achttien die rookten de voorkeur gaf aan de drie merken met de meeste

reclame. Dus wat deden de tabaksfabrikanten? Ze gingen meer reclame maken.'
'Wist u hoeveel geld de tabaksfabrikanten met de verkoop van sigaretten aan kinderen verdienden?' vroeg Rohr, die het antwoord al wist.
'Ongeveer tweehonderd miljoen per jaar. En dat is dan alleen de verkoop aan tieners van achttien jaar en jonger. Natuurlijk wisten we dat. We gingen dat ieder jaar na, sloegen steeds de nieuwste gegevens in onze computers op. Wij wisten alles.' Hij zweeg even en wuifde met zijn rechterhand in de richting van de advocaten van Pynex, een laatdunkend gebaar, alsof ze melaatsen waren. 'Ze weten het nog steeds. Ze weten dat iedere dag drieduizend tieners beginnen met roken, en ze kunnen je precies vertellen welke merken ze kopen. Ze weten dat bijna alle volwassen rokers als tiener zijn begonnen. Nogmaals: ze moeten de volgende generatie verslaafd maken. Ze weten dat duizend van de drieduizend tieners die vandaag beginnen met roken uiteindelijk aan hun verslaving zullen sterven.'
De jury luisterde geboeid naar Robilio. Om de dramatiek in stand te houden sloeg Rohr even een paar bladzijden om. Hij ging een paar stappen heen en weer achter de lessenaar, alsof hij zijn spieren wilde losmaken. Hij krabde over zijn kin, keek naar het plafond en vroeg: 'Wat had u, toen u voor de Tabakscommissie werkte, te zeggen op argumenten dat nicotine verslavend was?'
'De tabaksondernemingen hebben een vaste redenering; ik heb zelf geholpen deze te formuleren. Het gaat ongeveer als volgt: rokers kiezen er zelf voor; het is dus een kwestie van vrije keuze; sigaretten zijn niet verslavend, maar zelfs als ze het zijn, wordt niemand gedwongen te roken; het is allemaal een kwestie van vrije keuze. Ik wist dat in die tijd erg goed te brengen. En ze brengen het nog steeds erg goed. Het probleem is dat het niet waar is.'
'Waarom is het niet waar?'
'Juist omdat het om een verslaving gaat, en een verslaafde kan geen vrije keuze maken. En kinderen raken veel vlugger verslaafd dan volwassenen.'
Rohr kon deze ene keer weerstand bieden aan de neiging tot overkill die hij met veel andere advocaten gemeen had. Robilio kon erg bondig formuleren en kon dus veel zeggen in weinig tijd. Bovendien begon het hem na anderhalf uur moeite te kosten om duidelijk te spreken en goed verstaanbaar te zijn. Rohr gaf hem over aan Cable voor diens kruisverhoor, en rechter Harkin, die trek had in koffie, schorste de zitting.
Hoppy Dupree bracht die maandagmorgen zijn eerste bezoek aan het proces. Hij glipte de rechtszaal in toen Robilio nog door Rohr werd ondervraagd. Op een gegeven moment zag Millie hem. Ze vond het geweldig dat hij even kwam kijken, al vond ze het wel een beetje vreemd dat hij plotseling zoveel belangstelling had voor het proces. Hij had de vorige avond vier

uur lang over niets anders gepraat.
Na een koffiepauze van twintig minuten ging Cable naar de lessenaar en begon hij Robilio ervan langs te geven. Zijn toon was scherp, bijna venijnig, alsof hij de getuige als een verrader van de goede zaak, een overloper, beschouwde. Cable scoorde meteen een punt met de bekendmaking dat Robilio betaald werd om te getuigen en dat hij de advocaten van de eiseres zelf had benaderd. Hij was ook ingehuurd voor twee andere tabaksprocessen.
'Ja, ik word betaald, meneer Cable, net als u,' zei Robilio, de typische reactie van een getuige-deskundige. Maar de smet van geld bleef enigszins aan hem kleven.
Cable liet hem bekennen dat hij begon te roken toen hij bijna vijfentwintig was, gehuwd en vader van twee kinderen, dus niet bepaald een tiener die verleid was door de gewiekste reclamejongens van Madison Avenue. Robilio was nogal een driftkop, iets wat alle advocaten wisten sinds ze hem vijf maanden eerder twee dagen lang een beëdigde verklaring hadden afgenomen. Cable was van plan daar goed gebruik van te maken. Zijn vragen waren scherp, snel en vaak ook provocerend.
'Hoeveel kinderen hebt u?' vroeg Cable.
'Drie.'
'Roken een of meer van hen regelmatig sigaretten?'
'Ja.'
'Hoeveel?'
'Drie.'
'Hoe oud waren ze toen ze begonnen?'
'Dat varieerde.'
'Gemiddeld?'
'Tegen de twintig.'
'Welke reclame geeft u er de schuld van dat ze aan sigaretten verslaafd raakten?'
'Dat weet ik niet precies meer.'
'U kunt de jury niet vertellen welke reclame ervoor verantwoordelijk was dat uw kinderen verslaafd raakten aan sigaretten?'
'Er was zoveel reclame. Dat is er nog steeds. Je kunt niet een paar reclame-uitingen aanwijzen.'
'Maar het kwam wel door de reclame?'
'Ik weet zeker dat de reclame een uitwerking had. En nog steeds heeft.'
'Dus het was de schuld van iemand anders?'
'Ik heb ze niet aangemoedigd om te gaan roken.'
'Weet u dat zeker? U vertelt deze jury dat uw eigen kinderen, de kinderen van een man wiens werk het twintig jaar was om de wereld aan te moedigen te gaan roken, begonnen te roken vanwege slimme reclame?'

'De reclame heeft er zeker toe bijgedragen. Dat is ook de bedoeling van reclame.'
'Rookte u thuis, in het bijzijn van uw kinderen?'
'Ja.'
'Uw vrouw ook?'
'Ja.'
'Hebt u ooit tegen een gast gezegd dat hij niet mocht roken in uw huis?'
'Nee. Toen niet.'
'Kunnen we dus zeggen dat uw huis rokersvriendelijk was?'
'Ja. Toen wel.'
'Maar uw kinderen begonnen te roken vanwege die geniepige reclame? Wilt u dat aan de jury vertellen?'
Robilio haalde diep adem, telde langzaam tot vijf en zei: 'Er zijn veel dingen waarvan ik achteraf zou willen dat ik ze anders had gedaan, meneer Cable. Ik wou dat ik die eerste sigaret nooit had aangestoken.'
'Zijn uw kinderen weleens gestopt met roken?'
'Twee van hen. Met grote moeite. De derde probeert al tien jaar te stoppen.'
Cable had die laatste vraag in een impuls gesteld en wou nu dat hij het niet had gedaan. Tijd om verder te gaan. Hij begon meteen over iets anders. 'Meneer Robilio, weet u van pogingen van de tabaksindustrie om het roken van tieners tegen te gaan?'
Robilio grinnikte. Versterkt door zijn kleine microfoontje klonk het als gorgelen. 'Geen serieuze pogingen,' zei hij.
'Vorig jaar veertig miljoen dollar voor Kids Zonder Rook?'
'Dat klinkt als iets waar ze wel iets voor voelen. Je krijgt er een warm en behaaglijk gevoel van, nietwaar?'
'Weet u dat de tabaksindustrie zich inzet voor wetgeving om het aantal sigarettenautomaten op plaatsen waar kinderen samenkomen te beperken?'
'Daar heb ik, geloof ik, wel van gehoord. Klinkt geweldig, nietwaar?'
'Weet u dat de tabaksindustrie vorig jaar in Californië tien miljoen dollar heeft geschonken aan een kleuterschoolproject om kinderen te waarschuwen voor roken door minderjarigen?'
'Nee. En roken door meerderjarigen dan? Zeiden ze tegen die kindertjes dat je na je achttiende best mag roken? Waarschijnlijk wel.'
Cable had een checklist. Blijkbaar vond hij het genoeg om de vragen af te vuren, want hij ging niet op de antwoorden in.
'Weet u dat de tabaksindustrie een wetsvoorstel in Texas steunt om roken te verbieden in alle fastfoodrestaurants, plaatsen waar veel tieners komen?'
'Ja, en weet u waarom ze dat soort dingen doen? Ik zal het u vertellen.

Opdat ze mensen als u kunnen inhuren die dat dan aan juryleden kunnen vertellen. Dat is de enige reden – het klinkt goed op de rechtbank.'
'Weet u dat de tabaksindustrie zich inzet voor wetgeving om benzinestations die tabaksproducten aan minderjarigen verkopen boetes op te leggen?'
'Ja, ik geloof dat ik dat ook heb gehoord. Het is pure verlakkerij. Ze strooien met een paar dollars om zichzelf een pluim op de hoed te zetten en respectabiliteit te kopen. Dat doen ze omdat ze de waarheid kennen, en de waarheid is dat je met twee miljard dollar aan reclamegeld per jaar kunt zorgen dat de volgende generatie verslaafd raakt. En als u dat niet gelooft, bent u een idioot.'
Rechter Harkin boog zich naar voren. 'Meneer Robilio, dat is ongepast. Doet u dat geen tweede keer. Ik wil dat die laatste woorden worden geschrapt.'
'Sorry, edelachtbare. En sorry, meneer Cable, u doet alleen maar uw werk. Het zijn uw cliënten aan wie ik een hekel heb.'
Cable was even uit balans gebracht. Hij wist niets anders te zeggen dan een tam: 'Waarom?' en wou meteen dat hij zijn mond had gehouden.
'Omdat ze zo gluiperig zijn. Die tabaksmensen zijn intelligent, schrander, ontwikkeld, meedogenloos, en ze kijken je recht in de ogen en zeggen je met alle oprechtheid dat sigaretten niet verslavend zijn. En ze weten dat het een leugen is.'
'Geen vragen meer,' zei Cable, die al bijna bij zijn tafel was.

Gardner was een stadje van achttienduizend mensen, een uur rijden van Lubbock vandaan. Pamela Blanchard woonde in het oude deel van de stad, twee straten van Main Street vandaan in een huis dat rond de eeuwwisseling was gebouwd en fraai was gerenoveerd. Op het gazon stonden prachtige rode en goudkleurige esdoorns. Op straat speelden kinderen met fietsen en skateboards.
Op maandagmorgen tien uur wist Fitch het volgende: ze was getrouwd met de directeur van een plaatselijke bank, een man die eerder getrouwd was geweest en wiens eerste vrouw tien jaar geleden was gestorven. Hij was niet de vader van Nicholas Easter of Jeff of wie hij ook was. De bank was in de oliecrisis na 1980 bijna op de fles gegaan en veel mensen durfden hun geld er nog steeds niet heen te brengen. Pamela's man kwam uit Gardner zelf. Zij niet. Ze kwam misschien uit Lubbock of misschien uit Amarillo. Ze waren acht jaar geleden in Mexico getrouwd en het plaatselijke weekblad had daar toen nauwelijks melding van gemaakt. Geen trouwfoto. Alleen een annonce naast de overlijdensberichten: N. Forrest Blanchard jr. was gehuwd met Pamela Kerr. Na een korte huwelijksreis in Cozumel zouden ze zich in Gardner vestigen.

De beste bron in Gardner was een privé-detective die Rafe heette. Hij was twintig jaar bij de politie geweest en beweerde iedereen te kennen. Rafe kreeg een fors voorschot in contanten en werkte de hele nacht van zaterdag op zondag door. Hij sliep niet maar dronk wel veel bourbon, en tegen de ochtend verspreidde hij een zurige dranklucht. Dante en Joe Boy werkten met hem samen in zijn armoedige kantoor aan Main Street en moesten meermalen de whisky van de hand wijzen.
Rafe sprak met elke politieman in Gardner en vond er ten slotte een die een dame kende die tegenover de Blanchards woonde. Bingo. Pamela had twee zoons uit een eerder huwelijk, dat door echtscheiding was ontbonden. Ze praatte niet veel over hen, maar de een zat in Alaska en de ander was advocaat of studeerde om advocaat te worden. Zoiets.
Omdat geen van beide zoons in Gardner was opgegroeid, liep het spoor hier al gauw dood. Niemand kende hen. Sterker nog, Rafe kon niemand vinden die Pamela's zoons ooit had gezien. Toen belde Rafe zijn advocaat, een sjofele echtscheidingsspecialist die gebruik maakte van Rafes primitieve surveillancediensten, en die advocaat kende een secretaresse op de bank van Blanchard. Die secretaresse sprak met Blanchards privé-secretaresse, en het bleek dat Pamela niet uit Lubbock of Amarillo kwam, maar uit Austin. Ze had daar voor een bankiersorganisatie gewerkt, zo had ze Blanchard ontmoet. De secretaresse wist van het eerdere huwelijk en dacht dat het al jaren geleden was beëindigd. Nee, ze had Pamela's zoons nooit gezien. Blanchard sprak nooit over hen. Het echtpaar leidde een teruggetrokken leven en ontving bijna nooit gasten.
Fitch kreeg ieder uur rapporten van Dante en Joe Boy binnen. Tegen het eind van de maandagochtend belde hij een kennis in Austin, een man met wie hij zes jaar eerder had samengewerkt in een tabaksproces in Marshall, Texas. Het was een noodgeval, legde Fitch uit. Binnen enkele minuten waren tien onderzoekers druk bezig in telefoonboeken te zoeken en telefoongesprekken te voeren. Al gauw hadden de bloedhonden het spoor gevonden.
Pamela Kerr was directiesecretaresse bij de Texas Bankers Association in Austin geweest. Het ene telefoontje leidde tot het volgende en ze vonden een ex-collega die nu als particulier schooladviseur werkte. De privé-detective zei dat hij een officier van justitie was die op geoorloofde wijze informatie over potentiële juryleden, onder wie Pamela, in een moordzaak in Lubbock probeerde te verwerven. De collega voelde zich verplicht een paar vragen te beantwoorden, al had ze Pamela in geen jaren gezien of gesproken.
Pamela had twee zoons, Jeff en Alex. Alex was twee jaar ouder dan Jeff, had de middelbare school in Austin doorlopen en was daarna in Oregon terechtgekomen. Jeff had ook eindexamen aan de middelbare school in

Austin gedaan, cum laude, en was aan de Rice University in Houston gaan studeren. De vader van de jongens had het gezin in de steek gelaten toen ze nog peuters waren en Pamela had zich er als alleenstaande moeder erg goed doorheen geslagen.
Dante, die net uit de privé-jet was gekomen, ging samen met een privé-detective naar de middelbare school, waar ze in de bibliotheek oude jaarboeken mochten inzien. De foto die in Jeff Kerrs eindexamenjaar in 1985 was genomen, was in kleur: blauwe smoking, grote blauwe vlinderdas, kort haar, ernstig gezicht dat recht in de camera keek, hetzelfde gezicht dat Dante urenlang in Biloxi had bestudeerd. Zonder enige aarzeling zei hij: 'Dat is onze man,' en hij scheurde de bladzijde zachtjes uit het jaarboek. Onmiddellijk belde hij, nog tussen de stapels boeken, Fitch met zijn zaktelefoon op.
Na drie telefoontjes naar de Rice University wisten ze dat Jeff Kerr daar in 1989 als psycholoog was afgestudeerd. Door zich voor te doen als personeelsfunctionaris van een mogelijke werkgever vond Fitch' medewerker een hoogleraar politicologie die Kerr onder zijn studenten had gehad en zich hem nog kon herinneren. Hij zei dat de jongeman rechten was gaan studeren in Kansas.
Door grote bedragen te garanderen vond Fitch telefonisch een beveiligingsfirma die bereid was alles te laten vallen om in Lawrence, Kansas, naar sporen van Jeff Kerr te zoeken.

Voor iemand die gewoonlijk nogal opgewekt was, gedroeg Nicholas zich onder de lunch nogal stug. Terwijl hij een paar gevulde aardappelen van O'Reilly's at, zei hij geen woord. Hij vermeed de blikken van de anderen en keek droevig voor zich uit.
Hij was niet de enige die in zo'n stemming verkeerde. Leon Robilio's stem klonk hen nog in de oren, een robotstem ter vervanging van een echte stem die verloren was gegaan aan de tabak, een robotstem die de afstotende verhalen vertelde die de echte stem vroeger had helpen ontkennen. Drieduizend tieners per dag, van wie duizend aan hun verslaving zouden sterven. We moeten de volgende generatie verslaafd maken!
Loreen Duke had geen trek meer in haar kipsalade. Ze keek Jerry Fernandez over de tafel aan en zei: 'Mag ik je iets vragen?' Haar stem verbrak een sombere stilte.
'Ja,' zei hij.
'Hoe oud was je toen je begon met roken?'
'Veertien.'
'Waarom ben je begonnen?'
'De Marlboro Man. Al mijn vrienden rookten Marlboro's. We waren boerenkinderen, gek op paarden en rodeo's. De Marlboro Man was zo cool, je

kon gewoon geen weerstand aan hem bieden.'
Op dat moment zag ieder jurylid de aanplakbiljetten voor zich – het ruige gezicht, de kin, de hoed, het paard, het versleten leer, misschien de bergen en wat sneeuw, het onafhankelijke gevoel: hij stak een Marlboro op en de wereld liet hem met rust. Waarom zou een jongen van veertien niet de Marlboro Man willen zijn?
'Ben je verslaafd?' vroeg Rikki Coleman, die met haar gebruikelijke vetvrije bord sla en gekookte kalkoen speelde. Dat 'verslaafd' rolde van haar tong alsof ze het over heroïne hadden.
Jerry dacht even na en realiseerde zich dat zijn vrienden echt luisterden. Ze wilden weten welke krachtige impulsen iemand verslaafd hielden.
'Ik weet het niet,' zei hij. 'Misschien zou ik wel kunnen stoppen. Ik heb het een paar keer geprobeerd. Het zou wel mooi zijn als ik kon stoppen. Het is een rotgewoonte.'
'Je geniet er niet van?' vroeg Rikki.
'O, er zijn momenten, dan is een sigaret net wat ik nodig heb, maar ik rook tegenwoordig twee pakjes per dag en dat is te veel.'
'En jij, Angel?' vroeg Loreen aan Angel Weese, die naast haar zat en meestal zo weinig mogelijk zei. 'Hoe oud was jij toen je begon?'
'Dertien,' zei Angel beschaamd.
'Ik was zestien,' gaf Sylvia Taylor-Tatum toe voordat iemand het kon vragen.
'Ik begon toen ik veertien was,' merkte Herman vanaf het hoofd van de tafel op. 'Ik stopte toen ik veertig was.'
'Verder nog iemand?' vroeg Rikki, nu ze toch aan het opbiechten waren.
'Ik begon op mijn zeventiende,' zei de kolonel. 'Toen ik in het leger kwam. Maar ik ben er dertig jaar geleden mee gestopt.' Zoals gewoonlijk was hij trots op zijn zelfdiscipline.
'Verder nog iemand?' vroeg Rikki opnieuw na een lange stilte.
'Ik. Ik begon toen ik zeventien was en stopte twee jaar later,' zei Nicholas, al was het niet waar.
'Is hier iemand die na zijn negentiende is begonnen?' vroeg Loreen.
Geen reactie.

Nitchman, in burgerkleren, ontmoette Hoppy voor een snelle lunch. Hoppy vond het niet prettig om met een FBI-agent in het openbaar te worden gezien en hij was dan ook opgelucht toen Nitchman een spijkerbroek en een geruit overhemd bleek te dragen. Niet dat Hoppy's vrienden en kennissen in de stad meteen zouden kunnen zien wie van de FBI was, maar evengoed was hij nerveus. Trouwens, Nitchman en Napier behoorden tot een speciale eenheid in Atlanta, hadden ze Hoppy verteld.
Hij vertelde wat hij die ochtend in de rechtszaal had gehoord, zei dat de

stemloze Robilio grote indruk had gemaakt en de jury blijkbaar in zijn zak had zitten. Nitchman zei, zoals hij al vaker had gezegd, dat hij zich niet erg voor het proces interesseerde. Hij legde opnieuw uit dat hij alleen maar deed wat zijn bazen in Washington hem opdroegen. Hij gaf Hoppy een opgevouwen wit stuk papier met cijfertjes en woorden op de onderkant en bovenkant, en zei dat hij dit net van Cristano op het Ministerie van Justitie had ontvangen. Ze wilden dat Hoppy het zag.
Het was in werkelijkheid een creatie van Fitch' documentspecialisten, twee gepensioneerde CIA-agenten die zich op dit soort knoeierijen hadden toegelegd.
Het was een gefaxte kopie van een nogal ongunstig rapport over Leon Robilio. Geen bron, geen datum, alleen vier alinea's onder de onheilspellende kop VERTROUWELIJK. Hoppy las het vlug door, kauwend op zijn frieten. Robilio kreeg een half miljoen dollar voor zijn getuigenverklaring. Robilio was bij de Tabakscommissie ontslagen omdat hij geld had verduisterd; hij was zelfs in staat van beschuldiging gesteld, maar de zaak was later geseponeerd. Robilio had een psychiatrisch verleden. Robilio had twee secretaresses van de Commissie seksueel geïntimideerd. Robilio's keelkanker was waarschijnlijk veroorzaakt door alcoholisme, niet door tabak. Robilio was een notoire leugenaar die de Commissie haatte en op wraak belust was.
'Wow.' Hoppy's mond viel open, vol friet.
'Het leek Cristano verstandig als je dit aan je vrouw gaf,' zei Nitchman. 'Ze moet het alleen aan de juryleden laten zien die ze kan vertrouwen.'
'Komt voor elkaar,' zei Hoppy. Hij vouwde het papier vlug op en stopte het in zijn zak. Vervolgens keek hij in het drukke restaurant om zich heen, alsof hij zich schuldig had gemaakt aan een doodzonde.

Ze maakten gebruik van jaarboeken van de rechtenfaculteit en van de beperkte gegevens die de faculteit verder nog ter beschikking stelde. Zo kwamen ze erachter dat Jeff Kerr zich in het najaar van 1989 als eerstejaarsstudent in Lawrence, Kansas, had laten inschrijven. Zijn glimlachende gezicht stond op de foto van zijn jaargang in 1991, maar daarna kwam hij niet meer in de gegevens voor. Hij studeerde niet af.
In zijn tweede jaar speelde hij rugby in het team van de rechtenfaculteit. Op een teamfoto had hij zijn armen om de schouders van twee vrienden geslagen: Michael Dale en Tom Ratliff. Dale en Ratliff hadden allebei het jaar daarop hun studie afgemaakt. Dale werkte voor Legal Services in Des Moines. Ratliff was advocaat in een firma in Wichita. Naar beide plaatsen werden detectives gestuurd.
Dante kwam naar Lawrence en werd naar de rechtenfaculteit gebracht, waar hij in de jaarboeken keek en bevestigde dat Kerr en Easter dezelfde

persoon waren. Een uur lang keek hij naar gezichten op foto's van 1985 tot 1994, maar nergens zag hij een meisje dat op Marlee leek. Het was een schot in het duister. Veel rechtenstudenten kwamen niet opdagen als de foto's werden gemaakt. Jaarboeken waren slaapverwekkend. Dit waren serieuze jonge volwassenen. Dantes werk was niets dan een serie schoten in het duister.

Op maandagavond was Small, een van de privé-detectives, erin geslaagd Tom Ratliff te vinden, die hard aan het werk was in zijn kleine raamloze kamer in het kantoor van Wise & Watkins, een grote advocatenfirma in het centrum van Wichita. Ze spraken af elkaar over een uur in een bar te ontmoeten.

Small telefoneerde met Fitch en kreeg zoveel mogelijk achtergrondinformatie, of zoveel informatie als Fitch hem wilde geven. Small was ex-politieman en had twee ex-vrouwen. Officieel was hij beveiligingsspecialist, hetgeen in Lawrence betekende dat hij van alles deed: van motelsurveillance tot onderzoeken met leugendetectors. Hij was niet erg intelligent, dat merkte Fitch al gauw.

Ratliff kwam laat en ze bestelden iets te drinken. Small deed zijn best om te bluffen en zich deskundig voor te doen. Ratliff was achterdochtig. In het begin zei hij weinig, en natuurlijk was dat ook niet zo vreemd voor iemand die door een wildvreemde man was benaderd om over een oude kennis te praten.

'Ik heb hem in geen vier jaar gezien,' zei Ratliff.

'Hebt u hem nog gesproken?'

'Nee. Nooit. Hij stopte na ons tweede jaar met zijn studie.'

'Had u een nauwe band met hem?'

'In ons eerste jaar heb ik hem goed gekend, maar we waren niet echt vrienden. Daarna trok hij zich terug. Verkeert hij in moeilijkheden?'

'Nee. Helemaal niet.'

'Misschien wilt u me dan wel vertellen waarom u zo geïnteresseerd bent.'

Small vertelde in algemene termen wat Fitch hem had opgedragen te zeggen. Het meeste had hij goed onthouden en het zat dicht bij de waarheid. Jeff Kerr was een potentieel jurylid in een groot proces ergens in het land, en hij, Small, was door een van de partijen ingehuurd om onderzoek te doen naar zijn achtergronden.

'Waar is het proces?' vroeg Ratliff.

'Dat kan ik niet zeggen. Maar ik verzeker u dat er niets illegaals aan is. U bent advocaat. U begrijpt dat wel.'

Inderdaad begreep hij het. Ratliff had het grootste deel van zijn korte carrière voor een procesadvocaat gewerkt. Juryonderzoek was een van de klussen waar hij een grote hekel aan had leren krijgen. 'Hoe kan ik dit verifiëren?' vroeg hij, advocaat als hij was.

'Ik ben niet gemachtigd u specifieke gegevens over het proces te verstrekken. Laten we het als volgt doen. Als ik iets vraag waarvan u denkt dat het schadelijk voor Kerr zou kunnen zijn, geeft u gewoon geen antwoord. Vindt u dat redelijk?'
'Nou, zullen we het proberen? Maar als het me niet bevalt, ga ik weg.'
'Goed. Waarom is hij gestopt met zijn studie?'
Ratliff nam een slokje bier en probeerde het zich te herinneren. 'Hij was een goede student, erg intelligent. Maar na het eerste jaar had hij plotseling geen zin meer om advocaat te worden. Hij had die zomer een vakantiebaantje op een advocatenkantoor in Kansas City, en toen kreeg hij helemaal de pest in. Daar kwam nog bij dat hij verliefd werd.'
Fitch wilde vreselijk graag weten of er een meisje in het spel was gewest.
'Op wie?' vroeg Small.
'Claire.'
'Claire en verder?'
Weer een slokje. 'Dat weet ik zo gauw niet meer.'
'U hebt haar gekend?'
'Ik wist wie ze was. Claire werkte in een bar in de binnenstad van Lawrence, een kroeg waar veel rechtenstudenten kwamen. Ik geloof dat ze Jeff daar heeft ontmoet.'
'Kunt u me haar beschrijven?'
'Waarom? Ik dacht dat het over Jeff ging?'
'Ze hebben me gevraagd om een signalement van zijn vriendin uit zijn studententijd. Meer weet ik er niet van.' Small haalde zijn schouders op alsof hij het ook niet kon helpen.
Ze keken elkaar even aan. Wat gaf het ook, dacht Ratliff. Hij zag die mensen nooit terug. Jeff en Claire waren mensen uit een ver verleden.
'Normaal postuur, ongeveer een meter vijfenzestig. Donker haar, bruine ogen, mooi meisje, alle toeters en bellen.'
'Was ze studente?'
'Dat weet ik eigenlijk niet. Misschien was ze het wel geweest. Misschien deed ze iets postdoctoraals.'
'Aan de rechtenfaculteit?'
'Ik weet het niet.'
'Hoe heette die bar?'
'Mulligan's, in de binnenstad.'
Small kende die bar goed. Hij ging er soms zelf naartoe om zijn zorgen te verdrinken en naar de studentes te kijken. 'Ik heb er zelf ook heel wat achterovergeslagen bij Mulligan's,' zei hij.
'Ja. Ik mis het,' zei Ratliff weemoedig.
'Wat deed hij nadat hij met zijn studie was gestopt?'
'Dat weet ik niet precies. Ik heb gehoord dat hij en Claire de stad uit-

gingen, maar ik heb zelf nooit meer iets van hem gehoord.'
Small bedankte hem en vroeg of hij hem op zijn kantoor mocht bellen als hij nog meer vragen had. Ratliff zei dat hij het verschrikkelijk druk had, maar hij kon het altijd proberen.
Smalls baas in Lawrence kende iemand die de eigenaar van Mulligan's al vijftien jaar kende. De voordelen van een klein stadje. Personeelsgegevens waren niet echt vertrouwelijk, zeker niet voor de eigenaar van een bar die nog niet de helft van zijn omzet op zijn belastingformulieren invulde. Ze heette Claire Clement.

Toen Fitch het nieuws hoorde, wreef hij zijn dikke handen van pure blijdschap over elkaar. Hij hield van de jacht. Marlee was nu Claire, een vrouw die haar best had gedaan om haar verleden te camoufleren.
'Ken uw vijand,' zei hij hardop tegen zijn muren. De eerste regel van de krijgskunde.

24

Die maandagmiddag waren de cijfers niet van de lucht. De boodschapper was een econoom, een man die zich in het leven van Jacob Wood had verdiept om de economische waarde daarvan te kunnen inschatten. Hij heette professor Art Kallison en was voor zijn pensioen hoogleraar geweest aan een particuliere hogeschool in Oregon waar niemand van had gehoord. De cijfers waren niet ingewikkeld en Kallison was blijkbaar wel vaker in een rechtszaal geweest. Hij wist wat hij moest zeggen, hoe hij de cijfers eenvoudig kon houden. Hij zette ze in een duidelijk handschrift op een schoolbord.

Toen Jacob Wood op eenenvijftigjarige leeftijd overleed, was zijn basissalaris veertigduizend dollar, plus een pensioenverzekering waarvan de premie door zijn werkgever werd betaald, plus andere secundaire voorzieningen. Als ze ervan uitgingen dat hij tot zijn vijfenzestigste zou hebben doorgewerkt, taxeerde Kallison het bedrag dat hij aan inkomsten was misgelopen op zevenhonderdtwintigduizend dollar. Volgens de wet mocht ook rekening worden gehouden met de te verwachten inflatie in zo'n periode, en dan kwam het bedrag op een miljoen honderdtachtigduizend dollar. De wet hield ook in dat dit bedrag tot de huidige waarde werd gereduceerd, waardoor de zaak weer enigszins werd vertroebeld. Het bedrag zou een miljoen honderdtachtigduizend dollar zijn als het in de loop van vijftien jaar werd uitbetaald, maar Kallison had moeten vaststellen wat het op dit moment waard was. Het moest dus worden verdisconteerd. Zijn nieuwe cijfer was achthonderdvijfendertigduizend dollar.

Het lukte hem erg goed de jury ervan te verzekeren dat dit cijfer alleen betrekking had op de inkomstenderving. Hij was econoom en was er niet voor opgeleid om de niet-economische waarde van iemands leven te bepalen. Hij had zich bij het uitvoeren van zijn taak niet beziggehouden met de

pijn en het verdriet dat Wood had moeten doorstaan voordat hij stierf, en ook niet met het grote verlies dat zijn gezin had getroffen.
Een jonge advocaat uit het Pynex-team, Felix Mason, kwam voor het eerst tijdens het proces aan het woord. Hij maakte deel uit van Cables maatschap en was gespecialiseerd in economische prognoses. Jammer voor hem zou zijn enige optreden van korte duur zijn. Hij begon zijn kruisverhoor van professor Kallison door hem te vragen hoe vaak per jaar hij als getuige-deskundige optrad. 'Het is alles wat ik tegenwoordig doe. Ik ben als hoogleraar met pensioen gegaan,' antwoordde Kallison. Hij kreeg die vraag in ieder proces te beantwoorden.
'Wordt u betaald om als getuige-deskundige op te treden?' vroeg Mason. De vraag was even oud als het antwoord.
'Ja. Ik word betaald om hier te zijn. Net als u.'
'Hoeveel?'
'Vijfduizend dollar voor consultatie en getuigenverklaring.' De advocaten twijfelden er niet aan dat Kallison verreweg de goedkoopste deskundige van het proces was.
Mason had een probleem met het inflatiepercentage dat Kallison in zijn berekeningen hanteerde, en ze pingelden dertig minuten over de historische aanpassing van de prijsindex. Als Mason een punt scoorde, ontging dat iedereen. Hij wilde Kallison laten erkennen dat het redelijker zou zijn om de inkomstenderving op zeshonderdtachtigduizend dollar te taxeren.
Eigenlijk deed het er niet toe. Rohr en zijn eminente confrères namen genoegen met elk van beide bedragen. De inkomstenderving was nog maar het begin. Rohr zou er de pijn en het verdriet bij optellen, het verlies van levensvreugde, het verlies van gezelschap, alsmede enkele incidentele kosten, zoals die van Woods medische zorg en zijn begrafenis. En daarna zou Rohr een graai naar het grote geld doen. Hij zou de jury laten zien hoeveel reserves Pynex bezat en hij zou hun vragen een groot deel van die reserves bij wijze van straf als schadevergoeding aan de eiseres toe te kennen.
Met nog een uur te gaan maakte Rohr trots bekend: 'Ik roep nu onze laatste getuige op. Mevrouw Celeste Wood.'
Er was de juryleden verteld dat de partij van de eiseres bijna klaar was. Het was of er plotseling een last van hun schouders werd genomen. De atmosfeer van de namiddag werd meteen een beetje loom. Enkele juryleden konden een glimlach niet inhouden. Anderen keken opeens niet meer zo nors. Hun stoelen kraakten: ze kwamen weer tot leven.
De komende nacht zou de zevende zijn die ze in afzondering doorbrachten. Volgens Nicholas' nieuwste theorie zouden de advocaten van Pynex niet meer dan drie dagen nodig hebben. Ze rekenden het uit. Misschien waren ze het komend weekend thuis!

In de drie weken dat Celeste Wood stil aan de tafel had gezeten, met horden advocaten om zich heen, had ze nauwelijks een woord gefluisterd. Ze was verbazingwekkend goed in staat geweest de advocaten en de juryleden te negeren en met een onbewogen gezicht naar de getuigen te kijken. Ze had alle schakeringen van zwart en grijs gedragen, altijd met zwarte kousen en zwarte schoenen.
Jerry had haar in de eerste week de naam Weduwe Wood gegeven.
Ze was nu vijfenvijfig, zo oud als haar man nu zou zijn geweest als hij geen longkanker had gekregen. Ze was erg mager en schriel, met kort grijs haar. Ze werkte in een bibliotheek en had drie kinderen grootgebracht. De jury kreeg foto's van het gezin te zien.
Celeste had een jaar geleden haar beëdigde verklaring afgelegd en ze had haar getuigenverklaring ingestudeerd met hulp van professionele begeleiders, die Rohr voor haar had ingehuurd. Ze had zichzelf onder controle, was een beetje nerveus maar niet te erg, en ze was vastbesloten geen enkele emotie te tonen. Per slot van rekening was haar man al vier jaar dood.
Zij en Rohr werkten hun tekst soepel af. Ze vertelde over haar leven met Jacob, hoe gelukkig ze waren geweest, de eerste jaren, de kinderen, later de kleinkinderen, hun plannen voor als hij met pensioen was. Een paar hobbels op de weg, maar niets heel ergs, niets totdat hij ziek werd. Hij had zo graag met roken willen stoppen, had het zo vaak geprobeerd, met zo weinig succes. De verslaving was gewoon te sterk.
Celeste kwam sympathiek over zonder dat ze daar al te erg haar best voor deed. Haar stem haperde geen enkele keer. Rohr ging er terecht van uit dat de jury niet gunstig op valse tranen zou reageren. Ze huilde toch al niet gauw.
Cable zag af van een kruisverhoor. Wat had hij haar kunnen vragen? Hij stond met een ernstig gezicht en een nederige houding op en zei alleen: 'Edelachtbare, wij hebben geen vragen voor deze getuige.'
Fitch had een heleboel vragen die hij aan de getuige zou willen stellen, maar dat mocht niet op de zitting gebeuren. Na een gepaste rouwperiode van ruim een jaar had Celeste kennis gekregen aan een gescheiden man die zeven jaar jonger was dan zij. Volgens welingelichte bronnen waren ze van plan om na het proces stilletjes te trouwen. Fitch wist dat Rohr zelf haar had bevolen om niet te hertrouwen voordat het proces was afgelopen.
De juryleden zouden dat niet in de rechtszaal te horen krijgen, maar Fitch werkte aan een plan om het via een achterdeurtje tot hen door te laten dringen.
'De eiseres is klaar met de bewijsvoering,' maakte Rohr bekend nadat hij Celeste naar de tafel had geleid. De advocaten aan weerskanten bogen zich naar elkaar toe en begonnen druk te fluisteren.

Rechter Harkin keek even naar dat drukke overleg van de advocaten en richtte zijn blik vervolgens op zijn vermoeide jury. 'Dames en heren, ik heb goed nieuws en slecht nieuws. Het goede nieuws ligt voor de hand. De advocaten van de eiseres zijn klaar met de bewijsvoering en we zijn dus over de helft. We mogen verwachten dat de gedaagde minder getuigen zal oproepen dan de eiseres. Het slechte nieuws is dat in dit stadium van het proces een groot aantal verzoeken aan de orde komt. Dat doen we morgen, waarschijnlijk de hele dag. Het spijt me, maar we kunnen niet anders.'
Nicholas stak zijn hand op. Harkin keek hem enkele ogenblikken aan en zei toen met enige moeite: 'Ja, meneer Easter?'
'Bedoelt u dat we morgen de hele dag in het motel moeten blijven zitten?'
'Ik ben bang van wel.'
'Ik begrijp niet waarom.'
De advocaten onderbraken hun gefluisterde overleg en keken verbaasd naar Easter. Het gebeurde niet vaak dat een jurylid tijdens een zitting het woord nam.
'Omdat we een lijst van dingen hebben die we moeten doen zonder dat de jury erbij is.'
'O, dat begrijp ik wel. Maar waarom moeten we in het motel blijven?'
'Wat wilt u dan doen?'
'Ik kan van alles bedenken. We kunnen een grote boot charteren voor een tochtje op de Golf, misschien vissen.'
'Ik kan niet van de belastingbetalers van deze county verlangen dat ze daarvoor betalen, meneer Easter.'
'Ik dacht dat wij belastingbetalers waren.'
'Het antwoord is nee. Het spijt me.'
'Die belastingbetalers doen er niet toe. De advocaten hier zijn vast wel bereid de rekening te voldoen. Vraagt u maar aan beide partijen om elk duizend dollar af te schuiven. Dan kunnen we een grote boot charteren en hebben we een geweldige dag.'
Hoewel Cable en Rohr allebei tegelijk reageerden, was Rohr degene die als eerste overeind sprong en het woord nam. 'Wij zouden met alle genoegen de helft betalen, edelachtbare.'
'Het is een geweldig idee, rechter!' voegde Cable daar vlug en met luide stem aan toe.
Harkin bracht zijn beide handen omhoog, met de palmen naar voren. 'Wacht even,' zei hij. Hij wreef over zijn slapen en zocht in zijn geheugen naar een precedent. Natuurlijk was dat er niet. Er was geen wet die het verbood. Er waren geen belangentegenstellingen.
Loreen Duke tikte Nicholas op zijn arm en fluisterde iets in zijn oor.
De rechter zei: 'Nou, ik heb er in ieder geval nog nooit van gehoord. Ik denk dat ik hierover zelf mag beslissen. Meneer Rohr?'

'Het is onschuldig, edelachtbare. Elke kant betaalt de helft. Geen probleem.'
'Meneer Cable?'
'Ik kan me geen wet of voorschrift of procedurele regel voorstellen die het verbiedt. Ik ben het met de heer Rohr eens. Als de partijen ieder de helft betalen, kan het toch geen kwaad?'
Nicholas stak zijn hand weer op. 'Neemt u me niet kwalijk, edelachtbare. Het wordt me zojuist verteld dat sommige juryleden misschien liever gaan winkelen in New Orleans dan een boottocht op de Golf te maken.'
Opnieuw was Rohr net iets vlugger. 'Wij zouden graag de helft van de buskosten betalen, edelachtbare. En van de lunch.'
'Wij ook,' zei Cable. 'En ook van het diner.'
Gloria Lane ging met een klembord naar de jurybank. Nicholas, Jerry Fernandez, Lonnie Shaver, Rikki Coleman, Angel Weese en kolonel Herrera kozen voor de boot. De rest koos voor New Orleans.

Als de video-opname van Jacob Wood werd meegerekend, hadden Rohr en consorten tien getuigen aan de jury gepresenteerd. Ze hadden daar dertien dagen voor nodig gehad. Hun bewijsvoering zat goed in elkaar. De jury hoefde niet vast te stellen of sigaretten gevaarlijk waren maar of het tijd werd de sigarettenfabrikanten te straffen.
Als de jury niet was afgezonderd, zou Rohr nog minstens drie deskundigen hebben opgeroepen, een om de psychologie van de reclame te bespreken, een om uitleg te geven over verslaving en een om tot in details te beschrijven welke insecticiden en pesticiden bij de teelt van tabak werden gebruikt.
Maar de jury was wel degelijk afgezonderd en Rohr wist dat het tijd werd om te stoppen. Het was duidelijk dat dit geen gewone jury was. Een blinde. Een excentriekeling die in de lunchpauze aan yoga deed. Tot nu toe minstens twee stakingen. Om de haverklap een nieuw eisenpakket. Porselein en zilveren bestek op tafel. Bier na het werk, op kosten van de belastingbetaler. Gemeenschappelijke intermezzo's en persoonlijke bezoeken. Rechter Harkin kon 's nachts vaak niet goed in slaap komen.
Het was zeker geen gewone zaak voor Fitch, die meer jury's had gesaboteerd dan enig ander persoon uit de geschiedenis van de Amerikaanse jurisprudentie. Hij had de gebruikelijke valstrikken gezet en de gebruikelijke vuile was boven tafel gekregen. Zijn clandestiene operaties verliepen soepel. De schade was tot nu toe beperkt gebleven tot één brand. Geen botbreuken. Maar dat meisje Marlee had alles veranderd. Via haar zou hij een uitspraak kunnen kopen, een uitspraak die voor de volle honderd procent in het voordeel van de gedaagde was. Rohr zou diep vernederd zijn en al die hebzuchtige advocaten die als gieren rondcirkelden, op zoek naar

een karkas, zouden zich wel twee keer bedenken voor ze weer zo'n proces aanspanden.
In dit proces, het grootste tabaksproces tot nu toe, een proces waarvoor grote advocaten miljoenen op het spel hadden gezet, zou zijn lieve kleine Marlee hem een uitspraak verkopen. Fitch geloofde daarin en het nam hem helemaal in beslag. Hij dacht iedere minuut aan haar en zag haar in zijn dromen.
Als Marlee er niet was geweest, zou Fitch helemaal niet hebben geslapen.
De tijd was rijp voor een uitspraak ten gunste van een eiser. Daarvoor was het de juiste rechtszaal, de juiste rechter, de juiste stemming. De deskundigen waren verreweg de besten die Fitch had meegemaakt in de negen jaar dat hij zijn diensten aan gedaagde fabrikanten verleende. Negen jaar, acht processen, acht uitspraken ten gunste van de gedaagde. Hoe hij Rohr ook haatte, hij moest toegeven, zij het alleen aan zichzelf, dat als er één advocaat was die de tabaksindustrie de das om kon doen, het Rohr was.
Als hij hier in Biloxi van Rohr won, zou hij daarmee een kolossale barrière voor toekomstige processen tegen de tabaksindustrie opwerpen. Het zou weleens de redding van de hele bedrijfstak kunnen betekenen.
Wanneer Fitch zich afvroeg hoe de juryleden zouden stemmen, begon hij altijd met Rikki Coleman, vanwege de abortus. Hij had haar stem in zijn zak zitten, alleen wist ze het zelf nog niet. Dan voegde hij er Lonnie Shaver aan toe. En kolonel Herrera. Millie Dupree zou geen probleem zijn. Zijn jurymensen waren ervan overtuigd dat Sylvia Taylor-Tatum nauwelijks in staat was tot medegevoel, en bovendien rookte ze. Maar wat zijn jurymensen niet wisten, was dat ze met Jerry Fernandez naar bed ging. Jerry en Easter waren de beste maatjes. Fitch voorspelde dat die drie, dus Sylvia, Jerry en Nicholas, hetzelfde zouden stemmen. Loreen Duke zat naast Nicholas en die twee zaten onder de zitting vaak met elkaar te fluisteren. Fitch dacht dat ze Easter zou volgen. En als Loreen dat deed, zou Angel Weese, de enige andere zwarte vrouw, het waarschijnlijk ook doen. Weese was niet te doorgronden.
Niemand twijfelde eraan dat Easter de beraadslagingen zou domineren. Nu Fitch wist dat Easter twee jaar rechten had gestudeerd, durfde hij er veel onder te verwedden dat Easter dat aan de hele jury had verteld.
Het was onmogelijk te voorspellen hoe Herman Grimes zou stemmen. Maar Fitch rekende niet op hem. En ook niet op Phillip Savelle. Fitch verwachtte meer van Gladys Card. Ze was oud en conservatief en zou zich waarschijnlijk ergeren als Rohr om twintig miljoen of zoiets vroeg.
Dus Fitch had er vier in zijn zak zitten, met Gladys Card misschien als vijfde. Vijftig procent kans op Herman Grimes. Savelle kon hij wel afschrijven: iemand die zo intens bij de natuur betrokken was, moest wel een hekel hebben aan tabaksondernemingen. Zo bleven Easter en zijn bende

van vijf over. De jury kon pas een uitspraak doen als negen leden het eens waren. Lukte dat niet, dan zou Harkin zich gedwongen zien de procedure ongeldig te verklaren. In dat geval zou het vast en zeker worden herhaald en dat wilde Fitch in dit geval niet.
De vele juridische analisten en deskundigen die de procedure nauwlettend volgden, waren het over weinig eens, maar wel over de voorspelling dat een unanieme uitspraak van alle twaalf juryleden ten gunste van Pynex er minstens tien jaar lang voor zou zorgen dat niemand een procedure tegen de tabaksindustrie zou aanspannen.
Fitch was vastbesloten dat voor elkaar te krijgen, tegen welke prijs dan ook.

De stemming in Rohrs kantoor was maandagavond opeens veel beter. Omdat ze geen getuigen meer zouden oproepen, was de druk even van de ketel. In de vergaderzaal vloeide whisky van een erg goed merk. Rohr nam slokjes van zijn mineraalwater en knabbelde op kaas en crackers.
Nu was Cable aan de bal. Hij en zijn mensen hadden nog een paar dagen de tijd om getuigen voor te bereiden en documenten klaar te leggen. Rohr hoefde alleen maar te reageren en kruisverhoren af te nemen, en hij had wel al tien keer naar alle video-opnamen van de beëdigde verklaringen van de getuigen gekeken.
Jonathan Kotlack, de advocaat die met het juryonderzoek was belast, dronk ook alleen water en sprak met Rohr over Herman Grimes. Ze hadden allebei het gevoel dat Grimes in hun voordeel zou stemmen. En ze maakten zich ook niet veel zorgen over Millie Dupree en Savelle, de excentriekeling. Herrera zat ze niet lekker. Alle drie de zwarten – Lonnie, Angel en Loreen – zouden aan hun kant staan. Per slot van rekening was het een procedure van één eenvoudig persoon tegen een grote machtige onderneming. De zwarten zouden vast en zeker voor hen stemmen. Dat deden ze altijd.
Easter was de sleutelfiguur, want hij was de leider, dat wist iedereen. Rikki zou hem volgen. Jerry was zijn vriend. Sylvia Taylor-Tatum was passief en zou zich bij de meerderheid aansluiten. Gladys Card ook.
Ze hadden er maar negen nodig en Rohr was ervan overtuigd dat hij ze had.

25

In Lawrence werkte privé-detective Small zijn lijst van sporen ijverig af, zonder resultaat. Hij hing op maandagavond in Mulligan's rond, dronk hoewel dat niet mocht, praatte terloops met de serveersters en rechtenstudenten en bereikte niets anders dan dat hij de argwaan van de jeugdige bezoekers wekte.

Dinsdagmorgen legde hij één bezoek te veel af. De vrouw heette Rebecca en had een paar jaar geleden, toen ze nog studeerde, samen met Claire Clement bij Mulligan's gewerkt. Volgens een bron die door Smalls baas was gevonden, waren ze vriendinnen geweest. Small vond haar op een bank in de binnenstad, waar ze als manager werkte. Hij stelde zich stuntelig aan haar voor en ze was meteen achterdochtig.

'Hebt u een paar jaar geleden niet met Claire Clement samengewerkt?' vroeg hij, kijkend naar een blocnote. Hij stond aan de ene kant van haar bureau terwijl zij aan de andere kant stond. Ze had hem niet uitgenodigd binnen te komen en ze had het druk.

'Misschien. Wie wil dat weten?' vroeg Rebecca met haar armen over elkaar, haar hoofd schuin. Ergens achter haar zoemde een telefoon. In duidelijk contrast met Small was ze onberispelijk gekleed en er ontging haar niets.

'Weet u waar ze nu is?'

'Nee. Waarom vraagt u dat?'

Small vertelde weer het verhaal dat hij in zijn geheugen had geprent. Iets anders had hij niet. 'Nou, weet u, ze is een potentieel jurylid in een groot proces en mijn firma heeft opdracht een grondig onderzoek naar haar achtergronden in te stellen.'

'Waar is dat proces?'

'Dat kan ik u niet vertellen. U hebt met haar samengewerkt bij Mulligan's, nietwaar?'

'Ja. Dat was lang geleden.'
'Waar kwam ze vandaan?'
'Waarom is dat belangrijk?'
'Nou, eerlijk gezegd staat het op mijn lijst van vragen. We gaan gewoon haar achtergronden na. Weet u waar ze vandaan kwam?'
'Nee.'
Dit was een belangrijke vraag, want Claires spoor was begonnen en opgehouden in Lawrence. 'Weet u dat zeker?'
Ze hield haar hoofd schuin de andere kant op en keek hem, de klungel, fel aan. 'Ik weet niet waar ze vandaan kwam. Toen ik haar leerde kennen, werkte ze bij Mulligan's. De laatste keer dat ik haar zag, werkte ze bij Mulligan's.'
'Hebt u haar de laatste tijd gesproken?'
'De afgelopen vier jaar niet meer.'
'Kende u Jeff Kerr?'
'Nee.'
'Wie waren haar vriendinnen hier in Lawrence?'
'Dat weet ik niet. Zeg, ik heb het erg druk en u verspilt mijn tijd. Ik heb Claire niet zo goed gekend. Het was een aardig meisje, maar we hadden geen nauwe band. Als u me nu wilt verontschuldigen: ik heb nog veel te doen.' Bij haar laatste woorden wees ze naar de deur en er zat voor Small niets anders op dan haar kantoor te verlaten.
Zodra Small de bank uit was, sloot Rebecca de deur van haar kantoor en draaide het nummer van een appartement in St. Louis. De stem op het bandje aan de andere kant van de lijn behoorde toe aan haar vriendin Claire. Ze praatten minstens een keer per maand met elkaar, al hadden ze elkaar in een jaar niet gezien. Claire en Jeff leidden een vreemd leven. Ze bleven nooit lang in één plaats en wilden ook nooit vertellen waar ze waren. Alleen het appartement in St. Louis bleef hetzelfde. Claire had haar gewaarschuwd dat er misschien mensen met nieuwsgierige vragen zouden komen. Ze had meer dan eens laten doorschemeren dat zij en Jeff geheimzinnig werk voor de overheid deden.
Zodra ze de pieptoon hoorde, liet Rebecca een korte boodschap over Smalls bezoek achter.

Marlee belde iedere morgen naar St. Louis om te horen of er voice-mail was en ze schrok toen ze de boodschap uit Lawrence hoorde. Ze veegde met een vochtige doek over haar gezicht en probeerde zichzelf tot rust te brengen.
Ze belde Rebecca en zag kans volkomen normaal te klinken, hoewel ze een droge mond had en haar hart bonsde. Ja, de man die Small heette had uitdrukkelijk naar Claire Clement gevraagd. En hij had Jeff Kerr ook een keer

genoemd. Op aandringen van Marlee kon Rebecca het hele gesprek herhalen.
Rebecca wist dat ze niet te veel vragen moest stellen. 'Gaat het wel goed met je?' vroeg ze.
'O, met ons gaat het prima,' verzekerde Marlee haar. 'We leven een tijdje op het strand.'
Rebecca zou graag willen weten welk strand, maar vroeg er niet naar. Niemand stelde veel vragen aan Claire. Ze zeiden elkaar gedag en beloofden zoals gewoonlijk dat ze in contact zouden blijven.
Noch zij noch Nicholas had verwacht dat ze ooit tot Lawrence te volgen zouden zijn. Nu dat wel was gebeurd, daverden de vragen als hagelstenen neer. Wie had hen gevonden? Welke kant, Fitch of Rohr? Waarschijnlijk Fitch, want die was slimmer en had meer geld. Welke fout hadden ze gemaakt? Hoe was het spoor ooit buiten Biloxi gekomen? Hoeveel wisten ze?
En hoe ver zouden ze gaan? Ze moest Nicholas spreken, maar hij zat op dat moment op een boot ergens op de Golf, waar hij op makreel viste en de vriendschap met zijn medejuryleden versterkte.

Fitch was natuurlijk niet aan het vissen. Hij had in geen drie maanden een vrije dag genomen. Hij zat achter zijn bureau stapels papieren te ordenen toen het telefoontje kwam. 'Hallo, Marlee,' zei hij in de hoorn tegen het meisje van zijn dromen.
'Hé, Fitch. Je bent er weer een kwijt.'
'Weer een wat?' vroeg hij, en hij beet op zijn tong, want hij had haar bijna Claire genoemd.
'Weer een jurylid. Loreen Duke raakte in de ban van Robilio en loopt nu voorop om de eiseres gelijk te geven.'
'Maar ze heeft onze bewijsvoering nog niet gehoord.'
'Zeker. Er zijn nu vier rokers: Weese, Fernandez, Taylor-Tatum en Easter. Hoeveel van hen denk je dat na hun achttiende zijn begonnen met roken?'
'Ik weet het niet.'
'Geen een. Ze zijn allemaal als tiener begonnen. Herman en Herrera rookten vroeger ook. Hoe oud denk je dat ze waren toen ze begonnen?'
'Ik weet het niet.'
'Veertien en zeventien. Dat is de helft van je jury, Fitch, en ze zijn allemaal als minderjarige begonnen met roken.'
'Wat kan ik daaraan doen?'
'Blijven liegen, denk ik. Zeg Fitch, zou het mogelijk zijn dat we eens met elkaar praten, alleen wij tweetjes, zonder dat al je gangsters achter de struiken zitten?'
'Zeker, dat kan.'
'Weer een leugen. We doen het als volgt. We komen ergens bij elkaar en

als mijn mensen jouw mensen ergens in de buurt zien, is ons gesprek meteen afgelopen.'
'Jouw mensen?'
'Iedereen kan gangsters inhuren, Fitch. Dat zou jij toch moeten weten.'
'Akkoord.'
'Ken je Casella's, dat kleine visrestaurant met een terras aan het eind van de Biloxi-pier?'
'Ik kan het vinden.'
'Daar ben ik nu. Dus als je over de pier loopt, kan ik je zien. En als ik een type zie dat er ook maar een klein beetje verdacht uitziet, gaat het niet door.'
'Wanneer?'
'Nu meteen. Ik wacht.'

José reed het parkeerterrein bij de kleine jachthaven op en Fitch stapte haast met een sprong uit de Suburban. De wagen reed weg en Fitch, helemaal alleen en zonder zendertje, liep over de houten pier met de zware houten planken. Marlee zat aan een houten tafel met een parasol, met haar rug naar de Golf en haar gezicht naar de pier. Het was nog een uur voor de lunchpauze en er was verder niemand.
'Hallo, Marlee,' zei Fitch toen hij bij haar aangekomen was. Hij bleef staan en ging tegenover haar zitten. Ze droeg een spijkerbroek, een denim overhemd, een visserspet en een zonnebril. 'Het is me een genoegen, Fitch,' zei ze.
'Ben je altijd zo kribbig?' vroeg hij. Hij liet zijn dikke lijf in een smalle stoel zakken en deed zijn best om te glimlachen en aardig te zijn.
'Heb je een microfoontje bij je, Fitch?'
'Nee. Natuurlijk niet.'
Ze haalde langzaam een dun zwart apparaatje uit haar grote handtas. Het leek op een dictafoon. Ze drukte op een knop en legde het op de tafel, gericht op Fitch' vette pens. 'Sorry hoor, Fitch, ik wil alleen even nagaan of je tijd hebt gehad om ergens een zendertje te verstoppen.'
'Ik zei toch van niet?' zei Fitch erg opgelucht. Konrad had voorgesteld dat hij een klein zendertje zou dragen en dat ze een radiowagen bij de pier zouden zetten, maar Fitch had nee gezegd omdat hij haast had.
Ze keek naar het digitale schermpje aan het ene uiteinde van de sensorscanner en stopte het apparaatje toen weer in haar tas. Fitch glimlachte, maar dat was van korte duur.
'Ik ben vanmorgen opgebeld uit Lawrence,' zei ze, en Fitch moest even slikken. 'Blijkbaar heb je daar een stel klojo's rondlopen die her en der op een deur bonken en vuilnisbakken omkieperen.'
'Ik weet niet waar je het over hebt,' zei Fitch een beetje onzeker en met lang niet genoeg overtuigingskracht.

Het was Fitch! Zijn ogen verrieden hem. Zijn oogleden fladderden en hij sloeg zijn ogen neer en keek vlug een andere kant op alvorens haar weer aan te kijken, zijn ogen weer neer te slaan, en dat alles in een enkele seconde. Ze wist zeker dat ze hem had betrapt. In diezelfde seconde haalde hij snel adem en zijn schouders schokten een heel klein beetje. Daarmee had hij zich schuldig verklaard.
'Goed. Nog één zo'n telefoontje van oude vrienden en je hoort nooit meer iets van me.'
Hij herstelde zich goed. 'Wat is er in Lawrence?' vroeg hij alsof zijn integriteit in twijfel was getrokken.
'Schei uit, Fitch. Roep liever je speurhonden terug.'
Hij ademde zwaar uit, haalde zijn schouders op en keek haar verbijsterd aan. 'Goed. Zoals je wilt. Ik wou alleen dat ik wist waar je het over hebt.'
'Dat weet je. Nog één telefoontje en het is voorbij. Goed?'
'Goed. Je zegt het maar.'
Hoewel Fitch haar ogen niet kon zien, voelde hij dat ze hem door de donkere glazen indringend aankeken. Een minuut lang zei ze niets. Een ober was met een tafeltje bij hen in de buurt bezig, maar maakte geen aanstalten hen te bedienen.
Ten slotte boog Fitch zich naar voren en zei: 'Wanneer houden we op met het spelen van spelletjes?'
'Nu.'
'Fantastisch. Wat wil je?'
'Geld.'
'Dat dacht ik al. Hoeveel?'
'Ik noem later een prijs. Ik neem aan dat je wel zaken wilt doen.'
'Ik wil altijd wel zaken doen. Maar ik moet weten wat ik in ruil krijg.'
'Het is heel eenvoudig, Fitch. Het hangt ervan af wat je wilt. De juryleden kunnen vier dingen doen. Ze kunnen een uitspraak ten gunste van de eiseres doen. Ze kunnen verdeeld blijven en naar huis gaan, en dan wordt de procedure ongeldig verklaard en zit je hier volgend jaar opnieuw om het nog eens over te doen. Rohr gaat niet weg. Ten derde kan de jury met negen tegen drie stemmen in jouw voordeel beslissen, dan heb je de overwinning behaald. En ten vierde kunnen de juryleden met een unanieme uitspraak komen, twaalf tegen nul, en dan hebben je cliënten jarenlang niets meer te vrezen.'
'Dat weet ik allemaal al.'
'Natuurlijk weet je dat. Als we een uitspraak ten gunste van de eiseres buiten beschouwing laten, blijven er drie mogelijkheden over.'
'Wat kun je leveren?'
'Alles wat ik wil. Inclusief een uitspraak ten gunste van de eiseres.'

'Dus de andere kant is bereid te betalen.'
'We staan in contact. Verder wil ik daar niets over zeggen.'
'Is dit een veiling? Gaat de uitspraak naar de hoogste bieder?'
'De dingen gaan zoals ik wil dat ze gaan.'
'Ik zou me beter voelen als je bij Rohr uit de buurt bleef.'
'Ik interesseer me niet voor jouw gevoelens.'
Een andere ober kwam het terras op en zag hen. Met tegenzin vroeg hij of ze iets wilden drinken. Fitch wilde ijsthee. Marlee vroeg om cola-light in een blikje.
'Vertel me eens wat je voorstel is,' zei hij toen de ober weg was.
'Het is erg eenvoudig. We worden het eens over de jury-uitspraak die je wilt. Je kijkt gewoon naar het menu en doet je bestelling. En dan worden we het eens over de prijs. Jij zorgt dat het geld klaar ligt. We wachten tot het allerlaatst, tot de advocaten voor het laatst aan het woord zijn geweest en de jury zich terugtrekt om te beraadslagen. Op dat moment geef ik je de nodige instructies en dan wordt het geld onmiddellijk telegrafisch naar een bank in bijvoorbeeld Zwitserland gestuurd. Zodra ik hoor dat het geld er is, doet de jury de door jou gewenste uitspraak.'
Fitch had zich urenlang op een voorstel van haar kant voorbereid dat opvallend veel op dit leek, maar nu hij Marlee het zo kalm hoorde uitspreken, bonkte zijn hart en duizelde zijn hoofd. Dit kon wel eens het gemakkelijkste van al zijn processen worden!
'Zo gaat het niet,' zei hij zelfverzekerd, als iemand die al veel van zulke transacties over jury-uitspraken had afgesloten.
'Kom nou. Rohr denkt van wel.'
Verdomme, wat was ze vlug! Ze wist precies waar ze hem de dolkstoten moest toedienen.
'Maar er is geen zekerheid,' protesteerde hij.
Ze zette haar zonnebril recht en boog zich op haar ellebogen naar voren. 'Vertrouw je me niet, Fitch?'
'Daar gaat het niet om. Je verlangt van mij dat ik een geldbedrag, vast en zeker een groot geldbedrag, overmaak, en dan moet ik maar hopen en bidden dat je vriend de beraadslagingen van de jury domineert. Jury's zijn zo onvoorspelbaar.'
'Fitch, mijn vriend domineert de beraadslagingen nu ook al, terwijl wij hier zitten te praten. Hij heeft zijn stemmen al lang voordat de advocaten zijn uitgepraat.'
Fitch zou betalen. Hij had al een week geleden besloten zoveel te betalen als ze wilde hebben, en hij wist dat als het geld het Fonds verliet, ze geen zekerheid zouden hebben. Het kon hem niet schelen. Hij vertrouwde zijn Marlee. Zij en haar vriend Easter of hoe hij ook heette hadden de tabaksindustrie jarenlang gevolgd om dit te bereiken, en voor een goede prijs zou-

den ze met alle plezier een gunstige uitspraak leveren. Ze hadden hier naartoe geleefd.
O, wat zou hij veel vragen willen stellen. Het liefst zou hij met haar en Easter beginnen en haar vragen wiens idee dit was geweest, zo'n vernuftig, geraffineerd plan om de processen door het hele land achterna te reizen en dan te zorgen dat hij in de jury kwam opdat hij voor de juiste uitspraak kon zorgen. Het was ronduit briljant. Maar al zou hij haar uren of zelfs dagen naar de bijzonderheden vragen, hij zou nooit een antwoord krijgen. Hij wist ook dat ze de afspraak zouden nakomen. Ze hadden er zo lang aan gewerkt, dat hun plan niet meer kon mislukken.
'Ik ben niet helemáál hulpeloos in deze aangelegenheid, weet je,' zei hij. Hij wilde zich niet voetstoots gewonnen geven.
'Natuurlijk niet, Fitch. Je hebt vast al genoeg vallen gezet om minstens vier juryleden te verstrikken. Zal ik ze noemen?'
De drankjes kwamen en Fitch nam een grote slok van zijn thee. Nee, hij wilde niet dat ze die namen noemde. Hij wilde geen raadspelletje spelen met iemand die over harde feiten beschikte. Met Marlee praten was zoiets als praten met de leider van de jury, en hoewel Fitch ervan genoot, was het gesprek wel eenzijdig. Hoe kon hij weten of ze blufte of de waarheid sprak? Het was gewoon niet eerlijk.
'Volgens mij twijfel jij eraan of ik de zaak wel in de hand heb,' zei ze.
'Ik twijfel aan alles.'
'Als ik er nu eens een jurylid uitgegooid krijg?'
'Je hebt Stella Hulic er al laten uitgooien,' zei Fitch, en daarmee ontlokte hij de eerste en enige glimlach aan haar.
'Ik kan het nog een keer doen. Als ik nu eens bijvoorbeeld besluit Lonnie Shaver naar huis te sturen? Zou je dan onder de indruk zijn?'
Fitch stikte bijna in zijn thee. Hij haalde de rug van zijn hand over zijn mond en zei: 'Lonnie zou daar vast wel blij mee zijn. Hij heeft waarschijnlijk de meeste tegenzin van alle twaalf.'
'Zal ik hem eruit laten gooien?'
'Nee. Hij is onschuldig. En omdat we met elkaar zullen samenwerken, vind ik dat we Lonnie erin moeten houden.'
'Hij en Nicholas praten veel met elkaar, weet je dat?'
'Praat Nicholas met iedereen?'
'Ja, maar niet met iedereen evenveel. Gun hem wat tijd.'
'Je maakt een erg zelfverzekerde indruk.'
'Ik ben niet zo zeker van de kwaliteiten van je advocaten. Maar ik heb alle vertrouwen in Nicholas, en dat is het enige dat telt.'
Ze zaten in stilte te wachten tot twee obers de tafel naast hen hadden gedekt. De lunch begon om half twaalf en het terras begon tot leven te komen.

Toen de obers klaar waren en weggingen, zei Fitch: 'Ik kan geen overeenkomst met je sluiten als ik de condities niet ken.'
Zonder de minste aarzeling zei ze: 'En ik kan geen overeenkomst sluiten zolang jij in mijn verleden graaft.'
'Heb je iets te verbergen?'
'Nee. Maar ik heb vrienden en ik vind het niet prettig om telefoontjes van ze te krijgen. Als je daar nu meteen mee ophoudt, spreken we elkaar opnieuw. Nog één zo'n telefoontje en ik spreek nooit meer met je.'
'Dat moet je niet zeggen.'
'Ik meen het, Fitch. Roep de speurhonden terug.'
'Het zijn niet mijn speurhonden. Ik zweer het je.'
'Roep ze toch maar terug, of ik ga eens uitgebreid met Rohr praten. Die wil misschien wel iets afspreken, en als hij de procedure wint, zit jij zonder werk en verliezen je cliënten miljarden. Dat kun je je niet veroorloven, Fitch.'
Daar had ze inderdaad gelijk in. Het geld dat ze hem zou vragen, zou bijna niets zijn in vergelijking met de uiteindelijke kosten van een uitspraak ten gunste van de eiseres.
'We moeten vlug zijn,' zei hij. 'De procedure duurt niet lang meer.'
'Hoe lang?' vroeg ze.
'Drie of vier dagen voor de bewijsvoering van de gedaagde.'
'Fitch, ik heb honger. Als jij nu eens wegging? Ik bel je over een paar dagen.'
'Wat een toeval. Ik heb ook honger.'
'Nee, dank je. Ik eet alleen. Bovendien wil ik je hier weg hebben.'
Hij stond op en zei: 'Goed, Marlee. Wat je maar wilt. Goedendag.'
Ze zag hem over de pier naar het parkeerterrein bij het strand terug slenteren. Daar bleef hij staan en belde iemand met zijn zaktelefoon.

Na verscheidene pogingen om Hoppy telefonisch te bereiken ging Jimmy Hull Moke op dinsdagmiddag onaangekondigd naar Makelaardij Dupree. Hij kreeg van een slaperige receptioniste te horen dat meneer Dupree ergens achter was. Ze ging hem halen en kwam een kwartier later terug met de verontschuldiging dat ze zich had vergist. Meneer Dupree was niet in zijn kantoor. Hij was naar een belangrijke bespreking gegaan.
'Ik zie zijn auto buiten staan,' zei Jimmy Hull geërgerd. Hij wees naar het kleine parkeerterrein voor de deur. Inderdaad, daar stond Hoppy's oude stationcar.
'Hij is met iemand meegereden,' zei ze. Het was duidelijk dat ze loog.
'Waar is hij heen?' vroeg Jimmy Hull alsof hij achter hem aan wilde gaan.
'Ergens in de buurt van Pass Christian. Meer weet ik er niet van.'
'Waarom beantwoordt hij mijn telefoontjes niet?'

'Ik heb geen idee. Meneer Dupree heeft het erg druk.'
Jimmy Hull stak zijn beide handen diep in de zakken van zijn spijkerbroek en keek de vrouw kwaad aan. 'Zeg tegen hem dat ik ben geweest, dat ik me kwaad maak en dat hij me moet bellen. Begrepen?'
'Ja, meneer.'
Hij slenterde het kantoor uit, stapte in zijn Ford-pickup en reed weg. Ze wachtte tot hij uit het zicht was verdwenen en rende toen naar achteren om Hoppy uit de bezemkast te bevrijden.

De twintig meter lange boot met kapitein Theo aan het roer bevond zich vijftig mijl uit de kust. Onder een wolkenloze hemel en in een zacht golvende zee viste de halve jury op makreel, snapper en rode zalm. Angel Weese was nooit eerder op een boot geweest, kon niet zwemmen en was tweehonderd meter uit de kust al zeeziek geworden. Met de hulp van een ervaren matroos en een fles Dramamine kwam ze er bovenop en was ze zelfs de eerste die een vis van serieuze proporties verschalkte. Rikki zag er heel lief uit in haar shorts, Reeboks en gebruinde benen. De kolonel en de kapitein bleken uit hetzelfde hout gesneden te zijn en het duurde niet lang of ze stonden samen op de brug marinestrategieën te bespreken en oorlogsverhalen uit te wisselen.
Twee matrozen bereidden een voortreffelijke lunch van gekookte garnalen, broodjes gebakken oester, krabscharen en vissoep. Bij de lunch werd het eerste rondje bier geserveerd. Rikki was de enige die water in plaats van bier nam.
Het bier vloeide de hele middag. Het vissen was soms fascinerend en soms saai, en de zon brandde steeds feller op het dek. De boot was groot genoeg om een beetje privacy te vinden. Nicholas en Jerry zorgden dat Lonnie Shaver steeds een koud biertje in zijn hand had. Ze waren van plan om voor het eerst op hem in te praten.
Lonnie had een oom die jarenlang op een garnalenboot had gewerkt, totdat die in een storm verging. Geen van de bemanningsleden was teruggevonden. Als kind had Lonnie met zijn oom in deze wateren gevist en eerlijk gezegd hoefde hij niet meer zo nodig te vissen. Eigenlijk had hij de pest aan vissen, al jaren. Evengoed maakte hij liever deze boottocht dan dat hij weer met de bus naar New Orleans ging.
Er waren vier biertjes voor nodig om zijn tong losser te maken. Ze zaten in een kleine hut op het bovendek die aan alle kanten open was. Op het hoofddek beneden hen keken Rikki en Angel naar de matrozen, die hun vangst schoonmaakten.
'Ik vraag me af hoeveel deskundigen de advocaten van Pynex gaan oproepen,' zei Nicholas, alsof hij er dringend aan toe was om het gesprek op iets anders dan vissen te brengen. Jerry lag op een plastic brits, zijn sokken en

schoenen uit, zijn ogen dicht, een koud biertje in zijn hand.
'Wat mij betreft, hoeven ze er niet één meer op te roepen,' zei Lonnie, turend naar de zee.
'Je bent het goed zat, hè?' zei Nicholas.
'Het is te gek voor woorden. Iemand rookt vijfendertig jaar en dan willen zijn nabestaanden miljoenen hebben omdat hij eraan kapot is gegaan.'
'Zie je wel?' zei Jerry zonder zijn ogen open te doen.
'Wat?'
'Jerry en ik hadden je al ingeschat als een jurylid van de gedaagde,' legde Nicholas uit. 'Maar het was moeilijk, want je hebt er zo weinig over gezegd.'
'En aan welke kant staan jullie?' vroeg Lonnie.
'Ik ben onbevooroordeeld. Jerry voelt veel voor het standpunt van de gedaagde, nietwaar, Jerry?'
'Ik heb de zaak met niemand besproken. Ik heb geen ongeoorloofd contact gehad. Ik heb geen omkoopgeld aangenomen. Ik ben een jurylid naar rechter Harkins hart.'
'Hij voelt veel voor het standpunt van de gedaagde,' zei Nicholas tegen Lonnie. 'Want hij is verslaafd aan nicotine en kan er niet mee stoppen, al maakt hij zichzelf wijs dat hij kan stoppen wanneer hij maar wil. Hij kan het niet, want hij is een watje. Maar hij wil een echte man zijn als kolonel Herrera.'
'Wie niet?' zei Lonnie.
'Jerry denkt dat omdat hij kan stoppen, als hij echt zou willen, iedereen moet kunnen stoppen, wat hij zelf niet kan, en dat Jacob Wood dus lang voordat hij kanker kreeg had moeten stoppen.'
'Dat is het wel zo ongeveer,' zei Jerry. 'Al maak ik bezwaar tegen dat van dat watje.'
'Er zit wat in,' zei Lonnie. 'Hoe komt het dat jij onbevooroordeeld bent?'
'Tjee, ik weet het niet. Misschien komt het doordat ik nog niet alle getuigen heb gehoord. Ja, dat is het. Volgens de wet mogen we geen beslissing nemen voordat de bewijsvoering van beide kanten compleet is. O, neem me niet kwalijk.'
'We nemen het je niet kwalijk,' zei Jerry. 'Nu is het onze beurt om een rondje te halen.' Nicholas dronk zijn blikje leeg en liep de smalle trap af naar de koelbox op het hoofddek.
'Maak je over hem maar geen zorgen,' zei Jerry. 'Als het erop aankomt, staat hij aan onze kant.'

26

Het was net vijf uur geweest toen de boot terugkwam. De vrolijke vissers wankelden van het dek naar de pier, waar ze voor foto's met kapitein Theo en hun trofeeën poseerden. De grootste van die trofeeën was een veertig kilo zware haai die door Rikki aan de haak was geslagen en door een matroos was binnengehaald. Ze werden afgehaald door twee deputy's en door hen over de pier geleid. Hun vangst lieten ze achter, want daar konden ze in het motel niets mee doen.

De bus met de winkelende juryleden zou nog een uur op zich laten wachten. De aankomst daarvan werd evenals de aankomst van de boot aandachtig gadegeslagen en aan Fitch doorgegeven, al wist niemand waar dat goed voor was. Fitch wilde het gewoon weten. Ze moesten íets gadeslaan. Het was een slome dag, geen zitting, niet veel anders te doen dan wachten tot de juryleden terug waren.

Fitch zat in zijn kantoor met Swanson, de ex-FBI-agent, die het grootste deel van de middag aan het telefoneren was geweest. De 'klojo's', zoals Marlee ze had genoemd, waren teruggeroepen. In hun plaats stuurde Fitch de professionals, dezelfde firma uit Bethesda die hij ook voor de Hoppytruc had gebruikt. Swanson had daar vroeger gewerkt en veel van de detectives waren ex-FBI- of ex-CIA-agenten.

Dat ze succes zouden hebben, stond vast. Het was nauwelijks iets waar ze warm voor konden lopen: het uitzoeken van het verleden van een jonge vrouw. Swanson zou over een uur vertrekken en naar Kansas City vliegen, vanwaar hij een oogje in het zeil zou houden.

Het stond ook vast dat ze niet betrapt zouden worden. Fitch bevond zich in een lastig parket – hij wilde het contact met Marlee niet verliezen, maar moest ook weten wie ze was. Hij had twee redenen om in haar verleden te blijven spitten. Ten eerste vond ze het blijkbaar erg belangrijk dat hij daar-

mee ophield. Er zat dus iets in haar verleden wat belangrijk was. En ten tweede had ze zoveel moeite gedaan om geen sporen achter te laten.
Marlee was vier jaar geleden uit Lawrence, Kansas, vertrokken, nadat ze daar drie jaar had gewoond. Ze was niet Claire Clement voordat ze daar aankwam en ze was dat ook niet toen ze weg was gegaan. Intussen ontmoette en rekruteerde ze Jeff Kerr, die tegenwoordig Nicholas Easter heette en dingen met de jury deed waar hij, Fitch, alleen maar naar kon raden.

Angel Weese was verliefd op Derrick Maples en wilde met hem trouwen. Derrick was een stevig gebouwde jongeman van vierentwintig die tijdelijk zonder baan en zonder echtgenote zat. Hij was zijn baan als verkoper van autotelefoons kwijtgeraakt doordat het bedrijf fuseerde, en hij was nog druk bezig zich te ontdoen van zijn eerste vrouw, het resultaat van een tienerromance die verzuurd was. Ze hadden twee kleine kinderen. Zijn vrouw en haar advocaat wilden zeshonderd dollar per maand aan alimentatie. Derrick en zijn advocaat zwaaiden met zijn werkeloosheid alsof het een vlag was. De onderhandelingen hadden een venijnig karakter gekregen en de definitieve scheiding zou nog wel enkele maanden op zich laten wachten.
Angel was twee maanden zwanger, al was Derrick de enige aan wie ze dat had verteld.
Derricks broer Marvis was ooit deputy-sheriff geweest en was nu parttime prediker en maatschappelijk werker. Marvis werd benaderd door een zekere Cleve, die zei dat hij Derrick graag wilde ontmoeten. Marvis bracht hen met elkaar in contact.
Bij gebrek aan een betere functieomschrijving werd Cleve een runner genoemd. Hij runde zaken voor Wendall Rohr. Het was Cleves taak om mensen te vinden die met kans van slagen een aansprakelijkheidsproces, bijvoorbeeld in verband met een sterfgeval of verwonding, konden aanspannen, en om te zorgen dat die mensen bij Rohrs kantoor terechtkwamen. Goed runnen was een kunstvorm en natuurlijk was Cleve een goede runner, want Rohr wilde altijd alleen maar de besten. Zoals alle goede runners bewoog Cleve zich in dubieuze kringen, want het werven van cliënten was officieel nog steeds een onethische activiteit, hoewel een verkeersongeluk dat een beetje de moeite waard was algauw meer runners dan ambulancepersoneel trok. Op Cleves visitekaartje stond trouwens dat hij 'onderzoeker' was.
Cleve deed ook koerierswerk voor Rohr, bezorgde oproepen, deed onderzoek naar getuigen en potentiële juryleden en bespioneerde andere advocaten, de gebruikelijke taken van een runner als hij niet aan het runnen was. Hij kreeg een salaris voor zijn onderzoekswerk en Rohr gaf hem een extra beloning in contanten als hij een goede zaak had binnengehaald.
Hij drong ergens een biertje met Derrick en realiseerde zich al gauw dat die

jongen in grote financiële problemen verkeerde. Vervolgens bracht hij het gesprek op Angel en vroeg of iemand hem voor was geweest. Nee, zei Derrick, niemand was met hem over het proces komen praten. Dat was niet zo verwonderlijk, want Derrick had bij een van zijn broers gewoond en had zich min of meer gedeisd gehouden om de hebzuchtige advocaat van zijn vrouw uit de weg te gaan.
Goed, zei Cleve, want hij werkte als consultant voor enkele van de advocaten en het proces was enorm belangrijk. Cleve bestelde een tweede rondje en ging er nog een tijdje over door hoe verrekte belangrijk het proces was. Derrick was intelligent. Hij had een paar jaar middelbare school en stond altijd klaar om een paar dollar bij te verdienen. Al gauw begreep hij waar Cleve heen wilde. 'Waarom kom je niet terzake?' vroeg hij.
Daar had Cleve geen enkel bezwaar tegen. 'Mijn cliënt is bereid om voor beïnvloeding te betalen. Met baar geld. Geen sporen.'
'Beïnvloeding,' herhaalde Derrick, en hij nam een grote slok. De glimlach op zijn gezicht moedigde Cleve aan om verder te gaan.
'Vijfduizend in contanten,' zei Cleve, om zich heen kijkend. 'De helft nu, de helft als het proces voorbij is.'
Met de volgende slok werd de glimlach breder. 'En wat moet ik dan doen?'
'Je praat met Angel als je haar een echtelijk bezoek brengt en je maakt haar goed duidelijk hoe belangrijk deze zaak voor de partij van de eiseres is. Maar vertel haar niet over het geld, of over mij of over dit gesprek. Niet nu. Misschien later.'
'Waarom niet?'
'Omdat dit zo illegaal is als maar kan! Als de rechter er op de een of andere manier achter komt dat ik met jou heb gesproken, en je geld heb aangeboden om met Angel te praten, draaien we allebei de bak in. Begrijp je dat?'
'Ja.'
'Je moet goed beseffen dat dit gevaarlijk voor je is. Als je het niet wilt doen, moet je het nu zeggen.'
'Tienduizend.'
'Wat?'
'Tien. Vijf nu, vijf als het proces voorbij is.'
Cleve kreunde alsof hij hiervan over zijn nek ging. Derrick moest eens weten hoeveel er op het spel stond. 'Goed. Tien.'
'Wanneer kan ik het krijgen?'
'Morgen.' Ze bestelden een broodje en praatten nog een uurtje over het proces, en over de jury-uitspraak en hoe Angel het best kon worden overgehaald.

Ze hadden Durwood Cable opgezadeld met de klus om D. Martin Jankle van zijn dierbare wodka vandaan te houden. Fitch en Jankle hadden een

bittere strijd geleverd over de vraag of Jankle op dinsdagavond, de avond voordat hij zijn getuigenverklaring zou afleggen, mocht drinken. Fitch, de ex-alcoholist, zei tegen Jankle dat hij een drankprobleem had. Jankle schold Fitch de huid vol. Waar haalde Fitch het lef vandaan om hem, voorzitter van de raad van bestuur van Pynex, een Fortune 500-onderneming, te vertellen of en zo ja wanneer en hoeveel hij mocht drinken.
Fitch haalde Cable erbij. Cable stond erop dat Jankle de avond op het advocatenkantoor zou doorbrengen om zich op zijn getuigenverklaring voor te bereiden. Een gespeelde ondervraging werd gevolgd door een langdurig kruisverhoor, en Jankle bracht het er redelijk goed van af. Niet spectaculair. Cable liet hem samen met een stel jury-experts naar de video-opnamen van het kruisverhoor kijken.
Toen hij na tien uur eindelijk naar zijn hotelkamer werd gebracht, merkte hij dat Fitch alle drank uit de minibar had gehaald en door frisdrank en vruchtensap had vervangen.
Jankle vloekte en liep naar zijn weekendtas, waarin hij een zakflacon verborgen had. Maar er was geen zakflacon. Die had Fitch ook weggehaald.

Om een uur 's nachts maakte Nicholas geruisloos zijn deur open. Hij keek de gang in. De bewaker was weg. Die lag ongetwijfeld in zijn kamer te slapen.
Marlee wachtte in een kamer op de eerste verdieping. Ze omhelsden en kusten elkaar maar kwamen niet verder. Ze had er door de telefoon al op gezinspeeld dat er moeilijkheden waren en ze vertelde hem vlug het hele verhaal, te beginnen met het gesprek dat ze 's morgens vroeg met Rebecca in Lawrence had gehad. Nicholas kon zich goed beheersen.
Afgezien van de natuurlijke hartstocht van twee jonge minnaars speelden emoties geen grote rol in hun relatie. En als er emoties aan de oppervlakte kwamen, dan bijna altijd bij Nicholas, die een klein beetje opvliegendheid bezat, een klein beetje, maar zij had er geen last van. Hij verhief soms zijn stem als hij kwaad was, al gebeurde dat bijna nooit. Marlee was niet kil, wel berekenend. Hij had haar nooit zien huilen, behalve aan het eind van een film, waar ze een grote hekel aan had. Ze hadden nooit hevige ruzie gehad en aan de gebruikelijke onenigheden kwam meestal vlug een eind, want Marlee had hem geleerd zich in te houden. Ze was wars van overbodig sentiment, pruilde niet, was niet haatdragend en kon hem niet uitstaan als hij wel zulk ongewenst gedrag vertoonde.
Ze gaf hem een weergave van haar gesprek met Rebecca en ze probeerde zich ieder woord van haar gesprek met Fitch te herinneren.
Het besef dat Fitch iets over hen aan de weet was gekomen kwam hard aan. Ze wisten zeker dat het Fitch was en vroegen zich af hoeveel hij wist. Ze waren er altijd al van overtuigd geweest dat ze eerst Jeff Kerr moesten

ontdekken om Claire Clement te vinden. Jeffs achtergronden waren onschuldig. Die van Claire moesten worden afgeschermd, anders konden ze net zo goed meteen op de vlucht slaan.
Ze konden weinig anders doen dan wachten.

Derrick perste zich door het uitzetraam om in Angels kamer te komen. Hij had haar sinds zondag niet gezien, een periode van bijna achtenveertig uur, en hij kon gewoon niet wachten tot de volgende avond, want hij hield zielsveel van haar en moest haar in zijn armen houden. Ze rook meteen dat hij gedronken had. Ze vielen in bed waar ze zonder veel geluid te maken ongeoorloofde echtelijke betrekkingen onderhielden.
Derrick rolde zich op zijn rug en was meteen in diepe slaap verzonken.
Bij het eerste ochtendlicht werden ze wakker. Angel raakte meteen in paniek, want ze had een man in haar kamer en dat was natuurlijk in strijd met de orders van de rechter. Derrick maakte zich nergens druk om. Hij zei dat hij gewoon zou wachten tot ze naar de rechtbank waren vertrokken en dan de kamer uit zou glippen. Ze voelde zich niet gerustgesteld en bleef een hele tijd onder de douche staan.
Derrick had Cleves plan overgenomen en er grote verbeteringen in aangebracht. Nadat hij het café had verlaten, kocht hij wat blikjes bier en reed uren langs de Golf. Langzaam reed hij heen en weer over Highway 90, langs de hotels en casino's en jachthavens, van Pass Christian tot Pascagoula, en al die tijd dronk hij bier en dacht hij na over het plan. Cleve had zich na een paar glazen laten ontglippen dat de advocaten van de eiseres om miljoenen zouden vragen. Ze hadden maar negen van de twaalf juryleden nodig om hun eis toegewezen te krijgen. Op grond daarvan dacht Derrick dat Angels stem veel meer waard was dan tienduizend dollar.
Tienduizend dollar leek in de kroeg nog heel veel, maar als ze zo veel wilden betalen, en zo gemakkelijk met dat bedrag akkoord gingen, zouden ze, als er meer druk werd uitgeoefend, nog veel meer afschuiven. Hoe langer hij reed, des te meer werd haar stem waard. De koers was nu vijftigduizend dollar en ging bijna met het uur omhoog.
Derrick werd vooral gefascineerd door rekensommen met percentages. Als er nu eens tien miljoen werd toegekend, dan zou één procent, één miezerig procent, honderdduizend dollar zijn. Een schadevergoeding van twintig miljoen? Tweehonderdduizend dollar. Als Derrick nu eens aan Cleve voorstelde dat die hem een voorschot zou geven en later een percentage van de toegekende schadevergoeding? Dat zou Derrick en natuurlijk ook zijn vriendin motiveren om de andere juryleden tot toekenning van een hoge schadevergoeding over te halen. Ze zouden een grote rol kunnen spelen. Het was een kans die ze nooit meer zouden krijgen.
Angel kwam in haar badjas terug en stak een sigaret op.

27

De reputatie van Pynex kreeg op woensdagmorgen een gevoelige knauw, al kon de onderneming daar zelf niets aan doen. De effectenanalist Walter Barker, die in *Mogul* schreef, een populair weekblad voor beleggers, zei te verwachten dat de jury in Biloxi een uitspraak ten nadele van Pynex zou doen en de eiseres een hoge schadevergoeding zou toekennen. Barker was geen lichtgewicht. Hij was van huis uit jurist en had op Wall Street een ontzagwekkende reputatie. Hij was degene naar wie iedereen keek als er een belangrijk proces aan de gang was. Zijn specialisme was het volgen van processen en beroepszaken en schikkingen, en vooral het doen van voorspellingen. Hij had meestal gelijk en had een fortuin verdiend met zijn onderzoek. Erg veel mensen lazen hem en het feit dat hij Pynex weinig kans gaf ging als een schok door Wall Street. Het aandeel opende op zesenzeventig, zakte naar drieënzeventig en zat in het midden van de ochtend op eenenzeventig en een half.

Er zaten die woensdag meer mensen in de rechtszaal. De jongens van Wall Street waren weer op volle sterkte. Ze hadden allemaal een *Mogul* voor zich liggen en waren het plotseling met Barker eens, al hadden ze een uur eerder onder het ontbijt nog allemaal verkondigd dat Pynex de bewijsvoering van de eiseres goed had doorstaan en dus goede kansen maakte. Nu zaten ze met zorgelijke gezichten in het weekblad te lezen en veranderden ze de rapporten die ze aan hun kantoor uitbrachten. Barker was vorige week zelf in de rechtszaal geweest. Hij had in zijn eentje op de achterste rij gezeten. Wat had hij gezien dat hun was ontgaan?

De juryleden kwamen precies om negen uur binnen. Lou Dell hield trots de deur voor hen open, alsof ze haar gebroed na de uitstapjes van de vorige dag weer ordelijk om zich heen had verzameld en nu terugbracht naar de plaats waar het thuishoorde. Harkin verwelkomde de juryleden alsof ze

een maand weg waren geweest, maakte een flauwe grap over vissen en stelde toen in ijltempo zijn standaardvraag: 'Bent u lastiggevallen?' Hij beloofde de jury dat het proces nu niet lang meer zou duren.
Jankle werd als getuige opgeroepen en de advocaten van de gedaagde begonnen met hun bewijsvoering. In zijn alcoholvrije staat was Jankle scherpzinnig en ad rem. Hij glimlachte ongedwongen en leek erg blij te zijn met de kans om zijn tabaksonderneming te verdedigen. Cable leidde hem zonder een hapering door de inleidende vragen heen.
Op de tweede rij zat D.Y. Taunton, de zwarte advocaat van de firma op Wall Street die Lonnie in Charlotte had ontmoet. Terwijl hij naar Jankle luisterde, keek hij voortdurend naar Lonnie en het duurde niet lang of Lonnie zag hem, schrok, keek nog een keer en was toen pas in staat om te knikken en te glimlachen, want hij had het gevoel dat hij dat moest doen. De boodschap was duidelijk: Taunton was een belangrijk man die helemaal naar Biloxi was gereisd omdat dit een belangrijke dag was. De gedaagde was nu aan het woord en het was van groot belang dat Lonnie goed luisterde en ieder woord geloofde dat nu in de getuigenbank werd uitgesproken. Dat was voor Lonnie geen enkel probleem.
Om te beginnen zei Jankle dat iedereen vrij was om te roken of niet. Hij erkende dat veel mensen dachten dat sigaretten verslavend waren, maar dat gaf hij alleen toe omdat hij en Cable wel wisten dat hij anders belachelijk zou overkomen. Aan de andere kant: misschien waren ze toch niet verslavend. Eigenlijk wist niemand het en de mensen die er onderzoek naar deden waren het ook niet allemaal met elkaar eens. Het ene onderzoek wees in de ene richting, het andere in de andere richting, maar het was nog nooit onweerlegbaar bewezen dat roken verslavend was. Hij persoonlijk geloofde van niet. Jankle rookte al twintig jaar, maar alleen omdat hij het prettig vond. Hij rookte twintig sigaretten per dag, omdat hij dat zelf wilde, en hij had voor een merk met weinig teer gekozen. Nee, hij was absoluut niet verslaafd. Hij kon ermee stoppen wanneer hij dat wilde. Hij rookte omdat hij het prettig vond. Hij tenniste vier keer per week en tijdens zijn jaarlijkse medische check-up kwam nooit iets verontrustends aan het licht.
Op de rij achter Taunton zat Derrick Maples, die voor het eerst naar een zitting kwam. Hij had het motel enkele minuten na de bus verlaten. Eigenlijk was hij van plan geweest die dag naar werk te gaan zoeken, maar nu droomde hij van gemakkelijk verdiend geld. Angel zag hem, maar hield haar blik op Jankle gericht. Ze vond het vreemd dat Derrick plotseling zo'n belangstelling voor het proces had. Sinds de juryleden waren afgezonderd, had hij aan een stuk door geklaagd.
Jankle gaf een beschrijving van de verschillende merken die zijn onderneming maakte. Hij kwam uit de getuigenbank en ging voor een kleurrijke

plaat met alle acht merken staan, elk met het teer- en nicotinegehalte erbij vermeld. Hij legde uit waarom sommige sigaretten filters hadden en andere niet, en waarom sommige meer teer en nicotine dan andere bevatten. Uiteindelijk was het allemaal een kwestie van vrije keuze. Hij was trots op zijn producten.
Dat was een belangrijk onderdeel van Jankles betoog, en hij wist het goed te brengen. Door zoveel verschillende merken aan te bieden gaf Pynex elke consument de kans om zelf te beslissen hoeveel teer en nicotine hij of zij wilde. Het was allemaal een kwestie van vrije keuze. Je kon zelf het teer- en nicotinegehalte kiezen. Je kon zelf bepalen hoeveel sigaretten je per dag rookte. Je kon zelf bepalen of je al dan niet inhaleerde. Je was zelf verstandig genoeg om te bepalen hoe je je lichaam aan sigaretten blootstelde.
Jankle wees op een felgekleurde afbeelding van een rood pakje Bristols, het merk met het op een na hoogste teer- en nicotinegehalte. Hij gaf toe dat Bristols in geval van 'misbruik' schadelijk konden zijn.
Sigaretten waren producten waar je op een verstandige manier mee moest omgaan. Zoals veel andere producten – alcohol, boter, suiker en handvuurwapens, om er maar een paar te noemen – konden ze gevaarlijk worden als je er misbruik van maakte.
Naast Derrick, maar aan de andere kant van het gangpad, zat Hoppy, die even kwam kijken hoe de zitting verliep. Bovendien wilde hij Millie zien en naar haar glimlachen. Millie was blij hem te zien maar verbaasde zich ook over zijn plotselinge belangstelling voor het proces. Die avond zouden de juryleden weer een persoonlijk bezoek mogen ontvangen en Hoppy kon bijna niet wachten tot hij drie uur in Millies kamer kon doorbrengen, waarbij seks wel het laatste was waar hij aan dacht.
Toen rechter Harkin de lunchpauze aankondigde, had Jankle net verteld hoe hij over reclame dacht. Zeker, zijn onderneming gaf daar veel geld aan uit, maar niet zoveel als bierbrouwerijen of autofabrikanten of Coca-Cola. In een wereld met felle concurrentie kon je je zonder reclame niet staande houden, welk product je ook maakte. Natuurlijk zagen kinderen de reclameuitingen van zijn onderneming. Hoe kon je een aanplakbiljet op een zodanige manier ontwerpen dat het niet door kinderen werd gezien? Hoe kon je voorkomen dat kinderen in de tijdschriften keken waarop hun ouders geabonneerd waren? Dat was onmogelijk. Jankle gaf meteen toe dat volgens onderzoeksresultaten vijfentachtig procent van de rokende tieners een van de drie merken rookten waarvoor de meeste reclame werd gemaakt. Maar dat gold ook voor volwassenen! Nogmaals, je kon geen reclamecampagne ontwerpen die wel tot volwassenen en niet tot kinderen doordrong.

Fitch had Jankles hele getuigenverklaring vanaf een van de achterste rijen gadegeslagen. Rechts van hem zat Luther Vandemeer, voorzitter van de raad van bestuur van Trellco, de grootste tabaksonderneming ter wereld. Vandemeer was de officiële leider van de Grote Vier en de enige voor wie Fitch enige sympathie kon opbrengen. Hij van zijn kant had de bijzondere eigenschap dat hij enige sympathie voor Fitch koesterde.

Ze lunchten bij Mary Mahoney's, samen aan een tafel in een hoek. Ze vonden het een hele opluchting dat Jankle het tot nu toe goed had gedaan, maar wisten dat het ergste nog moest komen. Barkers column in *Mogul* had hun eetlust bedorven.

'Hoeveel invloed heb je op de jury?' vroeg Vandemeer, die nauwelijks at.

Fitch was niet van plan naar waarheid te antwoorden. Dat werd ook niet van hem verwacht. Zijn vuile trucjes bleven voor iedereen geheim, behalve voor zijn eigen mensen.

'De gebruikelijke invloed,' zei Fitch.

'Misschien is dat deze keer niet genoeg.'

'Wat stel je voor?'

Vandemeer gaf geen antwoord, maar keek in plaats daarvan naar de benen van een jonge serveerster die aan de volgende tafel een bestelling opnam.

'We doen alles wat mogelijk is,' zei Fitch met een warmte die voor hem erg ongewoon was. Maar Vandemeer was bang, en terecht. Fitch wist dat de druk enorm groot was. Als er een forse schadevergoeding aan de eiseres werd toegekend, zou Pynex of Trellco niet failliet gaan, maar het zou grote nadelige gevolgen hebben. Op grond van een intern onderzoek was voorspeld dat de aandelenwaarde van alle vier de ondernemingen onmiddellijk met twintig procent zou dalen, en dat zou nog maar het begin zijn. Hetzelfde onderzoeksrapport hield rekening met de mogelijkheid dat in de vijf jaar na zo'n vonnis een miljoen procedures wegens longkanker tegen de tabaksfabrikanten zouden worden aangespannen, waarbij de gemiddelde procedure alleen al een miljoen aan advocatenkosten zou vergen. De onderzoekers hadden het niet aangedurfd de kosten van een miljoen vonnissen te becijferen. In het allerongunstigste scenario zou er een principiële procedure, dus namens een grote groep mensen, gevoerd mogen worden. Die groep zou dan bestaan uit iedereen die ooit had gerookt en zich daardoor geschaad voelde. Als het zover kwam, zou een bankroet van de tabaksindustrie zeker tot de mogelijkheden behoren. En de kans was groot dat er in het Congres serieuze pogingen zouden worden gedaan de productie van sigaretten te verbieden.

'Heb je genoeg geld?' vroeg Vandemeer.

'Ik denk van wel,' zei Fitch. Voor de honderdste keer vroeg hij zich af hoeveel zijn lieve Marlee zou vragen.

'Het Fonds moet goed bij kas zitten.'

'Dat zit het.'

Vandemeer kauwde op een stukje gegrillde kip. 'Waarom pik je er niet gewoon negen juryleden uit en geef je ze een miljoen dollar per persoon?' zei hij met een vaag lachje, alsof hij maar een grapje maakte.
'Geloof me, daar heb ik over nagedacht. Het is gewoon te riskant. Er zouden mensen naar de gevangenis gaan.'
'Het was maar een geintje.'
'Wij hebben onze methoden.'
Vandemeer hield op met glimlachen. 'We moeten winnen, Rankin, dat besef je toch wel? We moeten winnen. Geef zoveel uit als nodig is.'

Een week eerder had rechter Harkin, naar aanleiding van het zoveelste schriftelijke verzoek van Nicholas Easter, de gang van zaken in de lunchpauze enigszins veranderd. Hij had namelijk beslist dat de twee reservejuryleden met de andere twaalf mochten mee-eten. Nicholas had aangevoerd dat het, omdat ze nu alle veertien samen in het motel zaten, samen naar films keken, samen ontbeten en dineerden, bijna absurd was dat ze in de lunchpauze gescheiden werden gehouden. De reserves waren twee mannen, Henry Vu en Shine Royce.
Henry Vu was een Zuid-Vietnamese gevechtspiloot geweest die op de dag na de val van Saigon een noodlanding in de Zuid-Chinese Zee had gemaakt. Hij werd opgepikt door een Amerikaans reddingsvaartuig en in een ziekenhuis in San Francisco behandeld. Het kostte hem een jaar om zijn vrouw en kinderen via Laos en Cambodja naar Thailand te smokkelen, en vandaar naar San Francisco, waar het gezin twee jaar woonde. In 1978 vestigden ze zich in Biloxi. Vu kocht een garnalenboot en sloot zich aan bij het groeiende aantal Vietnamese vissers dat de plaatselijke vissers verdrong. Vorig jaar was zijn jongste dochter degene geweest die de afscheidsrede na het eindexamen op de middelbare school mocht houden. Ze had een beurs voor Harvard gekregen. Henry kocht in die tijd zijn vierde garnalenboot.
Nicholas was natuurlijk meteen met hem bevriend geraakt. Hij was van plan Henry Vu bij de twaalf gezworenen te krijgen. Henry moest erbij zijn als de beraadslagingen begonnen.

Nu de jury gebukt ging onder afzondering, was het absoluut niet Durwood Cables bedoeling het proces langer te laten duren dan nodig was. Hij had besloten maar vijf van zijn getuigen op te roepen en wilde niet dat hun verklaringen meer dan vier dagen in beslag namen.
Het was de ongelukkigste tijd van de dag voor een ondervraging, het eerste uur na de lunchpauze. Jankle nam zijn plaats in de getuigenbank weer in en hervatte zijn getuigenverklaring.
'Wat doet uw onderneming om het roken door minderjarigen tegen te

gaan?' vroeg Cable hem, en Jankle praatte een uur door. Een miljoen voor deze goede zaak, een miljoen voor die ideële reclamecampagne. Alleen al vorig jaar elf miljoen dollar.
Soms leek het wel of Jankle walgde van tabak.
Na een erg lange koffiepauze om drie uur mocht Wendall Rohr de tabaksfabrikant voor het eerst onder vuur nemen. Hij begon met een venijnige vraag en daarna ging het van kwaad tot erger.
'Is het niet waar, meneer Jankle, dat uw onderneming honderden miljoenen uitgeeft om mensen over te halen te gaan roken, maar dat als ze ziek worden van uw sigaretten, uw onderneming geen cent uitgeeft om ze te helpen?'
'Is dat een vraag?'
'Natuurlijk is het een vraag. Geeft u antwoord!'
'Nee. Dat is niet waar.'
'Goed. Wanneer heeft Pynex voor het laatst een cent aan een artsenrekening van een van uw rokers betaald?'
Jankle haalde zijn schouders op en mompelde iets.
'Sorry, meneer Jankle, dat heb ik niet verstaan. De vraag is: wanneer heeft Pynex voor het laatst...'
'Ik heb de vraag gehoord.'
'Geeft u dan antwoord. Vertelt u ons van één geval waarin Pynex heeft aangeboden iemand die uw producten rookte met zijn doktersrekeningen te helpen.'
'Ik kan me niet zo'n geval herinneren.'
'Dus uw onderneming weigert achter haar eigen producten te staan?'
'Zo is het beslist niet.'
'Goed. Vertelt u de jury van één geval waarin Pynex achter haar sigaretten stond.'
'Onze producten vertonen geen tekortkomingen.'
'Ze veroorzaken geen ziekte en dood?' vroeg Rohr ongelovig, wild met zijn armen zwaaiend.
'Nee. Dat is niet zo.'
'Even voor alle duidelijkheid: u zegt tegen deze jury dat uw sigaretten geen ziekte en dood veroorzaken?'
'Alleen als er misbruik van wordt gemaakt.'
Rohr lachte en spuwde het woord 'misbruik' vol minachting uit. 'Is het de bedoeling dat uw sigaretten met een lucifer of aansteker worden aangestoken?'
'Uiteraard.'
'En is het de bedoeling dat de rook die door de tabak en het papier wordt veroorzaakt via het andere eind wordt opgezogen?'
'Ja.'

'En is het de bedoeling dat die rook in de mond komt?'
'Ja.'
'En is het de bedoeling dat die rook door het ademhalingskanaal wordt geïnhaleerd?'
'Dat hangt van de keuze van de roker af.'
'Inhaleert u, meneer Jankle?'
'Ja.'
'Bent u op de hoogte van onderzoeken waaruit blijkt dat achtennegentig procent van alle sigarettenrokers inhaleert?'
'Ja.'
'Dus we mogen rustig zeggen dat u weet dat de rook van uw sigaretten zal worden geïnhaleerd?'
'Daar komt het wel op neer.'
'Bent u van mening dat mensen die de rook inhaleren misbruik van het product maken?'
'Nee.'
'Vertelt u ons dan eens, meneer Jankle: hoe maak je misbruik van een sigaret?'
'Door te veel te roken.'
'En hoeveel is te veel?'
'Dat verschilt van persoon tot persoon, denk ik.'
'Ik heb het niet over individuele rokers, meneer Jankle. Ik heb het over u, de voorzitter van de raad van bestuur van Pynex, een van de grootste sigarettenproducenten ter wereld. En ik vraag u: hoeveel is volgens u te veel?'
'Meer dan twee pakjes per dag, zou ik zeggen.'
'Meer dan veertig sigaretten per dag?'
'Ja.'
'Zo. En op welk onderzoek baseert u dat?'
'Op geen enkel onderzoek. Het is gewoon mijn mening.'
'Minder dan veertig per dag, en roken is niet ongezond. Meer dan veertig, en het is misbruik van het product. Is dat uw getuigenverklaring?'
'Het is mijn mening.' Jankle begon het moeilijk te krijgen. Hij keek Cable fel aan, die kwaad was en zijn ogen afwendde. De misbruiktheorie was iets nieuws, een bedenksel van Jankle zelf. Hij wilde er met alle geweld gebruik van maken.
Rohr rook bloed. Hij dempte zijn stem en bestudeerde zijn aantekeningen. Hij nam daar de tijd voor, want hij wilde het niet bederven. 'Wilt u de jury vertellen welke stappen u als bestuursvoorzitter hebt ondernomen om het publiek te waarschuwen dat het roken van meer dan veertig sigaretten gevaarlijk is?'
Jankle had wel een antwoord klaar, maar hij zag ervan af. Zijn mond ging open en bleef open, gedurende een lange pijnlijke stilte. Nadat de schade

was aangericht, vermande hij zich en zei: 'Ik geloof dat u me verkeerd hebt begrepen.'
Rohr was niet van plan het hem te laten uitleggen. 'Waarschijnlijk, ik geloof niet ooit op een van uw producten vermeld te hebben zien staan dat meer dan twee pakjes per dag misbruik is en gevaar oplevert. Waarom niet?'
'We zijn niet verplicht dat te vermelden.'
'Niet verplicht door wie?'
'De overheid.'
'Dus als de overheid u niet dwingt de mensen voor misbruik van uw producten te waarschuwen, gaat u dat beslist niet vrijwillig doen?'
'We houden ons aan de wet.'
'Verplichtte de wet u om vorig jaar vierhonderd miljoen dollar aan reclame uit te geven?'
'Nee.'
'Maar u deed dat wel, hè?'
'Zoiets.'
'En als u rokers voor potentiële gevaren wilde waarschuwen, zou u dat kunnen doen, nietwaar?'
'Ja.'
Rohr ging vlug over op boter en suiker, twee producten waarvan Jankle had gezegd dat ze potentieel gevaarlijk waren. Rohr wees met veel genoegen op de verschillen tussen die producten en sigaretten. In feite maakte hij Jankle belachelijk.
Hij bewaarde het beste voor het laatst. Tijdens een korte pauze waren de videomonitoren weer op hun plaats gezet. Toen de jury terugkwam, waren de lichten gedempt en verscheen Jankle op het scherm. Hij hield zijn rechterhand opgeheven en er werd hem gevraagd de waarheid en niets dan de waarheid te spreken. Het waren beelden van een hoorzitting van een subcommissie van het Congres. Naast Jankle stonden Vandemeer en de twee andere bestuursvoorzitters van de Grote Vier. Ze waren alle vier tegen hun wil ontboden om een verklaring af te leggen voor een stel politici. Ze leken net vier mafiabazen die het Congres gingen vertellen dat er niet zoiets als georganiseerde misdaad bestond. De ondervraging was hard.
Er was nogal aan de bandopname gesleuteld. Het werd hun een voor een op de man af gevraagd of nicotine verslavend was en ze zeiden alle vier nadrukkelijk van nee. Jankle was de laatste, en toen hij zijn woedende ontkenning uitsprak, wist de jury, net als de subcommissie, dat hij loog.

28

Tijdens een gespannen gesprek van veertig minuten met Cable in diens kantoor zette Fitch uiteen wat hem dwarszat aan de manier waarop het verweer werd gevoerd. Hij begon met Jankle en diens briljante nieuwe verdediging van tabak, de strategie van de misbruikte sigaret, een stompzinnige aanpak die wel eens hun ondergang zou kunnen betekenen. Cable, die zich niet de les liet lezen, zeker niet door een niet-jurist aan wie hij toch al de pest had, legde meermalen uit dat ze Jankle hadden gesmeekt niet over misbruik te beginnen. Maar Jankle was in een vroeger leven advocaat geweest en beschouwde zichzelf als een oorspronkelijk denker die de geweldige kans had gekregen om de tabaksindustrie te redden. Jankle was nu in een Pynex-jet op weg naar New York.

En Fitch dacht dat de jury genoeg van Cable zou krijgen. Rohr had de ondervragingen in de rechtszaal over zijn bende dieven gespreid. Waarom liet Cable niet een paar getuigen aan een andere advocaat over? Hij had er genoeg. Was het zijn ego? Ze schreeuwden elkaar over het bureau toe.

Het artikel in *Mogul* had hen diep geschokt en de druk waaraan ze waren blootgesteld nog groter gemaakt.

Cable herinnerde Fitch eraan dat hij de advocaat was en dat hij een goede staat van dienst had van dertig jaar. Hij was beter in staat de stemming en structuur van de procedure te interpreteren.

En Fitch herinnerde Cable eraan dat dit het negende tabaksproces was dat hij begeleidde, om nog maar te zwijgen van de twee ongeldig verklaarde procedures waar hij achter zat. Hij had al vaak een veel beter optreden in de rechtszaal gezien dan wat Cable had vertoond.

Toen er een eind aan hun geschreeuw en gevloek was gekomen en ze pogingen deden zich te beheersen, werden ze het erover eens dat hun bewijsvoering kort moest zijn. Nog drie dagen, zei Cable, inclusief de tijd

die met Rohrs kruisverhoren gemoeid zou zijn. Drie dagen en niet langer, zei Fitch.
Bij het verlaten van de kamer smeet hij de deur achter zich dicht. In de hal pikte hij José op. Samen liepen ze met grote stappen door het kantoor, een kantoor waar het nog krioelde van de advocaten in hemdsmouwen en assistenten die pizza aten en secretaresses die heen en weer renden om hun werk af te krijgen en op tijd thuis te zijn voor hun kinderen. Alleen al de aanblik van Fitch die, gevolgd door de potige José, op volle snelheid door de gangen draafde, maakte dat volwassen mannen angstig wegdoken in deuropeningen.
In de Suburban gaf José een stapel faxen aan Fitch, die ze doorkeek terwijl ze met grote snelheid naar het hoofdkantoor reden. De eerste was een lijst van Marlee's activiteiten sinds ze elkaar de vorige dag op de pier hadden ontmoet. Niets ongewoons.
De volgende was een samenvatting van wat er in Kansas was gebeurd. Er was een Claire Clement in Topeka gevonden, maar die woonde in een verpleegstersflat. Die in Des Moines nam de telefoon op toen ze naar de handel in tweedehands auto's van haar man belden. Swanson zei dat ze veel sporen volgden, maar in het rapport stonden niet veel details. Een van Kerrs vrienden op de rechtenfaculteit was in Kansas City gevonden en ze probeerden met hem in contact te komen.
Ze reden langs een kruidenierszaak. Een neonreclame voor bier in de etalage trok Fitch' aandacht. De geur en smaak van een koud glas bier stond hem opeens weer helemaal bij, en hij hunkerde naar zo'n glas. Eentje maar. Een groot glas koud, schuimend bier. Hoe lang was het geleden?
Hij kwam sterk in de verleiding om te stoppen. Fitch sloot zijn ogen en probeerde aan iets anders te denken. Hij kon José sturen om er eentje te halen, één koud flesje, meer niet. Dat zou toch kunnen? Zeker, hij stond al negen jaar droog en kon nu wel één glas aan. Waarom zou hij er niet eentje kunnen nemen?
Omdat hij er al een miljoen had gehad. En als José hier stopte, zou hij over twee straten nog een keer stoppen. En als ze dan bij het kantoor kwamen, zou de Suburban vol liggen met lege flesjes en zou Fitch ze naar passerende auto's gooien. Hij had altijd een kwade dronk gehad.
Maar één glas om zijn zenuwen tot rust te brengen, om deze ellendige dag te helpen vergeten?
'Alles goed, baas?' vroeg José.
Fitch bromde iets en dacht niet meer aan bier. Waar was Marlee en waarom had ze vandaag niet gebeld? Het proces liep op zijn eind. Ze zouden tijd nodig hebben om te onderhandelen en om te doen wat ze zouden afspreken.
Hij dacht aan de column in *Mogul*, en hij verlangde naar Marlee. Hij hoor-

de Jankle weer met die idiote stem van hem een gloednieuwe verdedigingstheorie uiteenzetten, en hij verlangde naar Marlee. Hij sloot zijn ogen en zag de gezichten van de juryleden, en hij verlangde naar Marlee.

Omdat Derrick nu het gevoel had dat hij een belangrijke rol speelde, koos hij een nieuwe ontmoetingsplaats voor woensdagavond uit. Het was een nogal louche bar in de zwarte wijk van Biloxi, een bar waar Cleve overigens wel eens was geweest. Derrick dacht dat hij de overhand zou hebben als de ontmoeting op zijn eigen terrein plaatsvond. Cleve stond erop dat ze elkaar eerst op het parkeerterrein zouden ontmoeten.

Het terrein stond bijna vol. Cleve was laat. Derrick zag hem toen hij parkeerde en liep naar de auto toe.

'Dit lijkt me geen goed idee,' zei Cleve, die door zijn raampje naar het donkere betonnen gebouw met stalen tralies voor de ramen keek.

'Het is in orde,' zei Derrick, die zichzelf een beetje zorgen maakte maar dat niet wilde laten blijken. 'Het is veilig.'

'Veilig? Er zijn hier de afgelopen maand drie steekpartijen geweest. Ik heb hier het enige blanke gezicht, en je verwacht dat ik daar met vijfduizend dollar naar binnen loop en ze aan jou geef? Wie denk je dat het eerste mes in zijn rug krijgt? Jij of ik?'

Derrick zag in wat hij bedoelde, maar wilde dat niet meteen toegeven. Hij boog zich dichter naar het raam toe en keek op het parkeerterrein om zich heen, plotseling een beetje bang geworden.

'Ik vind dat we naar binnen moeten gaan,' zei hij als een echte keiharde jongen.

'Vergeet het maar,' zei Cleve. 'Als je het geld wilt hebben, kom je maar naar het Waffle House aan Highway 90.' Cleve startte zijn motor en draaide het raampje dicht. Derrick zag hem wegrijden, met die vijfduizend dollar ergens binnen handbereik, en rende naar zijn auto.

Ze aten pannenkoeken en dronken koffie aan het buffet. Ze moesten zachtjes praten, want de kok was eieren met worst aan het bakken op een grill, nog geen drie meter van hen vandaan, en probeerde blijkbaar elk woord van hen te horen.

Derrick was nerveus, zijn handen beefden. Runners deelden dagelijks geld uit. De hele affaire stelde in Cleves ogen niet veel voor.

'Zeg, volgens mij is tienduizend misschien niet genoeg. Begrijp je wat ik bedoel?' zei Derrick ten slotte. Hij herhaalde een tekst die hij het grootste deel van de middag voor de spiegel had geoefend.

'Ik dacht dat we het eens waren,' zei Cleve onverstoord, kauwend op zijn pannenkoeken.

'Nou, volgens mij proberen jullie me te belazeren.'

'Is dit jouw manier van onderhandelen?'

'Jullie bieden me niet genoeg, man. Ik heb erover nagedacht. Ik ben vanmorgen zelfs naar de rechtszaal geweest en heb naar het proces gekeken. Ik weet nu wat er speelt. Ik snap het helemaal.'
'O ja?'
'Ja. En jullie spelen het niet eerlijk.'
'Toen we het gisteravond eens werden over tienduizend dollar, had je geen klachten.'
'Het ligt nu anders. Gisteravond heb je me overrompeld.'
Cleve veegde met een papieren servetje zijn mond af en wachtte tot de kok iemand aan het andere eind van het buffet bediende. 'Wat wil je dan?' vroeg hij.
'Veel meer.'
'We hebben geen tijd om spelletjes te spelen. Vertel me wat je wilt.'
Derrick slikte en keek over zijn schouder. Binnensmonds zei hij: 'Vijftigduizend, plus een percentage van het vonnis.'
'Welk percentage?'
'Tien procent lijkt me redelijk.'
'Zo, denk je dat.' Cleve gooide het servet op zijn bord. 'Je bent gek,' zei hij, en legde een biljet van vijf dollar naast zijn bord. Hij stond op en zei: 'We waren het eens geworden over tienduizend. Dat is het. Graag of niet.'
Cleve ging vlug weg. Derrick zocht in zijn beide zakken en vond alleen muntgeld. De kok stond plotseling dicht bij hem en keek toe terwijl hij wanhopig naar geld zocht. 'Ik dacht dat hij zou betalen,' zei Derrick, en zocht in het borstzakje van zijn overhemd.
'Hoeveel heb je?' vroeg de kok, en hij pakte het vijfje naast Cleves bord op.
'Tachtig cent.'
'Dat is genoeg.'
Derrick rende naar het parkeerterrein, waar Cleve met draaiende motor en met zijn raampje omlaag stond te wachten. 'Ik wed dat de andere kant meer betaalt,' zei hij, terwijl hij zich naar Cleve toe boog.
'Nou, probeer dat maar. Ga morgen naar ze toe en zeg tegen ze dat je vijftigduizend dollar voor één stem wilt.'
'En tien procent.'
'Jij bent niet goed snik, jongen.' Cleve zette langzaam de motor af en stapte uit. Hij stak een sigaret op. 'Je begrijpt het niet. Een jury-uitspraak ten gunste van de gedaagde betekent dat er geen geld in andere handen overgaat. Nul voor de eiseres betekent nul voor de gedaagde. Het betekent dat niemand wat krijgt. De advocaten van de gedaagde krijgen veertig procent van nul. Snap je het nou?'
'Ja,' zei Derrick langzaam, al begreep hij het zo te zien nog niet ten volle.
'Wat ik jou aanbied, is zo illegaal als het maar kan. Als het om zulke dingen gaat, moet je niet hebberig worden, want dan word je betrapt.'

'Tienduizend dollar lijkt me goedkoop voor zoiets groots.'
'Nee, zo moet je het niet zien. Het zit zo. Ze heeft nergens recht op. Op nul komma nul. Ze doet haar burgerplicht, krijgt vijftien dollar per dag van de county omdat ze zo'n goede burger is. Die tienduizend dollar is omkoopgeld, smeergeld dat vergeten moet worden zodra het is overhandigd.'
'Maar als je een percentage aanbiedt, is ze gemotiveerd om harder te werken in de jurykamer.'
Cleve nam een diepe trek en blies de rook langzaam uit. Hij schudde zijn hoofd. 'Je wilt het maar niet snappen. Als de eiseres gelijk krijgt, duurt het jaren voordat het geld wordt betaald. Hoor eens, Derrick, je maakt dit veel te ingewikkeld. Neem het geld nou aan. Praat met Angel. Help ons.'
'Vijfentwintigduizend.'
Weer een diepe trek en toen viel de sigaret op het asfalt, waar Cleve hem met zijn schoen uitdrukte. 'Ik moet eerst met mijn baas praten.'
'Vijfentwintigduizend per stem.'
'Per stem?'
'Ja. Angel kan er meer dan een leveren.'
'Wie?'
'Dat zeg ik niet.'
'Laat me met mijn baas praten.'

In kamer 54 las Henry Vu brieven van zijn dochter in Harvard, terwijl zijn vrouw Qui nieuwe verzekeringspolissen voor hun vloot van vissersboten bestudeerde. Omdat Nicholas in de feestzaal naar films keek, was 48 leeg. In 44 lagen Lonnie en zijn vrouw voor het eerst in bijna een maand onder de lakens, maar ze moesten voortmaken, want haar zuster had de kinderen. In 58 keek mevrouw Grimes naar televisieseries terwijl Herman beschrijvingen van het proces in zijn computer stopte. Kamer 50 was leeg, want de kolonel was in de feestzaal. Hij was deze avond weer alleen, want mevrouw Herrera was in Texas op bezoek bij een nicht. En 52 was ook leeg, want Jerry zat bier te drinken met de kolonel en Nicholas. Later zou hij over de gang naar Poedels kamer sluipen. In 56 werkte Shine Royce, reserve nummer twee, aan een grote zak met broodjes die hij uit de eetkamer had meegenomen. Hij keek naar de televisie en dankte God weer voor het grote geluk dat hem ten deel was gevallen. Royce was tweeënvijftig, werkeloos, woonde met een jongere vrouw en haar zes kinderen in een gehuurde stacaravan en had in geen jaren vijftien dollar per dag verdiend. Nu hoefde hij alleen maar op zijn krent te zitten en naar een proces te luisteren, en de county gaf hem niet alleen geld maar ook nog te eten. In 46 dronken Phillip Savelle en zijn Pakistaanse vriendin kruidenthee en rookten ze hasj met de ramen open.
Aan de overkant van de gang, in kamer 49, praatte Sylvia Taylor-Tatum

door de telefoon met haar zoon. Gladys Card speelde gin rummy met Nelson Card, die van de prostaatoperatie. In 51 wachtte Rikki Coleman op Rhea, die laat was en misschien niet zou komen omdat de oppas niet had gebeld. In 53 zat Loreen Duke op haar bed. Ze at een chocoladecakeje en luisterde met gekwelde jaloezie naar Angel Weese en haar vriend, die in de kamer naast haar, nummer 55, de muren lieten schudden.

En in 47 bedreven Hoppy en Millie Dupree de liefde als nooit tevoren. Hoppy was vroeg gekomen en hij had een grote zak Chinees eten en een fles goedkope champagne meegebracht, iets wat hij in geen jaren had gedaan. Onder normale omstandigheden zou Millie bezwaar hebben gemaakt tegen de alcohol, maar dit waren verre van normale tijden. Ze dronk een beetje champagne uit een plastic motelbeker en at een royale portie koe loe yuk. En toen ging Hoppy haar te lijf.

Toen ze klaar waren, lagen ze in het donker en spraken zachtjes over de kinderen en school en over thuis in het algemeen. Ze was het proces meer dan beu en wilde erg graag naar haar gezin terug. Hoppy vertelde dat hij haar erg miste. De kinderen waren lastig. Het huis was een chaos. Iedereen miste Millie.

Hij kleedde zich aan en zette de televisie aan. Millie vond haar ochtendjas en schonk zich nog een klein beetje champagne in.

'Je zult dit niet geloven,' zei Hoppy. Hij viste in zijn jaszak en haalde er een opgevouwen stuk papier uit.

'Wat is dat?' Ze nam het papier van hem aan en vouwde het open. Het was een fotokopie van Fitch' nepmemorandum met de vele zonden van Leon Robilio. Ze las het langzaam door en keek haar man toen argwanend aan.

'Hoe ben je hieraan gekomen?' vroeg ze.

'Het kwam gisteren over de fax,' zei Hoppy oprecht. Hij had zijn antwoord ingestudeerd, want hij moest er niet aan denken dat hij tegen Millie zou liegen. Hij voelde zich een ellendeling, maar aan de andere kant lagen Napier en Nitchman nog ergens op de loer.

'Wie heeft het gestuurd?' vroeg ze.

'Weet ik niet. Zo te zien komt het uit Washington.'

'Waarom heb je het niet weggegooid?'

'Ik weet het niet. Ik...'

'Je weet dat het verkeerd is me zulke dingen te laten zien, Hoppy.' Millie gooide het papier op het bed en liep naar haar man toe, haar handen op haar heupen. 'Wat is er aan de hand?'

'Niets. Ik kreeg het op de fax, dat is alles.'

'Wat een toeval! Iemand in Washington kende toevallig jouw faxnummer, wist toevallig dat je vrouw in de jury zat, wist toevallig dat Leon Robilio een getuigenverklaring had afgelegd en vermoedde toevallig ook dat als hij jou dit stuurde, jij zo stom zou zijn het hierheen te brengen en te proberen

mij te beïnvloeden. Ik wil weten wat er aan de hand is!'
'Niets. Ik zweer het je,' zei Hoppy nerveus.
'Waarom ben je plotseling zo geïnteresseerd in het proces?'
'Het is fascinerend.'
'Het was al drie weken fascinerend en je had het er bijna nooit over. Wat is er aan de hand, Hoppy?'
'Niets. Ontspan je.'
'Ik merk het altijd meteen als iets je dwarszit.'
'Rustig nou, Millie. Hoor eens, jij bent nerveus. Ik ben nerveus. Dit heeft ons allemaal een beetje uit het lood geslagen. Het spijt me dat ik het heb meegebracht.'
Millie dronk haar beker leeg en ging op de rand van het bed zitten. Hoppy ging naast haar zitten. Cristano van Justitie had in niet mis te verstande termen gezegd dat Hoppy zijn vrouw moest overhalen het memorandum aan al haar vrienden in de jury te laten zien. Hij vond het een verschrikkelijk idee dat hij tegen Cristano zou moeten zeggen dat ze het waarschijnlijk niet zou doen. Aan de andere kant, hoe zou Cristano ooit weten wat er met dat verrekte briefje gebeurde?
Terwijl Hoppy daarover nadacht, begon Millie te huilen. 'Ik wil alleen maar naar huis,' zei ze met trillende lip, haar ogen rood. Hoppy sloeg zijn arm om haar heen en drukte haar tegen zich aan.
'Het spijt me,' zei hij. Ze begon nog harder te huilen.
Hoppy had ook wel zin om te huilen. Deze ontmoeting had niets opgeleverd, ondanks al die seks. Volgens Cristano was het proces over een paar dagen afgelopen. Hij moest Millie er absoluut van overtuigen dat er maar één jury-uitspraak mogelijk was: ten gunste van de gedaagde. Omdat ze zo weinig bij elkaar konden zijn, zou Hoppy zich gedwongen zien haar de afschuwelijke waarheid te vertellen. Niet nu, niet vanavond, maar in de loop van het volgende persoonlijke bezoek.

29

De kolonel had een vaste dagindeling. Als een goede soldaat stond hij iedere morgen om precies half zes op. Hij deed dan vijftig push-ups en sit-ups en nam daarna een snelle, koude douche. Om zes uur ging hij naar de eetkamer, waar het ze geraden was dat er verse koffie op tafel stond en er kranten op hem lagen te wachten. Hij at geroosterd brood met jam en zonder boter en begroette zijn mede-juryleden met een hartelijk goedemorgen als ze in de eetkamer verschenen. Ze hadden slaperige ogen en wilden zo gauw mogelijk naar hun kamer terug, waar ze in stilte en onder het genot van hun koffie naar het journaal keken. Het was een beroerde manier om de dag te beginnen: begroet te worden door de kolonel en zijn spervuur van vragen te moeten beantwoorden. Hoe langer ze afgezonderd waren, des te kwieker zat hij er in de vroege ochtend bij. Sommige juryleden wachtten tot acht uur, als hij opstond en naar zijn kamer terugging.
Op zondagmorgen zei Nicholas de kolonel om kwart over zes gedag. Hij schonk zich een kop koffie in en doorstond een kort gesprek over het weer. Hij verliet de geïmproviseerde eetkamer en slenterde op zijn gemak door de lege, donkere gang. Hier en daar was al een televisie te horen. Iemand praatte in de telefoon. Hij maakte zijn deur open en zette de koffie vlug op een kastje, waarna hij een stapel kranten uit een la pakte en de kamer verliet.
Met een sleutel die hij uit het rek op de receptie had gestolen ging Nicholas kamer 50 binnen, de kamer van de kolonel. Daar hing een lucht van goedkope aftershave. Schoenen stonden in een perfecte rij langs een van de muren. De kleren in de kast waren netjes opgehangen en met zorg gestreken. Nicholas zakte op zijn knieën, trok de sprei op en legde de kranten en tijdschriften onder het bed. Een ervan was de *Mogul* van de vorige dag.
Geruisloos verliet hij de kamer en ging naar zijn eigen kamer terug. Een

uur later belde hij Marlee. In de veronderstelling dat Fitch al haar telefoongesprekken afluisterde, zei hij kortweg: 'Kan ik Darlene spreken?' Waarop zij zei: 'Verkeerd verbonden.' Beiden hingen op. Hij wachtte vijf minuten en draaide het nummer van een zaktelefoon die Marlee in een kast had verstopt. Ze verwachtten dat Fitch haar telefoon aftapte en microfoontjes in haar appartement had laten aanbrengen.
'De bezorging is gedaan,' zei hij.
Een halfuur later ging Marlee van huis. Ze vond een telefooncel in een wegrestaurant, belde Fitch en wachtte tot ze hem aan de lijn had.
'Goedemorgen, Marlee,' zei hij.
'Hé, Fitch. Zeg, ik wil graag door de telefoon praten, maar ik weet dat dit allemaal wordt opgenomen.'
'Nee, dat wordt het niet. Ik zweer het je.'
'Ja. Er is een Kroger op de hoek van Fourteenth Street en Beach Boulevard, vijf minuten van je kantoor. Er zijn drie telefooncellen bij de ingang, aan de rechterkant. Ga naar die in het midden. Ik bel over zeven minuten. Schiet op, Fitch.' Ze hing op.
'Verdomme!' riep Fitch uit, terwijl hij de hoorn op de haak gooide en naar de deur rende. Hij schreeuwde naar José en samen renden ze de achterdeur uit en sprongen in de Suburban.
Zoals verwacht, rinkelde de telefoon al toen Fitch daar aankwam.
'Hé, Fitch. Luister: Herrera, nummer zeven, begint op Nicks zenuwen te werken. Ik denk dat we hem vandaag uit de jury zetten.'
'Wat?'
'Je hebt me gehoord.'
'Doe dat niet, Marlee!'
'Die kerel is een bron van ergernis. Iedereen heeft de schurft aan hem.'
'Maar hij staat aan onze kant!'
'O, Fitch. Als het voorbij is, staan ze allemaal aan onze kant. Hoe dan ook, zorg dat je er om negen uur bent, want het wordt spannend.'
'Nee, luister, Herrera is van vitaal belang voor...' Fitch werd midden in zijn zin afgekapt doordat ze ophing. De verbinding was verbroken. Hij greep de hoorn nog steviger vast en begon eraan te trekken, alsof hij hem langzaam uit het toestel wou losscheuren en over het parkeerterrein wou slingeren. Toen liet hij hem los en liep, zonder te vloeken of te tieren, naar de Suburban terug en zei tegen José dat hij naar het kantoor wilde.
Wat ze ook deed, het maakte niet uit.

Rechter Harkin woonde in Gulfport, een kwartier van de rechtbank vandaan. Om voor de hand liggende redenen stond hij niet in het telefoonboek. Wie had er behoefte aan om op alle uren van de nacht door veroordeelden uit de slaap te worden gebeld?

Hij was net bezig zijn vrouw te kussen en zijn beker koffie voor onderweg op te pakken, toen de telefoon in de keuken ging. Mevrouw Harkin nam op. 'Het is voor jou, lieve,' zei ze, en gaf de hoorn aan de rechter, die zijn koffie en tas weer neerzette en een blik op zijn horloge wierp.
'Hallo,' zei hij.
'Rechter, het spijt me dat ik u thuis stoor,' zei een nerveuze stem, bijna fluisterend. 'Met Nicholas Easter, en als u wilt dat ik nu meteen ophang, zal ik dat doen.'
'Nog niet. Wat is er?'
'We zijn nog in het motel en gaan straks weg, en, nou, ik vind dat ik u nu meteen iets moet vertellen.'
'Wat is er, Nicholas?'
'Ik vind het erg dat ik u bel, maar ik ben bang dat sommige andere juryleden zich zorgen beginnen te maken over de briefjes die we uitwisselen en de gesprekken in uw kamer.'
'Misschien heb je gelijk.'
'Daarom besloot ik u te bellen. Op die manier komen ze nooit te weten dat we elkaar hebben gesproken.'
'Laten we het proberen. Als ik vind dat we een eind aan dit gesprek moeten maken, zal ik dat doen.' Harkin wilde vragen hoe een afgezonderd jurylid aan zijn nummer kwam, maar besloot daarmee te wachten.
'Het gaat over Herrera. Ik denk dat hij misschien dingen leest die op de verboden lijst staan.'
'Wat bijvoorbeeld?'
'Bijvoorbeeld *Mogul.* Ik kwam vanmorgen vroeg de eetkamer binnen. Hij zat daar in zijn eentje en probeerde een *Mogul* voor me verborgen te houden. Is dat niet een of ander blad voor beleggers?'
'Ja, dat is het.' Harkin had Barkers column van de vorige dag gelezen. Als Easter de waarheid sprak, en waarom zou hij aan hem twijfelen, moest Herrera onmiddellijk naar huis worden gestuurd. Het lezen van verboden materiaal was een grond voor ontslag, misschien zelfs voor vervolging wegens minachting van het hof. Als een jurylid de *Mogul* van de vorige dag had gelezen, balanceerde de procedure op de rand van de ongeldigheid. 'Denkt u dat hij er met iemand over heeft gesproken?'
'Ik denk van niet. Zoals ik al zei, probeerde hij het voor mij verborgen te houden. Daarom werd ik juist zo achterdochtig. Ik geloof niet dat hij er met iemand over praat. Maar ik zal goed luisteren.'
'Doet u dat. Ik roep Herrera vanochtend meteen op en ondervraag hem. Waarschijnlijk gaan we zijn kamer doorzoeken.'
'Vertelt u hem dan niet dat ik de verklikker ben. Het zit me helemaal niet lekker.'
'Dat is goed.'

'Als de andere juryleden te weten komen dat we met elkaar praten, is mijn geloofwaardigheid naar de maan.'
'Maakt u zich geen zorgen.'
'Ik ben alleen maar nerveus, rechter. We zijn allemaal moe en willen graag naar huis.'
'Het is bijna voorbij, meneer Easter. Ik zet de advocaten zoveel mogelijk onder druk.'
'Dat weet ik. Neemt u me niet kwalijk, rechter. Als u maar zorgt dat niemand te weten komt dat ik voor verklikker speel. Ik kan zelf bijna niet geloven dat ik het doe.'
'U doet er heel verstandig aan, meneer Easter. En ik ben u dankbaar. Tot over een paar minuten.'
Harkin kuste zijn vrouw veel vlugger dan de eerste keer en verliet zijn huis. Met de autotelefoon belde hij de sheriff en vroeg hem naar het motel te gaan en daar te wachten. Hij belde Lou Dell, iets wat hij de meeste ochtenden deed als hij naar de rechtbank reed en vroeg haar of *Mogul* in het motel te koop was. Nee, dat was daar niet te koop. Hij belde zijn griffier en vroeg haar Rohr en Cable te zoeken en hen in zijn kamer op hem te laten wachten. Hij luisterde naar een country-station en vroeg zich af hoe ter wereld een afgezonderd jurylid een exemplaar te pakken kon krijgen van een beleggersblad dat in Biloxi nauwelijks te krijgen was.
Cable en Rohr zaten al met de griffier te wachten toen rechter Harkin zijn kamer binnenkwam en de deur achter zich dicht deed. Hij trok zijn jasje uit, ging zitten en vatte de beschuldigingen aan het adres van Herrera samen zonder zijn bron te noemen. Cable ergerde zich omdat Herrera in ieders ogen een jurylid was dat vast en zeker in het voordeel van de gedaagde zou stemmen. Rohr maakte zich kwaad omdat ze weer een jurylid zouden verliezen en de procedure zo langzamerhand gevaar liep ongeldig te worden verklaard.
Het deed rechter Harkin goed dat beide partijen er moeite mee hadden. Hij stuurde zijn griffier naar de jurykamer om Herrera te halen, die net achter zijn zoveelste kop cafeïnevrije koffie zat en met Herman praatte, die met zijn braillecomputer bezig was. Frank keek verbaasd op toen Lou Dell zijn naam noemde, en verliet de kamer. Hij volgde Willis de deputy door de gangen achter de rechtszaal. Ze bleven bij een zijdeur staan en Willis klopte beleefd aan voordat hij naar binnen ging.
De kolonel werd hartelijk door de rechter en de advocaten begroet. Hij kreeg een stoel aangeboden, een stoel naast die van de gerechtsstenografe, die met haar steno-apparaat in de aanslag zat.
Rechter Harkin legde uit dat hij een paar vragen had waarop hij een antwoord onder ede wilde hebben, en de advocaten haalden plotseling schrijfblokken te voorschijn en begonnen te noteren. Onmiddellijk voelde

Herrera zich net een misdadiger.
'Hebt u dingen gelezen waarvoor ik niet uitdrukkelijk toestemming heb gegeven?' vroeg rechter Harkin.
Er volgde een stilte waarin de advocaten hem aankeken. De griffier en de stenografe en de rechter zelf wachtten gespannen op het antwoord. Zelfs Willis bij de deur was wakker en luisterde met opvallend veel aandacht.
'Nee. Voorzover ik weet niet,' zei de kolonel naar waarheid.
'Om specifiek te zijn: hebt u een beleggersblad gelezen dat *Mogul* heet?'
'Niet sinds ik ben afgezonderd.'
'Leest u anders *Mogul* wel?'
'Een of twee keer per maand.'
'Hebt u in uw motelkamer lectuur liggen waarvoor ik geen toestemming heb gegeven?'
'Voorzover ik weet niet.'
'Hebt u er geen bezwaar tegen dat uw kamer wordt doorzocht?'
Frank liep rood aan en schokte met zijn schouders. 'Waar hebt u het over?' vroeg hij.
'Ik heb reden om aan te nemen dat u ongeoorloofde lectuur hebt gelezen in het motel. Als uw kamer snel wordt doorzocht, kunnen we deze aangelegenheid misschien uit de wereld helpen.'
'U trekt mijn integriteit in twijfel,' zei Herrera, gekwetst en woedend. Zijn integriteit was van groot belang voor hem. Een blik op de andere gezichten maakte hem duidelijk dat ze hem allemaal van een ernstig vergrijp verdachten.
'Nee, meneer Herrera, ik geloof alleen dat we, als uw kamer is doorzocht, verder kunnen gaan met de procedure.'
Het was maar een motelkamer, niet een huis, waar je allerlei dingen kon verbergen. En trouwens, Frank wist verdraaid goed dat hij niets in zijn kamer had liggen dat hem in een kwaad daglicht kon stellen. 'Nou, vooruit dan maar,' zei hij met zijn tanden op elkaar.
'Dank u.'
Willis leidde Frank de gang op en rechter Harkin belde de sheriff in het motel. De bedrijfsleider maakte de deur van kamer 50 open. De sheriff en twee deputy's doorzochten de kast en de laden en de badkamer. Onder het bed vonden ze een stapel van de *Wall Street Journal* en *Forbes*, en ook de *Mogul* van de vorige dag. De sheriff belde rechter Harkin, vertelde wat hij had gevonden en kreeg opdracht de ongeoorloofde lectuur meteen naar zijn kamer te brengen.
Kwart over negen. Geen jury. Fitch zat verstijfd op een van de achterste rijen. Zijn ogen gluurden boven een krant uit en keken strak naar de deur bij de jurybank. Hij wist verdraaid goed dat als de juryleden uiteindelijk te voorschijn kwamen, de nummer zeven niet Herrera zou zijn maar Henry

Vu. Vu was tamelijk aanvaardbaar voor de gedaagde, omdat hij Aziaat was en Aziaten meestal niet geneigd waren om in dit soort aansprakelijkheidszaken met andermans geld te smijten. Maar Vu was geen Herrera, en Fitch' jury-experts hadden hem nu al weken verteld dat de kolonel aan hun kant stond en bij de beraadslagingen voor hen zou opkomen.
Als het Marlee en Nicholas zo weinig moeite kostte om Herrera eruit te gooien, wie zou dan de volgende zijn? Als ze dit alleen maar deden om Fitch' aandacht te trekken, konden ze tevreden zijn over het resultaat.

De rechter en de advocaten keken verbijsterd naar de kranten en tijdschriften die in nette stapeltjes op Harkins bureau lagen. De sheriff vertelde in het kort hoe en waar de lectuur was gevonden en ging weg.
'Heren, er zit niets anders voor me op dan meneer Herrera weg te sturen,' zei de rechter, en de advocaten zeiden niets. Herrera werd in de kamer teruggebracht en uitgenodigd om in dezelfde stoel plaats te nemen.
'Voor alle zekerheid,' zei rechter Harkin tegen de stenografe. 'Meneer Herrera, wat is uw kamernummer in de Siesta Inn?'
'Vijftig.'
'Deze lectuur is enkele minuten geleden in kamer 50 onder het bed aangetroffen.' Harkin maakte een gebaar in de richting van de kranten en tijdschriften. 'Het is allemaal van recente datum. Het meeste dateert van na de dag waarop de afzondering begon.'
Herrera was met stomheid geslagen.
'Uiteraard is het allemaal ongeoorloofd, en er zitten bladen bij die een duidelijke mening over de zaak geven.'
'Ze zijn niet van mij,' zei Herrera. De woede kwam langzaam in hem op.
'O.'
'Iemand heeft ze daar neergelegd.'
'Wie kan dat dan geweest zijn?'
'Ik weet het niet. Misschien dezelfde die u de tip heeft gegeven.'
Niet zo'n gekke redenering, dacht Harkin, maar niet iets waar hij nu op in kon gaan. Cable en Rohr keken de rechter aan alsof ze wilden vragen: nou, van wie had je die tip?
'We kunnen niet om het feit heen dat deze lectuur in uw kamer is aangetroffen, meneer Herrera. Om die reden zit er niets anders voor me op dan u van verdere jurydienst te ontheffen.'
Frank probeerde zich te concentreren. Er waren zoveel vragen die hij wilde stellen. Hij wilde zijn stem verheffen en Harkin vertellen wat hij van dit alles dacht, maar toen drong plotseling tot hem door dat hij werd vrijgelaten. Na vier weken van zittingen en negen nachten in de Siesta Inn mocht hij straks de rechtbank uitwandelen en naar huis gaan. Tegen de middag kon hij al op de golfbaan zijn.

'Ik geloof niet dat dit goed is,' zei hij halfslachtig. Hij wilde met opzet niet te hard protesteren.
'Het spijt me erg. Ik zal later kijken of er aanleiding tot vervolging is. Maar nu moeten we verder met het proces.'
'Zoals u wilt, edelachtbare,' zei Frank. Vanavond dineren bij Vrazel's, verse zeevruchten en een wijnlijst. Morgen naar zijn kleinzoon.
'Ik zal u door een deputy naar het motel terug laten brengen, dan kunt u uw bagage pakken. Ik geef u hierbij instructie dit niet aan iemand te vertellen, zeker niet aan de pers. U hebt tot nader order een spreekverbod. Is dat duidelijk?'
'Ja, edelachtbare.'
De kolonel werd de achtertrap af geleid en verliet het gerechtsgebouw via de achterdeur. De sheriff stond al klaar om Herrera snel en voor het laatst naar de Siesta Inn te brengen.
'Ik verzoek u hierbij de procedure ongeldig te verklaren,' zei Cable in de richting van de stenografe. 'Op grond van het feit dat deze jury op ongeoorloofde wijze is beïnvloed door het verhaal dat gisteren in *Mogul* is verschenen.'
'Verzoek afgewezen,' zei rechter Harkin. 'Verder nog iets?'
De advocaten schudden hun hoofd en stonden op.

De elf juryleden en twee reserves namen enkele minuten na tien uur hun plaatsen in. De hele zaal keek in stilte toe, want het viel iedereen meteen op dat Franks plaats op de tweede rij, helemaal links, leeg was. Rechter Harkin begroette hen met een plechtig gezicht en kwam vlug ter zake. Hij hield een *Mogul* van de vorige dag omhoog en vroeg of iemand dat had gezien of gelezen, en of iemand had gehoord wat erin stond. Niemand bood zich aan.
Toen zei hij: 'Om redenen die binnenskamers duidelijk zijn gemaakt en in het verslag zijn aangegeven, is jurylid nummer zeven, Frank Herrera, van zijn dienst ontheven en zal hij nu worden vervangen door de volgende reserve, Henry Vu.' Op dat moment zei Willis iets tegen Henry, die zijn beklede klapstoel verliet en vier stappen liep naar plaats nummer zeven, waar hij officieel lid van de jury werd, zodat Shine Royce als enige reserve overbleef.
Om er vaart achter te zetten en de aandacht van zijn jury af te leiden zei rechter Harkin: 'Meneer Cable, u kunt uw volgende getuige oproepen.'
Fitch liet zijn krant vijftien centimeter zakken, tot op zijn borst, en zijn mond viel ook open toen hij verbijsterd naar de jury keek. Hij was bang omdat Herrera weg was, en hij was diep geroerd omdat zijn meisje Marlee met haar toverstokje had gezwaaid en precies had gedaan wat ze had beloofd. Fitch keek onwillekeurig naar Easter, die dat blijkbaar aanvoelde,

want hij draaide zich enigszins opzij en keek Fitch recht in de ogen. Gedurende vijf of zes seconden, een eeuwigheid voor Fitch, keken ze elkaar op dertig meter afstand aan. Easter grijnsde trots, alsof hij wilde zeggen: kijk eens wat ik kan, ben je onder de indruk? Fitch' gezicht zei: 'Ja, en wat wil je nu?'

Voor de procedure had Cable een lijst van tweeëntwintig mogelijke getuigen ingediend, bijna allemaal professoren en doctoren en allemaal met een indrukwekkende staat van dienst. Zo had hij beproefde veteranen uit andere sigarettenprocessen in zijn stal, en scherpzinnige onderzoekers die door de tabaksindustrie gefinancierd werden, en nog talloze andere woordvoerders die in het gelid stonden om alles te weerleggen wat de jury al had gehoord.

In de afgelopen twee jaar hadden al die tweeëntwintig mensen een beëdigde verklaring afgelegd. Op verrassingen hoefde niemand te rekenen.

Iedereen was het erover eens dat de partij van de eiseres vooral had gescoord met Leon Robilio en zijn bewering dat tieners een doelgroep van de tabaksindustrie waren. Cable besloot zijn aanval eerst daarop te richten.

'Ik roep doctor Denise McQuade op,' kondigde hij aan.

Ze kwam door een zijdeur. De zaal, waarin zich vooral mannen van middelbare leeftijd bevonden, leek een beetje te verstijven toen ze naar voren kwam lopen, naar de rechter glimlachte die duidelijk glimlachend terugkeek, en plaatsnam in de getuigenbank. Doctor McQuade was een mooie vrouw, lang en slank. Ze droeg een rode jurk die lang niet tot haar knieën kwam en had blond haar dat strak achter haar hoofd getrokken was. Met een innemende glimlach legde ze haar eed af, en toen ze haar benen over elkaar sloeg, had ze ieders aandacht. Ze leek veel te jong en veel te mooi om bij zo'n gemene knokpartij betrokken te zijn.

De zes mannen in de jury, vooral Jerry Fernandez, en ook Shine Royce, de reserve, letten goed op toen ze de microfoon naar haar mond bracht. Rode lipstick. Lange rode nagels.

Als ze een dom blondje verwachtten, werden ze snel teleurgesteld. Met hese stem vertelde ze over haar opleiding, achtergronden, ervaring, specialismen. Ze was gedragspsychologe en had een eigen firma in Tacoma. Ze had vier boeken geschreven, meer dan veertig artikelen gepubliceerd, en Wendall Rohr maakte dan ook geen bezwaar toen Cable verzocht doctor McQuade als deskundige te accepteren.

Ze kwam meteen ter zake. Onze hele cultuur was doordrongen van reclame. Reclame die zich op een bepaalde leeftijdsgroep of maatschappelijke groepering richtte, werd uiteraard niet alleen door mensen uit die groepen gehoord en gezien. Daar was niets aan te doen. Tieners zagen tabaksreclame, omdat tieners kranten en tijdschriften en aanplakbiljetten en flikkerende neonreclames in winkeletalages zagen, maar dat wilde niet zeggen

dat tieners de doelgroep waren. Tieners zagen ook bierspotjes op de tv, spotjes die vaak door hun favoriete sporthelden werden gemaakt. Wilde dat zeggen dat bierbrouwerijen de komende generatie via het onderbewustzijn verslaafd probeerden te maken? Natuurlijk niet. Ze probeerden alleen maar meer bier aan hun markt te verkopen. De kinderen zaten gewoon in de weg, maar daar was niets aan te doen, of je zou alle reclame voor alle aanstootgevende producten moeten verbieden. Sigaretten, bier, wijn, drank, en hoe zat het dan met koffie en thee en condooms en boter? Moedigde de reclame van creditcardbedrijven de mensen aan om meer uit te geven en minder te sparen? Doctor McQuade benadrukte meermalen dat een samenleving die de vrijheid van meningsuiting hoog in het vaandel had de grootste zorgvuldigheid moest betrachten als het op het verbieden van reclameuitingen aankwam.
Sigarettenreclame was niet anders dan andere reclame. Het was de bedoeling dat iemands verlangen om het product te kopen en te gebruiken werd versterkt. Goede advertenties stimuleerden de natuurlijke reactie om te gaan kopen wat geadverteerd werd. Slechte advertenties hadden dat effect niet en werden meestal vlug ingetrokken. Ze noemde als voorbeeld McDonald's, een onderneming die ze had bestudeerd en waarover ze toevallig een rapport bij de hand had, voor het geval dat de jury het wilde bestuderen. Het gemiddelde kind van drie kon de nieuwste jingle van McDonald's neuriën, fluiten of zingen. Het eerste bezoek van een kind aan een McDonald's is een belangrijke gebeurtenis. Dat was geen toeval. De onderneming gaf miljarden uit om kinderen aan zich te binden voordat de concurrenten dat klaarspeelden. Amerikaanse kinderen kregen meer vet en cholesterol binnen dan de vorige generatie. Ze aten meer cheeseburgers, friet en pizza en dronken meer frisdrank en fruitdranken waaraan suiker was toegevoegd. Zetten we McDonald's en Pizza Hut in de beklaagdenbank omdat ze zich met achterbakse reclamecampagnes op jonge mensen richtten? Spanden we procedures tegen die bedrijven aan omdat onze kinderen dikker werden?
Nee. Wij als consumenten namen kennis van het aanbod en kozen het voedsel dat we onze kinderen te eten gaven. Niemand zou kunnen beweren dat we de beste keuze maakten.
En wij als consumenten maakten op die manier ook een keuze als het op roken aankwam. We werden gebombardeerd met reclame voor duizenden producten, en we reageerden op de reclame die onze behoeften en verlangens versterkte.
Ongeveer elke twintig minuten sloeg ze haar benen opnieuw over elkaar, en dat werd telkens opgemerkt door de troepen advocaten aan beide tafels en door de zes mannelijke juryleden en ook door de meeste vrouwelijke juryleden.

Doctor McQuade was prettig om naar te kijken en gemakkelijk te geloven. Haar getuigenverklaring kwam volkomen plausibel over en de meeste juryleden vonden haar erg overtuigend.
Rohr onderwierp haar een uur aan een kruisverhoor maar bereikte daar niet veel mee.

30

Volgens Napier en Nitchman wilde Cristano op het Ministerie van Justitie erg graag een volledig verslag hebben van wat er de vorige avond, toen Hoppy zijn laatste persoonlijke bezoek aan Millie aflegde, was gebeurd.
'Alles?' vroeg Hoppy. Ze zaten met zijn drieën om een gammele tafel in een rokerig restaurant, dronken oude koffie uit een kartonnen bekertje en wachtten op vettige tosti's.
'Sla de persoonlijke dingen maar over,' zei Napier, die betwijfelde of er veel over te slaan was.
Ze moesten eens weten, dacht Hoppy, die nogal trots op zichzelf was. 'Nou, ik liet Millie dat memorandum over Rohr zien,' zei hij. Hij wist nog steeds niet hoeveel van de waarheid hij zou vertellen.
'En?'
'Nou, ze heeft het gelezen.'
'Natuurlijk heeft ze het gelezen. En wat deed ze toen?' vroeg Napier.
'Wat was haar reactie?' vroeg Nitchman.
Nu kon hij natuurlijk liegen en zeggen dat ze hevig geschokt was door het memorandum, dat ze er elk woord van geloofde en niet kon wachten tot ze het aan de andere juryleden zou laten zien. Dat wilden ze horen. Maar Hoppy wist niet wat hij moest doen. Met liegen zou hij de zaak misschien alleen maar erger maken. 'Ze reageerde niet erg gunstig,' zei hij, en vertelde hun de waarheid.
Toen de broodjes kwamen, ging Nitchman even weg om Cristano te bellen. Hoppy en Napier aten zonder elkaar aan te kijken. Hoppy voelde zich een mislukkeling. Hij was vast en zeker weer een stap dichter bij de gevangenis gekomen.
'Wanneer ontmoet je haar opnieuw?'
'Dat weet ik niet. De rechter heeft het nog niet gezegd. Er is een kans dat

het proces dit weekend voorbij is.'
Nitchman kwam terug en ging weer zitten. 'Meneer Cristano komt eraan,' zei hij ernstig, en Hoppy's maag dreigde zich om te keren. 'Hij komt hier vanavond laat aan en wil je morgenvroeg meteen ontmoeten.'
'Goed.'
'Hij is hier niet gelukkig mee.'
'Ik ook niet.'

Rohr bracht zijn lunchpauze met Cleve in zijn kantoor door, waar ze het vuile werk deden dat niemand anders iets aanging. De meeste andere advocaten gebruikten runners als Cleve om geld uit te delen en op zaken te jagen en duistere daden te verrichten die ze tijdens de rechtenstudie niet hadden geleerd, maar niemand van hen zou ooit toegeven dat hij zich aan zulke onethische activiteiten schuldig maakte. Advocaten hielden hun runners voor zich.
Rohr kon een aantal dingen doen. Hij kon Cleve opdracht geven tegen Derrick Maples te zeggen dat hij naar de pomp kon lopen. Hij kon Derrick Maples vijfentwintigduizend dollar geven en hem nog eens vijfentwintigduizend beloven voor iedere uiteindelijke jurystem ten gunste van de eiseres, mits het er minstens negen waren. Dat zou hooguit tweehonderdvijfentwintigduizend dollar kosten, een bedrag dat Rohr best wilde betalen. Maar hij betwijfelde sterk of Angel Weese meer dan twee stemmen kon produceren – die van haarzelf en misschien die van Loreen Duke. Ze was geen leider. Hij kon Derrick zodanig manipuleren dat hij naar de advocaten van de tegenpartij ging, waarna hij ze kon ontmaskeren. Dat zou er waarschijnlijk toe leiden dat Angel uit de jury werd gezet, en dat wilde Rohr niet.
Rohr kon Cleve met een zendertje uitrusten om compromitterende uitspraken van Derrick op de band te krijgen en die jongen daarna met strafrechtelijke vervolging bedreigen als hij zijn vriendin niet onder druk zette. Dat was riskant, want het hele omkoopcomplot was in Rohrs eigen kantoor gesmeed.
Ze bespraken ieder scenario met het ervaren oordeel van mannen die het al vaker hadden gedaan. Ten slotte vonden ze een tussenoplossing.
'We doen het volgende,' zei Rohr. 'We geven hem nu vijftienduizend en beloven hem de andere tien na het vonnis, en we nemen hem nu ook op de band op. We zetten merktekens op sommige van de bankbiljetten, dan kunnen we hem daar later eventueel nog op pakken. We beloven hem vijfentwintigduizend voor de andere stemmen, en als we onze jury-uitspraak krijgen, laten we hem barsten als hij om de rest vraagt. We hebben hem dan op de band, en als hij lastig wordt, dreigen we met de FBI.'
'Het bevalt me wel,' zei Cleve. 'Hij krijgt zijn geld, wij krijgen onze jury-uit-

spraak, hij kan barsten. Dat lijkt me wel rechtvaardig.'
'Zorg dat je een microfoon krijgt, en het geld. Het moet vanmiddag gebeuren.'

Maar Derrick had andere plannen. Ze ontmoetten elkaar in de lounge van het Resort Casino, een donkere bar vol verliezers die zich troostten met goedkope drankjes, terwijl buiten de zon helder scheen en de temperatuur boven de twintig graden kwam.
Derrick was niet van plan zich na de jury-uitspraak te laten belazeren. Hij wilde Angels vijfentwintigduizend in contanten, nu meteen, en hij wilde ook een 'aanbetaling', zoals hij het noemde, voor elk van de andere juryleden. Een aanbetaling voordat de jury-uitspraak er was. Natuurlijk ook in contanten, iets redelijks, laten we zeggen, vijfduizend per jurylid. Cleve rekende het vlug uit en zat ernaast. Derrick rekende op een unanieme jury-uitspraak en de aanbetaling kwam dus uit op elf keer vijfduizend dollar: vijfenvijftigduizend. Met Angels stem erbij werd het tachtigduizend dollar. Dat was alles wat Derrick wilde.
Hij kende een meisje op de griffie, en dat had voor hem in het dossier gekeken. 'Jullie gaan honderd miljoen dollar van dat tabaksbedrijf eisen,' zei hij. Al zijn woorden werden opgenomen door middel van een microfoontje in Cleves overhemdzakje. 'Tachtigduizend dollar is een druppel in de zee.'
'Je bent gek,' zei Cleve.
'En jullie zijn corrupt.'
'We kunnen met geen mogelijkheid tachtigduizend dollar betalen. Zoals ik al eerder zei: als het bedrag te groot wordt, lopen we het risico dat we betrapt worden.'
'Goed. Dan ga ik met het tabaksbedrijf praten.'
'Doe dat. Dan lees ik het allemaal wel in de kranten.'
Ze dronken hun glas niet leeg. Cleve ging weer vroeg weg, maar ditmaal volgde Derrick hem niet naar buiten.

De optocht van schoonheden ging donderdagmiddag verder. Cable riep als getuige professor Myra Sprawling-Goode op, een zwarte hoogleraar en onderzoeker aan de Rutgers University die alle blikken in die verdorven rechtszaal op zich gericht wist te krijgen zodra ze binnenkwam. Ze was bijna een meter tachtig lang, en even mooi en slank en goed gekleed als de vorige getuige-deskundige. Toen ze naar de juryleden glimlachte, plooide haar roomzachte lichtbruine huid zich in alle volmaaktheid. Ze keek Lonnie Shaver even aan en hij glimlachte zowaar terug.
Toen Cable op zoek ging naar deskundigen, beschikte hij over een onbeperkt budget. Hij had zich dus niet gedwongen gezien mensen te gebrui-

ken die niet vlot konden praten of geen indruk op gewone mensen konden maken. Hij had twee keer een video-opname van professor Sprawling-Goode gemaakt voordat hij haar had ingehuurd, en later nog een keer toen ze haar beëdigde verklaring aflegde in Rohrs kantoor. Zoals al zijn getuigen was ze een maand voordat het proces begon twee dagen lang aan de tand gevoeld in een gespeeld kruisverhoor. Ze sloeg haar benen over elkaar en de hele zaal haalde diep adem.
Ze was hoogleraar marketingwetenschappen en beschikte over twee academische graden en een indrukwekkende staat van dienst, wat niemand verbaasde. Toen ze haar studies had afgemaakt, had ze acht jaar op een reclamebureau aan Madison Avenue gewerkt, en vervolgens was ze teruggekeerd naar de academische wereld, waar ze thuishoorde. Ze was gespecialiseerd in consumentenreclame. Ze was daar hoogleraar in en deed er voortdurend onderzoek naar. Het werd al gauw duidelijk waarom ze voor dit proces was opgeroepen. Een cynicus had kunnen zeggen dat ze was opgeroepen om er mooi uit te zien, om indruk te maken op Lonnie Shaver en Loreen Duke en Angel Weese, hen er trots op te laten zijn dat een mede Afrikaans-Amerikaan heel goed in staat was als getuige-deskundige op te treden in deze belangrijke zaak.
In werkelijkheid was ze hier vanwege Fitch. Zes jaar eerder had Fitch, na een verschrikking in New Jersey waarbij een jury drie dagen wegbleef alvorens met een uitspraak ten gunste van de gedaagde te komen, het plan uitgedacht om een aantrekkelijke vrouwelijke geleerde te vinden, bij voorkeur verbonden aan een gerenommeerde universiteit, en haar een subsidie te geven waarmee ze het effect van sigarettenreclame op tieners zou bestuderen. De voorwaarden van het project zouden vaag door de bron van het geld worden bepaald, en Fitch hoopte dat het onderzoek op een dag nog van pas zou komen in een proces.
Professor Sprawling-Goode had nooit van Fitch gehoord. Ze had een subsidie van achthonderdduizend dollar ontvangen van het Instituut voor Consumentenproducten, een obscure en onbekende denktank in Ottawa, die beweerde de marketingtrend van duizenden consumentenproducten te bestuderen. Ze wist weinig van het Instituut voor Consumentenproducten af. Rohr ook niet. Hij en zijn onderzoekers hadden er twee jaar achteraan gezeten. Het was erg particulier, werd tot op zekere hoogte door de Canadese wet beschermd en werd kennelijk gefinancierd door grote fabrikanten van consumentenproducten, waaronder blijkbaar niet één sigarettenfabrikant.
Haar bevindingen waren op schrift gesteld in een fraai, gebonden, vijf centimeter dik rapport, dat Cable als bewijsmateriaal had ingediend. Het hoorde bij een stapel andere bewijsmiddelen. Bewijsstuk nummer vierentachtig, om precies te zijn, een aanvulling op de meer dan twintigduizend

pagina's die al eerder waren ingediend en die eigenlijk allemaal door de juryleden beoordeeld moesten worden.
Na de grondige en efficiënte voorbereidingen waren haar bevindingen duidelijk en niet verrassend. Met enkele duidelijke, goed omgeschreven uitzonderingen was alle reclame voor consumentenproducten gericht op jonge volwassenen. Auto's, tandpasta, zeep, ontbijtvlokken, bier, frisdrank, kleding, eau de toilette, alle producten waar veel voor werd geadverteerd, hadden jonge volwassenen als doelgroep. Dat gold ook voor sigaretten. Zeker, die werden geportretteerd als producten voor bij uitstek slanke en mooie mensen, actief en zorgeloos, rijk en charmant. Maar dat gold ook voor tal van andere producten.
Ze werkte een hele lijst af, te beginnen met auto's. Wanneer had je voor het laatst een televisiespotje voor een sportwagen gezien met een dikke man van vijftig achter het stuur? Of een busje dat bestuurd werd door een dikke huisvrouw met zes kinderen en een vuile hond die uit het raam hing? Nooit. Bier? Je zag tien kerels die in een huiskamer naar de Super Bowl zaten te kijken. De meesten hadden hun haar nog, een krachtige kin en een platte buik en droegen een perfect zittende spijkerbroek. Dat was niet de realiteit, maar het was wel succesvolle reclame.
Haar getuigenverklaring begon komisch te worden. Tandpasta? Ooit een lelijk mens met lelijke tanden naar je zien grijnzen op de tv? Natuurlijk niet. Ze hebben allemaal een volmaakt gebit. Zelfs in de puistjesreclame hebben de gekwelde tieners maar een puistje of twee.
Ze glimlachte ongedwongen en giechelde soms om haar eigen opmerkingen. De jury glimlachte met haar mee. Haar argumenten troffen herhaaldelijk doel. Als je je, om succesvol reclame te maken, op jonge volwassenen moest richten, waarom mochten de tabaksbedrijven dat dan niet doen?
Ze hield op met glimlachen toen Cable over tieners als doelwit begon. Zij en haar onderzoeksteam hadden daar geen aanwijzingen voor gevonden, en ze hadden duizenden tabaksreclames uit de afgelopen veertig jaar bestudeerd. Ze hadden aandachtig gekeken naar alle sigarettenreclames uit het televisietijdperk en ze allemaal zorgvuldig gerubriceerd. En bijna terloops merkte ze ook nog op dat de sigarettenconsumptie was toegenomen sinds die reclamespotjes niet meer op de tv mochten worden vertoond. Bijna twee jaar had ze gezocht naar aanwijzingen dat tabaksfabrikanten zich specifiek tot tieners richtten, want met dat ongefundeerde vooroordeel was ze aan het project begonnen. Maar het was gewoon niet waar.
Volgens haar was er maar één manier om te voorkomen dat tieners werden beïnvloed door sigarettenreclame, en dat was een algeheel verbod op die reclame: aanplakbiljetten, bussen, kranten, tijdschriften, folders. En volgens haar zou dat de tabaksomzetten niet aantasten. Het zou geen

enkele invloed hebben op het roken door minderjarigen.
Cable bedankte haar alsof ze een vrijwilligster was. Ze had al zestigduizend dollar voor haar getuigenverklaring gekregen en ze zou een rekening voor nog eens vijftienduizend sturen. Rohr, die allesbehalve een gentleman was, wist hoe gevaarlijk het was zo'n aantrekkelijke dame in het Diepe Zuiden aan te vallen. In plaats daarvan ging hij voorzichtig te werk. Hij had veel vragen over het Instituut voor Consumentenproducten en de achthonderdduizend dollar die het voor dit onderzoek had betaald. Ze vertelde hem alles wat ze wist. Het was een wetenschappelijk orgaan dat in het leven was geroepen om trends te bestuderen en een beleid te formuleren. Het werd gefinancierd door het bedrijfsleven.
'Ook door tabaksondernemingen?'
'Niet dat ik weet.'
'Door dochterondernemingen van tabaksondernemingen?'
'Ik weet het niet.'
Hij vroeg haar naar ondernemingen die aan tabaksondernemingen gelieerd waren, moederconcerns, zusterbedrijven, divisies en conglomeraten, en ze wist niets.
Ze wist niets, want daar had Fitch wel voor gezorgd.

Claires spoor sloeg op donderdagmorgen een onverwachte richting in. Het ex-vriendje van een vriendin van Claire nam duizend dollar aan en zei dat zijn ex-vriendin nu als serveerster in Greenwich Village werkte, al streefde ze naar een rol in een televisieserie. Zijn ex-vriendin en Claire hadden samengewerkt bij Mulligan's en waren, zei hij, goede vriendinnen geweest. Swanson vloog naar New York, kwam daar op het eind van donderdagmiddag aan en nam een taxi naar een klein hotel in SoHo, waar hij contant betaalde voor één nacht en telefoongesprekken begon te voeren. Hij vond Beverly op haar werk in een pizzeria. Ze nam met nogal gejaagde stem op.
'Spreek ik met Beverly Monk?' vroeg Swanson met zijn beste imitatie van Nicholas Easters stem. Hij had vele malen naar bandopnames van die stem geluisterd.
'Ja. Met wie spreek ik?'
'De Beverly Monk die vroeger bij Mulligan's in Lawrence werkte?'
Een korte stilte, en toen: 'Ja. Met wie spreek ik?'
'Met Jeff Kerr, Beverly. Het is lang geleden.' Swanson en Fitch gokten erop dat Claire en Jeff na hun vertrek uit Lawrence niet met Beverly in contact waren gebleven.
'Wie?' vroeg ze tot Swansons opluchting.
'Jeff Kerr. Je weet wel, ik ging met Claire. Ik studeerde rechten.'
'O, ja,' zei ze alsof ze zich hem misschien herinnerde, of misschien ook niet.

'Zeg, ik ben in de stad en ik vroeg me af of je de laatste tijd nog van Claire hebt gehoord.'
'Ik begrijp het niet,' zei ze langzaam. Ze probeerde de naam blijkbaar met een gezicht in verband te brengen, vroeg zich blijkbaar af wie hij was en waarom hij in de stad was.
'Ja, het is een lang verhaal, maar Claire en ik zijn een half jaar geleden uit elkaar gegaan. Ik ben op zoek naar haar.'
'Ik heb Claire in vier jaar niet gesproken.'
'O, ik begrijp het.'
'Zeg, ik heb het erg druk. Misschien een andere keer.'
'Ja.' Swanson hing op en belde Fitch. Ze besloten dat ze het wel konden riskeren Beverly Monk te benaderen. Ze zouden geld aanbieden en haar naar Claire vragen. Als ze in vier jaar niet met haar had gesproken, zou ze nooit in korte tijd contact met Marlee kunnen opnemen om te vertellen dat ze benaderd was. Swanson zou haar volgen en tot de volgende dag wachten.

Iedere jury-expert had opdracht van Fitch om aan het eind van iedere procesdag een rapport van één pagina in te dienen. Eén pagina met dubbele regelafstand, geen omslachtig gedoe, geen woorden van meer dan vier lettergrepen. De expert moest in heldere taal beschrijven welke indruk hij van de getuigen van die dag had opgedaan en hoe de juryleden op de getuigen hadden gereageerd. Fitch wilde een eerlijke mening en had zijn experts al meermalen de les gelezen als hun taalgebruik te vaag was. Hij drong aan op pessimisme. Precies één uur nadat rechter Harkin de zitting voor die dag had afgesloten moesten de rapporten op zijn bureau liggen.
De beoordeling die Jankle in de rapporten van woensdag kreeg, liep uiteen van matig tot slecht, maar Denise McQuade en Myra Sprawling-Goode haalden op donderdag een schitterende score. Afgezien van het feit dat ze een bedompte rechtszaal met saaie mannen in saaie pakken aanmerkelijk verlevendigden, hadden beide vrouwen ook een boeiende verklaring afgelegd. De juryleden luisterden aandachtig en hechtten blijkbaar ook veel geloof aan hun woorden. Vooral de mannen.
Toch was Fitch er niet gerust op. Tijdens vorige processen had hij zich in dit stadium nog nooit zoveel zorgen gemaakt als nu. Door het vertrek van Herrera hadden ze een jurylid verloren dat hun een warm hart toedroeg. De financiële pers in New York had plotseling verkondigd dat de partij van de gedaagde uitgeteld was en sprak openlijk de vrees uit dat de jury een uitspraak ten gunste van de eiseres zou doen. Barkers column in *Mogul* was het gesprek van de dag. Jankle was een ramp geweest. Luther Vandemeer, de intelligentste en de invloedrijkste van de bestuursvoorzitters van de Grote Vier, had hem in de lunchpauze opgebeld en hem de les gelezen. De jury was afgezonderd, en hoe langer de procedure zich voortsleepte,

des te meer zouden de juryleden een hekel krijgen aan de partij die nu de getuigen opriep.

De tiende avond van de jury-afzondering verliep zonder incidenten. Geen minnaars die heimelijk op bezoek kwamen. Geen ongeoorloofde bezoeken aan casino's. Geen spontane yoga met maximaal geluidsvolume. Herrera werd door niemand gemist. Hij had in een paar minuten zijn bagage gepakt en het motel verlaten, nadat hij nog wel meermalen tegen de sheriff had gezegd dat iemand hem erin geluisd had. Hij zou deze zaak tot op de bodem uitzoeken, zei hij.
In de eetkamer kwamen ze na het diner op het idee om een damtoernooi te houden. Herman had een braillebord met genummerde velden en had de vorige avond Jerry elf keer achtereen verslagen. De een daagde de ander uit, Hermans vrouw bracht zijn dambord naar de eetkamer en ze gingen er allemaal omheen zitten. Binnen een uur won Herman drie keer van Nicholas, nog eens drie keer van Jerry, drie keer van Henry Vu, die het spel nog nooit had gespeeld, drie keer van Willis, en hij wilde net nog een keer tegen Jerry spelen, ditmaal om een kleine inzet, toen Loreen Duke de kamer binnenkwam om te kijken of er nog een toetje was. Ze had het spel als kind met haar vader gespeeld. Toen ze Herman de eerste keer versloeg, had niemand ook maar een greintje medelijden met de blinde man. Ze speelden tot het licht in de eetkamer uit moest.
Zoals gewoonlijk bleef Phillip Savelle in zijn kamer. Hij sprak soms wel onder de maaltijden in het motel en in de koffiepauzes op de rechtbank, maar verder zat hij de hele dag met zijn neus in een boek en bemoeide zich met niemand.
Nicholas had twee keer geprobeerd met hem in gesprek te komen, maar dat was niet gelukt. Savelle hield niet van praatjes voor de vaak en wilde niemand iets over zichzelf vertellen.

31

Na bijna twintig jaar van garnalenvissen lukte het Henry Vu bijna nooit om langer te slapen dan tot half vijf. Op vrijdag zette hij zijn thee en ging daarna, omdat de kolonel weg was, alleen aan de tafel zitten om een krant door te nemen. Algauw kwam Nicholas bij hem zitten. Zoals hij vaak deed, werkte Nicholas de beleefdheden vlug af. Vervolgens vroeg hij naar Vu's dochter op Harvard. Ze was Henry's grote trots en zijn ogen fonkelden toen hij over haar laatste brief vertelde.
Anderen kwamen en gingen. Het gesprek kwam op Vietnam en de oorlog daar. Nicholas vertrouwde Henry voor het eerst toe dat zijn vader daar in 1972 was gesneuveld. Dat was niet waar, maar Henry was diep ontroerd. En toen ze met zijn tweeën waren, vroeg Nicholas: 'Wat vind je van het proces?'
Henry nam een grote slok thee met veel melk en likte over zijn lippen. 'Mogen we daar wel over praten?'
'Natuurlijk wel. We zijn met zijn tweeën. Iedereen praat erover, Henry. Dat gebeurt in elke jury. Iedereen, behalve Herman.'
'Wat vinden de anderen ervan?'
'Ik geloof dat de meesten nog geen besluit hebben genomen. Het gaat er vooral om dat we een eenheid vormen. Het is van het grootste belang dat deze jury tot een uitspraak komt, het liefst unaniem, maar in ieder geval met een stemmenverhouding van minstens negen tegen drie. Het zou rampzalig zijn als we er niet uitkwamen.'
Henry nam weer een slok en dacht daarover na. Zijn Engels was perfect, al sprak hij met een accent, maar zoals de meeste leken, of ze nu geboren Amerikanen of immigranten waren, begreep hij niet veel van het recht. 'Waarom?' vroeg hij. Net als bijna alle andere juryleden had hij vertrouwen in Nicholas, omdat Nicholas rechten had gestudeerd en een ongelooflijk

snel begrip had van feiten en argumenten die de anderen over het hoofd zagen.
'Het ligt heel simpel. Dit is de moeder van alle tabaksprocessen, te vergelijken met Gettysburg, Iwo Jima, het armageddon. Hier in Biloxi zijn de twee partijen bij elkaar gekomen om hun zwaarste munitie af te vuren. Er moet een winnaar uit de bus komen, en een verliezer. Duidelijk en definitief. De vraag of tabaksfabrikanten aansprakelijk zijn voor de gevolgen van het roken moet hier in Biloxi worden afgehandeld. Door ons. Wij zijn gekozen en het is aan ons om tot een uitspraak te komen.'
'Ik begrijp het,' zei Henry. Hij knikte, begreep het nog niet.
'Het ergste dat we kunnen doen, is niet tot een uitspraak van minstens negen tegen drie te komen. Dan wordt de hele procedure ongeldig verklaard.'
'Waarom zou dat zo erg zijn?'
'Omdat het vluchtgedrag zou zijn. We zouden de zwarte piet gewoon doorspelen naar de volgende jury. Als wij er niet uitkomen en naar huis gaan, kost het beide partijen miljoenen dollars, want dan moeten ze over twee jaar terugkomen om het allemaal nog eens over te doen. Zelfde partijen, zelfde advocaten, zelfde getuigen, alles hetzelfde behalve de jury. In feite zeggen we dan dat we te dom zijn om tot een beslissing te komen maar dat de volgende jury uit Harrison County slimmer zal zijn.'
Henry boog zich een beetje naar rechts, naar Nicholas toe. 'Wat doe jij?' vroeg hij, maar op dat moment kwamen Millie Dupree en Gladys Card giechelend binnen en schonken zich een kop koffie in. Ze praatten even met de mannen en gingen toen weg om naar Katie in de *Today Show* te kijken. Ze waren gek op Katie.
'Wat doe jij?' fluisterde Henry weer, zijn blik op de deur gericht.
'Dat weet ik nog niet, en het is ook niet belangrijk. Waar het om gaat, is dat we een eenheid vormen. Allemaal.'
'Je hebt gelijk,' zei Henry.

In de loop van de procedure had Fitch de gewoonte kregen om in de uren voordat de zitting begon aan zijn bureau te werken en intussen naar de telefoon te kijken. Zijn blik was daar bijna de hele tijd op gericht. Hij wist dat ze vrijdagmorgen zou bellen, al was het hem nog een volslagen raadsel met wat voor plan of grap of streek ze nu weer voor de dag zou komen.
Om precies acht uur sprak Konrad door de intercom: 'Ze is er.'
Fitch greep de telefoon. 'Hallo,' zei hij vriendelijk.
'Hé, Fitch. Zeg, er is weer iemand die Nicholas niet bevalt. Wie denk je?'
Hij smoorde een kreungeluid en kneep zijn ogen dicht. 'Ik weet het niet,' zei hij.
'Ik bedoel, die kerel maakt het Nicholas erg moeilijk. We moeten hem eruit gooien.'

'Wie?' zei Fitch smekend.
'Lonnie Shaver.'
'O! Nee! Die niet! Dat kunnen jullie niet doen!'
'Tjee, Fitch.'
'Doe dat niet, Marlee! Verdraaid nog aan toe!'
Ze zweeg, liet hem even aan zijn wanhoop over. Toen zei ze: 'Zo te horen ben je dol op Lonnie.'
'Hier moet een eind aan komen, Marlee! Zo komen we nergens.' Fitch hoorde zelf hoe wanhopig hij klonk, maar hij had zich niet meer in de hand.
'Nicholas moet eenheid in zijn jury hebben. Dat is alles. Lonnie is lastig geworden.'
'Doe dit niet, alsjeblieft niet. Laten we erover praten.'
'We praten nu, Fitch, maar niet lang.'
Fitch haalde een keer diep adem, en nog een keer. 'Het spel is bijna voorbij, Marlee. Je hebt je lol gehad, wat wil je nu nog?'
'Heb je een pen?'
'Ja.'
'Er staat een gebouw aan Fulton Street, nummer 120. Witte baksteen, twee verdiepingen, een oud gebouw dat in kleine kantoortjes is opgesplitst. Nummer 16, boven, is van mij, nog minstens een maand. Het is niet riant, maar daar zullen we elkaar ontmoeten.'
'Wanneer?'
'Over een uur. Alleen wij tweeën. Ik zal je zien komen en gaan, en als ik een van je gangsters zie, spreek ik nooit meer met je.'
'Goed. Zoals je wilt.'
'En ik zal je controleren op microfoons en zendertjes.'
'Die zal ik niet bij me hebben.'

Elke advocaat uit Cables team was van mening dat Rohr te veel tijd aan zijn deskundigen had besteed: negen volle dagen in totaal. Bij de eerste zeven getuige-deskundigen had de jury ten minste nog 's avonds naar huis mogen gaan, maar de stemming was nu heel anders. Daarom hadden ze besloten hun twee beste onderzoekers uit te kiezen, hen in de getuigenbank te zetten en alles dan zo snel mogelijk af te werken.
Ze hadden ook een radicaal besluit genomen: ditmaal zouden ze geen werk maken van nicotineverslaving. Cable en zijn mensen hadden alle zestien voorafgaande procedures bestudeerd. Ze hadden met veel van de juryleden gesproken die bij die zaken betrokken waren geweest en hadden steeds weer van hen te horen gekregen wat het zwakste deel van het verweer was geweest: de experts die met allerlei mooie theorieën probeerden aan te tonen dat nicotine niet verslavend was. Iedereen wist wel beter. Zo simpel lag het.

Je hoefde niet te proberen de juryleden op andere gedachten te brengen. Voor die beslissing was Fitch' toestemming nodig, en die gaf hij met tegenzin.
De eerste getuige op vrijdagochtend was een ruigharige lelijkerd met een dun rood baardje en dikke dubbelfocusglazen. De missverkiezing was blijkbaar voorbij. Hij heette doctor Gunther en hij was van mening dat sigaretten helemaal geen kanker veroorzaakten. Slechts tien procent van de rokers kreeg kanker; hoe zat het dan met die andere negentig procent? Zoals te verwachten was, beschikte Gunther over een stapel relevante onderzoeksrapporten en kon hij bijna niet wachten tot hij met een statief en aanwijsstok voor de jury stond om zijn nieuwste bevindingen uiterst gedetailleerd uiteen te zetten.
Gunther was niet opgeroepen om iets te bewijzen. Het was zijn taak om Hilo Kilvan en Robert Bronsky tegen te spreken, de deskundigen van de eiseres, en om de wateren te vertroebelen. Het was de bedoeling dat de juryleden zich gingen afvragen hoe dodelijk het roken nu precies was. Was het wel dodelijk? Gunther kon niet bewijzen dat roken geen longkanker veroorzaakte en hij bracht dus maar naar voren dat nooit onomstotelijk uit wetenschappelijk onderzoek was gebleken dat roken kanker veroorzaakte. 'Er moet meer onderzoek worden gedaan,' zei hij elke tien minuten.

Omdat het heel goed mogelijk was dat ze inderdaad zou kijken, legde Fitch het laatste eind naar Fulton Street 120 lopend af, een prettige wandeling over een trottoir met veel bomen waarvan blaadjes naar beneden dwarrelden. Het gebouw stond in de oude binnenstad, vier straten van de Golf vandaan. Het stond in een keurige rij van goed onderhouden, ongeveer even hoge gebouwen, die voor het merendeel kantoren bevatten. José had opdracht drie straten verderop te wachten.
Geen microfoon of zendertje op zijn lichaam. Ze had hem tijdens hun vorige ontmoeting op de pier van die gewoonte afgeholpen. Fitch was alleen, zonder zendertje, zonder microfoon, zonder camera of helper in de buurt. Hij vond het een bevrijding. Hij zou het in zijn eentje moeten doen, en die uitdaging was hem welkom.
Hij beklom de krakende houten trap, kwam voor haar deur zonder opschrift te staan, keek even naar de andere deuren zonder opschrift aan de smalle gang en klopte zachtjes aan. 'Wie is daar?' riep ze. 'Rankin Fitch,' antwoordde hij net hard genoeg om verstaanbaar te zijn.
De deur werd aan de binnenkant van het slot gedraaid en Marlee verscheen in een grijs sweatshirt en een blauwe spijkerbroek, zonder een zweem van een glimlach op haar gezicht, zonder enige vorm van begroeting. Ze deed de deur achter Fitch dicht, draaide hem op slot en liep naar een gehuurde klaptafel. Fitch keek in de kamer om zich heen, een hok zon-

der raam, één deur, afbladderende verf, drie stoelen en een tafel. 'Gezellig,' zei hij en keek naar de bruine watervlekken op het plafond.
'Het is steriel, Fitch. Geen telefoons die je kunt aftappen, geen luchtkokers voor camera's, geen microfoons in de muren. Ik controleer het iedere morgen, en als ik een spoor van jou vindt, loop ik gewoon de deur uit en kom nooit meer terug.'
'Je hebt een lage dunk van me.'
'Het is de dunk die je verdient.'
Fitch keek weer naar het plafond en toen naar de vloeren. 'Dit bevalt me wel.'
'Het voldoet aan zijn doel.'
'En dat doel is?'
Haar tasje was het enige voorwerp op de tafel. Ze haalde dezelfde scanner eruit en richtte hem op Fitch, van top tot teen.
'Kom nou, Marlee,' protesteerde hij. 'Ik heb het beloofd.'
'Ja. Je hebt niks bij je. Ga zitten,' zei ze. Ze knikte naar een van de twee stoelen aan zijn kant van de tafel. Fitch nam de klapstoel, een nogal fragiel geval dat misschien niet tegen zijn gewicht bestand zou zijn. Hij liet zich erop zakken en boog zich toen naar voren met zijn ellebogen op de tafel, die ook niet te stabiel was, zodat hij niet bepaald comfortabel zat. 'Kunnen we nu over geld praten?' vroeg hij met een hatelijke grijns.
'Ja. Het is eigenlijk heel eenvoudig, Fitch. Jij maakt telegrafisch geld naar mij over en ik beloof je een bepaalde jury-uitspraak.'
'Het lijkt me beter om te wachten tot na het vonnis.'
'Je weet dat ik niet zo achterlijk ben.'
De klaptafel was een meter breed. Ze leunden er allebei op en hun gezichten waren niet ver van elkaar vandaan. Fitch maakte vaak gebruik van zijn lichaamsmassa en gemene oogjes en sinistere sikje om mensen uit zijn omgeving te intimideren, vooral de jongere advocaten van de firma's waar hij mee werkte. Als Marlee zich al liet intimideren, was daar helemaal niets van te zien. Fitch had bewondering voor haar persoonlijkheid. Ze keek hem recht in de ogen, zonder te knipperen, en dat was niet gemakkelijk.
'Dan is er dus geen garantie,' zei hij. 'Jury's zijn onvoorspelbaar. Stel je voor: we geven jullie het geld...'
'Laat maar, Fitch. Jij weet net zo goed als ik dat het geld vóór de jury-uitspraak wordt betaald.'
'Hoeveel geld?'
'Tien miljoen.'
Hij bracht een keelklank voort, alsof hij in een golfbal stikte, en begon toen hard te hoesten. Zijn ellebogen kwamen met een ruk omhoog, zijn ogen rolden in hun kassen en zijn vette wangen schudden van puur onge-

loof heen en weer. 'Nu maak je een grapje,' kon hij met schorre stem uitbrengen. Hij keek om zich heen of hij een glas water zag, of een flesje pillen of iets anders dat hem over deze vreselijke schok heen kon helpen.
Ze keek heel rustig naar de bewegingen van zijn gezicht, zonder met haar ogen te knipperen of haar blik ook maar even van hem weg te nemen.
'Tien miljoen, Fitch. Het is een koopje. En er valt niet over te onderhandelen.'
Hij hoestte weer en zijn gezicht liep nog een beetje roder aan. Toen kreeg hij zichzelf weer onder controle en dacht na over een antwoord. Hij had wel verwacht dat het iets in de miljoenen zou zijn en hij wist dat hij niet hoefde te doen alsof zijn cliënten niet zoveel geld tot hun beschikking hadden. Waarschijnlijk had ze de nieuwste kwartaalberichten van elk van de Grote Vier gelezen.
'Hoeveel zit er in het Fonds?' vroeg ze, en Fitch kneep zijn oogleden instinctief samen. Voorzover hij wist, had zij nog steeds niet met haar ogen geknipperd.
'Het wat?' vroeg hij. Niemand wist van het Fonds!
'Het Fonds, Fitch. Hou je maar niet van de domme. Ik weet alles over jullie omkooppotje. Ik wil dat die tien miljoen telegrafisch van het Fonds naar een bank in Singapore wordt overgemaakt.'
'Ik geloof niet dat ik dat kan doen.'
'Jij kunt alles doen wat je wilt, Fitch. Hou op met die flauwe spelletjes. Laten we het nu eens worden, dan kunnen we verder met waar we mee bezig zijn.'
'Vijf miljoen nu en nog eens vijf na het vonnis?'
'Vergeet het maar, Fitch. Het is tien miljoen nu. Ik heb geen zin om na het proces naar jou op zoek te gaan om te proberen de tweede helft te krijgen. Om de een of andere reden denk ik dat ik dan veel tijd zou verspillen.'
'Wanneer moeten we het overmaken?'
'Dat maakt me niet uit. Als het er maar is voordat de jury in beraad gaat. Anders gaat het niet door.'
'Wat gebeurt er als het niet doorgaat?'
'Er kunnen dan twee dingen gebeuren. Nicholas zorgt dat de stemmen staken, of hij zorgt dat er negen stemmen voor de eiseres komen.'
In haar strakke voorhoofd verschenen nu twee lange rimpels die als het ware naar elkaar toe getrokken werden. Intussen dacht hij na over die voorspellingen, die ze zo nuchter had uitgesproken. Fitch twijfelde niet aan wat Nicholas kon doen, want Marlee twijfelde daar ook niet aan. Hij wreef langzaam over zijn ogen. Het spel was voorbij. Hij hoefde niet meer overdreven te reageren als ze iets zei. Hoefde niet meer te doen alsof hij niet geloofde dat ze echt zoveel geld eiste. Zij had de zaak volkomen onder controle.

'Akkoord,' zei hij. 'We maken het geld over volgens jouw instructies. Maar ik moet je wel waarschuwen dat ook telegrafisch overmaken tijd kan kosten.'
'Ik weet meer van telegrafisch geld overmaken dan jij, Fitch. Ik zal je precies uitleggen hoe ik het wil hebben. Later.'
'Ja, mevrouw.'
'Dus we zijn het eens?'
'Ja,' zei hij, en hij stak zijn hand naar haar uit. Ze schudde hem slapjes. Allebei glimlachten ze om de absurditeit van dit alles. Twee schurken die met hun handdruk een overeenkomst bekrachtigden die nooit via een rechtbank kon worden afgedwongen omdat geen rechtbank er ooit van zou weten.

Beverly Monk had een appartement op de vierde en bovenste verdieping van een vervallen warenhuis in Greenwich Village in New York. Ze deelde het met vier andere noodlijdende actrices. Swanson volgde haar naar een cafetaria op de hoek en wachtte tot ze met een espresso, een broodje en een krant met personeelsadvertenties bij het raam zat. Met zijn rug naar de andere tafels toe ging hij op haar af en vroeg: 'Neem me niet kwalijk. Ben jij Beverly Monk?'
Ze keek geschrokken op en zei: 'Ja. Wie ben jij?'
'Een vriend van Claire Clement,' zei hij, en hij ging vlug tegenover haar zitten.
'Ga zitten,' zei ze. 'Wat wil je?' Ze was nerveus, maar het was druk in de zaak. Ze was veilig, dacht ze. Hij zag er trouwens wel goed uit.
'Informatie.'
'Je hebt me gisteren gebeld, nietwaar?'
'Ja, dat was ik. Ik loog toen ik zei dat ik Jeff Kerr was. Ik ben Jeff niet.'
'Wie ben je dan wel?'
'Jack Swanson. Ik werk voor een advocatenkantoor in Washington.'
'Verkeert Claire in moeilijkheden?'
'Absoluut niet.'
'Waar is dit dan goed voor?'
Swanson vertelde in het kort dat Claire voor jurydienst in een groot proces was opgeroepen en dat hij opdracht had de achtergronden van een aantal potentiële juryleden na te gaan. Ditmaal ging het om een procedure wegens vervuilde grond in Houston. Omdat er miljarden op het spel stonden, was het de moeite waard om zo'n onderzoek in te stellen.
Swanson en Fitch baseerden hun gok op twee dingen. Ten eerste had Beverly de vorige dag niet meteen geweten wie Jeff Kerr ook al weer was. Ten tweede had ze gezegd dat ze in vier jaar niet met Claire had gesproken. Ze gingen ervan uit dat Beverly de waarheid sprak.

'We betalen voor informatie,' zei Swanson.
'Hoeveel?'
'Duizend dollar in contanten als je me alles vertelt wat je over Claire Clement weet.' Swanson haalde vlug een envelop uit zijn jaszak en legde hem op de tafel.
'En ze verkeert echt niet in moeilijkheden?' vroeg Beverly, kijkend naar de goudmijn die voor haar lag.
'Nee. Neem het geld nou maar. Als je haar in geen vier of vijf jaar hebt gezien, kun je het toch rustig doen?'
Daar zat wat in, vond Beverly. Ze pakte de envelop en deed hem in haar tasje. 'Er valt niet veel te vertellen.'
'Hoe lang heb je met haar samengewerkt?'
'Zes maanden.'
'Hoe lang heb je haar gekend?'
'Zes maanden. Ik werkte al als serveerster bij Mulligan's toen zij daar ook kwam werken. We werden vriendinnen. Toen ben ik de stad uitgegaan. Ik ging naar de oostkust. Toen ik in New Jersey woonde, heb ik haar een of twee keer gebeld en daarna zijn we elkaar min of meer vergeten.'
'Heb je Jeff Kerr gekend?'
'Nee. Ze ging toen nog niet met hem. Ze vertelde me later over hem, toen ik de stad al uit was.'
'Had ze nog meer vrienden en vriendinnen?'
'Ja. Vraag me niet naar de namen. Het is vijf of zes jaar geleden dat ik uit Lawrence vertrok. Ik weet niet precies meer wanneer dat was.'
'Je kunt me geen namen van haar vrienden noemen?'
Beverly nam een slok espresso en dacht even na. Toen noemde ze de namen van drie mensen die met Claire hadden samengewerkt. Een van die drie hadden ze al gevonden, zonder resultaat. De tweede waren ze op het spoor en de derde hadden ze nog niet kunnen achterhalen.
'Waar heeft Claire gestudeerd?'
'Ergens in de MidWest.'
'Je weet de naam van de universiteit niet?'
'Ik denk het niet. Claire vertelde nooit veel over haar verleden. Je kreeg de indruk dat er iets ergs met haar was gebeurd en dat ze daar niet over wilde praten. Ik heb het nooit geweten. Misschien was het liefdesverdriet, dacht ik, misschien zelfs een slecht huwelijk, of misschien slechte ouders, een ellendige jeugd, of zoiets. Maar ik heb het nooit geweten.'
'Heeft ze er met iemand anders over gepraat?'
'Niet dat ik weet.'
'Weet je waar ze vandaan kwam?'
'Ze zei dat ze vaak was verhuisd. Nogmaals, ik stelde niet veel vragen.'
'Kwam ze uit Lawrence of ergens daar in de buurt?'

'Ik weet het niet.'
'Weet je zeker dat Claire Clement haar echte naam was?'
Beverly trok zich terug en fronste haar wenkbrauwen. 'Je twijfelt daaraan?'
'We hebben redenen om aan te nemen dat ze, voordat ze in Lawrence aankwam, iemand anders was. Kun je je iets van een andere naam herinneren?'
'Wow. Ik wist niet beter of ze was Claire. Waarom zou ze haar naam veranderen?'
'Dat zouden we graag willen weten.' Swanson haalde een notitieboekje uit zijn zak en keek naar een checklist. Beverly leverde ook niets op.
'Ben je ooit bij haar thuis geweest?'
'Een of twee keer. We maakten iets te eten klaar en keken naar films. Ze ging niet veel uit, maar ze nodigde mij en anderen wel eens bij zich thuis uit.'
'Was er iets bijzonders aan haar appartement?'
'Ja. Het was erg leuk, een moderne flat, goed ingericht. Het was duidelijk dat ze geld had uit andere bronnen dan Mulligan's. Ik bedoel, we kregen drie dollar per uur plus fooien.'
'Dus ze had geld?' Ze hadden een kopie van het laatste huurcontract in Lawrence. Ze had negenhonderd dollar per maand betaald, terwijl ze bij Mulligan's maar tweehonderd in de week verdiende.
'Ja. Veel meer dan wij. Maar nogmaals, ze vertelde nooit veel over zichzelf. Claire was een oppervlakkige vriendin, iemand die goed gezelschap was. Je stelde gewoon niet veel vragen.'
Swanson probeerde nog meer details uit haar los te krijgen, maar dat leverde niets op. Hij bedankte haar voor haar hulp en zij bedankte hem voor het geld, en toen hij wegging, bood ze aan nog wat mensen te bellen. Dat was een duidelijke poging om nog meer geld te krijgen. Swanson zei dat het goed was, maar waarschuwde haar dat ze niet mocht vertellen wat ze deed.
'Zeg, ik ben actrice, weet je wel? Dit is een koud kunstje.'
Hij gaf haar zijn kaartje. Op de achterkant had hij het nummer van zijn hotelkamer in Biloxi geschreven.

Hoppy vond dat Cristano een beetje te streng was. Maar ja, volgens de mysterieuze mensen in Washington bij wie Cristano zich moest verantwoorden, werd de situatie steeds slechter. Op het ministerie werd erover gepraat het hele plan af te blazen en Hoppy's zaak gewoon naar de jury van onderzoek door te verwijzen.
Als Hoppy zijn eigen vrouw niet kon beïnvloeden, hoe zou hij dan een hele jury kunnen overtuigen?
Ze zaten achter in de lange zwarte Chrysler en reden in oostelijke richting

langs de Golf. Nitchman reed en Napier zat naast hem. Het lukte hen om te doen alsof ze helemaal niet hoorden hoe Hoppy op de achterbank de wind van voren kreeg.
'Wanneer zie je haar weer?' vroeg Cristano.
'Vanavond, denk ik.'
'Het wordt tijd dat je haar de waarheid vertelt, Hoppy. Vertel haar wat je hebt gedaan, vertel haar alles.'
Hoppy's ogen werden vochtig en zijn onderlip trilde. Hij keek naar de getinte ruit van de auto en zag al voor zich hoe zijn vrouw met haar mooie ogen naar hem zou kijken als hij voor haar zijn ziel blootlegde. Hij vervloekte zichzelf, hoe had hij zo stom kunnen zijn? Als hij een pistool had, zou hij Todd Ringwald en Jimmy Hull Moke bijna overhoop schieten, en zichzelf zou hij vast en zeker een kogel door het hoofd jagen. Misschien zou hij eerst met deze drie clowns afrekenen, maar hoe dan ook, Hoppy zou zijn eigen hersenen uit zijn hoofd schieten.
'Ja, dat moet dan maar,' mompelde hij.
'Je vrouw moet een pleitbezorgster worden, Hoppy. Besef je dat wel? Millie Dupree moet een factor van betekenis worden in die jurykamer. Omdat jij haar niet met zakelijke argumenten hebt kunnen overtuigen, moet je haar nu motiveren met de angst dat jij voor vijf jaar de bak indraait. Je hebt geen keus.'
Op dat moment ging hij liever naar de gevangenis dan dat hij Millie met de waarheid onder ogen zou komen. Maar die keuze had hij niet. Als hij haar niet overtuigde, zou ze de waarheid te weten komen èn zou hij naar de gevangenis gaan.
Hoppy begon te huilen. Hij beet op zijn lip en sloeg zijn hand voor zijn ogen en probeerde een eind aan die vervloekte tranen te maken, maar hij kon het niet helpen. Terwijl ze in een rustig tempo over de weg reden, was er kilometers lang niets anders in de auto te horen dan het erbarmelijk gejammer van een gebroken man.
Alleen Nitchman kon een vage grijns niet onderdrukken.

32

De tweede ontmoeting in Marlee's kantoor begon een uur nadat de eerste was afgelopen. Fitch kwam weer te voet. Hij had een aktetas en een grote kop koffie meegenomen. Hij glimlachte toen Marlee de scanner op de aktetas richtte.
Toen ze klaar was, deed hij zijn tas dicht en nam een slokje van zijn koffie.
'Ik heb een vraag,' zei hij.
'Wat dan?'
'Een half jaar geleden woonden jij en Easter niet in deze county, waarschijnlijk niet eens in de staat Mississippi. Zijn jullie hier komen wonen om naar dit proces te kijken?' Hij wist het antwoord natuurlijk wel, maar hij wilde nagaan hoeveel ze wilde toegeven. Ze waren nu immers zakenrelaties en stonden officieel aan dezelfde kant.
'Dat zou je wel kunnen zeggen,' zei ze. Marlee en Nicholas gingen ervan uit dat Fitch hun spoor inmiddels tot Lawrence had teruggevonden, en eigenlijk was dat helemaal niet zo erg. Zo realiseerde Fitch zich des te beter hoe goed ze erin waren een plan te bedenken en uit te voeren. Nee, waar ze zich zorgen over maakten, was dat ze iets te weten kwamen over haar leven voordat ze in Lawrence kwam.
'Jullie gebruiken allebei een andere naam, hè?' vroeg hij.
'Nee. We gebruiken onze officiële namen. En nu geen vragen meer over ons, Fitch. Wij zijn niet belangrijk. De tijd is beperkt. We hebben werk te doen.'
'Misschien kun je me eerst eens vertellen hoe ver jullie met de andere kant zijn gegaan. Hoeveel weet Rohr?'
'Rohr weet niets. Met hem was het alleen maar een kwestie van dansen en schaduwboksen. We hebben nooit echt contact met hem gehad.'
'Zou je met hem in zee zijn gegaan als ik niet had gewild?'
'Ja. Ik doe dit voor het geld, Fitch. Nicholas zit in die jury omdat we dat zo

wilden. We hebben naar dit moment toe gewerkt. Het zal lukken, want alle betrokkenen zijn corrupt. Jij bent corrupt. Je cliënten zijn corrupt. Mijn compagnon en ik zijn corrupt. Corrupt maar slim. We vervuilen het systeem op een zodanige manier dat niemand er ooit iets van merkt.'

'En Rohr? Als hij verliest, is hij achterdochtig. Hij zal meteen vermoeden dat je het met Pynex op een akkoordje hebt gegooid.'

'Rohr kent me niet. We hebben elkaar nooit ontmoet.'

'Kom nou.'

'Ik zweer het je, Fitch. Ik heb jou laten denken dat ik hem had ontmoet, maar dat is nooit gebeurd. Het zou gebeurd zijn als jij niet had willen onderhandelen.'

'Je wist dat ik dat zou willen.'

'Natuurlijk. We wisten dat jij zou staan te popelen om een jury-uitspraak te kopen.'

O, hij had zoveel vragen. Hoe wisten ze van zijn bestaan? Hoe waren ze achter zijn telefoonnummers gekomen? Hoe hadden ze gezorgd dat Nicholas voor jurydienst zou worden opgeroepen? Hoe kregen ze hem in de jury? En hoe ter wereld wisten ze van het Fonds?

Op een dag, als dit achter de rug was en de druk van de ketel was, zou hij het ze vragen. Hij zou graag eens uitgebreid met Marlee en Nicholas willen dineren, dan konden ze hem antwoord geven op al zijn vragen. Zijn bewondering voor hen nam met de seconde toe.

'Beloof me dat jullie Lonnie Shaver er niet uitgooien,' zei hij.

'Ik wil dat wel beloven, Fitch, als jij vertelt waarom je zo gek op Lonnie bent.'

'Hij staat aan onze kant.'

'Hoe weet je dat?'

'Wij hebben onze methoden.'

'Hoor eens, Fitch, als we allebei aan dezelfde jury-uitspraak werken, kunnen we toch wel eerlijk zijn?'

'Weet je, daar heb je groot gelijk in. Waarom hebben jullie Herrera eruit gegooid?'

'Dat heb ik je al gezegd. Hij is een klootzak. Hij mocht Nicholas niet en Nicholas mocht hem niet. Daar komt nog bij dat Henry Vu en Nicholas grote vrienden zijn. Dus we hebben niets verloren.'

'Waarom hebben jullie Stella Hulic eruit gegooid?'

'Gewoon om haar uit de jurykamer te krijgen. Ze was zo verrekte irritant. Alles aan haar was storend.'

'Wie is de volgende?'

'Ik weet het niet. We hebben niemand over. Wie moeten we er dan uitgooien?'

'Niet Lonnie.'

'Vertel me dan waarom.'
'Laat ik volstaan met te zeggen dat we Lonnie in onze zak hebben. Zijn werkgever is iemand die naar ons wil luisteren.'
'Wie hebben jullie nog meer in jullie zak zitten?'
'Niemand.'
'Kom nou, Fitch. Wil je winnen of niet?'
'Natuurlijk wil ik winnen.'
'Nou, kom op dan. Ik ben de kortste weg naar een snel vonnis.'
'En de duurste weg.'
'Je had ook niet verwacht dat ik goedkoop zou zijn. Wat win je ermee als je informatie voor me achterhoudt?'
'Wat win ik ermee als ik jou die informatie geef?'
'Dat lijkt me wel duidelijk. Jij vertelt het mij. Ik vertel het Nicholas. Hij weet beter hoe de stemmenverhouding ligt. Hij weet waar hij zijn tijd aan moet besteden. Hoe zit het met Gladys Card?'
'Die volgt anderen. We hebben niets tegen haar ondernomen. Wat denkt Nicholas?'
'Hetzelfde. En Angel Weese?'
'Ze rookt en ze is zwart. Je kunt een muntje opwerpen. Ook iemand die anderen volgt. Wat denkt Nicholas?'
'Dat ze Loreen Duke zal volgen.'
'En wie zal Loreen Duke volgen?'
'Nicholas.'
'Hoeveel volgelingen heeft hij nu? Hoeveel leden telt zijn clubje?'
'Jerry, om te beginnen. Omdat Jerry met Sylvia naar bed gaat, kun je haar ook meerekenen. Voeg daar Loreen aan toe en je hebt Angel ook.'
Fitch hield zijn adem in en telde vlug. 'Dat is vijf. Is dat alles?'
'En Henry Vu is nummer zes. Zes hebben we binnen. Reken maar door, Fitch. Zes en nog wat. Wat hebben jullie met Savelle gedaan?'
Fitch keek zowaar in zijn aantekeningen, alsof hij het niet zeker wist. Alles wat hij in zijn tas naar deze bijeenkomst bracht, had hij al tien keer doorgelezen. 'Niets. Hij is te excentriek,' zei hij bedroefd, alsof zijn pogingen om Savelle onder druk te zetten jammerlijk mislukt waren.
'Weten jullie iets over Herman?'
'Nee. Wat denkt Nicholas?'
'Naar Herman zal worden geluisterd, maar het is niet gezegd dat ze hem ook volgen. Hij heeft niet veel vrienden gemaakt, maar ze hebben ook geen hekel aan hem. Zijn stem staat waarschijnlijk op zichzelf.'
'In welke richting denkt hij?'
'Hij is van alle juryleden het moeilijkst te doorgronden, want hij is vastbesloten om zich aan het verbod van de rechter te houden: hij praat absoluut niet over de zaak.'

'Je moet het lef maar hebben!'
'Voordat de slotpleidooien worden gehouden, heeft Nicholas negen stemmen, misschien meer. Hij heeft alleen een beetje overwicht op sommige juryleden nodig.'
'Op wie bijvoorbeeld?'
'Rikki Coleman.'
Fitch nam een slok zonder in de koffiekop te kijken. Hij zette hem weer neer en streek over zijn mond. Ze lette op al zijn bewegingen. 'We, eh... misschien hebben we iets.'
'Waarom speel je spelletjes, Fitch? Je hebt iets of je hebt niet iets. Òf je vertelt het me, opdat ik het Nicholas kan vertellen, opdat we haar stem kunnen binnenhalen, òf je houdt alles geheim en hoopt dat ze aan boord springt.'
'Laten we zeggen dat het een onverkwikkelijk persoonlijk geheim is dat ze liever voor haar man verborgen wil houden.'
'Waarom vertel je het me niet, Fitch?' zei Marlee woedend. 'We werken toch samen?'
'Ja, maar ik weet niet of ik het jou in dit stadium moet vertellen.'
'Fantastisch, Fitch. Als jij spelletjes blijft spelen, doe ik dat ook. En Millie?'
Fitch ging inwendig tekeer, al bleef hij naar buiten toe kalm en zelfverzekerd. Hoeveel moest hij haar vertellen? Zijn instinct gaf hem in dat hij voorzichtig moest zijn. Ze zouden elkaar morgen opnieuw spreken, en overmorgen, en als hij wilde, kon hij haar dan nog over Rikki en Millie en misschien zelfs Lonnie vertellen. Rustig aan, zei hij tegen zichzelf. 'We hebben niets tegen Millie ondernomen,' zei hij. Hij keek op zijn horloge en wist dat die arme Hoppy op dat moment met drie FBI-mannen in een grote zwarte auto rondreed en waarschijnlijk al zat te jengelen.
'Weet je dat zeker, Fitch?'
Nicholas had Hoppy op de gang van het motel ontmoet, voor zijn kamer. Dat was een week geleden, toen Hoppy bloemen en lekkernijen voor zijn vrouw had meegebracht. Ze hadden toen even met elkaar gepraat. De volgende dag had Nicholas hem in de rechtszaal zien zitten, een nieuw gezicht vol verwondering, een nieuw gezicht dat na bijna drie weken opeens geïnteresseerd was in het proces.
Aangezien ze met Fitch te maken hadden, gingen Nicholas en Marlee ervan uit dat ieder jurylid een potentieel doelwit voor invloed van buitenaf was. Daarom lette Nicholas op iedereen. Soms hing hij op de gang rond als de gasten voor het persoonlijke bezoek aankwamen, en soms hing hij daar ook rond als ze weggingen. Hij luisterde naar de roddelgesprekken in de jurykamer. Tijdens de dagelijkse wandelingen na de lunch luisterde hij naar drie gesprekken tegelijk. Hij lette op iedereen in de rechtszaal, had zelfs bijnamen en codenamen voor iedereen.

Op de een of andere manier hadden ze het gevoel dat Fitch via Hoppy op Millie inwerkte. Ze leken zo'n aardig, fatsoenlijk paar, het soort mensen dat Fitch gemakkelijk in een van zijn geniepige complotten kon verstrikken.
'Natuurlijk weet ik dat zeker. We doen niets met Millie.'
'Ze gedraagt zich vreemd,' loog Marlee.
Geweldig, dacht Fitch. De Hoppy-truc werkte.
'Wat vindt Nicholas van Royce, de laatste reserve?' vroeg hij.
'Een blanke armoedzaaier. En nog dom ook. Gemakkelijk te manipuleren. Het type dat we vijfduizend dollar kunnen toestoppen en hij is van ons. Dat is ook een reden waarom Nicholas wil dat Savelle eruit gaat. Dan krijgen we Royce, en die is gemakkelijk.'
Fitch vond het hartverwarmend dat ze zo achteloos over omkoping sprak. Tijdens andere processen had hij er vaak van gedroomd dat hij een engel als Marlee zou vinden, een kleine redder met weinig scrupules die niets liever deed dan zijn jury voor hem omkopen. Dit was bijna niet te geloven!
'Wie zou er nog meer geld aannemen?' vroeg hij gretig.
'Jerry is blut, zit tot aan zijn nek in de gokschulden, heeft een venijnige echtscheiding voor de boeg. Hij zal zo'n twintigduizend nodig hebben. Nicholas heeft het nog niet met hem geregeld, maar dat gebeurt in het weekend.'
'Dit kan nog duur worden,' zei Fitch. Hij probeerde het ernstig te zeggen.
Marlee lachte hard en bleef lachen tot Fitch zich niet meer kon inhouden en om zijn eigen humor begon te grinniken. Hij had haar zojuist tien miljoen dollar beloofd en stond op het punt nog eens twee miljoen aan hun advocaten te betalen. Zijn cliënten hadden een nettowaarde van tegen de elf miljard.
Even later waren ze uitgelachen en daarna keken ze elkaar niet aan. Ten slotte keek Marlee op haar horloge en zei: 'Schrijf dit op, Fitch. Het is nu drie uur dertig, Eastern Time. Het geld gaat niet naar Singapore. Ik wil dat de tien miljoen dollar telegrafisch wordt overgemaakt naar de Hanwa Bank op de Nederlandse Antillen, en ik wil dat het onmiddellijk gebeurt.'
'De Hanwa bank?'
'Ja. Dat is een Koreaanse bank. Het geld gaat niet naar mijn rekening, maar naar de jouwe.'
'Ik heb daar geen rekening.'
'Je kunt er telegrafisch een openen.' Ze haalde opgevouwen papieren uit haar tasje en schoof ze over de tafel. 'Dit zijn de formulieren en instructies.'
'Het is te laat op de dag om dit te doen,' zei hij, terwijl hij de papieren in ontvangst nam. 'En morgen is het zaterdag.'
'Hou je kop, Fitch. Lees de instructies nou maar. Alles komt goed als je gewoon doet wat je gezegd wordt. Voor goede klanten is Hanwa altijd

open. Ik wil dat het geld in de loop van het weekend op jouw rekening bij die bank wordt geparkeerd.'
'Hoe weet je dat het daar is?'
'Je laat me een bevestiging van de overboeking zien. Het geld blijft op die rekening tot de jury zich terugtrekt, en dan verlaat het de Hanwa Bank en gaat het naar mijn rekening. Dat zal maandagochtend zijn.'
'En als de jury eerder begint te overleggen?'
'Fitch, ik verzeker je dat er geen jury-uitspraak komt zolang het geld niet op mijn rekening staat. Dat garandeer ik je. En als je ons om de een of andere reden probeert te belazeren, verzeker ik je ook dat er een mooie uitspraak ten gunste van de eiseres komt. Een kolossale schadevergoeding.'
'Laten we daar niet over praten.'
'Nee, laten we dat niet doen. Dit is allemaal zorgvuldig voorbereid, Fitch. Verknoei het niet. Doe nou maar gewoon wat je gezegd wordt. Neem nu meteen contact met de bank op.'

Wendall Rohr ging anderhalf uur tegen doctor Gunther tekeer, en toen hij klaar was, was er geen kalme zenuw meer in de hele rechtszaal. Rohr zelf was waarschijnlijk het meest ontspannen van iedereen, want hij had geen last van zijn eigen getier. Alle andere aanwezigen hadden er meer dan genoeg van. Het was bijna vijf uur, vrijdagmiddag, weer een week op zijn eind. Weer een weekend in de Siesta Inn.
Rechter Harkin maakte zich zorgen over zijn juryleden. Het was duidelijk te zien dat ze zich verveelden en ergerden. Ze waren het zat om op hun stoel te zitten en naar woorden te luisteren die hen niet meer interesseerden.
De advocaten maakten zich ook zorgen over hen. De juryleden reageerden niet op getuigenverklaringen zoals je zou verwachten. Als ze niet zaten te schuiven op hun stoel, dommelden ze in, en als ze niet suf voor zich uit zaten te staren, knepen ze zichzelf om wakker te blijven.
Maar Nicholas maakte zich helemaal geen zorgen over zijn mede-juryleden. Hij wilde dat ze het beu waren en in een opstandige stemming verkeerden. Een rebelse massa heeft een leider nodig.
Tijdens een korte schorsing, laat op de middag, had hij een brief aan rechter Harkin opgesteld waarin hij verzocht de procedure op zaterdag voort te zetten. Er was onder de lunch over gepraat en die discussie had maar een paar minuten geduurd, want hij had alles zorgvuldig voorbereid en had op iedere vraag een antwoord. Waarom zou je in het motel rondhangen terwijl je ook in de jurybank kon zitten om te proberen een eind aan deze marathon te maken?
De andere twaalf hadden graag hun handtekening onder de zijne gezet, en er zat voor Harkin niets anders op. Een zitting op zaterdag was een zeld-

zame affaire, maar het was wel vaker gebeurd, vooral in procedures met een afgezonderde jury.
De rechter vroeg Cable wat ze de volgende dag konden verwachten en Cable vertelde hem in vertrouwen dat hij zijn verweer waarschijnlijk zou afsluiten. Rohr zei dat de eiseres geen nieuwe getuigen zou oproepen. Van een zitting op zondag kon geen sprake zijn.
'Met een beetje geluk is de procedure op maandagmiddag voorbij,' zei Harkin tegen de jury. 'De gedaagde sluit morgen af en dan hebben we maandagmorgen nog de slotpleidooien. Ik verwacht dat de zaak u voor maandagmiddag twaalf uur in handen wordt gegeven. Meer kan ik niet doen, mensen.'
Er werd plotseling in de hele jurybank geglimlacht. Nu het einde in zicht was, konden ze het nog wel één weekend met elkaar uithouden.
Er zou worden gedineerd in een roemruchte eetgelegenheid in Gulfport, gevolgd door vier uur persoonlijk bezoek, zowel deze avond als de volgende avond. Hij verontschuldigde zich nog een keer en stuurde hen toen weg.
Zodra de jury was vertrokken riep rechter Harkin de advocaten weer bij zich voor twee uur discussie over een stuk of tien verzoeken.

33

Hij kwam laat en bracht geen bloemen of bonbons mee, geen champagne of kussen, niets dan zijn ellende, die als een zware last op zijn schouders drukte. Bij de deur pakte hij haar hand. Hij leidde haar naar het bed, waar hij op de rand ging zitten en iets probeerde te zeggen voordat er een brok in zijn keel schoot. Hij begroef zijn gezicht in zijn handen.

'Wat is er, Hoppy?' vroeg ze. Ze was hevig geschrokken en wist dat ze nu een afschuwelijke bekentenis te horen zou krijgen. Hij gedroeg zich de laatste dagen zo vreemd. Ze kwam naast hem zitten, gaf een klopje op zijn knie en luisterde. Eerst gooide hij eruit dat hij stom was geweest. Hij zei steeds weer dat ze niet zou geloven wat hij had gedaan, en hij ratelde maar door over zijn stommiteit. Ten slotte onderbrak ze hem en vroeg hem op de man af: 'Wat heb je gedaan?'

Hij werd plotseling kwaad – kwaad op zichzelf omdat hij zo'n stommiteit had begaan. Hij klemde zijn tanden op elkaar, trok zijn bovenlip op, zette een nors gezicht en stak van wal. Hij vertelde over Todd Ringwald en de KLX Property Group en Stillwater Bay en Jimmy Hull Moke. Het was doorgestoken kaart! Hij had gewoon zijn werk gedaan, had helemaal geen moeilijkheden gezocht, had gewoon geprobeerd zijn miezerige kleine huisjes te verkopen, had gewoon geprobeerd jonggehuwden aan hun charmante kleine starters te helpen. En toen was die vent binnen komen lopen, uit Las Vegas, mooi pak, dikke stapel bouwtekeningen die, toen ze op Hoppy's bureau werden uitgevouwen, op een goudmijn leken.

O, hoe had hij zo stom kunnen zijn! Hij kreeg het te kwaad en begon te snikken.

Toen hij vertelde dat de FBI naar hun huis was gekomen, kon Millie zich niet meer inhouden. 'Naar ons huis?'

'Ja, ja.'

'O mijn god! Waar waren de kinderen?'
Hoppy vertelde haar hoe het was gegaan, hoe hij de agenten Napier en Nitchman van het huis vandaan had gekregen, naar zijn kantoor, waar ze hem iets lieten horen: het bandje!
Het was afschuwelijk. Hij kon bijna niet verder vertellen.
Millie begon ook te huilen, en Hoppy was opgelucht. Misschien zou ze hem niet zo erg uitschelden. Maar er was nog meer.
Hij vertelde dat Cristano uit Washington was gekomen, en hoe ze elkaar op de boot hadden gesproken. Veel mensen, eigenlijk ook wel goede mensen, in Washington maakten zich zorgen over het proces. De Republikeinen en zo. Mensen die tegen de georganiseerde misdaad streden. En nou ja, toen hadden ze een akkoord gesloten.
Millie streek met de rug van haar hand over haar wangen en hield plotseling op met huilen. 'Maar ik weet niet of ik wel voor dat tabaksbedrijf wil stemmen,' zei ze verbaasd.
Hoppy's ogen droogden ook vlug op. 'O, prachtig, Millie. Wat geeft het of ik vijf jaar de bak in ga? Als jij maar naar eer en geweten kunt stemmen. Word wakker.'
'Dit is niet eerlijk,' zei ze. Ze keek naar zichzelf in de spiegel aan de wand boven de kaptafel. Ze was verbijsterd.
'Natuurlijk is het niet eerlijk. Het zou ook niet eerlijk zijn als de bank de hypotheek opzegt omdat ik in de gevangenis zit. En wat dacht je van de kinderen, Millie? Denk aan de kinderen. We hebben er drie die studeren en twee op de middelbare school. De vernedering is op zichzelf al erg genoeg, maar wie zal voor hun opleiding betalen?'
Hoppy had natuurlijk het voordeel dat hij dit vele uren had kunnen repeteren. Die arme Millie voelde zich alsof ze onder een bus was gekomen. Ze kon niet vlug genoeg denken om de juiste vragen te stellen. Onder andere omstandigheden zou Hoppy misschien medelijden met haar hebben gehad.
'Ik kan dit gewoon niet geloven,' zei ze.
'Het spijt me, Millie. Het spijt me zo. Ik heb iets verschrikkelijks gedaan en het is niet eerlijk tegenover jou.' Hij boog zich naar voren, zijn ellebogen op de knieën, zijn hoofd in diepe verslagenheid voorovergebogen.
'Het is niet eerlijk tegenover de mensen in dit proces.'
Die mensen lieten Hoppy ijskoud, maar dat ging hij haar niet vertellen. 'Ik weet het, schat. Ik weet het. Ik ben een totale mislukkeling.'
Ze pakte zijn hand vast en gaf er een kneepje in. Hoppy besloot tot het uiterste te gaan. 'Ik zou je dit niet moeten vertellen, Millie, maar toen de FBI naar ons huis kwam, dacht ik erover het pistool te pakken en er meteen een eind aan te maken.'
'Je wou ze doodschieten?'

'Nee, mezelf. Een kogel door mijn hoofd jagen.'
'O, Hoppy.'
'Ik meen het. Ik heb daar de afgelopen week vaak aan gedacht. Ik zou nog liever de trekker overhalen dan dat ik mijn gezin vernederde.'
'Doe niet zo gek,' zei ze, en ze begon weer te huilen.

Fitch had er eerst over gedacht de telegrafische geldtransactie te vervalsen, maar na twee telefoontjes en twee faxen naar zijn vervalsers in Washington was hij er niet van overtuigd dat het zou lukken. Ze scheen alles van telegrafische banktransacties te weten en hij had geen idee hoeveel ze van die bank op de Nederlandse Antillen wist. Ze had alles zo precies voorbereid, waarschijnlijk had ze daar iemand zitten die op het geld wachtte. Waarom zou hij het risico lopen?
Hij voerde vlug een hele serie telefoongesprekken en vond in Washington een vroegere belastingambtenaar die nu zijn eigen adviesbureau had, een man die alles van snelle geldbewegingen zou weten. Fitch vertelde hem wat hij weten moest, nam hem per fax in dienst en stuurde hem een kopie van Marlee's instructies. Ze wist inderdaad precies wat ze deed, zei de man, en hij verzekerde Fitch dat zijn geld veilig zou zijn, tenminste op de eerste etappe. De nieuwe rekening zou van Fitch zijn; zij zou er niet bij kunnen. Marlee eiste een kopie van de bevestiging, en de man waarschuwde Fitch haar geen rekeningnummers te laten zien, niet dat van de rekening van herkomst en niet dat van de rekening bij de Hanwa Bank.
Toen Fitch zijn overeenkomst met Marlee sloot, had het Fonds een saldo van zeseneenhalf miljoen. In de loop van vrijdag had Fitch alle bestuursvoorzitters van de Grote Vier gebeld en hen opdracht gegeven ieder onmiddellijk nog eens twee miljoen dollar over te maken, en wel telegrafisch. En hij had geen tijd om vragen te beantwoorden. Later zou hij het wel uitleggen.
Op vrijdagmiddag kwart over vijf verliet het geld de nummerrekening van het Fonds bij een bank in New York. Binnen enkele seconden was het bij de Hanwa Bank op de Nederlandse Antillen aanbeland, waar het al verwacht werd. De nieuwe nummerrekening werd bij aankomst van het geld in het leven geroepen en er werd meteen een bevestiging naar de bank van herkomst gefaxt.
Marlee belde om half zeven. Het verbaasde hem niet dat ze al bleek te weten dat het geld was overgemaakt. Ze gaf Fitch opdracht de rekeningnummers op de bevestiging uit te wissen, iets wat hij toch al van plan was, en hem om precies vijf over zeven naar de receptie van de Siesta Inn te faxen.
'Dat is nogal riskant, vind je niet?' vroeg Fitch.
'Doe nou maar wat je gezegd wordt, Fitch. Nicholas staat dan bij het faxapparaat. De receptioniste vindt hem een leuke jongen.'

Om kwart over zeven belde Marlee opnieuw. Ze zei dat Nicholas de bevestiging had ontvangen en dat die er authentiek uitzag. Ze zei tegen Fitch dat hij de volgende morgen om tien uur naar haar kantoor moest komen. Fitch ging daar graag mee akkoord.
Hoewel er nog geen geld van de een naar de ander was overgegaan, was Fitch erg tevreden over zijn succes. Hij pikte José op en maakte een wandelingetje, iets wat hij zelden deed. De lucht was fris en stimulerend. De trottoirs waren verlaten.
Op datzelfde moment had een afgezonderd jurylid een stuk papier in zijn bezit waarop twee keer het bedrag '$ 10.000.000' stond afgedrukt. Dat jurylid, de hele jury, behoorde Fitch toe. Het proces was voorbij. Zeker, hij zou niet kunnen slapen en peentjes zweten tot hij de jury-uitspraak had gehoord, maar in feite was het proces al voorbij. Fitch had weer gewonnen. Het had er slecht uitgezien, maar uiteindelijk had hij weer gewonnen. De prijs was deze keer hoger geweest, maar er had ook veel meer op het spel gestaan. Natuurlijk zouden Jankle en de anderen hem aan zijn kop zeuren over de prijs van deze operatie, maar dat zou niet meer dan een formaliteit zijn. Ze moesten altijd wat over de kosten te klagen hebben. Daar waren het topmanagers voor.
Over de echte kosten wilden ze het nooit hebben: de prijs die ze zouden betalen als de eiseres in het gelijk werd gesteld. Die prijs zou vast en zeker de tien miljoen dollar te boven gaan, om nog maar te zwijgen van de stortvloed van procedures, die dan in het kielzog van deze zaak zouden volgen. Hij verdiende dit zeldzame moment van ontspanning, maar zijn werk was nog lang niet af. Hij kon niet rusten tot hij de echte Marlee kende, waar ze vandaan kwam, wat haar motiveerde, hoe en waarom ze dit plan had uitgedacht. Er was iets in haar verleden wat Fitch moest weten, en dat onbekende maakte hem ontzaglijk bang. Als hij de echte Marlee vond, zou hij zijn antwoorden hebben. Tot dan toe zou zijn kostbare jury-uitspraak niet veilig zijn.
Toen hij vier blokken had gewandeld, was hij weer de oude woedende, norse, gedeprimeerde Fitch.

Derrick kwam de hal in en stak net zijn hoofd om de hoek van een deur toen een jonge vrouw hem beleefd vroeg wat hij wilde. Ze had een stapel mappen in haar armen en zag eruit alsof ze het erg druk had. Het was bijna acht uur, vrijdagavond, en op het advocatenkantoor werd nog volop gewerkt.
Wat hij wilde, was een advocaat, een van die kerels die hij in de rechtszaal had gezien en die de tabaksfabrikant vertegenwoordigden, iemand met wie hij achter gesloten deuren tot zaken kon komen. Hij had zijn huiswerk gedaan en de namen van Durwood Cable en enkele van diens collega's uit

zijn hoofd geleerd. Hij had dit kantoor gevonden en hij had twee uur buiten in zijn auto gezeten om zijn tekst te repeteren en zijn zenuwen tot rust te brengen. Eindelijk had hij de moed gehad om uit de auto te stappen en naar binnen te gaan.

Er was niet één ander zwart gezicht te zien.

Alle advocaten waren toch schurken? Als Rohr hem geld aanbood, zouden alle advocaten die bij de procedure betrokken waren hem geld aanbieden, dacht hij. Hij had iets te verkopen. En er waren rijke kopers. Die kans moest hij niet voorbij laten gaan.

Maar de juiste woorden bleven in zijn keel steken toen hij die secretaresse naar hem zag kijken. Ze begon om zich heen te kijken, alsof ze dacht dat ze hulp nodig zou hebben. Cleve had meer dan eens gezegd dat dit zo illegaal was als het maar kon, dat hij betrapt zou worden als hij te hebberig werd, en die angst trof hem plotseling als een baksteen.

'Eh, is meneer Gable er?' vroeg hij erg onzeker.

'Meneer Gable?' zei ze met opgetrokken wenkbrauwen.

'Ja, die.'

'Er is hier geen meneer Gable. Wie bent u?'

Achter haar kwam langzaam een groep jonge bleekscheten in hemdsmouwen aanlopen. Ze namen hem van top tot teen op, zagen meteen dat hij hier niet thuishoorde. Derrick had niets meer te bieden. Hij wist zeker dat dit het goede kantoor was, maar hij wist de naam niet precies meer, kende het spel niet dat hij speelde, en was niet van plan om in de gevangenis terecht te komen.

'Ik geloof dat ik hier verkeerd ben,' zei hij, en ze keek hem met een efficiënt glimlachje aan. Natuurlijk ben je hier verkeerd, dus ga maar gauw weg. Hij bleef bij een tafel in de hal staan en pakte vijf visitekaartjes uit een klein bronzen rek. Die zou hij aan Cleve laten zien om te bewijzen dat hij hier geweest was.

Hij bedankte haar en ging er vlug vandoor. Angel wachtte op hem.

Millie lag tot middernacht te huilen en te woelen en aan de lakens te trekken. Toen trok ze haar favoriete kledingstuk aan, een versleten rood sweatsuit, maat XXL, een kerstcadeau dat ze jaren geleden van een van de kinderen had gekregen, en maakte zachtjes de deur open. Chuck, de bewaker aan het eind van de gang, riep haar zachtjes toe. Ze ging een hapje eten, legde ze uit, en ze liep door de schemerig verlichte hal naar de feestzaal, waar ze een zwak geluid hoorde. Nicholas zat daar in zijn eentje op een bank. Hij at magnetron-popcorn en dronk water met koolzuur. Hij keek naar een rugbywedstrijd in Australië. Iedereen was allang vergeten dat Harkin had verboden 's avonds laat televisie te kijken.

'Waarom ben je zo laat op?' vroeg hij, terwijl hij met de afstandsbediening

het geluid van de breedbeeldtelevisie afzette. Millie ging in een stoel zitten, met haar rug naar de deur. Haar ogen waren rood en opgezwollen. Haar korte grijze haar was in de war. Het kon haar niet schelen. Millie woonde in een huis vol tieners. Ze kwamen en gingen, bleven slapen, aten, keken televisie, plunderden de koelkast, zagen haar de hele tijd in haar rode sweatshirt en ze zou het niet anders willen. Millie was ieders moeder.
'Ik kan niet slapen. En jij?' zei ze.
'Ik kan hier niet goed slapen. Wil je wat popcorn?'
'Nee, dank je.'
'Is Hoppy vanavond nog geweest?'
'Ja.'
'Hij lijkt me een aardige man.'
Ze zweeg even en zei toen: 'Dat is hij ook.'
Er volgde een lange stilte waarin ze nadachten over wat ze nu zouden zeggen. 'Wil je naar een film kijken?' vroeg hij ten slotte.
'Nee. Mag ik je iets vragen?' zei ze heel ernstig, en Nicholas drukte op een toets van de afstandsbediening en de tv ging uit. De kamer werd nu alleen verlicht door een schemerlamp op de tafel.
'Ja. Zit je iets dwars?'
'Ja. Het is een juridische kwestie.'
'Ik zal proberen je te helpen.'
'Goed.' Ze haalde diep adem en wrong haar handen in elkaar. 'Als een jurylid er nu eens van overtuigd raakt dat ze niet eerlijk en onpartijdig kan oordelen? Wat moet ze dan doen?'
Hij keek naar de muur en het plafond en nam toen een slokje water. Langzaam zei hij: 'Het hangt ervan af wat haar redenen zijn, denk ik.'
'Ik kan je niet volgen, Nicholas.' Hij was zo'n aardige jongen, en zo intelligent. Haar jongste zoon wilde advocaat worden en ze hoopte onwillekeurig dat hij net zo slim als Nicholas zou worden.
'Laten we de zaak niet onnodig ingewikkeld maken en ervan uitgaan dat jij dat jurylid bent,' zei hij . 'Goed?'
'Goed.'
'Dus sinds het begin van de procedure is er iets gebeurd waardoor jij niet meer eerlijk en onpartijdig kunt oordelen?'
Langzaam zei ze: 'Ja.'
Hij dacht daar even over na en zei: 'Het hangt ervan af of het iets is wat je op de rechtbank hebt gehoord, of dat het iets buiten de rechtbank is. Het wordt van ons als juryleden verwacht dat we een bepaalde mening krijgen naarmate de procedure vordert. Zo komen we tot onze uitspraak. Daar is niets verkeerds aan. Het hoort bij het besluitvormingsproces.'
Ze wreef over haar linkeroog en vroeg langzaam: 'En als het dat nu eens

niet is? Als het nu eens iets buiten de rechtbank is?'
Hij keek of hij geschokt was. 'Oei. Dat is veel erger.'
'Hoe erg?'
Omwille van het dramatisch effect stond Nicholas op en liep hij een paar stappen naar een stoel, die hij dicht bij Millie zette. Hun voeten raakten elkaar bijna.
'Wat is er, Millie?' vroeg hij zachtjes.
'Ik heb hulp nodig en ik heb niemand. Ik zit hier opgesloten in dit afgrijselijke motel, van mijn gezin en vrienden vandaan. Ik heb hier niemand. Wil jij me helpen, Nicholas?'
'Ik zal het proberen.'
Haar ogen liepen voor de zoveelste keer die avond vol tranen. 'Je bent zo'n aardige jongeman. Je kent de wet en dit is een juridische kwestie en ik heb verder niemand met wie ik kan praten.' Ze huilde nu en hij gaf haar een servetje dat op de tafel lag.
Ze vertelde hem alles.

Om twee uur 's nachts werd Lou Dell zonder reden wakker. Ze patrouilleerde vlug in haar katoenen nachthemd door de gang. In de feestzaal trof ze Nicholas en Millie aan. De tv stond uit en ze zaten aandachtig te praten met een grote schaal popcorn tussen hen in. Nicholas was opvallend beleefd tegen Lou. Hij legde uit dat ze niet konden slapen en over hun familie praatten, niets aan de hand. Ze ging hoofdschuddend weg.
Nicholas vermoedde dat er een vuil spelletje werd gespeeld, maar dat zei hij niet tegen Millie. Toen ze was uitgehuild, vroeg hij haar naar de details en maakte een paar aantekeningen. Ze beloofde niets te doen totdat ze weer konden praten. Ze wensten elkaar goedenacht.
Hij ging naar zijn kamer, draaide Marlee's nummer en hing op toen ze nogal slaperig opnam. Hij wachtte twee minuten en draaide toen hetzelfde nummer. Haar toestel ging zes keer over zonder dat ze opnam en toen hing hij op. Na nog eens twee minuten draaide hij het nummer van haar verborgen zaktelefoon. Ze nam in de kast op.
Hij vertelde haar het hele Hoppy-verhaal. Van haar nachtrust zou niets meer komen. Er was veel werk te doen, en er was haast bij.
Ze spraken af met de namen Napier, Nitchman en Cristano te beginnen.

34

De rechtszaal was op zaterdag niet veranderd. Dezelfde griffiemedewerkers droegen dezelfde kleren en hielden zich bezig met dezelfde papieren. Rechter Harkins toga was net zo zwart. De gezichten van de advocaten zagen er allemaal wazig uit, net als van maandag tot en met vrijdag. De deputy's keken net zo verveeld, of misschien zelfs nog verveelder. Enkele minuten nadat de jury was gaan zitten en Harkin klaar was met zijn vragen, begon de monotonie weer, net als van maandag tot en met vrijdag.
Na Gunthers slaapverwekkende optreden op vrijdag leek het Cable en consorten verstandiger om de dag met een beetje actie te beginnen. Cable riep als deskundige een zekere doctor Olney op, een onderzoeker die een aantal verbazingwekkende dingen met laboratoriummuizen had gedaan. Hij had een video van die lieve kleine proefdiertjes, allemaal springlevend en boordevol energie, zeker niet ziek en stervende. Ze zaten in groepjes in glazen kooien en het was Olney's taak om iedere dag verschillende hoeveelheden sigarettenrook in iedere kooi te brengen. Dat deed hij enkele jaren lang. Grote doses sigarettenrook. Die langdurige blootstelling aan rook had niet één geval van longkanker opgeleverd. Hij had alles geprobeerd om zijn proefmuizen dood te maken, afgezien van regelrechte verstikking, maar het wilde gewoon niet lukken. Hij had de cijfers en de details. En hij bracht ook duidelijk als zijn mening naar voren dat sigaretten geen longkanker veroorzaakten, niet bij muizen en niet bij mensen.
Hoppy zat op wat inmiddels zijn vaste plaats in de rechtszaal was. Hij had beloofd dat hij zou komen om naar haar te knipogen, om haar morele steun te geven, om haar weer te laten weten hoe verschrikkelijk veel spijt hij had. Het was het minste wat hij kon doen. En per slot van rekening was het zaterdag, een drukke dag voor makelaars, maar Makelaardij Dupree kwam meestal pas laat in de ochtend op gang. Sinds de ramp van

Stillwater Bay had Hoppy er geen zin meer in. Het idee dat hij misschien jaren in de gevangenis zou zitten beroofde hem van al zijn werklust.
Taunton was terug. Hij zat nu voorin achter Cable, droeg nog steeds een onberispelijk zwart pak, maakte belangrijke aantekeningen en keek naar Lonnie, die niet aan zijn penibele situatie hoefde te worden herinnerd.
Derrick zat ergens achterin. Hij keek naar het hele gebeuren en maakte zijn plannen. Rikki's man Rhea zat met beide kinderen op de achterste bank. De kinderen probeerden naar hun moeder te wuiven toen de jury was gaan zitten. Nelson Card zat naast mevrouw Grimes. Loreens twee tienerdochters waren ook present.
De gezinnen waren gekomen om de juryleden te steunen en om hun nieuwsgierigheid te bevredigen. Ze hadden genoeg gehoord om zelf een mening te hebben over de zaak, de advocaten, de partijen, de deskundigen en de rechter. Ze wilden luisteren, opdat ze later misschien iets zinnigs konden zeggen over wat er gebeuren moest.

Beverly Monk kwam in de loop van de ochtend uit haar coma. De resten gin en crack en ze wist zelf niet wat nog meer drukten haar nog neer en maakten haar bijna blind. Ze hield haar hand voor haar ogen en realiseerde zich dat ze op een houten vloer lag. Ze sloeg een vuile deken om zich heen, stapte over een snurkende man heen die ze niet herkende en vond haar zonnebril op een houten kist die ze als kaptafel gebruikte. Met die bril op kon ze weer wat zien. De open zolder was een chaos: lichamen die languit op bedden en op de vloer lagen, lege drankflessen die op elk goedkoop meubelstuk balanceerden. Wie waren die mensen? Ze schuifelde naar een klein zolderraam en stapte daarbij over huisgenoten en vreemden heen. Wat had ze de vorige avond gedaan?
Het raam was beslagen. Een lichte sneeuw dwarrelde op de straten neer, maar de vlokken smolten zodra ze geland waren. Ze trok de deken om haar vermagerde lichaam en ging op een zitzak voor het raam zitten. Ze keek naar de sneeuw en vroeg zich af hoeveel van de duizend dollar ze nog over had.
Ze snoof de koude lucht dicht bij een ruit op en haar ogen begonnen een beetje helder te worden. Het kloppen in haar slapen deed pijn, maar de duizeligheid trok weg. Jaren geleden, voordat ze Claire had ontmoet, had ze een kamer gedeeld met een studente die Phoebe heette, een geschift meisje met een drugsprobleem, die een afkickprogramma had gevolgd maar voortdurend op het punt stond weer te bezwijken. Phoebe had korte tijd samen met Claire en Beverly bij Mulligan's gewerkt en was onder verdachte omstandigheden vertrokken. Phoebe kwam uit Wichita. Ze had Beverly eens verteld dat ze iets over Claires verleden wist, iets wat ze had gehoord van een jongen die Claire had gekend, niet Jeff Kerr, maar een

andere jongen, en als haar hoofd niet zo bonsde, zou ze zich er misschien meer van herinneren.
Het was lang geleden.
Iemand kreunde op een matras. Toen was het weer stil. Beverly had een weekend bij Phoebe en haar grote, katholieke familie in Wichita doorgebracht. Haar vader was daar arts. Die moest gemakkelijk te vinden zijn. Als die sympathieke boef van een Swanson duizend dollar over had voor een paar onschuldige antwoorden, hoeveel zou hij dan betalen voor echte achtergrondinformatie over Claire Clement?
Ze zou Phoebe vinden. Het laatste dat ze van haar had gehoord, was dat ze in Los Angeles zat en daar ongeveer hetzelfde deed als wat Beverly in New York deed. Ze zou zoveel mogelijk uit Swanson los proberen te krijgen, en dan zou ze misschien ergens anders gaan wonen, een grotere flat met betere vrienden die het tuig buiten de deur hielden.
Waar was Swansons kaartje?

Fitch sloeg de getuigenverklaring van die ochtend over om een briefing te houden, iets wat hij zelden deed en waar hij een hekel aan had. Maar zijn gast was belangrijk. Hij heette James Local en stond aan het hoofd van een detectivebureau waaraan Fitch een fortuin betaalde. Locals firma, discreet weggestopt in Bethesda, had veel mensen in dienst die vroeger voor inlichtingendiensten van de overheid hadden gewerkt, en onder normale omstandigheden zou een excursie naar de binnenlanden om één Amerikaanse vrouw zonder strafblad te vinden niet meer dan een vervelend klusje voor hen zijn. Ze waren gespecialiseerd in het volgen van illegale wapenzendingen, het opsporen van terroristen, dat soort dingen.
Maar Fitch had veel geld en als ze iets voor hem deden, liepen ze maar een heel kleine kans dat er kogels om hun oren vlogen. In dit geval had hun werk niets opgeleverd en dat was de reden waarom Local in Biloxi was.
Swanson en Fitch luisterden naar Local die zonder zich te verontschuldigen vertelde wat ze de afgelopen vier dagen hadden gedaan. Claire Clement had niet bestaan voordat ze in de zomer van 1988 in Lawrence opdook. Haar eerste woning was een tweekamerflat geweest waarvan ze de huur contant betaalde. De nutsvoorzieningen stonden op haar naam: water, elektriciteit, gas. Voorzover uit de gegevens bleek, had ze de rechtbanken van Kansas niet gebruikt om officieel van naam te veranderen. Die gegevens werden achter slot en grendel bewaard, maar het was hun toch gelukt erbij te komen. Ze had zich niet als kiezer laten registreren, had geen auto op haar naam staan, had geen onroerend goed gekocht, maar bezat wel een sociale-verzekeringskaart die ze had gebruikt voor twee baantjes die ze had gehad – bij Mulligan's en een kledingboetiek bij de campus. Een sociale-verzekeringskaart was vrij eenvoudig te bemachtigen

en maakte het leven veel gemakkelijker voor iemand die op de vlucht was. Ze hadden de hand weten te leggen op een kopie van haar aanvraagformulier, maar daar hadden ze niets aan gehad. Ze had geen paspoort aangevraagd.

Local veronderstelde dat ze haar naam in een van de andere negenenveertig staten officieel had veranderd en daarna met die nieuwe identiteit naar Lawrence was gegaan.

Ze beschikten over haar telefoongegevens van de drie jaar dat ze in Lawrence had gewoond. Er waren haar geen interlokale gesprekken in rekening gebracht. Hij herhaalde dat twee keer om het goed tot hen te laten doordringen. In die tijd hield de telefoonmaatschappij geen gegevens van binnenkomende interlokale gesprekken bij, zodat op de uitdraaien alleen plaatselijke gesprekken voorkwamen. Ze gingen de nummers na. Ze had haar telefoon weinig gebruikt.

'Hoe leeft iemand zonder interlokale gesprekken? Bijvoorbeeld gesprekken met familie, met oude vrienden?' vroeg Fitch verbaasd.

'Er zijn andere manieren,' zei Local. 'Veel manieren. Misschien leende ze de telefoon van een vriendin. Misschien ging ze eens per week naar een motel, zo'n budgetmotel waar ze de telefoongesprekken op je rekening zetten als je weggaat. Dat zouden we nooit kunnen nagaan.'

'Ongelooflijk,' mompelde Fitch.

'Neemt u maar van mij aan, meneer Fitch: dat meisje is erg goed. Als ze een fout heeft gemaakt, hebben wij die nog niet ontdekt.' In Locals stem klonk zijn grote respect voor het meisje duidelijk door. 'Zo iemand houdt er bij alles wat ze doet al rekening mee dat iemand later naar haar op zoek zal gaan.'

'Typisch Marlee,' zei Fitch, alsof hij vol bewondering over een dochter sprak.

In Lawrence had ze twee creditcards: van Visa en van Shell. In de gegevens daarvan was niets te vinden waar ze iets aan hadden. Blijkbaar betaalde ze meestal contant. Ze had ook geen telefooncreditcard. Die fout zou ze niet maken.

Jeff Kerr was een heel ander verhaal. Zijn spoor naar de rechtenstudie was gemakkelijk te volgen geweest. Het meeste van dat werk was al door Fitch' eigen mensen gedaan. Pas nadat hij Claire had ontmoet, nam hij haar geheimzinnige gewoonten over.

Ze verlieten Lawrence in de zomer van 1991, na zijn tweede jaar als rechtenstudent, en Locals mannen hadden nog niemand gevonden die precies wist wanneer ze vertrokken waren of waar ze heen waren gegaan. Claire had de huur van juni in dat jaar contant betaald en was daarna verdwenen. Ze hadden in meer dan tien steden naar sporen van een Claire Clement na mei 1991 gezocht, maar hadden tot nu toe niets nuttigs ge-

vonden. Om voor de hand liggende redenen was het niet mogelijk om in iedere stad te gaan zoeken.
'Ik denk dat ze de naam Claire heeft afgedankt zodra ze de stad verliet. Ze is iemand anders geworden,' zei Local.
Fitch vermoedde dat al heel lang. 'Het is nu zaterdag. De jury begint maandag te overleggen. Laten we vergeten wat er na Lawrence is gebeurd en ons concentreren op haar voorgeschiedenis.'
'Daar werken we nu aan.'
'Werk harder.'
Fitch keek op zijn horloge en legde uit dat hij moest gaan. Marlee zou hem straks verwachten. Local verliet het kantoor om vlug met een privé-vliegtuig naar Kansas City terug te gaan.

Marlee zat al sinds zes uur in haar kantoortje. Nadat Nicholas haar om een uur of drie had gebeld, had ze bijna niet meer geslapen. Voordat hij naar de rechtszaal vertrok, spraken ze vier keer met elkaar.
Op dat hele gedoe rond Hoppy zat duidelijk het stempel van Fitch – waarom zou Cristano anders dreigen Hoppy in de gevangenis te stoppen als hij niet zorgde dat Millie de juiste stem uitbracht? Marlee had bladzijden volgekrabbeld met aantekeningen en schema's en ze had tientallen gesprekken gevoerd via haar zaktelefoon. De informatie druppelde binnen. De enige George Cristano uit de telefoonboeken van Washington en omgeving woonde in Alexandria. Marlee had hem om vier uur in de morgen opgebeld en uitgelegd dat ze die-en-die van Delta Airlines was. Er was een vliegtuig neergestort in de buurt van Tampa, met een zekere mevrouw Cristano aan boord, en was hij de George Cristano die op het Ministerie van Justitie werkte? Nee, hij werkte op Volksgezondheid, goddank. Ze verontschuldigde zich, hing op en grinnikte bij het idee dat die arme man nu naar CNN rende om beelden van de vliegramp te zien.
Na tientallen van zulke gesprekken geloofde ze dat er geen FBI-agenten met de namen Napier en Nitchman vanuit Atlanta opereerden. En die waren er ook niet in Biloxi, New Orleans, Mobile of een andere stad in dit deel van het land. Om acht uur nam ze contact op met een detective in Atlanta, die op zoek ging naar Napier en Nitchman. Marlee en Nicholas waren er bijna zeker van dat die twee mannen voor Fitch werkten, maar ze wilden absolute zekerheid hebben. Ze belde verslaggevers, politiefunctionarissen, FBI-hotlines, officiële informatiediensten.
Toen Fitch stipt om tien uur arriveerde, was de tafel leeg en was de telefoon in een kastje verborgen. Ze zeiden elkaar nauwelijks gedag. Fitch vroeg zich af wie ze was voordat ze Claire werd, en zij werkte in gedachten nog aan de volgende stap die ze zou ondernemen om zijn Hoppy-operatie bloot te leggen.

'Jullie moeten er gauw mee stoppen, Fitch. De jury is totaal versuft.'
'Vanmiddag om vijf uur zijn we klaar. Is dat gauw genoeg?'
'Laten we het hopen. Je maakt het Nicholas niet gemakkelijk.'
'Ik heb tegen Cable gezegd dat hij moet opschieten. Meer kan ik niet doen.'
'We hebben problemen met Rikki Coleman. Nicholas heeft met haar gepraat en ze laat zich niet gemakkelijk overtuigen. Ze is populair bij de andere juryleden, zowel bij de mannen als bij de vrouwen, en Nicholas zegt dat ze langzaam op de voorgrond begint te treden. Eigenlijk verrast dat hem.'
'Ze wil een grote schadevergoeding?'
'Daar ziet het naar uit, al hebben ze er niet concreet over gesproken. Nicholas heeft gemerkt dat ze de pest heeft aan de tabaksfabrikanten, omdat ze jonge mensen verslaafd maken. Ze schijnt niet veel sympathie voor de familie Wood te hebben, maar wil wel graag de tabaksindustrie straffen. Hoe dan ook, je zei dat we misschien een verrassing voor haar hebben.'
Zonder plichtplegingen pakte Fitch een papier uit zijn aktetas en schoof het over de tafel. Marlee keek het vlug door. 'Abortus, hè?' zei ze, nog lezend, niet verrast.
'Ja.'
'Je weet zeker dat zij het is?'
'Absoluut. Ze studeerde toen nog.'
'Dit moet genoeg zijn.'
'Heeft hij het lef om het haar te laten zien?'
Marlee liet het papier los en keek Fitch fel aan. 'Zou jij het lef hebben, voor tien miljoen dollar?'
'Natuurlijk. En waarom niet? Ze ziet dit, ze stemt goed, dit wordt vergeten, haar lelijke kleine geheimpje is veilig. Als ze niet wil meewerken, wordt ze bedreigd. Geen probleem.'
'Precies.' Ze vouwde het papier op en pakte het van de tafel. 'Maak je maar niet druk om Nicks lef. We hebben dit langdurig voorbereid.'
'Hoe langdurig?'
'Dat doet er niet toe. Je weet niets over Herman Grimes?'
'Niets. Nicholas zal in de beraadslagingen met hem moeten afrekenen.'
'Hartelijk dank.'
'Hij wordt er verdomd goed voor betaald, vind je niet? Voor tien miljoen dollar mag ik toch wel verwachten dat hij een paar mensen kan overhalen.'
'Hij heeft de stemmen, Fitch. Hij heeft ze in zijn zak zitten. Maar hij wil een unanieme stemming. Herman zou een probleem kunnen zijn.'
'Gooi hem er dan uit. Dat vinden jullie toch zo'n leuk spelletje?'
'We denken erover.'
Fitch schudde verbaasd met zijn hoofd. 'Besef je wel hoe volslagen corrupt dit is?'

'Ja, ik geloof van wel.'
'Ik vind het prachtig.'
'Ga het ergens anders prachtig vinden, Fitch. Voorlopig is dit alles. Ik heb werk te doen.'
'Ja, liefje,' zei Fitch. Hij sprong overeind en sloot zijn aktetas.

Zaterdagmorgen in alle vroegte vond Marlee een FBI-agent in Jackson, Mississippi, die toevallig op kantoor zat om wat administratie af te handelen toen de telefoon ging. Ze gebruikte een schuilnaam, zei dat ze voor een makelaardij in Biloxi werkte en dat ze vermoedde dat twee mannen zich als FBI-agenten voordeden terwijl ze helemaal niet van de FBI waren. De twee mannen hadden haar baas lastiggevallen, hem bedreigd, hem hun legitimatiebewijs laten zien, enzovoorts. Ze dacht dat ze iets met de casino's te maken hadden, en ze gooide er ook de naam Jimmy Hull Moke bij. Hij gaf haar het privé-nummer van een jonge FBI-agent in Biloxi, een zekere Madden.
Madden lag met griep te bed, maar was toch bereid te praten, vooral toen Marlee hem vertelde dat ze misschien vertrouwelijke informatie over Jimmy Hull Moke had. Madden had nooit van Napier of Nitchman gehoord, en ook niet van Cristano. Hij wist niets van een speciale eenheid uit Atlanta die nu aan de Golfkust zou opereren, en hoe meer ze praatte, des te meer wond hij zich op. Hij wilde er wat onderzoek naar doen en ze beloofde dat ze hem na een uur zou terugbellen.
Toen ze later belde, klonk hij veel minder ziek. Er bestond geen FBI-agent die Nitchman heette. Er werkte wel een Lance Napier op het FBI-kantoor in San Francisco, maar die had niets op de Golfkust te zoeken. Cristano was ook een valse naam. Madden had met de FBI-agent gesproken die de leiding van het onderzoek naar Jimmy Hull Moke had en kon nu bevestigen dat Nitchman, Napier en Cristano, wie ze ook mochten zijn, in ieder geval geen FBI-agenten waren. Hij zou graag eens met die jongens willen praten en Marlee zei dat ze zou proberen een ontmoeting te regelen.

De partij van de gedaagde was zaterdagmiddag om drie uur klaar. Rechter Harkin maakte trots bekend: 'Dames en heren, u hebt zojuist de laatste getuige gehoord.' Er stonden hem en de advocaten nog wat laatste verzoeken en discussies te wachten, maar de juryleden konden de zaal verlaten. Er was een en ander geregeld om hen op zaterdagavond te vermaken. Er ging een bus naar een football-wedstrijd en er ging ook een bus naar een bioscoop. Na afloop waren er persoonlijke bezoeken toegestaan tot middernacht. De volgende morgen zou ieder jurylid het motel van negen tot één uur mogen verlaten om naar de kerk te gaan. Dat mocht zonder toezicht gebeuren, mits ze beloofden met niemand over het proces te praten.

Op zondagavond waren persoonlijke bezoeken van zeven tot tien mogelijk. Maandagmorgen zouden ze de slotpleidooien te horen krijgen en voor de lunchpauze zou de zaak aan hen worden overgedragen.

35

Eigenlijk was het de moeite niet waard om Henry Vu uit te leggen hoe het football-spel in elkaar zat. Aan de andere kant leek iedereen plotseling een football-expert te zijn. Nicholas had het op de middelbare school gespeeld, in Texas nog wel, waar de sport een soort tweede religie was. Jerry volgde twintig wedstrijden per week, volgde ze zelfs met zijn portefeuille en beweerde het spel dus van haver tot gort te kennen. Lonnie, die achter Henry zat, had ook aan football gedaan op de middelbare school en boog zich telkens over zijn schouder om hem op iets attent te maken. De Poedel, die naast Jerry zat, samen onder één plaid, had het spel grondig leren kennen toen haar twee zoons het speelden. Zelfs Shine Royce aarzelde niet om Henry tekst en uitleg te geven. Hij had het spel nooit gespeeld, maar keek veel televisie.

Ze zaten dicht opeen op de bezoekerstribune, op koude aluminium zitplaatsen, een eindje van de andere toeschouwers vandaan. Het was een wedstrijd tussen schoolteams, een uit Jackson en een van de Golfkust. Het waren ideale football-omstandigheden: koel weer, sympathieke mensen op de thuistribune, een luidruchtige band op het podium, leuke cheerleaders, spannende wedstrijd.

Henry stelde alle verkeerde vragen. Waarom zaten hun broeken zo strak? Wat zeiden ze als ze in pauzes bij elkaar gingen staan en waarom hielden ze dan elkaars hand vast? Waarom drongen ze zo tegen elkaar op? Hij zei dat het zijn eerste football-wedstrijd was.

Aan de andere kant van een gangpad keken Chuck en een andere deputy in burgerkleren naar de wedstrijd. Ze keken niet om naar de zes juryleden uit het belangrijkste proces van het land.

Het was de juryleden uitdrukkelijk verboden contact te hebben met een bezoeker van een ander jurylid. Dat verbod was al in het begin van de afzondering uitgevaardigd en rechter Harkin had er daarna nog meermalen op gewezen. Maar een incidentele begroeting op de gang was onvermijdelijk, en vooral Nicholas was vastbesloten de regel zo vaak mogelijk te overtreden.

Millie interesseerde zich niet voor film en helemaal niet voor football. Hoppy kwam met een zak burrito's, die ze langzaam en bijna zwijgend opaten. Na het eten probeerde ze naar de televisie te kijken, maar ten slotte gaven ze het op en praatten ze toch weer over de narigheid waarin Hoppy verzeild was geraakt: weer tranen, weer verontschuldigingen, zelfs weer een paar opmerkingen van Hoppy over zelfmoord, die Millie overdreven theatraal vond. Ze bekende ten slotte dat ze haar hart had uitgestort bij Nicholas Easter, een bovenstebeste jongeman die het recht kende en die volkomen te vertrouwen was. Hoppy was eerst geschrokken en kwaad, maar toen kreeg zijn nieuwsgierigheid de overhand en wilde hij weten hoe iemand anders over de situatie dacht. Vooral iemand die rechten had gestudeerd, zoals Millie zei. Hij had haar al vaker met grote bewondering over die jongeman horen praten.

Nicholas had beloofd een paar telefoongesprekken te voeren, zei Millie, en dat stond Hoppy helemaal niet aan. Nitchman en Napier en Cristano hadden hem ingepeperd dat hij er met niemand over mocht praten! Nicholas was te vertrouwen, herhaalde Millie, en uiteindelijk vond Hoppy het ook wel een goed idee.

Om half elf ging de telefoon. Het was Nicholas, hij was terug van de wedstrijd, zat weer op zijn kamer en wilde de Dupree's graag ontmoeten. Millie draaide de deur van het slot. Willis, aan het eind van de gang, zag tot zijn verbazing Easter de kamer van Millie binnenglippen. Was haar man daar nog? Hij kon het zich niet herinneren. De bezoekers waren nog lang niet allemaal vertrokken, en trouwens, hij had een dutje gedaan. Easter en Millie deden het toch niet met elkaar? Willis besloot het te onthouden en zakte toen weer weg in zijn slaap.

Hoppy en Millie zaten op de rand van het bed tegenover Nicholas, die tegen het kastje bij de televisie leunde. Hij vertelde hun eerst in vriendelijke bewoordingen dat ze niemand iets mochten vertellen, alsof Hoppy dat in de afgelopen twee weken nog niet vaak genoeg had gehoord. Het was duidelijk dat ze in strijd met de instructies van de rechter handelden.

Nicholas legde het voorzichtig uit. Napier, Nitchman en Cristano waren kleine jongens in een groot complot, een samenzwering in opdracht van de tabaksindustrie om Millie onder druk te zetten. Ze werkten niet voor de overheid. Hun namen waren vals. Hoppy was beetgenomen.

Hoppy kon er goed tegen. Eerst voelde hij zich nog stommer, voorzover dat mogelijk was, en toen begon de kamer rond te draaien. Het was of hij

in alle richtingen tegelijk werd getrokken. Was dit goed nieuws of slecht nieuws? En het bandje dan? Wat moest hij nu doen? Als Nicholas zich nu eens vergiste? Honderd gedachten denderden door zijn overbelaste hersenen. Intussen kneep Millie in zijn knie en begon te huilen.
'Weet je het zeker?' kon hij uitbrengen. Zijn stem klonk alsof hij ieder moment kon overslaan.
'Ja. Ze hebben niets te maken met de FBI of met het Ministerie van Justitie.'
'Maar ze hadden legitimatiebewijzen en...'
Nicholas stak beide handen op, knikte begrijpend en zei: 'Ik weet het, Hoppy. Geloof me, dat was gemakkelijk. Het is niet moeilijk om dat soort dingen na te maken.'
Hoppy wreef over zijn voorhoofd en probeerde dingen op een rijtje te zetten. Nicholas legde uit dat de KLX Property Group in Las Vegas niet bestond. Het was hen nog niet gelukt Todd Ringwald te vinden, en dat was bijna zeker ook een schuilnaam.
'Hoe weet jij dit alles?' vroeg Hoppy.
'Goede vraag. Ik heb een vriend die erg goed is in het opdiepen van informatie. Hij is volkomen betrouwbaar. Hij moest er ongeveer drie uur voor telefoneren, en dat is niet slecht, als je bedenkt dat het zaterdag is.'
Drie uur. Op een zaterdag. Waarom had Hoppy niet een paar mensen gebeld? Hij had tien dagen gehad. Hij zakte nog verder weg, tot zijn ellebogen op zijn knieën rustten. Millie streek met een papieren zakdoekje over haar wangen. Een minuut ging in stilte voorbij.
'En het bandje?' vroeg Hoppy.
'Van jou en Moke?'
'Ja. Dat bandje.'
'Daar maak ik me niet druk om,' zei Nicholas zelfverzekerd, alsof hij Hoppy's advocaat was. 'In juridisch opzicht deugt er een heleboel niet aan.'
Vertel mij wat, dacht Hoppy, maar hij zei niets. Nicholas ging verder: 'Het is onder valse voorwendsels gemaakt. Het is een duidelijk geval van uitlokking. Het is in het bezit van mensen die zelf in strijd met de wet hebben gehandeld. Het is niet gemaakt door een overheidsdienst. Er was geen rechterlijke machtiging voor uitgevaardigd, er was dus geen rechter die er toestemming voor had gegeven. Denk er maar niet meer aan.'
Wat een prachtige woorden! Hoppy's schouders kwamen met een ruk omhoog en hij slaakte een diepe zucht. 'Meen je dat echt?'
'Ja, Hoppy. Dat bandje zal nooit meer worden afgespeeld.'
Millie boog zich naar Hoppy toe en sloeg haar armen om hem heen en ze omhelsden elkaar zonder schaamte of verlegenheid. Ze vergoot nu tranen van grote vreugde. Hoppy sprong overeind en begon door de kamer te lopen. 'Nou, wat is onze strategie?' vroeg hij, krakend met zijn knokkels, klaar voor de aanval.

'We moeten voorzichtig zijn.'
'Wijs me maar in de juiste richting. De schoften.'
'Hoppy!'
'Sorry, schat. Ik heb gewoon zin om ze verrot te schoppen.'
'Je taal!'

De zondag begon met een verjaardagstaart. Loreen Duke had Gladys Card verteld dat haar zesendertigste verjaardag eraan zat te komen. Gladys belde haar zuster in de vrije wereld en zondagmorgen in alle vroegte bracht die zuster een grote chocoladetaart met karamel. Drie lagen met zesendertig kaarsen. De juryleden ontmoetten elkaar om negen uur in de eetkamer en aten de taart als ontbijt. De meesten gingen haastig weg voor hun vier uren kerkgang. Sommigen waren in geen jaren naar de kerk geweest, maar hadden nu behoefte aan een stichtelijk woord.
Een van de zoons van Poedel kwam haar ophalen, en Jerry ging mee. Ze reden vaag in de richting van een niet nader genoemde kerk, maar zodra ze beseften dat niemand hen volgde, gingen ze in plaats daarvan naar een casino.
Nicholas ging weg met Marlee, en ze woonden een dienst bij. Gladys Card trok ieders aandacht toen ze de Calvarie Baptistenkerk betrad. Millie ging naar huis met serieuze bedoelingen om zich te verkleden en naar de kerk te gaan, maar ze kon haar emoties niet de baas toen ze haar kinderen zag. Omdat er toch niemand op haar lette, bracht ze haar tijd in de keuken door, waar ze kookte en schoonmaakte en haar kroost verzorgde. Phillip Savelle bleef achter.
Hoppy ging om tien uur naar zijn kantoor. Hij had Napier die zondagmorgen om acht uur gebeld en tegen hem gezegd dat hij belangrijke ontwikkelingen in het proces te bespreken had. Hij zei dat hij veel had bereikt bij zijn vrouw en dat ze nu veel invloed had op andere juryleden. Hij wilde Napier en Nitchman in zijn kantoor ontmoeten, dan kon hij volledig verslag uitbrengen en nadere instructies in ontvangst nemen.
Napier nam de telefoon op in een vervallen tweekamerwoning die hij en Nitchman als uitvalsbasis voor de operatie gebruikten. Er waren tijdelijk twee telefoonlijnen geïnstalleerd – een als hun kantoornummer, een als hun privé-nummer voor de duur van hun krachtdadige onderzoek naar corruptie aan de Golfkust. Napier stond Hoppy te woord en belde toen Cristano om hem te vragen wat ze moesten doen. Cristano had een kamer in een Holiday Inn bij het strand. Cristano belde op zijn beurt naar Fitch, die erg blij was met het nieuws. Eindelijk hadden ze Millie aan hun kant. Fitch had zich al afgevraagd of zijn investering nog iets zou opleveren. Hij gaf het groene licht voor de ontmoeting in Hoppy's kantoor.
In hun gebruikelijke donkere pakken en met hun zonnebril op hun hoofd

arriveerden Napier en Nitchman om elf uur op het kantoor, waar Hoppy al koffie aan het zetten was en in een uitstekend humeur bleek te zijn. Ze gingen om zijn bureau heen zitten en wachtten op de koffie. Millie vocht als een leeuwin om haar man te redden, zei Hoppy, en ze had er alle vertrouwen in dat ze Gladys Card en Rikki Coleman al had overtuigd. Ze had hun het memorandum over Robilio laten zien en ze hadden geschokt op het bedrog van de man gereageerd.

Terwijl hij koffie inschonk, maakten Napier en Nitchman ijverig aantekeningen. Intussen kwam een andere bezoeker zachtjes het kantoor binnen door de voordeur, die door Hoppy niet op slot was gedaan. De man sloop door de gang achter de receptie, bewoog zich geruisloos over de versleten vloerbedekking tot hij bij een houten deur kwam waarop HOPPY DUPREE geschilderd was. Hij luisterde even en klopte toen hard aan.

Binnen schrok Napier en zette Nitchman zijn koffie neer, en Hoppy keek hen aan alsof hij zich een ongeluk geschrokken was. 'Wie is daar?' gromde hij met luide stem. De deur ging plotseling open en Alan Madden kwam binnen, riep 'FBI!' en liep meteen door naar de rand van Hoppy's bureau, van waar hij alle drie de mannen fel aankeek. Hoppy schopte zijn stoel naar achteren en stond op alsof hij gefouilleerd zou worden.

Napier zou zijn flauwgevallen als hij had gestaan. Nitchmans mond viel open. Allebei verbleekten ze. Het was of hun hart bleef stilstaan.

'Agent Alan Madden, FBI,' zei hij terwijl hij zijn legitimatiebewijs aan iedereen liet zien. 'Bent u de heer Dupree?' vroeg hij.

'Ja. Maar de FBI is hier al,' zei Hoppy. Hij keek Madden aan, en toen de andere twee, en toen weer Madden.

'Waar?' vroeg hij met een kwade blik op Napier en Nitchman.

'Deze twee heren,' zei Hoppy, die briljant acteerde. Het was zijn glansrol. 'Dit is FBI-agent Ralph Napier en dit is FBI-agent Dean Nitchman. Jullie kennen elkaar niet?'

'Ik kan het uitleggen,' begon Napier. Hij knikte zelfverzekerd, alsof hij alle misverstanden met enkele woorden uit de wereld kon helpen.

'FBI?' zei Madden. 'Laat me eens wat papieren zien,' eiste hij, en stak zijn hand uit.

Ze aarzelden en Hoppy begon meteen aan te dringen. 'Toe dan. Laat hem jullie legitimatiebewijzen zien. Die jullie mij ook hebben laten zien.'

'Uw papieren, alstublieft,' zei Madden. Zijn woede werd met de seconde groter.

Napier begon overeind te komen, maar Madden drukte hem op zijn schouder om hem op zijn stoel te houden. 'Ik kan het uitleggen,' zei Nitchman, zijn stem een octaaf hoger dan normaal.

'Doet u dat,' zei Madden.

'Nou, weet u, wij zijn geen echte FBI-agenten, maar...'

'Wat?' riep Hoppy aan de andere kant van het bureau uit. Hij keek woest, zag eruit alsof hij ieder moment met iets kon gaan gooien. 'Vuile leugenaars! Jullie hebben me de afgelopen tien dagen verteld dat jullie FBI-agenten zijn!'

'Is dat waar?' wilde Madden weten.

'Nee, niet echt,' zei Nitchman.

'Wat?' riep Hoppy weer uit.

'Rustig!' snauwde Madden hem toe. 'Gaat u verder,' zei hij tegen Nitchman.

Nitchman wilde niet verdergaan. Hij wilde hard wegrennen, de deur uit, Biloxi uit, nooit meer terugkomen. 'Wij zijn privé-detectives, en, eh...'

'We werken voor een firma in Washington,' viel Napier hem behulpzaam bij. Hij wilde er nog iets aan toevoegen, maar toen stak Hoppy zijn hand uit naar een bureaula, rukte hem open en haalde er twee visitekaartjes uit – een van Ralph Napier, een van Dean Nitchman, allebei FBI-agent, allebei werkzaam voor de Regionale Eenheid Zuidoost in Atlanta. Madden bestudeerde beide kaartjes, zag de plaatselijke telefoonnummers die op de achterkant geschreven waren.

'Wat stelt dit voor?' vroeg Hoppy.

'Wie is Nitchman?' vroeg Madden. Er kwam geen antwoord.

'Hij is Nitchman,' riep Hoppy, wijzend naar Nitchman.

'Ik niet,' zei Nitchman.

'Wat?' schreeuwde Hoppy.

Madden deed twee stappen in Hoppy's richting en wees naar zijn stoel. 'Ik wil dat u gaat zitten en uw mond houdt. Goed? Geen woord meer tot ik u iets vraag.' Hoppy liet zich in zijn stoel zakken, zijn blik nog woedend op Nitchman gericht.

'Bent u Ralph Napier?' vroeg Madden.

'Nee,' zei Napier. Hij sloeg zijn ogen neer om Hoppy niet te hoeven aankijken.

'Klootzakken,' mompelde Hoppy.

'Wie bent u dan?' vroeg Madden. Hij wachtte, maar er kwam geen antwoord.

'Ze gaven me die kaartjes, ja?' zei Hoppy, die helemaal niet van plan was zich stil te houden. 'Ik ga naar de jury van onderzoek en zweer op een stapel bijbels dat ze me die kaartjes hebben gegeven. Ze deden zich voor als FBI-agenten en ik wil dat ze worden vervolgd.'

'Wie bent u?' vroeg Madden aan de man die voorheen Nitchman had geheten. Geen antwoord. Vervolgens haalde Madden een dienstrevolver te voorschijn, een handeling die grote indruk op Hoppy maakte, en gaf de twee mannen opdracht te gaan staan en hun benen te spreiden en zich over het bureau te buigen. Een snelle fouillering leverde alleen wat kleingeld, sleutels en een paar dollarbiljetten op. Geen portefeuilles. Geen valse

FBI-legitimatiebewijzen. Helemaal geen identiteitspapieren. Ze waren te goed getraind om die fout te maken.
Ze kregen handboeien om en Madden leidde hen naar buiten, waar een andere FBI-agent met een kartonnen bekertje koffie in zijn hand stond te wachten. Samen zetten ze Napier en Nitchman op de achterbank van een, echte, FBI-auto. Madden nam afscheid van Hoppy, beloofde hem later te bellen en reed weg met de twee geboeide bedriegers op de achterbank. De andere FBI-agent volgde in de zogenaamde FBI-auto waar Napier altijd in reed.
Hoppy wuifde hen na.
Madden reed over Highway 90, in de richting van Mobile. Napier, de pienterste van de twee, verzon een tamelijk plausibel verhaal, waaraan Nitchman ook kleine bijdragen leverde. Ze vertelden Madden dat hun firma in de arm was genomen door zekere, niet nader genoemde casinobazen, die onderzoek wilden doen naar bepaalde percelen grond langs de Golfkust. Zo waren ze met Hoppy in contact gekomen, die erg corrupt was en had geprobeerd geld uit hen los te krijgen. Van het een was het ander gekomen en hun baas had hen voor FBI-agenten laten doorgaan. Eigenlijk was er geen kwaad gedaan.
Madden luisterde en zei bijna geen woord. Ze zouden later aan Fitch vertellen dat Madden blijkbaar geen flauw idee had van Hoppy's vrouw Millie en het feit dat ze in een jury zat. Het was een jonge FBI-agent, zeiden ze, die kennelijk blij was met zijn vangst en niet goed wist wat hij met hen moest doen.
Madden van zijn kant vond het een klein vergrijp, niet ernstig genoeg voor vervolging en zeker niet voor nadere actie van zijn kant. Hij had het toch al veel te druk. Het laatste waar hij behoefte aan had, was zijn tijd verspillen aan de vervolging van twee derderangs leugenaars. Toen ze de grens met Alabama overstaken, hield hij een strenge preek over de straffen die konden worden opgelegd aan mensen die zich als federale functionarissen voordeden. Het speet hen heel erg. Ze zouden het nooit meer doen.
Hij stopte bij een wegrestaurant, maakte hun handboeien los, gaf hun de auto terug en zei dat hij hen niet meer in Mississippi wilde zien. Ze bedankten hem uitbundig, beloofden nooit terug te komen en reden hard weg.

Fitch kneep met zijn vuist een lamp kapot toen hij door Napier werd opgebeld. Het bloed liep uit een knokkel. Ziedend en vloekend luisterde hij naar het verhaal, dat hem verteld werd vanuit een luidruchtig chauffeurscafé ergens in Alabama. Hij stuurde Pang erheen om hen op te halen.
Drie uur nadat ze handboeien hadden omgekregen zaten Napier en Nitchman in een kamer naast Fitch' kantoor aan de achterkant van het vroegere warenhuis. Cristano was ook aanwezig.

'Begin bij het begin,' zei Fitch. 'Ik wil ieder woord horen.' Hij drukte op een toets en een recorder begon te draaien. Nauwgezet werkten ze samen aan het verhaal, net zo lang tot ze zo ongeveer alles hadden verteld.
Fitch stuurde hen weg. Ze kregen opdracht naar Washington terug te gaan.
Toen Fitch alleen was, deed hij de lichten in zijn kantoor bijna allemaal uit en zat hij te peinzen in het schemerduister. Hoppy zou het die avond aan Millie vertellen. Millie zou als jurylid niet meer aan hun kant staan. Sterker nog, waarschijnlijk zou ze helemaal doorslaan naar de andere kant en op een schadevergoeding van een miljard voor de arme weduwe Wood aandringen.
Marlee kon de ramp afwenden. Alleen Marlee.

36

Het was zo vreemd, zei Phoebe, toen ze was bekomen van de verrassing die het voor haar was dat Beverly haar belde, want eergisteren had haar ook iemand opgebeld die beweerde dat hij Jeff Kerr was en op zoek was naar Claire. Ze had meteen geweten dat die kerel loog, maar ze hield hem toch aan het lijntje om te horen wat hij wilde. Ze had in geen vier jaar met Claire gesproken.
Beverly en Phoebe vertelden elkaar over hun contacten met die man, al sprak Beverly niet over haar ontmoeting met Swanson of het juryproces waar hij onderzoek naar deed. Ze haalden herinneringen op aan hun studietijd in Lawrence, die zo lang geleden leek. Ze logen over hun carrière als actrice en over de snelheid waarmee ze vooruitkwamen. Ze beloofden bij elkaar te komen zodra de eerste gelegenheid zich voordeed. Toen namen ze afscheid.
Beverly belde een uur later opnieuw, alsof ze iets vergeten was. Ze had aan Claire gedacht, zei ze. Ze waren op niet zo'n prettige manier uit elkaar gegaan, en dat zat haar dwars. Het was een kwestie van niks, maar ze hadden het nooit uitgepraat. Ze wilde Claire spreken om het goed te maken, al was het alleen maar om van haar schuldgevoel af te komen. Maar ze had geen flauw idee waar Claire was. Claire was zo snel en zo spoorloos verdwenen.
Op dat moment besloot Beverly een risico te nemen. Aangezien Swanson had gezegd dat ze vroeger misschien een andere naam had gehad, en omdat ze zich herinnerde dat Claires verleden in een mysterieus waas was gehuld, besloot ze een spiering uit te werpen om te kijken of Phoebe zou toehappen. 'Claire was niet haar echte naam, weet je,' zei ze. Ze acteerde erg goed, vond ze.
'Ja, dat weet ik,' zei Phoebe.

'Ze heeft me een keer verteld hoe ze heette, maar ik weet het nu niet meer.'
Phoebe aarzelde. 'Ze had een erg mooie naam. Niet dat Claire zo slecht is.'
'Hoe heette ze dan?'
'Gabrielle.'
'O, ja. Gabrielle. En wat was haar achternaam?'
'Brant. Gabrielle Brant. Ze kwam uit Columbia, Missouri, daar ging ze naar school en ook naar de universiteit. Heeft ze je het verhaal verteld?'
'Misschien, maar ik weet het niet meer.'
'Ze had een vriendje en die was gek en mishandelde haar. Ze probeerde hem aan de kant te zetten, maar hij begon haar te volgen. Daarom is ze de stad uitgegaan en heeft ze haar naam veranderd.'
'Dat heb ik nooit gehoord. Hoe heten haar ouders?'
'Brant. Haar vader is dood, geloof ik. Haar moeder was hoogleraar mediaevistiek aan de universiteit.'
'Woont die daar nog?'
'Ik heb geen idee.'
'Ik ga proberen haar via haar moeder te vinden. Dank je, Phoebe.'
Het kostte haar een uur om Swanson aan de telefoon te krijgen. Beverly vroeg hem hoeveel de informatie waard was. Swanson belde Fitch, die wel wat goed nieuws kon gebruiken. Hij gaf toestemming tot maximaal vijfduizend dollar te gaan en Swanson belde haar terug en bood de helft daarvan aan. Ze wilde meer. Ze onderhandelden tien minuten en werden het eens over vierduizend dollar. Ze wilde het in contanten hebben voordat ze een woord zou zeggen.
Omdat alle vier de bestuursvoorzitters voor de slotpleidooien en de jury-uitspraak in Biloxi waren, beschikte Fitch over een kleine vloot van luxueuze zakenjets. Hij stuurde Swanson in het vliegtuig van Pynex naar New York.
Swanson kwam tegen de avond in New York aan en nam een kamer in een hotelletje bij Washington Square. Volgens een huisgenote was Beverly niet thuis. Ze was niet naar haar werk, maar misschien was ze naar een feest. Hij belde de pizzeria waar ze werkte en kreeg te horen dat ze ontslagen was. Hij belde de huisgenote nog eens op, maar die gooide de hoorn op de haak toen hij te veel vragen stelde. Hij gooide zijn eigen hoorn ook neer en liep woedend door zijn hotelkamer. Hoe vond je iemand in de straten van New York? Hij liep de paar straten naar haar appartement en kreeg koude voeten in de regen. Hij dronk koffie waar hij haar had ontmoet, terwijl zijn schoenen ontdooiden en opdroogden. Hij gebruikte een telefooncel om weer met dezelfde huisgenote te praten, maar dat leverde niets op.

Marlee wilde nog één laatste ontmoeting. Ze spraken elkaar in haar kantoortje. Toen Fitch haar zag, zou hij haar voeten wel willen kussen.
Hij besloot haar alles over Hoppy en Millie te vertellen, ook over de slech-

te afloop van zijn grote plan. Nicholas moest meteen met Millie aan het werk gaan. Hij moest haar sussen voordat ze haar vrienden besmette. Per slot van rekening had Hoppy zondagmorgen aan Napier en Nitchman verteld dat Millie nu een fervent pleitbezorgster voor de gedaagde was, dat ze kopieën van het Robilio-memorandum aan andere juryleden liet zien. Was dat waar? Zo ja, wat zou ze doen als ze de waarheid hoorde? Ze zou vast en zeker woedend zijn. Ze zou meteen doorslaan naar de andere kant. Waarschijnlijk zou ze haar vrienden vertellen wat voor afschuwelijks de gedaagde met haar man had gedaan om haar onder druk te zetten.
Het zou een ramp zijn, geen twijfel mogelijk.
Marlee hoorde dit alles met een onbewogen gezicht aan. Ze was niet geschokt, maar vond het wel prettig om Fitch te zien zweten.
'Ik vind dat we haar eruit moeten gooien,' zei Fitch toen hij klaar was.
'Heb je een kopie van het Robilio-memorandum?' vroeg ze volkomen onverstoord.
Hij pakte er een uit zijn aktetas.
'Is dit jullie werk?' vroeg ze toen ze het had gelezen.
'Ja. Het is nep.'
Ze vouwde het op en legde het onder haar stoel. 'Het was me het plan wel, Fitch.'
'Ja, het was schitterend, totdat we betrapt werden.'
'Doe je dit soort dingen bij elk tabaksproces?'
'Nou, we proberen het altijd wel.'
'Waarom had je Dupree uitgekozen?'
'We hebben hem grondig bestudeerd en dachten dat hij gemakkelijk was. Klein makelaartje, kan amper zijn rekeningen betalen, al dat geld dat in de casinowereld omgaat, veel van zijn vrienden die het grote geld verdienen... Hij bezweek er meteen voor.'
'Zijn jullie ooit eerder betrapt?'
'We hebben wel eens plannen moeten opgeven, maar we zijn nooit op heterdaad betrapt.'
'Tot vandaag.'
'Niet echt. Hoppy en Millie vermoeden misschien wel dat het iemand was die voor Pynex werkte, maar ze weten niet hoe het zit. Dus in dat opzicht is het nog niet zeker.'
'Wat is het verschil?'
'Dat is er niet.'
'Rustig maar, Fitch. Ik denk dat haar man haar invloed heeft overdreven. Nicholas en Millie kunnen goed met elkaar opschieten en ze is geen pleitbezorgster voor jouw cliënt geworden.'
'Onze cliënt.'
'Ja. Onze cliënt. Nicholas heeft het memorandum niet gezien.'

'Je denkt dat Hoppy loog?'
'Kun je het hem kwalijk nemen? Jouw jongens hadden hem ervan overtuigd dat hij anders vervolgd zou worden.'
Fitch haalde een beetje gemakkelijker adem en glimlachte bijna. Hij zei: 'Het is absoluut nodig dat Nicholas vanavond met Millie praat. Hoppy gaat er over een paar uur heen en vertelt haar er alles over. Kan Nicholas haar vlug te spreken krijgen?'
'Fitch, Millie stemt zoals Nicholas wil. Rustig maar.'
Fitch ontspande. Hij nam zijn ellebogen van de tafel en probeerde weer te glimlachen. 'Gewoon uit nieuwsgierigheid: hoeveel stemmen hebben we op dit moment?'
'Negen.'
'Wie zijn de andere drie?'
'Herman, Rikki en Savelle.'
'Hij heeft het niet met Rikki over haar verleden gehad?'
'Nog niet.'
'Dan zijn het er dus tien,' zei Fitch. Hij keek onrustig en maakte nerveuze bewegingen met zijn vingers. 'We kunnen op elf komen als we iemand er uitgooien en Shine Royce erbij krijgen, nietwaar?'
'Hoor eens, Fitch, jij piekert te veel. Je hebt je geld betaald, je hebt de beste mensen ingehuurd, en dus kun je nu rustig op de uitspraak wachten. Het is in erg goede handen.'
'Unaniem?' vroeg Fitch opgewekt.
'Nicholas is vastbesloten om een unanieme jury-uitspraak te leveren.'
Fitch sprong de trappen van het vervallen gebouw af en liep opgewonden over het paadje naar de straat. Zes blokken floot en huppelde hij bijna in de avondlucht. José kwam hem lopend tegemoet en probeerde hem bij te houden. Hij had zijn baas nog nooit in zo'n goed humeur meegemaakt.

Aan de ene kant van de vergaderkamer zaten zeven advocaten die elk een miljoen dollar hadden betaald om hier aanwezig te mogen zijn. Verder was er niemand in de kamer, behalve Wendall Rohr, die aan de andere kant van de grote tafel stond en langzaam heen en weer liep. Hij sprak zacht en met zorgvuldig gekozen woorden tegen zijn jury. Zijn stem was warm en diep, het ene moment vervuld van medegevoel en het volgende moment hard uitvallend naar de tabaksindustrie. Hij preekte en vleide. Hij was geestig en hij was woedend. Hij liet foto's zien en schreef cijfers op een schoolbord.
Hij was in eenenvijftig minuten klaar, zijn kortste repetitie tot nu toe. Het slotpleidooi mocht maximaal een uur duren, had Harkin besloten. Zijn collega's gaven meteen allerlei commentaar. Sommigen spraken hun waardering uit, maar de meesten zochten naar verbeteringen. Het zou moeilijk

zijn een lastiger gehoor te vinden. Deze zeven mannen hadden samen honderden slotpleidooien gehouden, pleidooien die bijna een half miljard aan schadevergoedingen hadden opgeleverd. Ze wisten hoe je grote geldbedragen van jury's los moest praten.
Ze hadden afgesproken hun ego buiten de deur te laten. Rohr kreeg er weer van langs, iets waar hij niet goed tegen kon, en zei dat hij het nog een keer zou proberen.
Het moest perfect zijn. De overwinning was zo dichtbij.

Cable onderging soortgelijke kritiek. Zijn gehoor was veel groter – meer dan tien advocaten, verscheidene jury-experts, veel assistenten. Hij werd op video opgenomen, opdat hij zichzelf kon bestuderen. Hij was vastbesloten het in een half uur te doen. De jury zou dat op prijs stellen. Rohr zou ongetwijfeld meer tijd nodig hebben. Het contrast zou goed overkomen – Cable, de nuchtere advocaat die zich aan de feiten hield en Rohr, de flamboyante spreker die een beroep op hun emoties deed.
Hij hield zijn slotpleidooi en keek naar de video-opname. Keer op keer, die hele zondagmiddag en tot laat op de avond.

Toen Fitch in het strandhuis aankwam, was het hem gelukt weer de houding aan te nemen die hij altijd aannam, een houding van voorzichtig pessimisme. De vier bestuursvoorzitters zaten te wachten. Ze hadden net gegeten. Jankle was dronken en zat alleen bij de haard. Fitch nam wat koffie en gaf een analyse van alles wat ze op het laatst nog hadden ondernomen. De vragen gingen algauw over het geld dat ze op vrijdag hadden moeten overmaken: elk twee miljoen dollar.
Voor vrijdag had het Fonds zesenhalf miljoen dollar in kas gehad, meer dan genoeg om het proces tot een eind te brengen. Waar waren die extra acht miljoen voor nodig? En hoeveel had het Fonds nu in kas?
Fitch legde uit dat hij plotseling een grote uitgave had moeten doen.
'Draai er niet omheen, Fitch,' zei Luther Vandemeer van Trellco. 'Is het je eindelijk gelukt een jury-uitspraak te kopen?'
Fitch probeerde niet tegen deze vier mannen te liegen. Per slot van rekening waren het zijn werkgevers. Hij vertelde hun nooit de volledige waarheid, en dat verwachtten ze ook niet. Maar nu hem zo'n directe vraag werd gesteld, en dan ook nog een vraag met zo'n grote reikwijdte, voelde hij zich gedwongen min of meer eerlijk antwoord te geven. 'Zoiets,' zei hij.
'Heb je de stemmen, Fitch?' vroeg een andere bestuursvoorzitter.
Fitch zweeg even en keek de mannen een voor een zorgvuldig aan, ook Jankle, die plotseling een en al aandacht was. 'Ik geloof van wel,' zei hij.
Jankle sprong overeind, wankelend maar doelbewust, en ging in het midden van de kamer staan. 'Zeg het nog een keer, Fitch,' zei hij.

'Je hebt me verstaan,' zei Fitch. 'De jury-uitspraak is gekocht.' Er klonk een beetje trots in zijn stem door. Daar kon hij niets aan doen.
De andere drie stonden ook op. Ze kwamen naar Fitch toe en vormden een vage halve kring om hem heen. 'Hoe?' vroeg een van hen.
'Dat zal ik nooit vertellen,' zei Fitch koel. 'De details zijn niet belangrijk.'
'Ik wil het weten,' zei Jankle.
'Geen denken aan. Het hoort bij mijn werk dat ik het vuile werk doe terwijl ik jullie en jullie ondernemingen afscherm. Als jullie me willen ontslaan, moeten jullie dat zelf weten. Maar jullie zullen de details nooit te weten komen.'
Ze keken hem een hele tijd aan. De kring werd kleiner. Langzaam namen ze slokjes uit hun glas en vol bewondering keken ze naar hun held. Acht keer hadden ze de catastrofe ternauwernood kunnen afwenden en acht keer had Rankin Fitch zijn clandestiene trucjes gebruikt om hen te redden. Nu had hij het voor de negende keer gedaan. Hij was onoverwinnelijk.
En hij had nooit eerder een overwinning beloofd, niet zoals nu. Integendeel. Voordat de jury tot een uitspraak kwam, had Fitch zich altijd opgevreten. Hij had altijd voorspeld dat ze zouden verliezen, had het altijd leuk gevonden hun een rotgevoel te bezorgen. Dit was helemaal niets voor hem.
'Hoeveel?' vroeg Jankle.
Daar kon Fitch niet onderuit. Om voor de hand liggende redenen hadden die vier mannen het recht om te weten waaraan het geld werd besteed. Ze hadden een primitief soort boekhouding afgesproken voor het Fonds. Elke onderneming droeg evenveel bij wanneer Fitch het zei, en elke bestuursvoorzitter had recht op een maandelijkse lijst van alle onkosten.
'Tien miljoen,' zei Fitch.
De dronken man blafte als eerste: 'Je hebt tien miljoen dollar aan een jurylid betaald!' De drie anderen waren ook diep geschokt.
'Nee. Niet aan een jurylid. Laten we het zo stellen. Ik heb voor tien miljoen dollar de jury-uitspraak gekocht. Goed? Meer wil ik er niet over zeggen. Het Fonds heeft nu een saldo van viereneenhalf miljoen. En ik ga niet vertellen waar het geld naartoe is gegaan.'
Een pakje bankbiljetten onder de tafel door, dat zou logisch zijn. Vijfduizend, tienduizend dollar. Maar het was onvoorstelbaar dat die provinciale stoethaspels in de jury de hersens bezaten om van tien miljoen dollar te dromen. Dat kon toch niet allemaal naar één persoon gaan?
Ze bleven in verbijsterde stilte tegenover Fitch zitten, elk met dezelfde gedachten. Fitch had er vast tien in zijn ban gekregen. Dat zou te begrijpen zijn. Hij nam tien miljoen en gaf elk een miljoen. Daar konden ze inkomen. Tien fonkelnieuwe miljonairs aan de Golfkust. Maar hoe kon je zoveel geld verborgen houden?

Fitch genoot van dit moment. 'Natuurlijk is er geen garantie,' zei hij. 'Je weet het pas als de jury terugkomt.'
Nou, voor tien miljoen was het hem geraden dat er een garantie was! Maar ze zeiden niets. Luther Vandemeer trok zich als eerste terug. Hij schonk zich een stevig glas cognac in en ging op de kruk van de kleine vleugel zitten. Fitch zou het hem later vertellen. Hij zou een maand of twee wachten en dan Fitch voor zaken naar New York laten komen, en dan zou Fitch hem alles vertellen.
Fitch zei dat hij dingen te doen had. Hij wilde dat ze de volgende dag alle vier naar de rechtszaal kwamen om de slotpleidooien bij te wonen. Niet bij elkaar gaan zitten, zei hij nog.

37

Onder de juryleden werd algemeen aangenomen dat de nacht van zondag op maandag de laatste nacht was die ze in afzondering zouden doorbrengen. Ze fluisterden dat als hun beraadslagingen maandagmiddag om twaalf uur begonnen, ze op maandagavond vast wel tot een uitspraak konden komen, en dan konden ze naar huis. Dit werd niet openlijk besproken, want in feite had je het dan ook over de uitspraak zelf, iets wat Herman meteen in de kiem smoorde.
Toch heerste er een luchtige stemming. Veel juryleden pakten stilletjes hun bagage en ruimden hun kamer op. Ze wilden dat hun laatste bezoek aan de Siesta Inn niet te veel tijd in beslag zou nemen – vlug even van de rechtbank naar het motel, gauw de tandenborstels in de tassen, en wegwezen.
Die zondagavond was de derde opeenvolgende avond met persoonlijke bezoeken en ze hadden zo langzamerhand allemaal meer dan genoeg van hun partner. Vooral de getrouwde juryleden. Drie nachten achtereen gezelligheid in een klein kamertje ging de tolerantiegrens van de meeste huwelijken te boven. Zelfs de vrijgezelle juryleden hadden behoefte aan een vrije avond. Savelles vriendin bleef weg. Derrick zei tegen Angel dat hij misschien later nog zou komen maar dat hij eerst iets belangrijks te doen had. Loreen had geen vriend, maar ze kon het heel goed een avond zonder haar tienerdochters stellen. Jerry en Poedel hadden hun eerste kleine ruzie.
Het was die zondagavond stil in het motel; geen football en bier in de feestzaal, geen damtoernooi. Marlee en Nicholas aten pizza in zijn kamer. Ze werkten hun checklists af en maakten definitieve plannen. Ze waren allebei gespannen en toen ze Fitch' zielige verhaal over Hoppy navertelde, konden ze de humor er nauwelijks van inzien.

Om negen uur ging Marlee weg. Ze reed met haar geleasde auto naar haar gehuurde flat, waar ze haar spullen al had ingepakt.
Nicholas liep door de gang naar Millies kamer. Hoppy en Millie zaten te wachten als een pasgetrouwd stel. Ze konden hem niet genoeg bedanken. Hij had dat afschuwelijke bedrog aan de kaak gesteld en hen weer vrij gemaakt. Je stond er versteld van hoe ver de tabaksindustrie wilde gaan om een jurylid onder druk te zetten.
Millie had al gezegd dat ze zich afvroeg of ze wel in de jury moest blijven. Zij had er met Hoppy over gesproken en vond dat ze zich, na wat ze met haar man hadden gedaan, niet meer eerlijk en onpartijdig kon opstellen. Nicholas had dat wel verwacht, maar hij vond dat Millie in de jury moest blijven, want Shine Royce was een ongewenst element. Eerlijk gezegd was hij te dom om zich een oordeel over de zaak te kunnen vormen, en als Millie werd weggestuurd, zou Shine op haar plaats komen te zitten.
En er was een nog betere reden. Als Millie rechter Harkin over de Hoppytruck vertelde, zou hij het proces waarschijnlijk ongeldig verklaren. En dat zou een ramp zijn. Een ongeldig proces zou betekenen dat over een jaar of twee een andere jury werd gekozen om dezelfde zaak aan te horen. Elke partij zou weer een fortuin uitgeven om te doen wat ze nu ook deden. 'Het is aan ons, Millie. Wij zijn gekozen om over deze zaak te beslissen en het is onze verantwoordelijkheid om tot een uitspraak te komen. De volgende jury zal niet slimmer zijn dan wij.'
'Daar ben ik het mee eens,' zei Hoppy. 'Dit proces is morgen voorbij. Het zou zonde zijn om op het op het laatste moment nog ongeldig te verklaren.'
En dus beet Millie op haar lip en raapte ze nieuwe moed bijeen. Haar vriend Nicholas maakte alles gemakkelijker.

Cleve ontmoette Derrick op zondagavond in de sportbar van het Nugget Casino. Ze dronken een biertje en keken naar een football-wedstrijd. Veel werd er niet gezegd, want Derrick deed of hij nog kwaad was omdat hij belazerd werd. De vijftienduizend dollar zaten in een klein bruin pakje dat Cleve over de tafel schoof en dat Derrick gauw in zijn zak stopte, zonder hem te bedanken of iets anders te zeggen. Hun laatste afspraak hield in dat de overige tienduizend na de jury-uitspraak werd betaald, mits Angel ten gunste van de eiseres stemde.
'Waarom ga je nu niet weg?' zei Derrick enkele minuten nadat hij het geld bij zich had gestoken.
'Goed idee,' zei Cleve. 'Ga naar je vriendin. Leg het haar zorgvuldig uit.'
'Ik kan haar wel aan.'
Cleve nam zijn bierflesje mee en verdween.
Derrick dronk zijn eigen bier op en ging naar de herentoiletten, waar hij

zich in een wc-hokje opsloot en het geld telde, honderdvijftig krakend nieuwe biljetten van honderd dollar. Hij stond er versteld van hoe dik de stapel was: meer dan twee centimeter. Hij maakte er vier pakjes van, vouwde ze op en deed een pakje in elke zak van zijn spijkerbroek.
Het was druk in het casino. Zijn oudere broer, die in dienst was geweest, had hem leren dobbelen, en om de een of andere reden, alsof een magneet hem aantrok, slenterde hij naar de crap-tafels. Hij keek even toe en besloot toen de verleiding te weerstaan en naar Angel te gaan. Eerst nam hij gauw nog even een biertje aan een kleine bar met uitzicht op de roulettetafels. Overal beneden hem werden fortuinen gewonnen en verloren. Je had geld nodig om geld te verdienen. Het was zijn geluksavond.
Hij ging naar een crap-tafel en kocht voor duizend dollar aan fiches, genietend van de aandacht die alle grote spelers kregen. De tafelchef bekeek de ongebruikte bankbiljetten en glimlachte naar Derrick. Een blonde serveerster dook uit het niets op en hij bestelde weer een biertje.
Derrick gokte zwaar, zwaarder dan alle blanken aan de tafel. De eerste partij fiches verdween in een kwartier tijd. Zonder enige aarzeling kocht hij nog eens voor duizend dollar aan fiches.
Er volgde nog eens duizend dollar en toen waren de dobbelstenen hem gunstig gezind en won Derrick achttienhonderd dollar in vijf minuten. Hij kocht meer fiches. De biertjes volgden elkaar op. Het blondje begon te flirten. De tafelchef vroeg of hij een gouden lid van het Nugget Casino wilde worden.
Hij raakte de tel van het geld kwijt. Hij trok het uit alle vier zijn zakken en won soms ook iets. Hij kocht nog meer fiches. Na een uur was hij zesduizend dollar kwijt en wilde hij erg graag ophouden met spelen. Maar het kon niet anders of zijn kansen zouden keren. Hij had al eerder geluk gehad; hij kon opnieuw geluk hebben. Hij besloot zwaar te blijven inzetten. Als de kansen keerden, zou hij alles terugwinnen. Nog een biertje, en toen schakelde hij over op whisky.
Toen het hem een tijdje had tegengezeten, trok hij zich van de tafel terug en ging naar de herentoiletten, naar dezelfde wc. Hij deed de deur op slot en haalde losse bankbiljetten uit alle vier de zakken. Hij had nog zevenduizend dollar en hij kon wel huilen. Maar hij moest het terugwinnen. Hij slikte de rest van een stevige whisky door en besloot terug te gaan en zijn geld terug te veroveren. Hij zou een andere tafel proberen. Hij zou op een andere manier inzetten. En wat er ook gebeurde, hij zou maken dat hij wegkwam zodra, wat God verhoedde, hij niet meer dan vijfduizend overhield. Die laatste vijfduizend zou hij absoluut niet verliezen.
Hij liep langs een roulettetafel zonder spelers en kreeg het opeens in zijn hoofd om vijfhonderd dollar op rood te zetten. De croupier liet het wiel draaien, het werd rood en Derrick had vijfhonderd dollar verdiend. Hij liet

alle fiches op rood staan en won opnieuw. Zonder aarzeling liet hij de twintig fiches van honderd dollar op rood staan en won voor de derde keer achtereen. Vierduizend dollar in nog geen vijf minuten. Hij nam een biertje in de sportbar en keek naar een bokswedstrijd. Toen hij een wild geschreeuw bij de crap-tafels hoorde, besloot hij daar niet meer heen te gaan. Hij was blij dat hij bijna elfduizend dollar in zijn zak had.
Eigenlijk was het te laat om nog naar Angel te gaan, maar hij moest haar spreken. Doelbewust liep hij tussen de rijen gokautomaten door, zo ver mogelijk van de crap-tafels vandaan. Hij liep vlug, want hij wilde bij de voordeur zijn voordat hij van gedachten veranderde en naar de crap-tafels terugrende. Hij haalde het.
Hij had nog maar een minuut of zo gereden toen hij blauwe lichten achter zich zag. Het was een politieauto, en die zat algauw dicht achter zijn bumper, met flikkerend zwaailicht. Derrick had geen pepermunt of kauwgom. Hij stopte, stapte uit de auto en wachtte op bevelen van de politieagent, die dicht bij hem kwam staan en meteen de alcohol rook.
'Hebt u gedronken?' vroeg hij.
'O, u weet wel, een paar biertjes in het casino.'
De agent scheen met een verblindende zaklantaarn in Derricks ogen, liet hem over een rechte streep lopen en met zijn vingers tegen zijn neus tikken. Het was duidelijk dat Derrick dronken was. Hij kreeg handboeien om en werd ingesloten. Hij gaf toestemming voor een blaasproef en toen was zijn lot bezegeld.
Er werden veel vragen gesteld over de bankbiljetten in zijn zakken. Zijn antwoord was op zich niet ongeloofwaardig: hij had geluk gehad in het casino. Maar hij had geen baan. Hij woonde bij zijn broer. Geen strafblad. De gevangenbewaarder van het politiebureau noteerde hoeveel geld en andere bezittingen hij bij zich had en borg het allemaal op in een kluis.
Derrick zat op een bovenbrits in de dronkemanscel, terwijl twee laveloze kerels op de vloer lagen te kreunen. Een telefoontje zou hem niet helpen, want hij kon Angel niet rechtstreeks bellen. Dronken automobilisten werden altijd minimaal vijf uur vastgehouden. Hij moest Angel bereiken voordat ze naar de rechtbank ging.

Swanson werd maandagmorgen om half vier wakker gebeld. De stem aan de andere kant van de lijn klonk suf en gesmoord en de woorden kwamen een beetje onduidelijk over, maar hij hoorde meteen dat het Beverly Monk was. 'Welkom in New York,' zei ze met luide stem en begon meteen als een gek te lachen, zo stoned dat ze amper nog op de wereld was.
'Waar ben je?' vroeg Swanson. 'Ik heb het geld.'
'Later,' zei ze, en toen hoorde hij twee agressieve mannenstemmen op de achtergrond. 'We doen het later.' Iemand zette de muziek harder.

'Ik heb die informatie snel nodig.'
'En ik heb het geld nodig.'
'Goed. Zeg maar waar en wanneer.'
'O, ik weet het niet,' zei ze, en ze schold tegen iemand in de kamer.
Swanson greep de hoorn steviger vast. 'Hoor eens, Beverly, luister nou even. Weet je nog, dat cafetaria waar we elkaar de vorige keer hebben ontmoet?'
'Ja, ik geloof van wel.'
'Aan Eighth Avenue, Balducci's.'
'O, ja.'
'Goed. Kom daar zo gauw mogelijk naartoe.'
'Hoe gauw is dat?' vroeg ze, en barstte in lachen uit.
Swanson bleef geduldig. 'Zullen we zeggen, zeven uur?'
'Hoe laat is het nu?'
'Half vier.'
'Wow.'
'Zeg, kan ik je niet meteen komen halen? Vertel me maar waar je bent, dan neem ik een taxi.'
'Nee, ik blijf hier nog even. Het is hier te gek.'
'Je bent dronken.'
'Nou en?'
'Nou en, als je die vierduizend dollar wilt, moet je nuchter genoeg blijven om met me te praten.'
'Ik zal er zijn, jongen. Hoe heette je ook weer?'
'Swanson.'
'Ja, Swanson. Ik ben er om zeven uur, of kort daarna.' Lachend hing ze op.
Swanson vond het niet de moeite waard om weer te gaan slapen.

Om half zes meldde Marvis Maples zich bij de gevangenbewaarder op het politiebureau en vroeg of hij zijn broer Derrick mocht meenemen. De vijf uren waren om. De bewaarder haalde Derrick uit de dronkemanscel, pakte een metalen dienblad uit de kluis en zette het op de tafel. Onder de verbaasde blikken van zijn broer controleerde Derrick of alles er was: elfduizend dollar in contanten, autosleutels, zakmes, lippenbalsem.
Op het parkeerterrein vroeg Marvis naar het geld en legde Derrick uit dat hij geluk had gehad in het casino. Hij gaf Marvis tweehonderd dollar en vroeg of hij zijn auto mocht lenen. Marvis pakte het geld aan en zei dat hij bij het politiebureau zou blijven wachten tot Derricks auto uit de parkeergarage kwam.
Derrick reed in volle vaart naar Pass Christian. Toen hij achter de Siesta Inn parkeerde, begon het in het oosten al een beetje licht te worden. Hij dook ineen, voor het geval dat er iemand voorbij zou komen, en sloop door

de struiken tot hij bij het raam van Angels kamer was. Dat zat natuurlijk op slot en hij begon erop te tikken. Toen er geen reactie kwam, pakte hij een steentje op en tikte wat harder. Overal om hem heen werd het geleidelijk licht. Hij begon in paniek te raken.
'Geen beweging!' zei een harde stem erg dicht bij zijn rug.
Derrick draaide zich met een ruk om en zag dat Chuck, de geüniformeerde deputy, een lang en glanzend zwart pistool op zijn voorhoofd richtte. Hij maakte een gebaar met dat pistool. 'Ga van dat raam weg! Handen omhoog!'
Derrick bracht zijn handen omhoog en stapte door de struiken. 'Op de grond,' was het volgende commando, en Derrick ging languit op het koude trottoir liggen, met zijn handen achter zich. Chuck vroeg over de radio om hulp.
Marvis stond nog bij het politiebureau op Derricks auto te wachten toen zijn broer voor de tweede keer in één nacht als arrestant werd binnengebracht.
Angel sliep door dit alles heen.

38

Het was eigenlijk jammer dat het ijverigste jurylid, degene die met de meeste aandacht luisterde en zich het meest herinnerde van wat er gezegd was, en zich stipt aan rechter Harkins voorschriften hield, de laatste was die eruit gegooid werd en dus geen invloed kon uitoefenen op de jury-uitspraak.

Zo punctueel als de klok zelf arriveerde mevrouw Grimes om precies kwart over zeven in de eetkamer. Ze pakte een dienblad en begon de ontbijtspullen bij elkaar te leggen die ze al bijna twee weken pakte. Zemelvlokken, magere melk, een plakje bacon en appelsap voor haarzelf. Zoals hij vaak deed, stond Nicholas met haar bij het buffet en bood hij aan te helpen. Overdag, in de jurykamer, schonk hij nog steeds koffie voor Herman in en hij voelde zich verplicht om 's morgens ook te helpen. Twee keer suiker en een keer melk voor Herman. Zwart voor mevrouw Grimes. Ze praatten over hun vertrek, vroegen elkaar of ze alles al hadden ingepakt. Blijkbaar verheugde ze zich erop dat ze die avond weer gewoon thuis zouden eten.

Die ochtend was de stemming in de eetkamer ronduit feestelijk te noemen. Nicholas en Henry Vu zaten aan de eettafel en begroetten de anderen als ze binnenkwamen. Ze gingen naar huis!

Toen mevrouw Grimes het bestek pakte, leidde Nicholas haar af door iets over de advocaten te zeggen en liet intussen vier tabletjes in Hermans koffie vallen. Hij zou er niet dood aan gaan. Het was methergine, een obscuur medicijn dat vooral op spoedgevallenafdelingen werd gebruikt om mensen weer tot leven te wekken die nagenoeg dood waren. Herman zou vier uur ziek zijn, maar daarna volledig herstellen.

Zoals hij wel vaker deed, volgde Nicholas haar door de gang naar hun kamer. Hij droeg het dienblad en praatte over van alles en nog wat. Ze bedankte hem hartelijk; zo'n aardige jongeman.

Het tumult brak een half uur later uit, en Nicholas zat er middenin. Mevrouw Grimes kwam de gang op en riep Chuck, die op zijn post zat en onder het genot van een kopje koffie de krant las. Nicholas hoorde haar roepen en stormde zijn kamer uit. Er was iets mis met Herman!
Lou Dell en Willis kwamen op de paniekstemmen af en algauw stonden de meeste juryleden voor de kamer van het echtpaar Grimes. De deur stond open en er heerste grote drukte. Herman lag op de vloer van de badkamer, helemaal dubbelgeklapt, zijn handen tegen zijn maag gedrukt. Hij leed vreselijke pijn. Mevrouw Grimes en Chuck stonden over hem heen gebogen. Lou Dell rende naar de telefoon en draaide 911. Nicholas zei ernstig tegen Rikki Coleman dat het pijn in de borst was, misschien een hartaanval. Herman had er al een gehad, zes jaar geleden.
Binnen enkele minuten wist iedereen dat Herman een hartaanval had gehad.
De ambulancebroeders kwamen met een brancard op wielen en Chuck duwde de andere juryleden de gang op. Herman werd gestabiliseerd en hij kreeg zuurstof toegediend. Zijn bloeddruk was iets hoger dan normaal. Mevrouw Grimes zei steeds weer dat het haar aan zijn eerste hartaanval deed denken.
Ze reden hem de kamer uit en duwden hem vlug de gang over. In de consternatie zag Nicholas kans Hermans koffiekopje om te gooien.
Met loeiende sirene werd Herman weggereden. De juryleden trokken zich in hun kamers terug om te proberen enigszins tot rust te komen. Lou Dell belde rechter Harkin om hem te vertellen dat Herman ernstig ziek was geworden. Aangenomen werd dat hij weer een hartaanval had gehad.
'Ze vallen weg als kegels,' zei ze, en ze zei dat ze in de achttien jaar dat ze dit werk deed nog nooit zoveel juryleden had verloren. Harkin kapte haar af.

Hij verwachtte eigenlijk niet dat ze precies om zeven uur bij hem zou komen om koffie met hem te drinken en het geld in ontvangst te nemen. Nog maar een paar uur eerder was ze volkomen buiten zinnen geweest en had ze laten blijken dat ze nog wel even doorging met feestvieren, dus hoe kon hij verwachten dat ze netjes op tijd kon komen? Hij at een uitgebreid ontbijt en las de eerste van veel kranten. Het werd acht uur. Hij ging naar een betere tafel voor het raam, van waar hij naar de mensen op het trottoir kon kijken.
Om negen uur belde Swanson naar haar appartement en kreeg het aan de stok met dezelfde huisgenote. Nee, ze was er niet, ze was er de hele nacht niet geweest en misschien woonde ze daar helemaal niet meer.
Ze is iemands dochter, zei hij tegen zichzelf. Ze trok van appartement naar appartement, leefde van dag tot dag, verdiende net genoeg geld om in

leven te blijven en de volgende portie chemicaliën te kopen. Wisten haar ouders wat ze deed?
Hij had genoeg tijd om over die dingen na te denken. Om tien uur bestelde hij toost, omdat de serveerster nu de hele tijd nadrukkelijk naar hem keek. Zo te zien ergerde het haar dat Swanson blijkbaar de hele dag bleef bivakkeren.

Op grond van geruchten die kennelijk goed gefundeerd waren, opende het aandeel Pynex tamelijk sterk. Nadat het vrijdags op drieënzeventig was gesloten, sprong het op maandagmorgen na de openingsklok naar zesenzeventig en haalde het binnen enkele minuten de achtenzeventig. Er kwam goed nieuws uit Biloxi, al scheen niemand de bron te kennen. Er was een levendige handel in tabaksaandelen en ze stegen allemaal snel in waarde.

Rechter Harkin verscheen pas om bijna half tien in de rechtszaal en toen hij plaatsnam, zag hij dat de zaal helemaal vol zat, wat hem overigens niet verbaasde. Hij had net een verhitte discussie met Rohr en Cable achter de rug. Cable had aangedrongen op een ongeldigverklaring, omdat er weer een jurylid was weggevallen. Maar er was onvoldoende reden voor een ongeldigverklaring. Harkin had zijn huiswerk gedaan. Hij had zelfs een oude zaak gevonden waarin het elf juryleden was toegestaan een beslissing over een civiele procedure te nemen. Er waren negen stemmen vereist, maar de uitspraak van de jury was door het hooggerechtshof bevestigd.
Zoals te verwachten was, verspreidde het nieuws van Hermans hartaanval zich snel onder de vele aanwezigen in de rechtszaal. De jury-experts die voor de gedaagde werkten, zeiden zachtjes dat het een grote overwinning voor hun kant was, omdat Herman duidelijk aan de kant van de eiseres had gestaan. De jury-experts in dienst van de eiseres verzekerden Rohr en consorten dat Hermans verwijdering een zware slag voor de gedaagde was omdat Herman duidelijk aan de kant van de tabaksindustrie had gestaan. Alle jury-experts zeiden blij te zijn met de komst van Shine Royce, al konden de meesten het niet echt goed beredeneren.
Fitch zat verbijsterd voor zich uit te kijken. Hoe ter wereld bezorgde je iemand een hartaanval? Was Marlee koelbloedig genoeg om een blinde man te vergiftigen? Goddank stond ze aan zijn kant.
De deur ging open. De juryleden kwamen achter elkaar naar binnen. Iedereen keek of Herman er inderdaad niet bij was. Zijn plaats bleef leeg. Rechter Harkin had met een arts van het ziekenhuis gesproken en vertelde de juryleden nu eerst dat Herman goed vooruitging en dat het misschien niet zo ernstig was als aanvankelijk was verondersteld. De juryleden, vooral Nicholas, waren enorm opgelucht. Shine Royce werd jurylid num-

mer vijf en nam Hermans oude plaats op de voorste rij tussen Phillip Savelle en Angel Weese in.
Shine was erg trots op zichzelf.
Toen de zaal tot rust was gekomen, zei de rechter tegen Wendall Rohr dat hij aan zijn slotpleidooi kon beginnen. Niet langer dan een uur, waarschuwde hij. Rohr, die zijn favoriete opzichtige jasje droeg, al was zijn overhemd nu gestreken en had hij een schoon vlinderstrikje, begon zich zachtjes te verontschuldigen voor de lange duur van het proces. Hij bedankte de juryleden voor hun geduld en aandacht. Zodra hij de vriendelijke opmerkingen had afgewerkt, begon hij aan een venijnige beschrijving van '... het dodelijkste consumentenproduct dat ooit is gemaakt. De sigaret. De sigaret doodt vierhonderdduizend Amerikanen per jaar, tien keer zoveel als illegale drugs. Geen enkel ander product komt daarbij in de buurt.'
Hij haalde de hoogtepunten uit de getuigenverklaringen van de geleerde heren Fricke, Bronsky en Kilvan aan, zonder uitgebreid in te gaan op wat ze hadden gezegd. Hij herinnerde hen aan Lawrence Krigler, een man die in de tabaksindustrie had gewerkt en alle vuile trucjes kende. Hij praatte tien minuten nogal achteloos over Leon Robilio, de man zonder stem die twintig jaar promotor van tabak was geweest en toen besefte hoe corrupt die bedrijfstak was.
Rohr kwam op dreef toen hij over de tieners kwam te spreken. De tabaksindustrie kon zich alleen handhaven als ze zorgde dat tieners verslaafd raakten en de volgende generatie haar producten kocht. Alsof hij in de jurykamer had meegeluisterd, vroeg Rohr de juryleden zich eens af te vragen hoe oud zij waren geweest toen ze begonnen te roken.
Drieduizend tieners per dag begonnen met roken. Duizend van hen zouden er uiteindelijk aan sterven. Wat viel er nog meer te zeggen? Werd het geen tijd dat die rijke tabaksconcerns gedwongen werden achter hun eigen producten te staan? Tijd om hun aandacht te trekken? Tijd om te zorgen dat ze onze kinderen met rust lieten? Tijd om ze te laten betalen voor de schade die door hun producten werd veroorzaakt?
Hij werd fel toen hij over nicotine kwam te spreken, en over de koppige bewering van de tabaksindustrie dat nicotine niet verslavend was. Ex-drugsverslaafden hadden verklaard dat het gemakkelijker was om met marihuana en cocaïne te stoppen dan met sigaretten. Hij werd nog feller toen hij over Jankle en diens misbruiktheorie kwam te spreken.
Toen knipperde hij een keer met zijn ogen en was meteen een ander mens. Hij sprak over zijn cliënte, mevrouw Celeste Wood, een voortreffelijke echtgenote, moeder, vriendin, een echt slachtoffer van de tabaksindustrie. Hij sprak over haar man, de overleden Jacob Wood, die verslaafd was geraakt aan Bristol, het paradepaardje van Pynex, en twintig jaar had

geprobeerd om van zijn verslaving af te komen. Hij had kinderen en kleinkinderen nagelaten. Op zijn eenenvijftigste gestorven omdat hij een wettelijk toegestaan product had gebruikt op de manier waarop het gebruikt diende te worden.

Hij liep naar een wit schrijfbord op een statief en maakte een aantal snelle berekeningen. De geldswaarde van Jacob Woods leven was, laten we zeggen, een miljoen dollar. Hij voegde daar andere geleden schade aan toe en kwam op twee miljoen. Dat was dus de feitelijke schade, geldbedragen waarop de familie recht had, omdat Jacob was gestorven.

Maar het ging in deze zaak niet om de feitelijke schade. Rohr gaf een kort college over schadevergoeding bij wijze van straf. Die schadevergoeding werd toegekend om het Amerikaanse bedrijfsleven in het gareel te houden. Hoe straf je een onderneming die achthonderd miljoen dollar aan reserves heeft?

Je zet het die onderneming betaald.

Rohr noemde met opzet geen cijfer, al had hij het recht om dat nu te doen. Hij liet gewoon dat bedrag van $ 800.000.000 RESERVES in grote letters op het bord staan toen hij naar zijn lessenaar terugging en zijn pleidooi afsloot. Hij bedankte de jury opnieuw en ging zitten. Achtenveertig minuten.

De rechter schorste de zitting voor tien minuten.

Ze was vier uur te laat, maar evengoed had Swanson haar wel kunnen omhelzen. Hij deed dat niet, want hij was bang voor besmettelijke ziekten en bovendien kwam ze samen met een groezelige jongeman die van top tot teen in zwart leer gekleed was en ravenzwart haar en een geverfd sikje had. Het woord JADE stond indrukwekkend op het midden van zijn voorhoofd getatoeëerd en hij droeg een fraaie collectie oorringen aan beide kanten van zijn hoofd.

Jade zei niets, maar trok een stoel bij en ging als een dobermann op wacht zitten.

Zo te zien was Beverly geslagen. Ze had een snee in haar onderlip, die gezwollen was. Verder had ze geprobeerd een blauwe plek op haar wang met make-up te camoufleren en was de hoek van haar rechteroog gezwollen. Ze rook naar verschaalde hasj en goedkope whisky, en ze was high van iets, waarschijnlijk speed.

Swanson hoefde maar even geprovoceerd te worden en hij zou Jade op zijn tatoeage slaan en de oorringen langzaam losscheuren.

'Heb je het geld?' vroeg ze met een blik op Jade, die Swanson met een onbewogen gezicht aankeek. Het leed geen enkele twijfel waar het geld heen ging.

'Ja. Vertel me over Claire.'

'Laat me het geld zien.'
Swanson haalde een kleine envelop te voorschijn en maakte hem een beetje open om de bankbiljetten te laten zien. Vervolgens hield hij hem met beide handen onder de tafel. 'Vierduizend dollar. En nu vlug vertellen,' zei hij met een woedende blik op Jade.
Beverly keek Jade aan, die haar als een slechte acteur toeknikte en zei: 'Doe het maar.'
'Ze heet eigenlijk Gabrielle Brant. Ze komt uit Columbia, Missouri. Ze studeerde daar ook aan de universiteit, waar haar moeder mediaevistiek doceerde. Meer weet ik niet.'
'En haar vader?'
'Ik denk dat hij dood is.'
'Verder nog iets?'
'Nee. Geef me het geld.'
Swanson schoof het over de tafel en stond meteen op. 'Bedankt,' zei hij, en verdween.

Durwood Cable had iets meer dan een half uur nodig om op een soepele manier korte metten te maken met het belachelijke idee dat er miljoenen moesten worden toegekend aan de familie van een man die vijfendertig jaar uit vrije wil had gerookt. Wat de eiseres deed, was in feite gewoon graaien naar geld.
Wat hem in de argumentatie van de advocaten van de eiseres vooral zo tegenstond, was hun poging om de aandacht af te leiden van Jacob Wood en zijn rookgewoonten en er een emotioneel debat over rokende tieners van te maken. Wat had Jacob Wood te maken met de reclame die momenteel voor sigaretten werd gemaakt? Er was geen greintje bewijs voor dat wijlen de heer Wood zich door een reclamecampagne had laten beïnvloeden. Hij was met roken begonnen omdat hij dat zelf wilde.
Waarom zou je hier tieners bij halen? Om de emotionele lading – daarom! Wij worden kwaad als we denken dat kinderen worden geschaad of gemanipuleerd. En om u, juryleden, over te halen de eiseres een fortuin toe te kennen moeten haar advocaten eerst proberen u kwaad te maken.
Cable deed heel handig een beroep op hun gevoel voor redelijkheid. Ze moesten afgaan op de feiten, niet op emoties. Toen hij klaar was, had hij hun volledige aandacht.
Cable ging zitten. Rechter Harkin bedankte hem en zei tegen de jury: 'Dames en heren, de zaak wordt nu aan u overgelaten. Ik stel voor dat u een nieuwe voorzitter kiest die de plaats van de heer Grimes overneemt, over wie ik inmiddels heb gehoord dat het veel beter met hem gaat. Ik heb tijdens de laatste schorsing met zijn vrouw gesproken en hij is nog tamelijk ziek, maar de artsen verwachten dat hij spoedig herstelt. Als u mij om

de een of andere reden wilt spreken, kunt u dat doorgeven aan mevrouw Dell. De rest van uw instructies zal u in de jurykamer worden overhandigd. Veel succes.'

Toen Harkin afscheid van hen nam, keek Nicholas naar de tribunes en kwam hij even oog in oog met Rankin Fitch. Het was een vluchtige bevestiging van de stand van zaken. Fitch knikte en Nicholas stond tegelijk met de andere juryleden op.

Het was bijna twaalf uur. De zitting was tot nader order geschorst, en dat betekende dat iedereen mocht gaan en staan waar hij wilde totdat de jury het eens was. De jongens van Wall Street sprintten de zaal uit om hun kantoren te bellen. De bestuursvoorzitters van de Grote Vier spraken even met ondergeschikten en verlieten toen de rechtszaal in de hoop daar nooit meer terug te komen.

Fitch ging meteen naar zijn kantoor. Konrad stond bij een rij telefoons. 'Het is haar,' zei hij gespannen. 'Ze belt uit een telefooncel.' Fitch liep nog sneller door naar zijn kamer en griste daar de hoorn van de haak. 'Hallo.'

'Fitch, luister. Nieuwe overboekingsinstructies. Zet me even in de wacht en ga naar je fax.' Fitch keek naar zijn privé-fax, waarop iets binnenkwam. 'Hij staat hier bij me,' zei hij. 'Waarom nieuwe instructies?'

'Stil, Fitch. Doe nou maar wat ik zeg, en doe het onmiddellijk.'

Fitch trok het faxbericht uit het apparaat en las de met de hand geschreven boodschap vlug door. Het geld moest nu naar Panama. De Banco Atlántico in Panama City. Ze gaf rekeningnummers en gedetailleerde instructies.

'Je hebt twintig minuten, Fitch. De jury zit nu te lunchen. Als ik om half een nog geen bevestiging heb, gaat het niet door en slaat Nicholas een andere koers in. Hij heeft een zaktelefoon bij zich en wacht tot ik hem bel.'

'Bel om half een terug,' zei Fitch, en hing op. Hij gaf Konrad opdracht alle telefoontjes tegen te houden. Geen uitzonderingen. Onmiddellijk faxte hij haar instructies naar zijn overboekingsexpert in Washington, die op zijn beurt de noodzakelijke machtiging naar de Hanwa Bank op de Nederlandse Antillen faxte. Hanwa had daar de hele ochtend al op gewacht en binnen tien minuten verliet het geld Fitch' rekening en vloog het over de Caribische Zee naar de bank in Panama City, waar het al werd verwacht. Een bevestiging van Hanwa werd naar Fitch gefaxt, die hem op dat moment erg graag naar Marlee zou willen doorfaxen, maar hij had haar nummer niet.

Om twintig over twaalf belde Marlee haar bankier in Panama, die de ontvangst van de tien miljoen dollar bevestigde.

Marlee zat in een motelkamer op tien kilometer afstand en gebruikte een draagbaar faxapparaat. Ze wachtte vijf minuten en gaf toen opdracht aan dezelfde bankier om het geld telegrafisch over te boeken naar een bank op

de Cayman Islands. Al het geld ging daarheen, en zodra het weg was, werd de rekening bij de Banco Atlántico gesloten.
Nicholas belde om precies half een. Hij had zich op de herentoiletten verstopt. De lunch was voorbij en het werd tijd om met de beraadslagingen te beginnen. Marlee zei dat het geld veilig was en dat zij wegging.
Fitch wachtte tot bijna één uur. Ze belde uit een andere telefooncel. 'Het geld is aangekomen, Fitch,' zei ze.
'Mooi. Zullen we samen ergens lunchen?'
'Een andere keer misschien.'
'Wanneer kunnen we een jury-uitspraak verwachten?'
'Aan het eind van de middag. Ik hoop dat je je geen zorgen maakt, Fitch.'
'Ik? Nooit.'
'Ontspan je maar. Het wordt je grote triomf. Twaalf tegen nul stemmen, Fitch. Hoe klinkt dat je in de oren?'
'Als muziek. Waarom hebben jullie die arme oude Herman er uitgegooid?'
'Ik weet niet waar je het over hebt.'
'Ja, goed. Wanneer kunnen we het vieren?'
'Ik bel je nog wel.'
Ze stapte in een huurauto en reed hard weg, waarbij ze voortdurend in haar spiegeltje keek. Haar geleasde auto stond voor haar flat; ze zou er niet naar terugkeren. Op de achterbank van deze auto had ze twee tassen met kleren, de enige persoonlijke bezittingen die ze kon meenemen, en ook de draagbare fax. De inrichting van de flat gaf ze prijs aan degene die er uiteindelijk op een veiling het meest voor zou bieden.
Ze reed in een grillig patroon door een woonwijk, een truc die ze de vorige dag had geoefend voor het geval dat iemand haar wilde volgen. Fitch' jongens zaten niet achter haar aan. Ze zigzagde door kleine straatjes tot ze bij het vliegveld van Gulfport kwam, waar een kleine Lear Jet stond te wachten. Ze pakte haar twee tassen, liet de autosleutels in de auto achter, stapte uit en gooide het portier in het slot.

Swanson belde een keer, maar kon er niet doorkomen. Hij belde zijn chef in Kansas City en er werden meteen drie mannen naar Columbia gestuurd, een uur rijden. Twee anderen gingen achter de telefoon zitten, belden snel naar de universiteit van Missouri, naar de afdeling Mediaevistiek. Het was een wanhopige poging om iemand te vinden die iets wist en die wilde praten. In het telefoonboek van Columbia stonden zes Brants. Ze werden allemaal meer dan eens opgebeld en ze zeiden allemaal dat ze geen Gabrielle Brant kenden.
Ten slotte kreeg hij Fitch kort na één uur aan de lijn. Fitch had zich een uur in zijn kantoor opgesloten zonder de telefoon op te nemen. Swanson was op weg naar Missouri.

39

Toen na de lunch de tafel was afgeruimd en alle rokers uit de rookkamer waren teruggekeerd, werd duidelijk dat ze nu moesten doen waar ze al een maand van droomden. Ze namen hun plaats aan de tafel in en keken naar de lege stoel aan het hoofd, de stoel die Herman zo trots had bezet.
'Dan moesten we nu maar een nieuwe voorzitter kiezen,' zei Jerry.
'Ik vind dat Nicholas het moet worden,' voegde Millie er vlug aan toe.
In feite leed het geen enkele twijfel wie de nieuwe voorzitter zou worden. Niemand anders wilde het zijn en Nicholas scheen net zoveel van de procedure te weten als de advocaten zelf. Hij werd bij acclamatie gekozen.
Hij ging bij Hermans oude stoel staan en somde een aantal suggesties van rechter Harkin op. 'Hij wil dat we al het bewijsmateriaal zorgvuldig in overweging nemen, inclusief de bewijsstukken en documenten, voordat we beginnen te stemmen.' Nicholas keek naar links, naar een tafel in een hoek, die hoog beladen was met al die geweldige onderzoeksrapporten die ze de afgelopen vier weken hadden verzameld.
'Ik ben niet van plan hier drie dagen te blijven,' zei Lonnie, terwijl ze allemaal naar de tafel keken. 'Sterker nog, ik vind dat we nu meteen wel kunnen stemmen.'
'Niet zo snel,' zei Nicholas. 'Dit is een gecompliceerde, erg belangrijke zaak en het zou verkeerd zijn als we de dingen zouden overhaasten.'
'Ik vind dat we moeten stemmen,' zei Lonnie.
'En ik vind dat we moeten doen wat de rechter zegt. Zo nodig, kunnen we hem bij ons laten komen om met hem te praten.'
'We gaan al die rapporten toch niet lezen?' vroeg Sylvia de Poedel. Lezen was niet een van haar favoriete tijdsbestedingen.
'Ik heb een idee,' zei Nicholas. 'Als we nu eens ieder een rapport nemen,

dat vlug doorlezen en dan samenvatten voor de anderen? Dan kunnen we in alle eerlijkheid tegen rechter Harkin zeggen dat we alle bewijsstukken en documenten hebben doorgenomen.'
'Denk je echt dat hij het wil weten?' vroeg Rikki Coleman.
'Waarschijnlijk wel. Onze uitspraak moet gebaseerd zijn op het bewijsmateriaal dat ons wordt gepresenteerd – de getuigenverklaringen hebben we gehoord en de bewijsstukken hebben we gekregen. We kunnen op zijn minst proberen zijn bevelen op te volgen.'
Er werd nog wat gemompeld, maar iedereen schikte zich. Millie en Henry Vu pakten de dikke rapporten en legden ze midden op de tafel, waar ze langzaam door de juryleden werden opgepakt.
'Gewoon snel doornemen,' zei Nicholas, hen aansporend als een opgewonden schoolmeester. Hij pakte het dikste rapport, een onderzoek van Milton Fricke naar de gevolgen van sigarettenrook voor het ademhalingskanaal en las het alsof hij nog nooit zulk boeiend proza onder ogen had gehad.
In de rechtszaal hingen nog een paar nieuwsgierigen rond in de hoop dat er een snelle uitspraak zou komen. Dat gebeurde vaak: je stuurde de juryleden naar hun kamer, gaf ze een lunch, liet ze stemmen en je had een uitspraak. De mening van veel juryleden stond al vast voordat ze de eerste getuige hadden gehoord.
Maar zo ging het deze keer niet.

Op een hoogte van twaalfduizend meter en met een snelheid van achthonderd kilometer per uur legde de Lear de afstand van Biloxi naar Georgetown, Grand Cayman, in anderhalf uur af. Marlee passeerde de douane met een nieuw Canadees paspoort op naam van Lane MacRoland, een knappe jongedame uit Toronto die een weekje vakantie kwam houden op het eiland. Zoals de wet van de Cayman Islands vereiste, bezat ze ook een retourticket voor een Delta-vlucht naar Miami over zes dagen. Op de Caymans waren ze gek op toeristen maar stonden ze niet te springen om nieuwe ingezetenen.
Het paspoort maakte deel uit van een perfect stel nieuwe papieren dat ze van een gerenommeerde vervalser in Montreal had gekocht: paspoort, rijbewijs, geboortecertificaat, kiezersregistratiekaart. De kosten: drieduizend dollar.
Ze nam een taxi naar Georgetown en vond haar bank, de Royal Swiss Trust, in een statig oud gebouw, een huizenblok van de haven vandaan. Ze was nooit eerder op Grand Cayman geweest, al was het of het eiland haar tweede thuis was, want ze had er twee maanden studie van gemaakt. Haar financiële aangelegenheden waren zorgvuldig per fax geregeld.
De tropische lucht was warm en drukkend, maar daar merkte ze bijna

niets van. Ze was hier niet voor de zon en het strand. Het was drie uur in Georgetown, en ook in New York. Twee uur in Mississippi.
Ze werd door een receptionist begroet en naar een kantoortje geleid, waar ook een formulier moest worden ingevuld, een formulier dat niet gefaxt kon worden. Binnen enkele minuten stelde een jonge man die Marcus heette zich aan haar voor. Ze hadden elkaar vele malen door de telefoon gesproken. Hij was slank, keurig verzorgd, goed in het pak, erg Europees, en hij sprak perfect Engels met een heel licht accent.
Het geld was gearriveerd, vertelde hij haar, en Marlee zag kans dat nieuws aan te horen zonder dat er zelfs maar een vage glimlach op haar gezicht kwam. Dat kostte haar moeite. De papieren waren in orde. Ze volgde hem naar zijn kantoor op de bovenverdieping. Marcus' titel was vaag, zoals veel titels van bankemployés op Grand Cayman, maar hij was adjunct-directeur van dit of dat en hij beheerde beleggingsportefeuilles.
Een secretaresse bracht koffie en Marlee bestelde een broodje.
Pynex werd verhandeld voor negenenzeventig dollar. De hele dag was er bij levendige handel een trend omhoog geweest, vertelde Marcus, typend op het toetsenbord van zijn computer. Trellco was met drie en een kwart punt naar zesenvijftig gestegen. Smith Greer was met twee punten gestegen naar vierenzestig en een half. ConPack bleef gelijk op ongeveer drieëndertig.
Op grond van aantekeningen die ze bijna uit haar hoofd kende deed Marlee haar eerste transactie door vijftigduizend aandelen Pynex 'short' te verkopen voor negenenzeventig dollar. Hopelijk zou ze ze in de heel nabije toekomst voor een veel lagere prijs kunnen inkopen. Short gaan was een riskante manoeuvre die normaal gesproken alleen door de meest ervaren beleggers werd gebruikt. Het betekende dat je aandelen verkocht die je nog moest kopen. Als de prijs van een aandeel op het punt stond te gaan dalen, was het toegestaan om het eerst voor een hogere prijs te verkopen en daarna voor een lagere prijs te kopen.
Met tien miljoen in contanten zou Marlee voor ongeveer twintig miljoen dollar aan aandelen mogen verkopen.
Marcus bevestigde de transactie door snel iets in te typen en verontschuldigde zich even toen hij zijn koptelefoon opzette. Vervolgens ging ze short met Trellco – dertigduizend aandelen voor zesenvijftig en een kwart. Hij bevestigde het en typte het in. Ze verkocht veertigduizend aandelen Smith Greer voor vierenzestig en een half; nog eens zestigduizend Pynex voor negenenzeventig en een achtste; nog eens dertigduizend Trellco voor zesenvijftig en een achtste en vijftigduizend Smith Greer voor vierenzestig en drie achtsten.
Ze wachtte even en gaf Marcus opdracht Pynex zorgvuldig te volgen. Ze had net honderdtienduizend aandelen Pynex verkocht en maakte zich zor-

gen over de onmiddellijke reactie op Wall Street. Het aandeel bleef steken op negenenzeventig, zakte naar achtenzeventig driekwart en kwam weer op negenenzeventig.
'Ik denk dat het nu wel veilig is,' zei Marcus, die het aandeel al twee weken nauwlettend had gevolgd.
'Verkoop er nog eens vijftigduizend,' zei ze zonder aarzeling.
Marcus hart sloeg een slag over, hij knikte naar zijn monitor en bracht de transactie tot stand.
Pynex zakte naar achtenzeventig en een half, en daarna nog een kwart. Ze nam slokjes van haar koffie en speelde met haar notitieboekje, terwijl Marcus naar het scherm keek en Wall Street reageerde. Ze dacht aan Nicholas, aan wat hij op dat moment zou doen, maar maakte zich geen zorgen. In feite was ze opmerkelijk kalm.
Marcus zette zijn koptelefoon af. 'Dat is ongeveer tweeëntwintig miljoen dollar, mevrouw MacRoland. Ik vind dat we nu moeten stoppen. Voor nog meer short-transacties hebben we toestemming van mijn directeur nodig.'
'Zo is het genoeg,' zei ze.
'De beurs sluit over een kwartier. U mag in onze cliëntenlounge wachten.'
'Nee, dank u. Ik ga naar mijn hotel. Misschien ga ik nog even in de zon liggen.'
Marcus stond op en knoopte zijn jasje dicht. 'Eén vraag. Wanneer verwacht u dat er beweging in die aandelen komt?'
'Morgen. Erg gauw.'
'Grote beweging?'
Marlee stond op en hield haar notitieboekje tegen zich aan. 'Ja. Als u wilt dat uw andere cliënten u een genie vinden, moet u meteen short gaan met tabaksaandelen.'
Hij liet een auto van de bank komen, een kleine Mercedes, en Marlee werd naar een hotel aan Seven Mile Beach gereden, niet ver van de binnenstad en de bank.

Marlee mocht alles op dat moment dan volkomen onder controle hebben, haar verleden was hard op weg haar in te halen. Een detective die voor Fitch op de universiteit van Missouri aan het speuren was, vond een verzameling oude jaarboeken in de hoofdbibliotheek. In het boek van 1986 kwam een professor Evelyn Y. Brant voor, hoogleraar in de mediaevistiek, maar ze ontbrak in het boek van 1987.
Hij belde meteen een collega, die de belastingregisters op het gerechtsgebouw van Boone County aan het doornemen was. Die collega vond binnen enkele minuten het testamentenregister. Evelyn Y. Brants testament was in april 1987 goedgekeurd. Een personeelslid hielp hem het dossier te vinden.

Bingo! Mevrouw Brant was op 2 maart 1987 op zesenvijftigjarige leeftijd in Columbia overleden. Ze had geen man en één dochter, Gabrielle, eenentwintig jaar oud, die alles erfde op grond van een testament dat professor Brant drie maanden voor haar dood had ondertekend.
Het dossier was twee centimeter dik en de detective nam het bliksemsnel door. Tot het vermogen behoorde een huis, getaxeerd op $ 180.000 met een hypotheek die de helft daarvan bedroeg, een auto, een niet erg indrukwekkend aantal meubelen en andere roerende goederen, een deposito van $ 32.000 bij een plaatselijke bank en een effectenportefeuille met een waarde van $ 202.000. Er hadden zich maar twee crediteuren gemeld. Blijkbaar had professor Brant geweten dat ze spoedig zou overlijden en had ze juridisch advies ingewonnen. Met toestemming van Gabrielle werden het huis, de roerende goederen en de effecten in geld omgezet. Na aftrek van successierechten en juridische kosten werd een bedrag van $ 191.500 in een trustfonds ondergebracht. Gabrielle was de enige begunstigde.
De nalatenschap was afgehandeld zonder ook maar enige vijandschap. De juristen waren snel en bekwaam te werk gegaan. Dertien maanden na professor Brants dood was het dossier gesloten.
Hij bladerde het nog eens door, maakte aantekeningen. De twee onderste pagina's zaten aan elkaar vastgeplakt en hij trok ze voorzichtig los. De onderste was een halve pagina met een officieel stempel erop.
Het was de overlijdensakte. Professor Evelyn Y. Brant was aan longkanker gestorven.
Hij ging de gang op en belde zijn chef.

Toen Fitch werd gebeld, wisten ze al meer. Nadat het dossier zorgvuldig was doorgenomen door een andere detective, ditmaal een voormalige FBI-agent die van huis uit jurist was, bleken er in het testament legaten voor te komen ten gunste van organisaties als de Amerikaanse Longvereniging, de Coalitie voor een Rookvrije Wereld, de Werkgroep Tabak, de Actiegroep voor Schone Lucht en nog een stuk of vijf andere anti-roken-organisaties. Een van de vorderingen die waren ingediend, was een rekening van bijna twintigduizend dollar voor het laatste ziekenhuisverblijf. De naam van haar man, wijlen Peter Brant, kwam voor op een oude verzekeringspolis. Ze keken vlug in het register en constateerden dat zijn nalatenschap in 1981 was verdeeld. Zijn dossier werd aan de andere kant van het archief gevonden. Hij stierf in 1981 op tweeënvijftigjarige leeftijd en liet een geliefde vrouw en dierbare dochter Gabrielle, toen vijftien jaar oud, na. Hij overleed thuis, stond te lezen in zijn overlijdensakte, die ondertekend was door dezelfde arts als die van Evelyn. Een oncoloog.
Peter Brant was ook aan longkanker bezweken.

Swanson belde Fitch op, maar hij deed dat pas nadat hem meermalen was verzekerd dat de feiten juist waren.

Fitch nam de telefoon op in zijn kantoor. Hij was alleen, met de deur op slot, en reageerde nogal tam, want hij was zo erg geschokt dat hij bijna niets kon uitbrengen. Hij zat met zijn jasje uit aan zijn bureau, zijn das los, zijn schoenveters ook los. Hij zei weinig.

Marlee's beide ouders waren aan longkanker gestorven.

Hij noteerde het op een gele blocnote en trok er een cirkel omheen, met lijnen die zich vertakten, alsof hij dit nieuws in een schema kon onderbrengen en het vervolgens in stukjes kon verdelen en kon analyseren – alsof hij het op de een of andere manier in overeenstemming kon brengen met haar belofte om een jury-uitspraak te leveren.

'Ben je daar nog, Rankin?' vroeg Swanson na een lange stilte.

'Ja,' zei Fitch, en daarna zweeg hij weer een hele tijd. De lijntjes van het schema breidden zich uit maar leidden tot niets.

'Waar is het meisje?' vroeg Swanson. Hij stond in de kou voor het gerechtsgebouw in Columbia en hield een onmogelijk klein telefoontje tegen zijn wang gedrukt.

'Weet ik niet. We moeten haar vinden.' Hij zei dat zonder enige overtuiging en Swanson wist dat het meisje weg was.

Weer een lange stilte.

'Wat zal ik doen?' vroeg Swanson.

'Hier terugkomen, denk ik,' zei Fitch, en toen hing hij abrupt op.

De cijfers op zijn digitale klokje waren wazig en hij deed zijn ogen dicht. Hij masseerde zijn kloppende slapen, drukte zijn sikje hard tegen zijn kin, dacht over een uitbarsting, dacht erover het bureau tegen de muur te gooien zodat alle telefoons uit hun contact werden gerukt, maar zag ervan af. Hij moest het hoofd koel houden.

Afgezien van brandstichting in het gerechtsgebouw of een handgranaat in de jurykamer, kon hij niets doen om de beraadslagingen te laten ophouden. Ze zaten daar in die kamer, de laatste twaalf, met deputy's voor de deur. Als ze langzaam werkten en er die dag niet uitkwamen, zodat ze nog een nacht in afzondering moesten doorbrengen, kon Fitch misschien nog een konijn uit de hoed trekken en op de een of andere manier de procedure ongeldig laten verklaren.

Een bommelding was ook een mogelijkheid. Dan werden de juryleden geëvacueerd, weer afgezonderd, en naar een geheime plaats gebracht waar ze verder konden gaan met hun beraadslagingen.

Het schema liep op niets uit en hij maakte lijsten van mogelijkheden – extravagante daden, allemaal gevaarlijk, illegaal en tot mislukken gedoemd.

De klok tikte.
De twaalf gezworenen... elf discipelen en een leidsman.
Hij stond langzaam op en pakte de goedkope aardewerken lamp met beide handen vast. Het was een lamp die Konrad eerder had willen weghalen omdat het ding op Fitch' bureau stond, waar grote wanorde heerste.
Konrad en Pang stonden op de gang, wachtten op instructies. Ze wisten dat er iets verschrikkelijk mis was gegaan. De lamp sprong met grote kracht tegen de deur aan scherven. Fitch schreeuwde. De triplexwanden trilden. Een ander voorwerp sloeg tegen de muur kapot, misschien was het een telefoon. Fitch schreeuwde iets over 'het geld!' en toen daverde het hele bureau tegen de muur.
Ze deinsden hevig geschrokken terug. Ze wilde niet in de buurt van de deur zijn als die openging. Bam! Bam! Bam! Het klonk als mokerslagen. Fitch sloeg met zijn vuisten op het triplex.
'Vind het meisje!' schreeuwde hij in zijn ellende. Bam! Bam!
'Vind het meisje!'

40

Na een pijnlijke periode van geforceerde concentratie vond Nicholas dat het tijd werd voor een beetje discussie. Hij besloot zelf te beginnen en vatte Frickers rapport over de conditie van Jacob Woods longen voor de anderen samen. Hij deelde de sectiefoto's uit die geen van alle veel aandacht kregen. Dit was oude koek en ze verveelden zich.

'Volgens Frickes rapport veroorzaakt langdurig sigaretten roken longkanker,' zei Nicholas plichtsgetrouw, alsof het iemand zou verbazen.

'Ik heb een idee,' zei Rikki Coleman. 'Laten we nagaan of we het er allemaal over eens zijn dat sigaretten longkanker veroorzaken. Dat bespaart ons veel tijd.' Ze had gewacht op een opening, wilde niets liever dan discussiëren.

'Goed idee,' zei Lonnie. Hij was verreweg het meest opgewonden en gefrustreerd van het hele stel.

Nicholas gaf met een schouderophalen te kennen dat hij het goedvond. Hij was de voorzitter, maar had toch maar één stem. De juryleden konden doen wat ze wilden. 'Mij best,' zei hij. 'Gelooft iedereen dat sigaretten longkanker veroorzaken? Steek je hand op.'

Twaalf handen gingen omhoog, en daarmee werd een grote stap in de richting van een jury-uitspraak gezet.

'Laten we nu de verslaving nemen,' zei Rikki, en ze keek de tafel rond. 'Wie denkt dat nicotine verslavend is?'

Weer een unaniem ja.

Ze genoot van dit moment en stond blijkbaar nu op het punt zich op glad ijs te begeven: het vraagstuk van de aansprakelijkheid.

'Laten we het unaniem houden, mensen,' zei Nicholas. 'Het is van groot belang dat we tot een unanieme uitspraak komen. Als we uiteenvallen, hebben we gefaald.'

De meesten van hen hadden deze peptalk al gehoord. Het was niet helemaal duidelijk op welke juridische gronden hij zo graag een unanieme uitspraak wilde, maar ze geloofden hem evengoed.
'Nou, laten we verdergaan met die rapporten. Is iedereen klaar?'
Loreen Duke had een luxe uitgevoerde publicatie van Myra Sprawling-Goode bekeken. Ze had de inleiding gelezen, waarin stond dat het een grondig onderzoek van reclamepraktijken van tabaksondernemingen was geweest en dat vooral was onderzocht in hoeverre die praktijken op kinderen van onder de achttien gericht waren. In de conclusie achterin had ze gelezen dat de tabaksindustrie zich niet specifiek op minderjarige rokers richtte. De meeste van de tweehonderd bladzijden daartussenin had ze niet bekeken.
Ze vatte de samenvatting samen. 'Er staat hier dat nergens uit gebleken is dat tabaksondernemingen reclame maken die op kinderen gericht is.'
'Geloof je dat?' vroeg Millie.
'Nee. Volgens mij hadden we al vastgesteld dat de meeste mensen voor hun achttiende beginnen met roken. We hebben hier toch een keer een enquête gehouden?'
'Ja,' antwoordde Rikki. 'En alle rokers hier waren als jonge tieners begonnen.'
'En de meesten zijn gestopt, als ik het me goed herinner,' zei Lonnie met nogal wat verbittering in zijn stem.
'Laten we verdergaan,' zei Nicholas. 'Nog iemand?'
Jerry deed een zwakke poging om de slaapverwekkende bevindingen van Hilo Kilvan te beschrijven, de geniale statisticus die had bewezen dat onder rokers meer longkanker voorkwam dan onder niet-rokers. Jerry's samenvatting wekte geen belangstelling. Niemand stelde een vraag, er volgde geen discussie en hij verliet de kamer om gauw even een sigaretje te roken.
In de nu volgende stilte werkten ze zich door het drukwerk heen. Ze kwamen en gingen wanneer ze wilden – om te roken, om de benen te strekken, om naar het toilet te gaan. Lou Dell en Willis en Chuck bewaakten de deur.

Gladys Card was ooit lerares biologie geweest. Ze wist iets van natuurwetenschappen. Daarom lukte het haar erg goed om Robert Bronsky's rapport over de samenstelling van sigarettenrook te ontleden: de driehonderd verbindingen, de zestien bekende carcinogenen, de veertien alkali's, de irriterende stoffen en al die andere dingen. Ze sprak zoals ze vroeger haar klas toesprak en keek haar mede-juryleden een voor een aan.
Er leek geen eind aan haar verhaal te komen en de meeste juryleden staarden haar met doffe gezichten aan.

Toen ze klaar was, bedankte Nicholas, die nog wakker was, haar in hartelijke bewoordingen en stond op om meer koffie in te schenken.
'Nou, wat vinden jullie van dat alles?' vroeg Lonnie. Hij stond voor het raam, met zijn rug naar de kamer, at pinda's en dronk frisdrank.
'Volgens mij bewijst dit dat sigarettenrook hartstikke schadelijk is,' antwoordde Gladys.
Lonnie draaide zich om en keek haar aan. 'Ja. Ik dacht dat we dat al vastgesteld hadden.' Hij wendde zich tot Nicholas. 'Ik vind dat we nu moeten stemmen. We zitten nu al bijna drie uur te lezen en als de rechter me vraagt of ik al die rotzooi heb doorgenomen, zeg ik tegen hem: "Nou en of. Ik heb ieder woord gelezen."'
'Je doet maar wat je niet laten kunt, Lonnie,' zei Nicholas.
'Goed. Laten we stemmen.'
'Waarover stemmen?' vroeg Nicholas. Ze stonden nu ieder aan een hoofd van de tafel, met de andere juryleden tussen hen in.
'Laten we ieder zeggen hoe we erover denken. Ik begin wel.'
'Goed. Laat maar eens horen.'
Lonnie haalde diep adem en iedereen keek hem aan.
'Mijn standpunt is heel eenvoudig. Ik geloof dat sigaretten gevaarlijke producten zijn. Ze zijn verslavend. Ze zijn dodelijk. Daarom blijf ik ervan af. Iedereen weet dat, in feite hebben we het al vastgesteld. Ik geloof dat iedereen het recht heeft om te kiezen. Niemand kan je dwingen te roken, maar als je rookt, moet je de consequenties aanvaarden. Als je dertig jaar als een gek aan het paffen bent geweest, moet je niet verwachten dat ze je rijk maken. Er moet een eind komen aan die idiote processen.'
Hij sprak met luide stem en al zijn woorden drongen goed tot de anderen door.
'Ben je klaar?' vroeg Nicholas.
'Ja.'
'Wie is de volgende?'
'Ik heb een vraag,' zei mevrouw Gladys Card. 'Hoeveel schadevergoeding verwacht de eiseres dat we toekennen? Meneer Rohr liet dat min of meer in de lucht hangen.'
'Hij wil twee miljoen aan feitelijke schadevergoeding. De schadevergoeding bij wijze van straf laat hij aan ons over,' legde Nicholas uit.
'Waarom liet hij dan achthonderd miljoen dollar op dat bord staan?'
'Omdat hij graag achthonderd miljoen wil hebben,' antwoordde Lonnie. 'Wou je hem dat geven?'
'Ik vind van niet,' zei ze. 'Ik wist niet dat er zoveel geld op de wereld was. Zou Celeste Wood dat allemaal krijgen?'
'Heb je al die advocaten gezien?' vroeg Lonnie met een boosaardig lachje. 'Ze mag blij zijn als ze iets krijgt. Het gaat bij deze procedure niet om haar

of om haar overleden man. Het gaat om een stel advocaten die rijk worden aan procedures tegen tabaksondernemingen. Als we daarin trappen, zijn we oerstom.'
'Weet je wanneer ik begonnen ben met roken?' vroeg Angel Weese aan Lonnie, die nog stond.
'Nee. Dat weet ik niet.'
'Ik weet het nog precies. Ik was dertien en ik zag een groot aanplakbiljet in Decatur Street, niet ver van mijn huis. Een grote, slanke zwarte jongen, een echt stuk, stond met opgerolde broekspijpen op een strand in het water, met een sigaret in zijn ene hand en een bloedmooie zwarte meid op zijn rug. Ze straalden van geluk. Blinkend witte tanden. Salem menthol. Wat is dat goed, dacht ik bij mezelf. Dat is nog eens leven. Ik wou dat ook wel. Dus ging ik naar huis, ging naar mijn la, pakte mijn geld, liep de straat door en kocht een pakje Salem menthol. Mijn vriendinnen vonden het erg cool en ik ben altijd blijven roken.' Ze zweeg even en keek eerst Loreen Duke en toen Lonnie weer aan. 'En ga me niet vertellen dat iedereen kan stoppen. Ik ben verslaafd. Zo makkelijk is het niet. Ik ben twintig jaar oud, twee pakjes per dag, als ik niet stop haal ik de vijftig niet. En ga me niet vertellen dat ze zich niet op tieners richten. Ze richten zich op zwarten, vrouwen, cowboys, boerenkinkels, ze richten zich op iedereen, dat weten jullie net zo goed als ik.'
Voor iemand die in de afgelopen vier weken nooit emotie had getoond, was de woede in Angels stem een verrassing. Lonnie keek haar woedend aan, maar zei niets.
Loreen kwam haar te hulp. 'Een van mijn dochters, die van vijftien, zei vorige week tegen me dat ze op school was begonnen met roken omdat al haar vriendinnen nu rookten. Die kinderen zijn te jong om iets van verslaving te weten, en tegen de tijd dat ze dat door hebben, zijn ze verslaafd. Ik vroeg haar waar ze haar sigaretten koopt. Weet je wat ze antwoordde?'
Lonnie zei niets.
'Automaten. Er staat er een naast de ingang van het winkelcentrum waar die tieners rondhangen. En er staat er een in de hal van de bioscoop waar ze ook rondhangen. Een paar hamburgerrestaurants hebben ook van die automaten. En dan wou jij me vertellen dat ze zich niet op kinderen richten? Ik word daar doodziek van. Ik kan niet wachten tot ik thuis ben en haar uit de droom help.'
'En wat ga je doen als ze bier begint te drinken?' vroeg Jerry. 'Eis je dan tien miljoen van de brouwerij omdat alle andere kinderen stiekem bier drinken?'
'Het is niet bewezen dat bier lichamelijk verslavend is,' antwoordde Rikki.
'O, dus bier doodt geen mensen?'
'Er is een verschil.'

'Leg dat eens uit,' zei Jerry. De discussie ging nu over twee van zijn favoriete zonden. Kwamen gokken en schuinsmarcheerderij ook nog aan de beurt?
Rikki zette haar gedachten even op een rij en begon toen aan een niet erg geloofwaardige verdediging van alcohol. 'De sigaret is het enige product dat dodelijk is als het precies zo wordt gebruikt als de bedoeling is. Zeker, alcohol wordt gemaakt om geconsumeerd te worden, maar dan wel in redelijke hoeveelheden. En als je maat weet te houden, is het geen gevaarlijk product. Zeker, mensen worden dronken en doden zichzelf op allerlei manieren, maar je kunt heel goed verdedigen dat er in die gevallen geen normaal gebruik van het product wordt gemaakt.'
'Dus als iemand vijftig jaar drinkt, doodt hij zichzelf niet?'
'Niet als hij maat weet te houden.'
'Jezus, ben ik blij dat te horen.'
'En dan nog iets. Alcohol bevat een natuurlijke waarschuwing. Als je het product gebruikt, krijg je onmiddellijk feedback. Dat heb je met tabak niet. Je moet jaren roken voordat je merkt dat je lichaam erdoor geschaad wordt. En dan ben je verslaafd en kun je niet meer stoppen.'
'De meeste mensen kunnen stoppen,' zei Lonnie bij het raam, zonder Angel aan te kijken.
'En waarom denk je dat iedereen probeert te stoppen?' vroeg Rikki kalm. 'Omdat ze zoveel van hun sigaretten genieten? Omdat ze zich jong en aantrekkelijk voelen? Nee, ze proberen te stoppen omdat ze geen longkanker of hartinfarct willen krijgen.'
'Nou, hoe stem je dan?' vroeg Lonnie.
'Dat lijkt me wel duidelijk,' antwoordde ze. 'Ik ben onbevangen aan dit proces begonnen, maar ik ben tot de conclusie gekomen dat er maar één manier is om de tabaksindustrie verantwoordelijk te stellen: onze jury-uitspraak.'
'En jij?' vroeg Lonnie aan Jerry, in de hoop een vriend te vinden.
'Ik heb nog geen besluit genomen. Ik denk dat ik eerst naar de anderen luister.'
'En jij?' vroeg hij aan Sylvia Taylor-Tatum.
'Ik begrijp niet goed waarom we die vrouw multimiljonair zouden maken.'
Lonnie liep om de tafel heen en keek de anderen een voor een aan. De meesten ontweken zijn blik. Het leed geen enkele twijfel dat hij erg van zijn rol als rebellenleider genoot. 'En jij, Savelle? Jij zegt niet veel.'
Dit werd interessant. Het was voor iedereen een raadsel hoe Savelle erover dacht.
'Ik geloof in vrije keuze,' zei hij. 'Volkomen vrije keuze. Ik heb grote bezwaren tegen wat die ondernemingen met het milieu doen. Ik heb de pest aan hun producten. Maar iedereen heeft het recht om te kiezen.'

'Henry?' zei Lonnie.
Henry Vu schraapte zijn keel, dacht even na en zei toen: 'Ik denk nog na.'
Henry zou Nicholas volgen en die was voorlopig opvallend zwijgzaam.
'En jij, voorzitter?' vroeg Lonnie.
'We kunnen deze rapporten in een half uur afwerken. Laten we dat doen, en dan kunnen we daarna stemmen.'
Na de eerste serieuze schermutseling waren ze blij dat ze nog even konden lezen. Het was duidelijk dat straks de strijd zou losbarsten.

Eerst had hij zin om in zijn Suburban met José aan het stuur door de straten te zwerven, Highway 90 op en neer naar nergens in het bijzonder, wetend dat hij haar toch niet zou vinden. Dan zou hij ten minste iets doen, dan zou hij naar haar zoeken en was het ten minste in theorie mogelijk dat hij haar vond.
Hij wist dat ze verdwenen was.
Daarom bleef hij in zijn kantoor, alleen bij de telefoon, in de hoop dat ze hem nog één keer zou bellen om te zeggen dat ze zich aan de afspraak zou houden. Die hele middag kwam Konrad hem telkens vertellen wat hij al verwachtte te horen: haar auto stond nog voor de flat en was al die tijd niet van zijn plaats gekomen. Er was nergens een teken van haar te bekennen. Ze was weg.
Vreemd genoeg kreeg Fitch meer hoop naarmate de jury langer wegbleef. Als ze van plan was om met medeneming van het geld te verdwijnen en Fitch dan met een toewijzing van de eis om de oren te slaan, waar bleef dan de jury-uitspraak? Misschien was het niet zo gemakkelijk. Misschien had Nicholas het moeilijk om aan zijn stemmen te komen.
Fitch had nog nooit zo'n proces verloren en hij zei steeds weer tegen zichzelf dat hij het al vaker had meegemaakt: peentjes zweten terwijl de jury het uitvocht.

Om precies vijf uur hervatte rechter Harkin de zitting en liet hij de jury komen. De advocaten gingen vlug op hun plaats zitten. De meeste toeschouwers kwamen ook terug.
De juryleden namen hun plaatsen in. Ze zagen er moe uit, maar dat was heel normaal voor juryleden in dit stadium.
'Alleen een paar korte vragen,' zei de rechter. 'Hebt u een nieuwe voorzitter gekozen?'
Ze knikten en Nicholas stak zijn hand op. 'Ik heb de eer,' zei hij zachtjes, zonder een spoor van trots.
'Goed. Het zal u interesseren dat ik ongeveer een uur geleden met Herman Grimes heb gesproken en dat hij het goed maakt. Het schijnt iets anders dan een hartaanval te zijn geweest en ze verwachten dat hij morgen naar

huis mag. U allen moet de groeten van hem hebben.'
De meesten zagen kans opgelucht te kijken.
'Nou, u bent vijf uur lang in beraad geweest. Ik zou graag willen weten of u vooruitgang hebt geboekt.'
Nicholas stond er een beetje onzeker bij. Hij stak zijn handen in de zakken van zijn kaki broek. 'Ik denk van wel, edelachtbare.'
'Goed. Kunt u, zonder iets te zeggen over de beraadslagingen, vertellen of u verwacht dat de jury tot een uitspraak zal komen?'
Nicholas keek om zich heen naar zijn mede-juryleden en zei: 'Ik denk van wel, edelachtbare. Ja, ik heb er alle vertrouwen in dat we tot een uitspraak zullen komen.'
'Wanneer zou dat kunnen zijn? Let wel, ik wil u niet opjagen. U mag er zoveel tijd voor nemen als u wilt. Ik moet alleen wat dingen regelen als u verwacht dat we hier laat op de avond nog zullen zijn.'
'We willen naar huis, edelachtbare. We zijn vastbesloten dit af te ronden. In de loop van de avond zullen we met een uitspraak komen.'
'Geweldig. Dank u. Het diner komt eraan. Ik ben in mijn kamer, als u me nodig hebt.'

41

O'Reilly kwam voor het laatst. Hij diende zijn laatste maaltijd op en nam afscheid van mensen die hij inmiddels als vrienden beschouwde. Hij en drie van zijn medewerkers voorzagen hen van spijs en drank alsof ze van koninklijken bloede waren.
Om half zeven hadden de juryleden het eten op en waren ze er helemaal klaar voor om naar huis te gaan. Ze besloten eerst over de aansprakelijkheid te stemmen. Nicholas formuleerde de vraag in lekentermen: 'Willen we Pynex aansprakelijk stellen voor de dood van Jacob Wood?'
Rikki Coleman, Millie Dupree, Loreen Duke en Angel Weese zeiden duidelijk ja. Lonnie, Phillip Savelle en Gladys Card zeiden duidelijk nee. De rest zat er ergens tussenin. Poedel wist het nog niet, maar voelde veel voor nee. Jerry verkeerde plotseling in tweestrijd maar neigde waarschijnlijk ook naar nee. Shine Royce, het nieuwste jurylid, had de hele dag nog geen drie woorden gezegd en zou gewoon met de wind meewaaien zodra hij begreep uit welke hoek die kwam. Henry Vu zei dat hij nog geen besluit had genomen, maar in werkelijkheid wachtte hij op Nicholas, die wachtte tot iedereen klaar was. Nicholas vond het teleurstellend dat de jury zo verdeeld was.
'Ik vind het tijd worden dat jij zegt wat je ervan vindt,' zei Lonnie tegen Nicholas. Lonnie kon bijna niet wachten tot het gevecht begon.
'Ja, laat eens horen,' zei Rikki, die ook wel zin had in een pittige discussie. Alle ogen waren op de voorzitter gericht.
'Goed,' zei hij, en het werd helemaal stil in de kamer. Na jaren van voorbereiding kwam het er nu op aan. Hij koos zijn woorden met zorg, maar in gedachten had hij dit toespraakje al duizend keer gehouden. 'Ik ben ervan overtuigd dat sigaretten gevaarlijk en dodelijk zijn. Ze doden honderdduizend mensen per jaar. Ze worden met nicotine volgestopt door hun fabri-

kanten, die al lang weten dat het spul verslavend is. Ze zouden veel veiliger kunnen zijn als de fabrikanten het wilden, maar dan moeten ze er minder nicotine in doen en zou hun omzet te lijden hebben. Ik denk dat Jacob Wood door sigaretten is gedood, en dat zal niemand van jullie tegenspreken. Ik ben ervan overtuigd dat de tabaksfabrikanten liegen en bedriegen en informatie achterhouden, en dat ze alles in het werk stellen om tieners aan het roken te krijgen. Ze gaan over lijken. Het is een stelletje rotschoften en ik vind dat we het ze betaald moeten zetten.'

'Dat vind ik ook,' zei Henry Vu.

Rikki en Millie hadden zin om in hun handen te klappen.

'Je wilt een schadevergoeding bij wijze van straf?' vroeg Jerry verbaasd.

'Zo'n vonnis zegt niks als het geen groot bedrag is, Jerry. Het moet een kolossaal bedrag zijn. Als we alleen een vergoeding van de feitelijke schade toekennen, wil dat zeggen dat we niet het lef hebben om de tabaksfabrikanten voor hun zonden te straffen.'

'We moeten ze diep treffen,' zei Shine Royce, maar alleen omdat hij intelligent wilde overkomen. Hij wist nu uit welke hoek de wind waaide.

Lonnie keek Shine en Vu verbaasd aan. Hij telde vlug: zeven stemmen voor de eiser. 'Je kunt niet over geld praten, want je hebt je stemmen nog niet.'

'Het zijn niet mijn stemmen,' zei Nicholas.

'Natuurlijk wel,' zei Lonnie verbitterd. 'Dit is jouw vonnis.'

Ze gingen weer om de tafel zitten: zeven voor de eiseres, drie voor de gedaagde, Jerry en Poedel nog ergens in het midden. Toen verstoorde Gladys Card die verdeling door op te merken: 'Ik stem niet graag voor de tabaksindustrie, maar aan de andere kant vind ik het ook niet nodig om Celeste Wood al dat geld te geven.'

'Hoeveel geld zou jij haar willen geven?' vroeg Nicholas.

Ze kreeg een kleur. 'Dat weet ik niet. Ik ben er wel voor dat ze iets krijgt, maar, nou ja, ik weet het gewoon niet.'

'Aan hoeveel denk jij?' vroeg Rikki aan de voorzitter, en het werd weer stil in de kamer. Doodstil.

'Een miljard,' zei Nicholas met een volstrekt onbewogen gezicht. Het bedrag viel als een percussiegranaat midden op de tafel. Monden vielen open en ogen puilden uit.

Voordat iemand iets kon zeggen, legde Nicholas het uit: 'Als we de tabaksindustrie echt iets duidelijk willen maken, moeten we ze een zware schok toedienen. Ons vonnis moet een mijlpaal zijn. Het moet beroemd worden als het moment waarop het Amerikaanse volk via het jurysysteem eindelijk zijn stem tegen de tabaksindustrie verhief: "Nu is het uit."'

'Je bent gek,' zei Lonnie, en op dat moment waren de meesten het met Lonnie eens.

'Dus je wilt beroemd worden,' zei Jerry met dik opgelegd sarcasme.
'Niet ik, maar het vonnis. Niemand weet volgende week nog onze namen, maar iedereen zal zich onze uitspraak herinneren. Als we het doen, moeten we het goed doen.'
'Het bevalt me wel,' viel Shine Royce hem bij. Het idee dat ze zoveel geld zouden uitkeren, maakte hem duizelig. Shine was het enige jurylid dat nog wel een nacht in het motel wilde blijven, want dan had hij gratis eten en drinken en kon hij de volgende dag weer vijftien dollar in ontvangst nemen.
'En hoe gaat het dan verder?' zei Millie, nog steeds verbaasd.
'Pynex gaat in hoger beroep, en op een dag, laten we zeggen over een jaar of twee, verlaagt een stel oude zakken in zwarte toga's het bedrag. Ze maken er iets van dat een beetje redelijker is. Ze zullen zeggen dat het een op hol geslagen vonnis van een op hol geslagen jury was, en dan maken ze het in orde. Meestal werkt het systeem wel.'
'Waarom zouden we het dan doen?' vroeg Loreen.
'Voor de verandering. We geven de eerste aanzet tot een langdurige ontwikkeling. Uiteindelijk worden de tabaksfabrikanten verantwoordelijk gesteld voor het doden van zoveel mensen. Vergeet niet dat ze nog nooit zo'n proces hebben verloren. Ze denken dat ze onoverwinnelijk zijn. Als we bewijzen dat ze dat niet zijn, durven andere eisers het ook tegen de tabaksfabrikanten op te nemen.'
'Dus je wilt ze bankroet maken,' zei Lonnie.
'Daar zou ik niet mee zitten. Pynex is een komma twee miljard waard. Ze maken bijna al hun winst ten koste van mensen die hun producten gebruiken maar daar graag mee willen stoppen. Ja, nu ik erover nadenk: de wereld zou beter af zijn zonder Pynex. Wie zou er huilen als Pynex failliet ging?'
'Misschien de werknemers,' zei Lonnie.
'Daar zit wat in. Maar ik voel me meer betrokken bij de duizenden mensen die verslaafd zijn aan de producten.'
'Hoeveel zal er in hoger beroep aan Celeste Wood worden toegekend?' vroeg Gladys Card. Ze vond het geen prettig idee dat een van haar buren, al was het iemand die ze niet kende, rijk zou worden. Zeker, Celeste Wood had haar man verloren, maar Gladys' man had prostaatkanker overleefd zonder op het idee te komen tegen iemand te gaan procederen.
'Ik heb geen idee,' zei Nicholas. 'En daar hoeven wij ons ook niet druk om te maken. Dat is dan weer een andere procedure en er zijn bepaalde richtlijnen voor het verlagen van grote schadevergoedingen.'
'Een miljard dollar,' herhaalde Loreen bij zichzelf, maar nog wel zo hard dat iedereen het kon horen. Het was even gemakkelijk te zeggen als 'een miljoen dollar'. De meeste juryleden sloegen hun ogen neer en herhaalden het woord 'miljard'.

Niet voor het eerst was Nicholas blij dat Herrera er niet meer was. Op een moment als dit, met een miljard dollar op tafel, zou Herrera grote stennis maken en waarschijnlijk met dingen gaan gooien. Maar het was stil in de kamer. Lonnie was nu de enige die het andere standpunt bepleitte en hij was druk bezig de stemmen te tellen.

Het was ook goed dat Herman er niet bij was. Hij was waarschijnlijk gevaarlijker geweest dan de kolonel, want de mensen zouden naar Herman hebben geluisterd. Die was bedachtzaam en berekenend, liet zich niet meeslepen door emoties en zou vast niets voor een buitensporig vonnis voelen.

Maar die twee waren weg.

Nicholas had het gesprek van aansprakelijkheid op de hoogte van de schadevergoeding gebracht, een uiterst belangrijke overgang die iedereen was ontgaan. Het miljard dollar had hen met stomheid geslagen en dwong hen om niet over de schuldvraag maar over geld na te denken.

Hij zou zorgen dat ze zich met geld bleven bezighouden. 'Het is maar een idee,' zei hij. 'Het lijkt me erg goed om de tabaksindustrie een schok toe te dienen.'

Nicholas knipoogde vlug naar Jerry, die nu precies op het juiste moment een duit in het zakje deed. 'Zo hoog kan ik niet gaan,' zei hij met een houding alsof hij zijn werk als autoverkoper deed, iets waar hij vrij goed in was. 'Het is, nou ja, het is absurd. Ik voel wel iets voor een schadevergoeding, maar dit gaat te ver.'

'Het is niet absurd,' wierp Nicholas tegen. 'Die onderneming heeft achthonderd miljoen aan reserves. Het is net de Rijksmunt. Die tabaksconcerns drukken hun eigen geld.'

Jerry werd nummer acht, en Lonnie trok zich in een hoek terug om daar zijn nagels te gaan knippen.

En Poedel werd negen. 'Het is absurd, en ik kan niet zo ver gaan,' zei ze. 'Iets minder misschien, maar niet een miljard dollar.'

'Hoeveel dan?' vroeg Rikki.

Vijfhonderd miljoen. Honderd miljoen. Niemand durfde die belachelijke geldbedragen uit te spreken.

'Ik weet het niet,' zei Sylvia. 'Wat vind jij?'

'Ik voel er wel iets voor om die kerels een flinke douw te geven,' zei Rikki. 'Als we ze iets duidelijk willen maken, moeten we het goed doen.'

'Een miljard?' vroeg Sylvia.

'Ja, zo hoog wil ik wel gaan.'

'Ik ook,' zei Shine, die zich rijk voelde, alleen al doordat hij erbij was.

Er volgde een lange stilte, waarin alleen te horen was dat Lonnie zijn nagels aan het knippen was.

Ten slotte zei Nicholas: 'Wie is tegen iedere schadevergoeding?'

Savelle stak zijn hand op. Lonnie negeerde de vraag, maar hij hoefde ook niet te reageren.
'De stemming is nu tien tegen twee,' zei Nicholas, en hij noteerde dat. 'Deze jury heeft hierbij besloten de gedaagde aansprakelijk te stellen. Laten we het nu over de hoogte van de schadevergoedingen hebben. Zijn wij tienen het erover eens dat de nabestaanden van Wood recht hebben op twee miljoen als vergoeding van de feitelijke schade?'
Savelle schopte zijn stoel achteruit en verliet de kamer. Lonnie schonk zich een kop koffie in en ging met zijn rug naar de anderen voor het raam zitten, maar hij luisterde naar ieder woord.
Na de voorafgaande discussie leken die twee miljoen niet meer dan wisselgeld, en de tien juryleden gingen er meteen mee akkoord. Nicholas noteerde het op een formulier dat door rechter Harkin was goedgekeurd.
'Zijn wij tienen het erover eens dat er een schadevergoeding bij wijze van straf moet worden opgelegd, van welke hoogte dan ook?' Hij keek langzaam de tafel rond en ze zeiden allemaal ja. Gladys Card aarzelde. Ze kon nog van gedachten veranderen, maar dat zou niet erg zijn. Meer dan negen stemmen had hij niet nodig.
'Goed. En dan nu de hoogte van die schadevergoeding. Zijn er suggesties?'
'Ja,' zei Jerry. 'Laat iedereen het gewenste bedrag op een stuk papier zetten. Je zegt niet hoeveel je hebt genoteerd en vouwt het papier op. Daarna tellen we de bedragen op en delen ze door tien. En dan kijken we naar het gemiddelde.'
'Zal dat bindend zijn?' vroeg Nicholas.
'Nee. Maar dan hebben we een indruk.'
Het idee van een geheime stemming was erg aantrekkelijk en ze schreven vlug hun bedragen op stukjes papier.
Nicholas vouwde ieder papier langzaam open en las de bedragen op voor Millie, die ze noteerde. Een miljard, een miljoen, vijftig miljoen, tien miljoen, een miljard, een miljoen, vijf miljoen, vijfhonderd miljoen, een miljard, twee miljoen.
Millie telde het op. 'Het totaal is drie miljard vijfhonderdnegenenzestig miljoen. Delen door tien en je krijgt driehonderdzesenvijftig miljoen negenhonderdduizend.'
Het duurde even voor al die nullen tot iedereen waren doorgedrongen. Lonnie sprong overeind en liep langs de tafel. 'Jullie zijn gek,' zei hij net hard genoeg om verstaanbaar te zijn. Hij verliet de kamer en smeet de deur achter zich dicht.
'Ik kan dit niet doen,' zei Gladys Card, zichtbaar geschokt. 'Ik leef van een pensioen. Het is een goed pensioen, maar ik kan die getallen niet bevatten.'
'De getallen zijn echt,' zei Nicholas. 'Pynex heeft achthonderd miljoen aan

reserves en een aandelenvermogen van meer dan een miljard. Vorig jaar gaf ons land zes miljard uit aan medische kosten die rechtstreeks in verband stonden met roken, en dat bedrag stijgt met het jaar. De vier grootste tabaksconcerns hadden vorig jaar een totale omzet van bijna zestien miljard. En hun cijfers gaan omhoog. Je moet in het groot denken. Die kerels lachen om een vonnis van vijf miljoen dollar. Dan blijft alles hetzelfde. Dezelfde reclame, gericht op tieners. Dezelfde leugens tegen het Congres. Alles hetzelfde, tenzij wij ze wakker schudden.'
Rikki boog zich op haar ellebogen naar voren en keek over de tafel naar Gladys Card. 'Als je het niet kunt, kun je ook weggaan.'
'Daag me niet uit.'
'Ik daag je niet uit. Zeker, hier is lef voor nodig. Nicholas heeft gelijk. Als we ze niet in hun gezicht slaan en op hun knieën brengen, verandert er niets. Het zijn genadeloze mensen.'
Gladys Card was nerveus. Ze beefde en zag eruit alsof ze ieder moment kon instorten. 'Het spijt me. Ik wil helpen, maar ik kan het niet.'
'Het is al goed, Gladys,' zei Nicholas sussend. De arme oude dame was van streek en had iemand nodig die haar steun gaf. Zeker, er was niets aan de hand zolang er maar negen stemmen overbleven. Hij kon het zich veroorloven om zich sussend op te stellen. Het enige dat hij zich niet kon veroorloven, was dat hij nog een stem verloor.
Er volgde een stilte waarin ze afwachtten of ze zich weer bij hen zou aansluiten of zich van hen los zou maken. Ze haalde diep adem, stak haar kin naar voren en vond innerlijke kracht.
'Mag ik een vraag stellen?' vroeg Angel in de richting van Nicholas, alsof hij nu de enige bron van wijsheid was.
'Ja,' zei hij schouderophalend.
'Wat gebeurt er met de tabaksindustrie als we zo'n grote schadevergoeding opleggen?'
'Juridisch, economisch of politiek?'
'Alle drie.'
Hij dacht even na, maar wilde er erg graag antwoord op geven. 'In het begin is er veel paniek. Veel schokgolven. Veel bange topmanagers die zich zorgen maken over de toekomst. En dan wachten ze af of er een stortvloed van procedures tegen ze wordt aangespannen. Ze moeten hun reclamestrategie herzien. Ze gaan niet failliet, in elk geval niet in de nabije toekomst, want ze hebben zo ontzaglijk veel geld. Ze gaan naar het Congres en vragen om bijzondere wetgeving, en ik denk dat de politici een steeds grotere hekel aan ze krijgen. Om kort te gaan, Angel, als wij doen wat wij zouden moeten doen, zal de tabaksindustrie nooit meer hetzelfde zijn.'
'Hopelijk gebeurt het nog eens dat sigaretten verboden worden,' voegde Rikki eraan toe.

'Ja, of dat de tabaksondernemingen financieel niet meer in staat zijn ze te maken,' zei Nicholas.
'Wat gebeurt er met ons?' vroeg Angel. 'Ik bedoel, lopen wij geen gevaar? Je zei dat die mensen ons al in de gaten hielden voordat het proces begon.'
'Nee, wij lopen geen gevaar,' zei Nicholas. 'Ze kunnen ons niets maken. Zoals ik al eerder zei, weten ze volgende week onze namen niet meer. Maar iedereen zal zich ons vonnis herinneren.'
Phillip Savelle kwam terug en ging zitten. 'Nou, wat hebben jullie Robin Hoods inmiddels besloten?' vroeg hij.
Nicholas negeerde hem. 'We moeten het eens worden over een bedrag, mensen. Anders kunnen we niet naar huis.'
'Ik dacht dat we het al eens waren,' zei Rikki.
'Hebben we minstens negen stemmen?' vroeg Nicholas.
'Voor hoeveel, als ik vragen mag?' informeerde Savelle op spottende toon.
'Ongeveer driehonderdvijftig miljoen,' antwoordde Rikki.
'Ah, de oude theorie van de verdeling van rijkdom. Gek is dat. Jullie lijken net een stel marxisten.'
'Ik heb een idee. Laten we het afronden op vierhonderd miljoen, de helft van hun reserves. Daar gaan ze niet failliet aan. Ze kunnen de broekriem aanhalen, wat meer nicotine in hun sigaretten stoppen, wat meer tieners verslaafd maken, en hup, dan hebben ze het geld over een paar jaar terug.'
'Is dit een veiling?' vroeg Savelle, en niemand gaf antwoord.
'Laten we het doen,' zei Rikki.
'Stemmen tellen,' zei Nicholas, en negen handen gingen omhoog. Vervolgens vroeg hij aan alle acht juryleden of ze hun stem gaven aan twee miljoen dollar vergoeding van feitelijke schade en vierhonderd miljoen dollar aan schadevergoeding bij wijze van straf. Ze zeiden stuk voor stuk ja. Hij vulde het vonnisformulier in en liet het door elk van hen ondertekenen.
Lonnie kwam na een lange afwezigheid terug.
Nicholas sprak hem aan. 'We zijn tot een uitspraak gekomen, Lonnie.'
'Wat een verrassing. Hoeveel?'
'Vierhonderd en twee miljoen dollar,' zei Savelle. 'Of een paar miljoen meer of minder.'
Lonnie keek Savelle en toen Nicholas aan. 'Is dat een grap?' vroeg hij, nauwelijks verstaanbaar.
'Nee,' zei Nicholas. 'Het is waar en we hebben negen stemmen. Wil je je bij ons aansluiten?'
'Ik peins er niet over.'
'Niet te geloven, hè?' zei Savelle. 'En stel je voor: we worden allemaal beroemd.'
'Dit is ongehoord,' zei Lonnie, die tegen de muur leunde.
'Nee, dat is het niet,' antwoordde Nicholas. 'Texaco heeft een paar jaar

terug een vonnis van tien miljard dollar aan de broek gehad.'
'O, dus dit is een koopje?' merkte Lonnie op.
'Nee.' Nicholas stond op. 'Dit is gerechtigheid.' Hij liep naar de deur, maakte hem open en vroeg Lou Dell om tegen rechter Harkin te zeggen dat zijn jury klaar was.
Terwijl ze een minuut zaten te wachten, kwam Lonnie naar Nicholas toe en trok hem mee naar een hoek. Fluisterend vroeg hij hem: 'Kan ik mijn naam hier buiten houden?' Hij was meer nerveus dan bang.
'Ja. Maak je geen zorgen. De rechter zal ons een voor een vragen of dit onze uitspraak is. Als hij het jou vraagt, kun je duidelijk maken dat jij hier niets mee te maken wilt hebben.'
'Dank je.'

42

Lou Dell pakte het briefje aan, zoals ze zijn vorige briefjes had aangepakt, en gaf het aan Willis, die door de gang slenterde en om de hoek uit het zicht verdween. Hij gaf het persoonlijk aan de rechter, die op dat moment aan het telefoneren was en vol spanning op de jury-uitspraak wachtte. Hij had wel vaker met jury-uitspraken te maken gehad, maar deze keer had hij het gevoel dat het iets bijzonders kon worden. Hij was er zeker van dat hij op een dag de leiding zou hebben van een nog belangrijkere civiele procedure, maar hij wist natuurlijk niet wanneer dat het geval zou zijn.

Het briefje luidde: 'Rechter Harkin, Kunt u zorgen dat ik bij het verlaten van het gerechtsgebouw door een deputy word geëscorteerd? Ik ben bang. Ik zal het later uitleggen. Nicholas Easter.'

De rechter gaf instructies aan een deputy die bij zijn kamer stond te wachten en liep toen met grote passen naar de rechtszaal, waar de spanning al te snijden was. Advocaten, van wie de meesten op hun kantoren in de buurt hadden gewacht tot het telefoontje kwam, draafden door het gangpad en gingen haastig op hun plaats zitten om meteen met grote ogen in het rond te kijken. De toeschouwers kwamen binnen. Het was bijna acht uur.

'Het is mij meegedeeld dat de jury tot een uitspraak is gekomen,' zei Harkin met luide stem in de microfoon, en hij kon de advocaten zien beven. 'Laat de jury binnenkomen.'

De juryleden kwamen met ernstige gezichten binnen, zoals juryleden altijd doen. Welk nieuws ze ook brachten, en of ze het nu allemaal met elkaar eens waren of niet, hun ogen waren altijd neergeslagen, zodat beide partijen instinctief de moed lieten zakken en al plannen begonnen te maken voor een hoger beroep.

Lou Dell nam het formulier van Nicholas aan en gaf het aan de rechter, die

op de een of andere manier kans zag het met een opmerkelijk onbewogen gezicht te bekijken. Hij liet absoluut niet blijken dat hij verpletterend nieuws in zijn handen had. Het vonnis kwam als een ongelooflijke schok bij hem aan, maar procedureel gezien kon hij niets doen. Aan alle formaliteiten was voldaan. Er zouden later verzoeken worden ingediend om het bedrag te verlagen, maar hij kon nu niets ondernemen. Hij vouwde het weer op en gaf het aan Lou Dell terug, die naar Nicholas liep. Die stond op om de uitspraak bekend te maken.
'Meneer de voorzitter, leest u de uitspraak voor.'
Nicholas vouwde zijn meesterwerk open, schraapte zijn keel en keek vlug in het rond om te zien of Fitch in de zaal was. Hij zag hem niet en zei: 'Wij, de jury, stellen de eiseres, Celeste Wood, in het gelijk en kennen haar een vergoeding van de feitelijke schade toe ten bedrage van twee miljoen dollar.'
Dat was op zich al een precedent. Wendall Rohr en zijn advocatenbende slaakten een enorme zucht van verlichting. Ze hadden zojuist geschiedenis gemaakt.
Maar de jury was nog niet klaar.
'En wij, de jury, stellen de eiseres, Celeste Wood, in het gelijk en kennen haar een schadevergoeding bij wijze van straf toe ten bedrage van vierhonderd miljoen dollar.'
Voor een advocaat is het aanhoren van een vonnis zoiets als een kunstvorm. Je mag geen spier vertrekken. Je mag niet triomfantelijk of troost zoekend om je heen kijken. Je moet roerloos blijven zitten en ernstig naar de blocnote kijken waar je op schrijft, en je moet je gedragen als iemand die van tevoren precies wist hoe het vonnis zou luiden.
Die kunstvorm werd nu ontheiligd. Cable zakte in elkaar alsof hij in zijn maag geschoten was. Zijn compagnons keken met wijd open mond naar de jurybank. De lucht vloog uit hun longen en ze knepen hun ogen half dicht van puur ongeloof. En ergens in de tweede rij advocaten achter Cable was een 'O mijn god!' te horen.
Met een stralende glimlach sloeg Rohr vlug zijn arm om Celeste Wood heen, die was gaan huilen. De andere advocaten van de eiseres feliciteerden elkaar met een ferme handdruk. O, de sensatie van de triomf, het vooruitzicht dat ze veertig procent van dat bedrag te verdelen kregen!
Nicholas ging zitten en klopte Loreen Duke op haar been. Het was voorbij, eindelijk voorbij.
Rechter Harkin werd plotseling erg zakelijk, alsof het een doodgewoon vonnis was. 'Wel, dames en heren, dan ga ik nu de juryleden afzonderlijk ondervragen. Dat betekent dat ik u stuk voor stuk vraag of dit uw uitspraak is. Ik begin met mevrouw Loreen Duke. Wilt u duidelijk zeggen of u voor deze uitspraak hebt gestemd?'

'Ja,' zei ze trots.
Sommige advocaten maakten aantekeningen. Anderen staarden alleen maar suf voor zich uit.
'Meneer Easter? Hebt u voor deze uitspraak gestemd?'
'Ja.'
'Mevrouw Dupree?'
'Ja. Ik heb ervoor gestemd.'
'Meneer Savelle?'
'Ik heb er niet voor gestemd.'
'Meneer Royce? Hebt u hiervoor gestemd?'
'Ja.'
'Mevrouw Weese?'
'Ja.'
'Meneer Vu?'
'Ja.'
'Meneer Shaver?'
Lonnie kwam half overeind en zei zo hard dat iedereen het duidelijk kon horen: 'Nee, edelachtbare, ik heb niet voor deze uitspraak gestemd en ik ben het er helemaal niet mee eens.'
'Dank u. Mevrouw Coleman? Is dit uw uitspraak?'
'Ja, edelachtbare.'
'Mevrouw Card?'
'Nee, edelachtbare.'
Cable en Pynex en Fitch en de hele tabaksindustrie zagen plotseling weer een sprankje hoop. Drie juryleden hadden zich tegen de uitspraak verklaard. Nog eentje en de jury kon voor nader overleg worden teruggestuurd. Elke rechter kon verhalen vertellen over jury's die bij individuele ondervraging uiteenvielen. In de rechtszaal, met al die advocaten en belanghebbenden, klonk een vonnis soms heel anders dan een paar minuten eerder in de veilige jurykamer.
Maar de kleine kans op een wonder werd weggenomen door de Poedel en Jerry. Beiden bevestigden de uitspraak.
'De stemming is dus negen tegen drie,' zei de rechter. 'Verder lijkt alles in orde. Hebt u nog iets, meneer Rohr?'
Rohr schudde alleen maar het hoofd. Hij kon de jury nu niet bedanken, al zou hij het liefst over het hek zijn gesprongen om hun voeten te kussen. Hij zat tevreden op zijn plaats, zijn zware arm om Celeste Wood heen geslagen.
'Meneer Cable?'
'Nee, edelachtbare,' kon Cable nog uitbrengen. O, de dingen die hij tegen de juryleden, die idioten, zou willen zeggen!
Het feit dat Fitch niet in de rechtszaal zat, baarde Nicholas grote zorgen.

Zijn afwezigheid betekende dat hij ergens buiten was, dat hij ergens in het donker op de loer stond. Hoeveel wist Fitch nu? Waarschijnlijk te veel. Nicholas wilde de zaal graag verlaten, en de stad ook.
Harkin begon de juryleden uitgebreid te bedanken, gooide er een opwekkende dosis patriottisme en burgerplicht tussendoor, en wat hij verder nog aan clichés paraat had, waarschuwde hen dat ze niemand iets over hun beraadslagingen mochten vertellen, zei dat hij hen wegens minachting van het hof zou veroordelen als ze ook maar een woord verklapten van wat in de jurykamer was gezegd en stuurde hen toen naar hun motel om hun spullen op te halen.
Fitch keek en luisterde in de projectiekamer naast zijn kantoor. En hij zat daar alleen. De jury-experts waren uren geleden ontslagen en naar Chicago teruggestuurd.
Hij wilde Easter grijpen. Dat had hij uitgebreid besproken met Swanson, die alles te horen had gekregen zodra hij uit Kansas City was aangekomen. Maar wat schoten ze daarmee op? Easter zou niet praten en ze zouden het risico lopen van kidnapping te worden beschuldigd. Ze hadden al genoeg problemen zonder dat ze in de cel werden gegooid.
Ze besloten hem te volgen in de hoop dat hij hen naar het meisje zou leiden. En zo kwamen ze natuurlijk op een ander dilemma: wat zouden ze met het meisje doen als ze haar vonden? Ze konden Marlee niet bij de politie aangeven. Ze had het geweldige besluit genomen om omkoopgeld te stelen. Wat zou Fitch in zijn beëdigde verklaring tegen de FBI zeggen: dat hij haar tien miljoen gaf om hem aan een jury-uitspraak in een tabaksproces te helpen en dat ze het lef had gehad hem te bedriegen? En zouden ze dan nu zo goed willen zij haar te vervolgen?
Fitch kon geen kant op.
Hij keek door de lens van Oliver McAdoo's verborgen camera naar wat er in de rechtszaal gebeurde. De juryleden stonden op, schuifelden de zaal uit, de jurybank was leeg.
Ze gingen naar de jurykamer om hun boeken en tijdschriften en breitassen op te halen. Nicholas had geen zin om met iemand te praten. Hij glipte door de deur. Chuck, inmiddels een oude vriend, hield hem staande en zei dat de sheriff buiten wachtte.
Zonder een woord tegen Lou Dell of Willis te zeggen, of tegen de andere mensen met wie hij vier weken had doorgebracht, verdween Nicholas vlug achter Chuck langs. Ze verlieten het gebouw door de achteruitgang. De sheriff zelf zat al achter het stuur van zijn grote bruine Ford te wachten.
'De rechter zei dat u hulp nodig had,' zei de sheriff.
'Ja. Neemt u de 49 naar het noorden. Ik wijs u de weg wel. En kijkt u of we niet gevolgd worden.'
'Goed. Wie zou u dan volgen?'

'Boeven.'
Chuck gooide het portier achter Nicholas dicht en ze reden snel weg. Nicholas wierp nog een laatste blik op de jurykamer op de eerste verdieping. Hij zag de bovenste helft van Millie; ze omhelsde Rikki Coleman.
'Hebt u nog spullen in het motel?' vroeg de sheriff.
'Laat maar. Die haal ik later wel op.'
De sheriff gaf instructies over de radio. Twee auto's moesten hen volgen en kijken of ze gevolgd werden. Twintig minuten later, toen ze door Gulfport reden, begon Nicholas naar links en rechts te wijzen en uiteindelijk stopte de sheriff bij de tennisbaan van een groot appartementencomplex in het noorden van de stad. Nicholas zei dat hij zich nu verder wel zou redden, en stapte uit.
'U weet zeker dat we weg kunnen gaan?' vroeg de sheriff.
'Ja. Ik logeer hier bij vrienden. Dank u.'
'Belt u me maar als u hulp nodig hebt.'
'Ja.'
Nicholas verdween in de duisternis en bleef bij een hoek staan om de politiewagen na te kijken. Hij bleef bij het gebouw van het zwembad staan wachten, een punt van waar hij al het verkeer van en naar het appartementencomplex kon gadeslaan. Hij zag niets verdachts.
Zijn vluchtauto was gloednieuw, een huurwagen die Marlee daar twee dagen eerder had achtergelaten, een van drie auto's die op verschillende parkeerterreinen in Biloxi en omgeving stonden. Hij legde de afstand naar Hattiesburg in anderhalf uur af en keek daarbij de hele tijd in zijn spiegeltje.
De Lear stond op het vliegveld van Hattiesburg te wachten. Nicholas liet de sleutels in de auto achter, gooide het portier in het slot en liep nonchalant de kleine terminal binnen.

In de loop van die nacht kwam hij moeiteloos met zijn nieuwe Canadese papieren door de douane van Georgetown. Er waren geen andere passagiers; het vliegveld was praktisch verlaten. Marlee stond bij de bagageafdeling op hem te wachten en ze omhelsden elkaar innig.
'Heb je het gehoord?' vroeg hij. Ze gingen naar buiten. De vochtige warme lucht sloeg hen tegemoet.
'Ja, het is de hele tijd op CNN,' zei ze. 'Was dat het beste dat je kon bereiken?' vroeg ze met een lachje, en ze kusten elkaar opnieuw.
Ze reden naar Georgetown, door de lege bochtige straten, om de moderne bankgebouwen bij de haven heen. 'Dat is de onze,' zei ze, wijzend naar het gebouw van de Royal Swiss Trust.
'Mooi.'
Later zaten ze aan de rand van het water in het zand, met hun voeten in

het schuim van de zacht kabbelende golven. Een paar boten schoven met gedimde lichten langs de horizon. De hotels en flatgebouwen verhieven zich geluidloos achter hen. Op dat moment was het strand van hen.
En wat een moment was dit! Hun operatie had vier jaar geduurd en was nu voorbij! De plannen waren eindelijk gelukt, perfect gelukt. Ze hadden zo lang van deze nacht gedroomd, waren er talloze malen van overtuigd geweest dat deze nacht nooit zou komen.
De uren gleden voorbij.

Het leek hun beter dat Marcus, de bankmanager, Nicholas nooit te zien kreeg. Er was een grote kans dat de autoriteiten later vragen zouden stellen en hoe minder Marcus wist, hoe beter het was. Marlee meldde zich om precies negen uur bij de receptioniste van de Royal Swiss Trust en werd naar boven gebracht, waar Marcus al zat te wachten met een heleboel vragen die hij niet kon stellen. Hij bood haar koffie aan en deed toen zijn deur dicht.
'Het blijkt een uitstekend idee te zijn om short te gaan met Pynex,' zei hij, grijnzend om zijn eigen talent voor understatement.
'Inderdaad,' zei ze. 'Op welke koers opent het aandeel?'
'Goede vraag. Ik heb met New York gebeld en daar heersen nogal chaotische toestanden. Het vonnis heeft iedereen volkomen verrast. Behalve u, denk ik.' Hij wilde haar zo graag uitvragen, maar hij wist dat hij geen antwoorden zou krijgen. 'Er is een kans dat het een dag of twee uit de notering wordt genomen.'
Ze begreep dat blijkbaar volkomen. De koffie kwam. Ze dronken ervan en keken intussen naar de slotkoersen van de vorige dag. Om half tien zette Marcus zijn koptelefoon op en concentreerde zich op de twee monitoren die op een bureau naast hem stonden. 'De beurs is open,' zei hij, afwachtend.
Marlee luisterde gespannen en probeerde intussen een kalme indruk te maken. Zij en Nicholas wilden snel hun slag slaan, erin en eruit, en dan met het geld naar een plaats verdwijnen waar ze nog nooit waren geweest. Ze moest honderdzestigduizend aandelen Pynex kopen die ze de vorige dag al tegen een veel hogere koers verkocht had.
'De notering is even geschorst,' zei Marcus tegen zijn computer, en ze huiverde een beetje. Hij toetste iets in en begon een gesprek met iemand in New York. Hij mompelde cijfers en punten en zei toen tegen haar: 'Ze bieden het aan voor vijftig en er zijn geen kopers. Ja of nee?'
'Nee.'
Twee minuten gingen voorbij. Zijn blik verliet het scherm geen seconde.
'Het staat genoteerd voor vijfenveertig. Ja of nee?'
'Nee. Hoe staat het met de andere tabaksfondsen?'

Zijn vingers vlogen over het toetsenbord. 'Wow. Trellco is met dertien punten naar drieënveertig gezakt. Smith Greer is met elf naar drieënvijftig en een kwart gezakt. ConPack gaat acht omlaag naar vijfentwintig. Het is een bloedbad. De hele tabaksindustrie krijgt op zijn donder.'
'Kijk bij Pynex.'
'Daalt nog steeds. Tweeënveertig, met een paar kleine kopers.'
'Koop twintigduizend aandelen voor tweeënveertig,' zei ze, opkijkend van haar aantekeningen.
Er gingen enkele seconden voorbij en toen zei hij: 'Omhoog naar drieënveertig. Ze letten daar goed op. Ik zou de volgende keer wat minder dan twintigduizend doen.'
Na aftrek van commissie had de firma Marlee/Nicholas zojuist zevenhonderdveertigduizend dollar verdiend.
'Weer terug naar tweeënveertig,' zei hij.
'Koop twintigduizend aandelen voor eenenveertig,' zei ze.
Een minuut later zei hij: 'Gekocht.'
Weer winst, ditmaal zevenhonderdzestigduizend.
'Stabiel op eenenveertig, nu een halfje omhoog,' zei hij als een robot. 'Ze hebben u zien kopen.'
'Koopt er nog iemand anders?' vroeg ze.
'Nog niet.'
'Wanneer beginnen ze?'
'Wie zal het zeggen? Maar gauw, denk ik. Die onderneming heeft te veel reserves om te gronde te gaan. De boekwaarde per aandeel is ongeveer zeventig dollar. Voor vijftig is het een koopje. Ik zou tegen al mijn cliënten zeggen dat ze er nu in moeten stappen.'
Ze kocht nog eens twintigduizend aandelen voor eenenveertig en wachtte toen een half uur om twintigduizend voor veertig te kopen. Toen Trellco zestien punten was gezakt, ook naar veertig, kocht ze twintigduizend aandelen, die een winst van driehonderdtwintigduizend dollar opleverden.
Ze sloeg nu inderdaad snel toe. Om half elf leende ze een telefoon en belde ze Nicholas, die aan de tv gekluisterd zat en het allemaal op CNN zag gebeuren. Ze hadden een cameraploeg in Biloxi, die interviews van Rohr en Cable en Harkin probeerde te krijgen, en van Gloria Lane en van ieder ander die misschien iets zou kunnen weten. Niemand wilde hen te woord staan. Nicholas volgde ook de aandelennoteringen op het kanaal met financieel nieuws.
Een uur na opening had Pynex het diepste punt bereikt. Er waren verkopers gevonden op achtendertig, en op dat moment kocht Marlee de overige tachtigduizend aandelen.
Toen Trellco bij eenenveertig op weerstand stuitte, kocht ze veertigduizend aandelen. Ze was nu van Trellco af. Omdat het leeuwendeel van haar

aandelen gedekt was, en nog wel op een briljante manier, voelde Marlee er weinig voor om hebberig te worden met de andere fondsen. Het kostte haar moeite om geduld te oefenen. Ze had dit plan vele malen gerepeteerd en deze kans zou ze nooit meer krijgen.
Kort voor twaalf uur, toen de markt nog in wanorde verkeerde, dekte ze de resterende aandelen Smith Greer. Marcus zette zijn koptelefoon af en streek over zijn voorhoofd.
'Geen slechte ochtend, mevrouw MacRoland. U hebt acht miljoen dollar winst gemaakt, minus commissie.' Op het bureau zoemde een printer die de bevestigingen uitspuwde.
'Ik wil dat het geld naar een bank in Zürich wordt overgemaakt.'
'Onze bank?'
'Nee.' Ze gaf hem een papier met instructies.
'Hoeveel?' vroeg hij.
'Alles, uiteraard minus uw commissie.'
'Zeker. Ik neem aan dat er haast bij is.'
'Onmiddellijk, alstublieft.'

Ze pakte vlug haar spullen in. Hij keek toe, want hij had niets in te pakken, behalve twee golfshirts en een spijkerbroek die hij in een winkeltje in het hotel had gekocht. Ze beloofden elkaar een nieuwe garderobe op hun volgende bestemming. Geld zou geen rol spelen.
Ze vlogen eerste klas naar Miami, waar ze twee uur moesten wachten voordat ze in een vliegtuig naar Amsterdam stapten. Op de televisie in de eerste klas waren CNN en FINANCIAL NEWS te ontvangen. Ze keken glimlachend naar de manier waarop verslag werd gedaan van het vonnis in Biloxi, terwijl Wall Street zich geen raad wist. Overal doken experts op. Hoogleraren in de rechtsgeleerdheid gaven zelfverzekerde prognoses van de toekomst van de tabaksaansprakelijkheid. Effectenanalisten brachten talloze opinies te berde, elk in sterk contrast met de vorige. Rechter Harkin had geen commentaar. Cable was niet te vinden. Rohr kwam ten slotte uit zijn kantoor te voorschijn en eiste de volle eer voor de overwinning op. Niemand wist van Rankin Fitch, en dat was jammer want Marlee had graag zijn diepbedroefde gezicht gezien.
Achteraf was haar timing perfect geweest. De aandelenkoersen bereikten al gauw hun dieptepunt en op het eind van de dag zat Pynex stabiel op vijfenveertig.
Van Amsterdam vlogen ze naar Genève, waar ze voor een maand een hotelsuite huurden.

43

Fitch verliet Biloxi drie dagen na het vonnis. Hij ging naar zijn huis in Arlington en zijn dagelijks werk in Washington terug. Hoewel zijn toekomst als directeur van het Fonds dubieus was, had zijn anonieme kleine firma genoeg werk buiten de tabaksindustrie om in de running te blijven. Maar daar zat niets bij wat zo goed betaalde als het Fonds.
Een week na het vonnis ontmoette hij Luther Vandemeer en D. Martin Jankle in New York en biechtte hij hun alle details van zijn transactie met Marlee op. Het was geen prettig gesprek.
Hij besprak ook met een aantal meedogenloze Newyorkse advocaten hoe ze het vonnis te lijf konden gaan. Het feit dat Easter onmiddellijk was verdwenen, was een reden tot argwaan. Herman Grimes had zich al bereid verklaard zijn medische gegevens ter beschikking te stellen. Er waren geen tekenen van een dreigende hartaanval gevonden. Tot aan die ochtend was hij fit en gezond geweest. Hij herinnerde zich dat zijn koffie een rare smaak had gehad, en toen had hij op de vloer gelegen. De gepensioneerde kolonel Frank Herrera had al een beëdigde verklaring afgelegd. Hij zwoer dat de ongeoorloofde lectuur die onder zijn bed was aangetroffen daar niet door hem was neergelegd. Hij had geen bezoek gehad. *Mogul* werd nergens in de buurt van het motel verkocht. Het mysterie rond het vonnis werd elke dag groter.
De Newyorkse advocaten wisten niets van de transactie met Marlee en zouden er ook nooit iets van weten.
Cable was bijna zo ver dat hij een verzoek bij de rechtbank kon indienen om de juryleden te ondervragen, een idee waar rechter Harkin blijkbaar wel iets in zag. Hoe anders konden ze ontdekken wat er was voorgevallen? Vooral Lonnie Shaver wilde erg graag alles vertellen. Hij had namelijk zijn promotie gekregen en wilde niets liever dan voor het Amerikaanse be-

drijfsleven op de barricaden staan.
Er was dus een kans dat het nog goed zou komen. De procedure in hoger beroep zou langdurig zijn en een moeizaam verloop hebben.
Voor Rohr en de groep advocaten die de zaak hadden gefinancierd was de toekomst vervuld van onbegrensde mogelijkheden. Ze organiseerden een team om de stortvloed van telefoontjes van andere advocaten en potentiële slachtoffers op te vangen. Ze vroegen zelfs een 800-nummer aan. Er werd aan principiële processen namens grote groepen mensen gedacht.
Wall Street scheen meer aan Rohrs kant dan aan die van de tabaksindustrie te staan. In de weken na het vonnis kwam Pynex niet boven de vijftig en zakten de andere drie minstens twintig procent. Anti-roken-actiegroepen voorspelden openlijk het bankroet en de uiteindelijk ondergang van de tabaksindustrie.

Zes weken nadat hij Biloxi had verlaten, zat Fitch alleen te lunchen in een klein Indisch restaurant bij DuPont Circle in Washington. Hij zat over een kom scherp gekruide soep gebogen en had zijn jas nog aan, want buiten sneeuwde het en binnen was het kil.
Ze kwam uit het niets naar binnen vallen, als een engel, zoals ze meer dan twee maanden eerder op het dakterras van het St. Regis in New Orleans was opgedoken. 'Dag, Fitch,' zei ze, en hij liet zijn lepel vallen.
Hij keek in het donkere restaurant om zich heen en zag alleen kleine groepjes Indiërs over dampende borden gebogen zitten. Tot vijftien meter in de omtrek werd nergens een woord Engels gesproken.
'Wat doe je hier?' zei hij zonder zijn lippen te bewegen. Haar gezicht was omgeven door het bont van haar jas. Hij zag weer hoe mooi ze was. Haar haar leek zelfs nog korter.
'Ik kwam je even gedag zeggen.'
'Dat heb je dan bij deze gedaan.'
'En het geld wordt op dit moment aan je teruggegeven. Ik stuur het telegrafisch terug naar je rekening bij de Hanwa Bank op de Nederlandse Antillen. Alle tien miljoen, Fitch.'
Hij wist daar zo gauw niets op te zeggen. Hij keek naar het mooie gezicht van de enige mens op aarde die hem ooit had verslagen. En ze was hem nog steeds te slim af. 'Wat aardig van je,' zei hij.
'Ik was al begonnen het weg te geven, weet je, bijvoorbeeld aan die anti-roken-groepen. Maar we veranderden van gedachten.'
'We? Hoe gaat het met Nicholas?'
'Je zult hem vast wel missen.'
'Ja, heel erg.'
'Het gaat goed met hem.'
'Dus jullie zijn nog bij elkaar?'

'Natuurlijk.'
'Ik dacht dat je er misschien met het geld vandoor was gegaan, weg van iedereen, ook van hem.'
'Kom nou, Fitch.'
'Ik wil het geld niet.'
'Prachtig. Geef het aan de Amerikaanse Longvereniging.'
'Dat is niet mijn soort liefdadigheid. Waarom geef je het geld terug?'
'Het is niet van mij.'
'Dus je hebt de ethiek en moraal ontdekt, misschien zelfs God.'
'Bespaar me je preek, Fitch. Uit jouw mond klinkt het nogal hol. Ik ben nooit van plan geweest het geld te houden. Ik wilde het alleen even lenen.'
'Als je toch aan het liegen en bedriegen bent, waarom dan ook niet stelen?'
'Ik ben geen dief. Ik loog en bedroog omdat dat het enige is dat jouw cliënt begrijpt. Vertel me eens, Fitch, heb je Gabrielle gevonden?'
'Ja.'
'En heb je haar ouders gevonden?'
'We weten waar ze zijn.'
'Begrijp je het nu, Fitch?'
'Het maakt veel duidelijk, ja.'
'Het waren twee geweldige mensen. Ze waren intelligent en energiek en hielden van het leven. Ze raakten allebei verslaafd aan sigaretten toen ze nog studeerden en ik heb gezien hoe ze tegen die verslaving vochten tot ze dood waren. Ze hadden een hekel aan zichzelf omdat ze rookten, maar konden het nooit opgeven. Ze stierven een verschrikkelijke dood, Fitch. Ik heb ze zien lijden en verschrompelen en naar adem happen tot ze geen lucht meer konden krijgen. Ik was hun enig kind, Fitch, hebben je gangsters dat ook ontdekt?'
'Ja.'
'Mijn moeder stierf thuis, op de bank in de huiskamer, omdat ze niet meer naar de slaapkamer kon lopen. Alleen moeder en ik.' Ze zweeg even en keek om zich heen. Fitch zag dat haar ogen opvallend helder waren. Hoe triest het ook geweest moest zijn, hij kon geen medeleven opbrengen.
'Wanneer ben je aan dit plan begonnen?' vroeg hij. Hij nam nu eindelijk een lepel soep.
'Toen ik studeerde. Ik studeerde economie, dacht erover om ook rechten te gaan studeren en ging toen een tijdje met een advocaat om en hoorde verhalen over procedures tegen tabaksondernemingen.'
'Het was een rottig plan.'
'Dank je, Fitch. Uit jouw mond is dat een compliment.'
Ze trok haar handschoenen strakker alsof ze weg wilde gaan. 'Ik wilde je alleen even gedag zeggen, Fitch. En je laten weten waarom het is gebeurd.'
'Ben je klaar met ons?'

'Nee. We zullen het hoger beroep nauwlettend volgen, en als je advocaten te ver gaan met hun aanval op het vonnis, heb ik nog kopieën van de telegrafische overboekingen. Wees voorzichtig, Fitch. We zijn nogal trots op dat vonnis en blijven de zaak in de gaten houden.'
Ze stond op.
'En vergeet niet, Fitch, de volgende keer dat jullie gaan procederen, zijn wij er ook.'

Lees ook van A.W. Bruna Uitgevers B.V.

John Grisham

Het laatste jurylid

Het plaatsje Clanton in de staat Mississippi is een rustig en vriendelijk stadje. Begin jaren zeventig bestaat er nog altijd een duidelijke scheiding tussen blank en zwart, rijk en arm, maar tot echt grote conflicten is het nog niet gekomen.

Dan wordt Clanton opgeschrikt door een afschuwelijke misdaad. De jonge weduwe Rhoda Kassellaw wordt in haar huis verkracht en vermoord. Danny Padgitt, telg uit een beruchte criminele familie, wordt snel opgepakt en met spanning wordt uitgekeken naar zijn proces. Iedereen weet dat Danny's familie er niet voor zal terugdeinzen om de juryleden om te kopen of te bedreigen.
Vanaf de zijlijn wordt de zaak-Padgitt nauwlettend gevolgd door Willie Traynor, een jonge journalist die net eigenaar is geworden van de plaatselijke krant de *Ford County Times*. De jury komt tot een uitspraak, maar voor Willie en de inwoners van Clanton komt er daarmee geen einde aan de dramatische gebeurtenissen...

ISBN 90 229 8805 8

Lees ook van A.W. Bruna Uitgevers B.V.

John Grisham

Advocaat van de duivel

Zonder het te weten wordt Mitchell McDeere, briljant rechtenstudent van arme komaf, al geruime tijd in de gaten gehouden.
Zodra hij afstudeert, biedt het prestigieuze advocatenkantoor Bendini, Lambert & Locke hem niet alleen een zeer aantrekkelijke baan aan, maar overlaadt het de pas getrouwde Mitchell ook nog eens met extraatjes zoals een vorstelijk salaris, een prachtig huis met een zeer lage hypotheek en talrijke bonussen. Niets laat het kantoor onbeproefd om het Mitchell naar de zin te maken.
Er moet natuurlijk wel wat tegenover staan: absolute loyaliteit, een negentigurige werkweek en haast onhaalbare resultaten.
Na verloop van tijd begint de dodelijk vermoeide Mitchell zich ongemakkelijk te voelen in het strakke keurslijf van zijn werkgever. Wat gaat er schuil achter de respectabele façade van het kantoor en wat speelt zich af op de ontoegankelijke bovenste verdieping?

ISBN 90 229 8833 3

Lees ook van A.W. Bruna Uitgevers B.V.

John Grisham

Achter gesloten deuren

Aanvankelijk lijkt het toeval. Met niet meer dan twee uur tijdsverschil overlijden twee belangrijke rechters van het Amerikaanse Hooggerechtshof. Abe Rosenberg was al 91 jaar oud en ernstig ziek, maar de veel jongere Jensen was kerngezond. 'Moord', zo luidt de onweerlegbare conclusie van de FBI, maar men legt geen direct verband tussen beide zaken.
De beeldschone en briljante rechtenstudente Darby Shaw ziet echter wel een verband. Hoe gevaarlijk dicht zij bij de onthullende waarheid komt, wordt pas duidelijk wanneer zij zelf ternauwernood aan een moordaanslag ontkomt. Samen met de al even geïntrigeerde journalist Gray Grantham stelt Darby op haar eigen manier een onderzoek in. Ze stuiten op een overstelpende hoeveelheid feiten en... één naam.

ISBN 90 229 8834 1

Lees ook van A.W. Bruna Uitgevers B.V.

John Grisham

De cliënt

De elfjarige Mark Sway en zijn broertje Ricky trekken op zekere dag het veld in om stiekem sigaretjes te roken. Daar zijn zij getuige van de dramatische zelfmoord van Jerome Clifford, een louche advocaat uit New Orleans, die aan de vooravond stond van een van zijn grootste zaken.
Mark waarschuwt telefonisch de politie, maar die vertrouwt zijn verhaal niet. Als Mark onder druk wordt gezet, neemt hij zijn toevlucht tot Reggie Love, een vrouwelijke advocaat. Alleen aan haar vertelt hij wat hij die gedenkwaardige dag echt zag en hoorde, en waarom Ricky in shock is geraakt en nog steeds in coma ligt...
De afschuwelijke waarheid kan men slechts vermoeden wanneer Marks leven wordt bedreigd.

ISBN 90 229 8835 X

Lees ook van A.W. Bruna Uitgevers B.V.

John Grisham

De rainmaker

Rudy Baylor staat aan de vooravond van een carrière als advocaat. Maar helaas, het advocatenkantoor waar hij direct na zijn studie zou gaan werken, wordt overgenomen en alle employees komen op straat te staan. Rudy is zijn baan alweer kwijt.
Rudy ziet zich gedwongen tot een vernederende gang langs alle mogelijke advocatenkantoren, als hij maar aan de slag kan. Ten einde raad brengt hij ten slotte zijn dagen door in poliklinieken en op eerstehulpposten in de hoop een zaak voor zijn eigen miezerige kantoortje te pakken te krijgen.
En dan blijkt een van die zaakjes een heuse Zaak te zijn. Rudy ziet kans een gigantische levensverzekeringsmaatschappij voor het gerecht te dagen, met een schadeclaim van maar liefst 10 miljoen dollar. Rudy Baylor, het groentje, ziet zich in de rechtszaal echter geplaatst tegenover een leger geslepen topadvocaten...

ISBN 90 229 8836 8